KB196677

유치원 · 어린이 집 성공을 위한 가이드 북

명품 원장님의 영향력

감성적 원장님의 영향력을 위한 운영 안내서

김만승 지음

감성적 원장님들의 영향력을 위한
아름다운 동행 7년 주기
가정 통신문 커리큘럼

해피&북스

유치원 · 어린이 집 성공을 위한 가이드 북

명품 원장님의 영향력

감성적 원장님의 영향력을 위한 운영 안내서

초판1쇄 2019년 8월 15일

지은이 I 김만승
펴낸이 I 채주희
편집 및 교정 I 권보미
펴낸곳 I 해피 & 북스

등록번호 I 제 13-1562호(1985.10.29.)
전화 I (02)-323-4060, (02)-6401-7004
팩스 I (02) 323-6416
메일 I elman1985@hanmail.net
홈페이지 I www.elman.kr
등록주소 I 서울특별시 마포구 신수동 448-6
ISBN 978-89-5515-658-4 1 3 8 1 0

값 28,000 원

유치원 · 어린이 집 성공을 위한 가이드 북

명품 원장님의 영향력

감성적 원장님의 영향력을 위한 운영 안내서

김만승 지음

감성적 원장님들의 영향력을 위한

아름다운 동행 7년 주기

가정 통신문 커리큘럼

해피&북스

Contents

사랑하고 존경하는 원장님들께!
21C를 행복으로 춤추며 달려가시는 원장님들께! ...

한국의 모든 원장님들이 언제나 행복함을 꿈꾸시기를 소망합니다.
사실 우리들은 공부하고, 일을 하고, 사랑하는 모든 일들의 이유에는 행복해지기 위해서 일 것입니다. 우리는 가끔 이러한 이유를 잃어버리고 바쁘게 살아가기도 하지만 궁극적으로는 행복해 지기 위한 노력들을 매일 매일 하고 있는 것이 아닐까요? 우리 원장님들 모두는 "행복을 함께 꿈꾸며 힘차게 날개를 펼치시기"를 부탁 드려 봅니다.

원장님들이 아시다시피 우리들 모두는 언제나 금요일이 되면 "내일이면 이번 주도 마감이구나!" 하며 한 주간의 정리를 서두르며 살았습니다. 우리 원장님들의 시간 개념에 있어서 "단락단락 끊어짐이 있다는 것"은 "삶의 계획을 세우기에 좋다"는 말도 됩니다. 또한 하루, 한주를 마감하고 감사와 반성과 평가를 하며 새로운 기대속에서 새로운 하루, 한주를 맞이하는 것, 그것은 결국 "인생이란 이런 마디마디의 삶이 이어진 형태"이며 하루, 한 주, 1년, 일생이 그런 계획과 반성과 감사의 반복임을 알고 세월을 지내 왔습니다. 그럼에도 불구하고 우리는 또다시 새로운 해에도 수 없는 반성과 자기 발전에 대한 노력을 해야 합니다.

원장님! "자의식은 거울을 보며 자란다"는 말이 있습니다. 매일 거울을 보며 자기가 늙어 가고 있음을 알 수 있듯이 내 영향력과 리더쉽은 얼마만큼 성장하고 또 내 전문성은 얼마만큼 전진하고 있는가? 매일매일 얼굴 단장하듯이 자기 마음을 돌이켜 보면서 재무장할 줄 아는 원장님들이 되어야 하겠습니다.

우리 원장님들께서는 모든 일의 중심에 "아이들을 향한 꿈이 영글어 가고, 아이들을 향한 열정이, 아이들이 즐거운 상상을 하며, 행복한 미래를 그릴 수 있는 아이들의 세상" 그런 세상을 만드는 일에 당연히 "원장인 내가 앞장 서야 한다"는 마음의 자세로 "올 곧은 사명감으로 전문가의 길을 걸어가야" 하겠습니다.

아이들을 향한 열정이 듬뿍 묻어나는 우리 원장님들은 "유아교육의 전문가"로서의 그리고 "리더자들로서의 역할"에는 "진실만이 영원하고 실력만이 확실하며, 성의만이 감동적이라는 것" 을 염두에 두시고, "진실된 교육자로서 최선을 다하시고, 교육에 전념하셔서 모두 다 성공의 대열"에 다 서 있으시기를 염원합니다.

"만날 때마다 눈물 나도록 웃는 일들이 많은 만남들이 되시기를 소망합니다."

저자는 교육의 경륜자이자 유아교육의 전문가(유치원 자격 원장, 놀이학교, 어린이집)로 지금까지 교육의 길(유치원, 놀이학교, 어린이집)을 길어 온지 30여년 정도 되었고, 인천, 김포, 천안, 대전을 두루 거쳐 현재는 충남 아산 하버드어린이집을 운영하고 있습니다.

또한 지금까지 학부모님들을 잘 섬기며, 관리자로, 일관성을 가지고, 변함없이, 진솔한 맘으로, 최고의 명품 교육기관으로 만들며 운영을 하고 달려가고 있습니다. 무엇보다도 어머님들께 인정받고 삶에 감동을 줄 수 있도록 힘쓰면서 하버드어린이집을 운영한지 벌써 6년 차에 들어섰습니다. 지금까지 기쁨과 감동적인 눈물, 행복한 기쁨의 시간으로 원을 운영했다고 생각하니 가슴 울컥하는 마음으로 남몰래 감성의 눈물도 수시로 삼켜 보곤 했습니다. 또한 한없는 자부심과 긍지를 안고 교육적 경영과 운영을 하고 있습니다.

사랑하는 원장님!

차 한잔 음미하시면서 가끔씩 살아온 날들의 이야기를 나눌 기회가 있는지요? 오랜 기간 원을 운영을 했다는 것이 중요한 것은 아니지만 그래도 기나긴 시간 동안 가정통신 인사글들을 여기저기에서 발췌하고 퍼담아 모아봤더니 작으나마 책이 한권 만들어 졌습니다. 우리네 인생에 삶을 조금만 들여다보면 수많은 이야기가 담겨있는 것 같습니다. 생각이나 주장을 넘어 스스로 부딪히고 경험한 것들은 살아있는 이야기가 되어 힘이 되기도 하구요. 쏜살같이 세월이 흘러 이제 철이 들은 나이가 되었고 인생 1막, 2막을 거쳐 인생 3막을 생각하게 되니 '나의 삶의 이야기'가 무엇일까? 생각할 기회가 많아집니다. 과거에 연연해하는 것이 아니라 과거의 경험과 느낌을 잘 거르고 걸러 "내 삶의 진심 창고"에 넣어 두었다가 요긴하게 써야 하니까요. 이제 마음의 창을 활짝 열고 가르치려 하지 말고 잘 들으며 '새로운 나의 이야기'를 만들어가야겠다는 다짐을 해봤습니다. 오랜 시간 동안 침묵에 잠겨 생각하고 고뇌해 봤더니 작으나마 "감성적인 원장님들의 영향력"과 "키움을 통해 Mom'S 리더십을 위한 아름다운 동행 7년 주기 가정통신문 커리큘럼"을 내 놓게 되었습니다. 변화의 바람 속에서 변화에 대응하고 새로운 기회를 맞이하기 위한 우리 원장들의 준비와 사랑하는 우리 아이들을 위한 교육의 방향을 제안 해 보고 질문도 여쭤봅니다. 우리는 21C를 시작하면서 외쳤습니다. 21C는 준비된 자 만이 행복할 수 있다고 말입니다.

이제 우리는 최고가 아니면 성공할 수 없는 시대를 맞이했습니다.

21세기 인공지능시대와 4차 산업 시대에는 창의력 교육과 감성적 교육의 컨텐츠로 영향력을 발휘하며 달려

가야 함으로 변화의 바람 속에서 변화에 대응하고 새로운 기회를 맞이하기 위한 우리 원장님들의 준비와 사랑하는 우리 아이들을 위한 교육의 방향을 제안 해 보고 질문을 던져 봅니다. 그 토대 위에 우리의 귀염둥이들의 두뇌들은 날아 다녀야 될 성 싶습니다.

앞으로 우리원장님들은 긍정적인 무지갯빛 미래를 바라보면서 진정한 교육자로, 아이들을 위한 확고한 사명감으로 교육에 임하며 묵묵히 전진해야 될 성 싶습니다. 아이들의 웃음을 보고 있노라면 우리들 역시 같이 웃고 있음을 느낍니다. 전국의 모든 원장님들 하루하루가 아이들의 웃음 속에 행복함과 사랑이 함께하시는 날들이 되어지기를 바랍니다.
아무쪼록 유아교육의 미래는 원장님들의 교육기관이 될 것을 확신하며 남은 시간도 감동으로 물결치기를 기대해 봅니다.

* 나 혼자만이 꾸는 꿈은 상상의 꿈에 불과하지만 여러 사람과 같이 꾸는 꿈은 성취하는 현실의 꿈이 될 것입니다.*

사랑하는 멘토님들께!

끝으로 저를 사랑해 주시고 이끌어 주신 멘토님들께 감사를 드리고 출간의 기쁨을 나누고 싶습니다. 인천 유석화 유치원원장, 부천대학교 유아교육 전임 교수 오유미 박사, 인천 36기 유치원원장, 성공자치연구소 정문섭 소장, 천안 해여림유치원 이경숙 원장, 천안 늘푸른유치원 김연희 교수, 순천향대 최경운 교수, 이한종 교수, 충남아산지회 및 민간연합회, 한국의 모델적 운영 교육기관의 강용옥 원장 ,황은희 원장, 삼성/키즈엠 강병규 지사장, 동심 노경완 지사장, 엘맨출판사 이규종회장, The하버드 장경남 원장, 엘리트 성정화 원장, 하버드 김준옥 원장, 김 현 원장, 김현진 실장, 편집 및 교정에 힘써 준 권보미 선생, 기타 모든 원장님들과 모든 교사들에게 깊은 감사 인사를 드립니다.

행복해 하는 선생님들과 신나게만 느껴지는 원장님들을 꿈꾸며!

21C 산으로 둘러 쌓인 아산에서...

하.버.드 원장 김만승

원장님의 감성적 영향력 I

3월 / 5주 안내글

소통과 대화의 기술

| 3월 / 1주 | 안내글 |

하버드 친구들은 모두 다 "글로벌 리더" 입니다.

안녕하십니까?

소중한 귀염둥이들의 새로운 생활의 첫발을 내딛었습니다.

설레는 마음과 기쁨으로 시작한 새로운 생활과 환경에서 한마음 된 공동체 생활에 저마다 최선을 다해 열심히 적응해 나갈 것입니다.

여러 학부모님의 관심과 애정 어린 격려 덕분에 우수한 선생님과 다양해진 수업으로 앞서가는 하버드로 자리매김하고 있음에 감사드립니다.

0000년 저희 하버드교직원들은 아이들이 더욱 더 행복하게 생활할 수 있도록 최선을 다 하겠습니다. 가정에서도 인내를 가지고 새롭게 변화해 갈 아이들을 위해 다독거림과 애정으로 보살펴 주시기 바랍니다.

• • • • • • • •

| 3월 / 2주 | 안내글 |

하버드귀염둥이들의 교육 관문은 동심입니다.

자녀교육은 참으로 힘든 일입니다. 그러다 보니 아이 때문에 괴로워 울기도 하고, 속이 상하고, 한숨을 쉬는 일들도 생기기 마련입니다. 그래서 올 한해에는 하버드교육을 시작하기 전에 하버드학부모님들이 염두에 두어야 할 일이 하나 있습니다.

그것은 부모님들의 마음속에 동심이 없다면 눈 앞의 자녀를 이해할 수가 없다는 것입니다. 어른이라는 껍질에 싸여 아이들의 입장에서 아이들의 세계를 볼 수 없기 때문입니다. 아이를 이해할 수 없다는 것은 아이를 교육할 수 없다는 말과도 같습니다. 따라서 아이들의 감정을 이해하기 위해서는 우리 마음 속에 있는 동심과 접촉하는 길밖에 없는 것입니다. 동심의 눈으로 바라볼 수 있으면 자녀 교육은 훨씬 쉬워집니다. 부모인 우리 자신이 유년 시절을 되돌아보며 감각적으로 다시 파악하는 것, 이것이야말로 올 한해 자녀교육의 관문을 여는 첫 열쇠가 될 것입니다. 자랑스러운 하버드학부모님들도 인내를 가지고 새롭게 변화해 갈 아이들을 위해 다독거림과 애정으로 보살펴 주시기 바랍니다.

| 3월 / 3주 | 안내글 |

안녕하십니까?

동심으로 다가서는 새해의 하버드학부모님!

설레이는 마음과 기쁨으로 시작한 새로운 생활과 새로워진 환경에서 한마음 된 공동체 생활에 저마다 최선을 다해 적응하고 있는 아이들이 대견합니다.

올 한해도 저희 하버드교사들은 귀염둥이들이 더욱 더 행복하게 생활할 수 있도록 최선을 다하며 힘차게 출발했습니다.

• • • • • • •

| 3월 / 4주 | 안내글 |

시간의 소중함

1년의 소중함을 알고 싶으면 1년 동안 시험 준비해 낙방한 사람에게 물어보고

1달의 소중함은 1달 부족한 미숙아를 낳은 산모에게 물어보고

1주일의 소중함은 주간지 편집장에게 물어보고

1일의 소중함은 하루 벌어서 하루 먹고 사는 가장에게 물어보고

1시간의 소중함은 애인을 위해서 1시간을 기다려야 하는 사람에게 물어보고

1분의 소중함은 1분차로 비행기를 놓친 사람에게 물어보고

1초의 소중함은 1초 차이로 대형 참사를 모면한 사람에게 물어보고

1/10초의 소중함은 올림픽에서 은메달 딴 사람에게 물어봐라

– 웨인 다이어의 시간의 소중함중에서 –

| 3월 / 5주 | 안내글 |

하버드 친구들은 모두 다 "글로벌 리더" 입니다.

♥ 거룩한 "공인"의 길을 걷고자 하는 분들에게 ♥

우표나 봉투에 접착제 부분을 붙이기 위해 혀를 빌려주는 사람이 있습니다.
그 사람의 직업은 우표 빨기입니다.
새 구두를 신어 대신 길들여 주는 사람도 있습니다.
침대에 펴는 요가 얼마나 부드러운지 알아보기 위해 밟아야 하는 사람,
하루 여덟 시간 동안 맨발로 요 위를 밟아야 하는 사람,
그런가 하면 수염 닦기라는 직업도 있는데 지하철이나 거의 광고 중 미녀의
얼굴에 장난으로 그린 수염만 깨끗이 닦아야 한다는 것입니다.
당신의 직업은 위의 것들 보다 더 고귀한 것인가요?
삼가 경의를 표합니다.

"나는 유아교육자의 길을 걷게 된 것을 참으로 영광스럽게 생각합니다."

• • • • • • •

4월 / 5주 안내글

표현력이라는 강력한 창은 어떤 방패도 뚫는다

| 4월 / 1주 | 안내글 |

하버드 친구들은 모두 다 "글로벌 리더" 입니다.

아빠가 몸으로 놀아준 아이가 IQ가 더 좋습니다

"아빠 저희와 힘을 쓰면서 놀아 주세요"

유아는 아빠가 '신체 접촉'을 하면서 놀아줘야 두뇌와 성격이 균형 있게 발달합니다.

"아빠가 활발하게 놀아준 아이는 사회성이 좋고 더 적극적이며 공격성을 자제할 줄 아는 어린이로 자랍니다"

"3세 이상이 되면 엄마보다 아빠와 노는 것을 더 좋아하는 경향도 있습니다"

"성장이 왕성한 유아기 때 아빠가 잘 놀아준 아이는 근육과 모세혈관, 골격이 잘 형성되고 심장, 폐, 소화기관 등이 잘 발달합니다"

아이들은 "3세 이상의 아이들이 하루 종일 접촉하는 엄마 또는 보모에게서 느끼는 불만을 아빠와 놀면서 보상받으려는 경향이 있습니다".

"자녀는 아빠와 과격하게 놀면서 심리적으로 잠재된 공격성을 일정한 규칙 안에서 자제하고 최소화하는 방법을 자연스럽게 익힙니다".

"아빠가 규칙적으로 시간을 내서 놀아줘야 자녀 성장에 긍정적인 효과를 볼 수 있습니다" "파더링(아빠 역할)은 아이가 엄마와의 관계가 돈독한 것이 전제돼야 한다" 라고 합니다. 아빠가 잘 놀아준 아이들이 그렇지 않은 아이보다 IQ가 더 높습니다.

• • • • • • •

| 4월 / 2주 | 안내글 |

친구들이랑 봄빛을 따라...

친구들이랑 어깨동무하고

봄빛을 찾아 나비 날아다니는 동산으로

새들 노래하는 곳으로 봄길 소풍 여행을 다녀오겠습니다.

우리 아이들의 고운 눈으로

봄볕에 앉아있는 나뭇가지의 새순 하나 보면서

꽃이 피는 걸 보면서, 꽃이 자라나는 걸 보면서

아이들이 꽃빛을 담아내는 모습에 너무나 사랑스럽습니다.

눈인사를 나누는 아이들의 고운 눈빛이

금방이라도 꽃으로 활짝 피어나게 할 것 같습니다.

봄꽃은 아이들 사랑의 눈길 속에서 너무나 향기로운 꽃으로 피어나

모두가 꽃이 피는 즐거움을 아이들이 잊지 않을 것입니다.

아름다운 소풍 얘기와 숲의 이야기를

듣고 배우고 오겠습니다.

• • • • • • •

| **4월 / 3주** | 안내글 |

하버드학부모님 안녕하십니까?

아이들에게 피어나는 봄꽃들의 이름을 하나씩 알려주고 싶은 4월이 되었습니다.

예년에 비해 꽃망울이 늦게 터져 봄이 조금 멀게 느껴졌지만 봄은 천연색 자연의 아름다움을 알게 하고 평화로운 마음을 갖게 하는 천상의 계절인 듯합니다.

하버드학부모님들과 우리 아이들 모두 천연의 봄을 느끼는 행복한 4월을 보내시기를 바랍니다.

• • • • • • •

| **4월 / 4주** | 안내글 |

하버드의 귀염둥이들이 한국의, 세계의 행복한 주인공이 될 것을 확신합니다.

연둣빛으로 수줍게 내민 많은 새싹들이 어느새, 제법 의젓한 모습으로 자라나 거리마다 초록으로 가득합니다.

새싹과 나무들이 저마다의 모습으로 자라고 커가는 모습은 우리 하버드귀염둥이들이 성장하는 모습과 비슷한 점이 많습니다.

큰 나무는 큰 나무대로 하늘과 가까워서 푸르고 작은 나무는 작은 나무대로 땅과 가까워 늘 푸르듯….

• • • • • • •

| 4월 / 5주 | 안내글 |

♥ 하루의 다짐

안녕하세요. 진심으로 반갑습니다. 신나는 하루 되십시오.

오늘 우리는 참 유아교육자라는 긍지와 사명감을 가지고 열정적인 사랑으로 어린이를 가꾸어 나기겠습니다. 어린이를 아래 사항을 준수하며 꿈나무로 가꾸어 나가겠습니다.

하나. 안전에 철저하게 관심을 갖겠습니다.
하나. 어린이 개인에게 하루에 세 번! 실천하겠습니다.

*웃어주고 *안아주고 *사랑해 주자

3.3.3운동을 실천하겠습니다.

하나. 부모님께 관심과 사랑을 자세히 전달하고 가족관계 유지에 최선을 다하겟습니다.
하나. 선, 후배 동료교사에게 '제가 하겠습니다.' '도와드릴게 없으십니까?'라는 표현을 3회 이상 하겠습니다.
하나. 원장님께 진심으로 존경심, 협심, 열심, 희생심, 봉사심을 발휘하겠습니다.
하나. 비전을 가지고 최선을 다해 최고가 되도록 노력하겠습니다.
하나. 1년 과정을 마치는 것은 기본으로 하며, 원 운영에 차질이 없어 유종의 미를 거두겠습니다.
하나. 웃으면서 하루를 시작하고 웃으면서 마감하겠습니다.

• • • • • • • •

5월 / 5주 안내글

길게 보고 체계적으로 승부하자

| 5월 / 1주 | 안내글 |

하버드 친구들은 모두 다 "글로벌 리더" 입니다.

5월에는 아이들과 온 가족이 사랑의 노래를 부르세요.
아이의 고운 얼굴에 비치는 5월의 하늘은 참으로 아름다울 것입니다.
하버드귀염둥이들의 고운 눈빛을 보면 5월의 새 생명을 초록빛으로 품어 내는 듯 합니다.
우리의 고운 아이들은 생활의 향기 품어내며 삶의 소중함이 되어 아빠, 엄마의 자랑이 될 것입니다.

그대 곁의 사람과 같이 보았던 그 옛날 사랑의 빛깔 그대 아이의 얼굴에 비치고
그대 곁의 사람과 같이 보았던 그 옛날 사랑의 속삭임 그대 아이의 가슴에 행복별을
띄우고 있습니다

• • • • • • •

| 5월 / 2주 | 안내글 |

엄마가 너희들 어떻게 키웠을까?
엄마, 아빠의 사랑이 닿아 꽃처럼 향기를 가지게 된 너희들 엄마, 아빠가 어떻게 키웠을까?
배고프다고 울며 떼쓰고, 잠 온다고 울며 떼쓰고, 똥 쌌다고 울며 떼쓰고,
장난감 사달라고 울며 떼쓰고, 놀아달라고 울며 떼쓰던 너희들
참, 많이도 엄마, 아빠를 속상하게 하였지만
엄마, 아빠는 언제나 사랑으로 안아주고 닦아주어
너희들, 꽃처럼 향기를 가지게 하였단다.
이제는 떼쓰는 것 그만하고 엄마, 아빠에게 기쁨을 주는 아이가 되어야 한단다.
하버드의 귀염둥이들이 엄마, 아빠께 선물합니다. –
" 엄마, 아빠 사랑해요" "내 마음에 피어난 꽃 바로 엄마예요"
"하늘에는 별이 있어 아름답고 나의 마음속에는 엄마, 아빠가 있어 아름다워요"
"새들은 푸른 하늘을 날아다녀서 행복하고 나는 엄마의 마음 속을 날아다녀서 행복해요"
"엄마, 아빠 아주 많이 많이 사랑합니다"

| 5월 / 3주 | 안내글 |

안녕 하십니까?

파란 하늘 사이로 보이는 흰 구름이 참 좋은 5월 중순을 넘기고 있습니다.

상큼하고 신선함으로 가득한 가정의 달을 통해서 가족들을 생각해 보면 매일 매일 먹는 밥이 유난히 맛있는 날이 있습니다.

특별히 요리를 준비한 것도 아닌데 값비싼 외식을 하는 것도 아닌데 이런 날은 밥이 정말 꿀맛입니다.

모처럼 온 가족이 함께 둘러앉아 식사하는 날이 그러 합니다.

김이 모락모락 피어오르는 따뜻한 밥에 김치 한 조각만 얹어도 어느새 한 그릇 뚝딱입니다.

가족이란, 식구란 그런 것 같습니다.

한솥 밥을 먹는 것만으로도 행복하고 힘이 되는 사람, 그렇게 귀하고 살뜰한 존재가 가족입니다.

가족을 정의해 본다면 "우리의 삶을 살 만한 것으로 만드는 건 서로에게서, 그리고 서로를 위해서 힘과 위안과 용기를 발현하는 능력"이라고 할 수 있을 것입니다. 우리 곁에는 늘 등뼈처럼 우리의 삶을 받쳐주는 사람들이 있습니다. 부모님, 형제자매, 자녀들, 친구들, 이웃들, 그리고 원의 선생님들. 마치 자전거의 바퀴살처럼 서로서로 받쳐주는 고마운 사람들입니다.

늘 함께 있었지만 소홀했던 가족들에게 어린이날로, 어버이날로, 스승의 날로, 또는 부부의 날로 감사하는 마음들을 가져봤습니다.

우리는 가족의 일환으로 모든 이들에게 감사의 마음을 전하며, 우리 모든 이들에게 말없이 어깨를 내어 주고 품을 대주는 고마운 분들로 자리매김을 하며, 우리 교사들 모두의 삶은 항상 행복으로 오늘도, 내일도 현재진행형입니다.

앞으로도 변함없이 힘껏 사랑할 수 있을 때까지 더욱 사랑으로 최선을 다해 교육하며 돌보겠습니다.

• • • • • • • •

| 5월 / 4주 | 안내글 |

붕어빵 결혼식

봄을 맞아 주말마다 결혼식이 겹칠 정도로 많습니다.

친밀도와 예식장 거리에 따라 어느 한쪽은 우편환으로 축의금을 전달하기도 합니다.

천편일률적인 '붕어빵 결혼식'은 세월이 흘러도 크게 변하지 않습니다.

지루한 신랑 신부의 사진들, 슬라이드 쇼, 뻔한 주례사와 어색한 축가, 사랑하니까 결혼한 신랑 신부에게 "사랑한다! 사랑한다! 사랑한다!"라고 세 번 외치게 하고, 독립운동가도 아닌데 만세삼창 외치는 것도 흔히 보게 됩니다.

한국 고유의 전통문화가 담긴 폐백은 번거로움과 친인척의 절값 부담을 덜어준다는 핑계로 생략하는 추세이기도 합니다.

가끔은 차별화된 결혼식이 이채를 띄기도 합니다. 신랑이 노래를 부르며 입장하는가 하면, 주례사 대신 양가 혼주들이 하객들에게 감사인사를 합니다.

동네 공원을 빌려 전통혼례식을 치르며 사물놀이와 탈춤으로 흥을 돋우는 경우도 있습니다. "붕어빵 결혼문화"는 언제쯤 바뀌게 될까요?

은퇴시기에 접어든 '베이비붐 세대'에도 크게 기대할 수 없습니다.

한 자녀로 태어나 형제가 드문 '디지털 세대'가 혼주가 되는 시대가 되면 친인척 중심의 조촐한 결혼식이나, 결혼식 트렌드가 축제분위기로 바뀌지 않을까요? 앞으로도 변함없이 힘껏 사랑할 수 있을 때까지 더욱 사랑으로 최선을 다해 교육하며 돌보겠습니다.

• • • • • • •

5/월/어/린/이/날/맞/이/아/빠/의/행/복/별/편/지/하/나

오월의 하늘이 푸른 가슴을 열고 내일의 주인이 될 아이들을 향해 부르고 있습니다.
그 옛날 어린이날을 기다리는 동심처럼 이제는 아이들을 위해 유익한 어린이날을 준비하면서 아빠가 만들어 주어 어린이날을 더욱 소중하게 느낄 수 있도록 뜻있는 아빠의 편지를 기다리게 했습니다.
푸르른 감성으로 행복과 기쁨이 있는 글을 써서 보내 주시기 바랍니다.

♡ 5/월/나/의/아/이/에/게/보/내/는/행/복/별/편/지 ♡

이 행복별 편지는 아빠의 가슴속 이야기를 아이의 마음속에 고이고이 간직하고
이뤄갈 위성통신으로 자리매김할 것입니다

6월 / 4주 안내글

원장 – 내 생각은 날고 있을까?

| 6월 / 1주 | 안내글 |

하버드 친구들은 모두 다 "글로벌 리더" 입니다.

자녀에게 존경받는 부모님에게는 자녀가 부모님을 인정할 만한 체험의 깊이가 있으며 "그런 일도 있었어요?" 라며 감탄할 만한 인생의 무게가 있습니다.

부모가 얻은 인생의 경험과 귀중한 지혜를 아이들에게 물려주지 않는다면 실로 애석한 일일 것입니다.

부모님들이 도달한 지점보다 더 멀리 더 높은 곳까지 도달해 주기를 바라는 마음은 다들 한결 같을 것입니다.

인생을 충실하게 살아온 선배들의 노년이라 불리는 연령에 달하면 새삼 잃어버릴 것도 되찾을 것도 없이 오로지 주는 기쁨밖에 남지 않는다고 합니다.

그 기쁨을 누군가 받아 줄 사람이 필요합니다.

그런 사람을 모델로 삼아 우리 모두가 받은 산 체험과 지혜와 기쁨이 온몸으로 습득했기에 나의 자녀에게 잘 물려준다면 나의 자녀들은 6월 한 달 동안에도 더없이 큰 보상이 될 것입니다.

• • • • • • •

| 6월 / 2주 | 안내글 |

어린이 예찬

마른 잔디에 새 풀이 나고, 나뭇가지에 새 움 돋는다고 제일 먼저 기뻐 날 뛰는 이가 어린이입니다.

봄이 왔다고 종달새와 함께 노래하는 이도 어린이이고, 꽃이 피었다고 나비와 함께 춤을 추는 이도 어린이입니다.

산을 좋아하고, 바다를 사랑하고, 큰 자연의 모든 것을 골고루 좋아하고, 진정으로 친애하는 이가 어린이요, 태양과 함께 춤추며 사는 이가 어린이입니다.

그들에게는 모든 것이 기쁨이요, 모든 것이 사랑이요, 모든 것이 친한 동무입니다. 자비와 평등과 박애와 환희와 행복과 이 세상 모든 아름다운 것 만 한없이 많이 가지고 사는 이가 어린이입니다.

어린이의 살림, 그것 그대로가 하늘의 뜻인 것 같습니다.

마음을 활짝 열어 세상의 모든 것들과 친구가 되는 우리 어린이들, 해맑은 마음으로 키워낸 꿈들로 어린이들이 만들어 갈 세상에는 희망으로 가득 차 있습니다.

| 6월 / 3주 | 안내글 |

유아의 흥미는 학습동기를 유발하는 힘의 원천이 되며, 이러한 흥미는 구체적인 실현을 위한 수단 자체를 부여하고, 유아들로 하여금 수동적인 것이 아닌 능동적이고 적극적인 참여를 하게 하는 원동력이 됩니다.
유아가 미적 대상의 형태와 색, 질감 등 미적요소를 감상하는 과정 즉 느끼고, 탐색하고, 발견하며, 제작하는 활동을 경험했을 때 유아의 미술 표현 능력이 긍정적으로 향상됩니다.
또한 유아들의 감상 능력 속에는 유아의 생각이나 느낌을 다양하게 자극해야 하는데, 유아를 둘러싸고 있는 주변 환경이나 일상생활 속에서의 느낌, 경험, 생각을 떠오르게 하는 체험 활동을 경험함으로써 더 많은 감동을 얻을 것이며 아이들의 호기심을 자극하는 체험들을 하며 자신감과 커다란 성취감을 느껴 볼 것입니다.

| 6월 / 4주 | 안내글 |

성공의 기준

인생에서 성공의 기준은 돈이나 물건이 아닌 것 같습니다.
절대적으로 성공의 기준은 하버드학부모님들만이 느끼는 기쁨의 양인 것 같습니다.
성공은 행복한 삶에 대한 것입니다.
그리고 행복한 삶은 단지 행복한 순간의 연속입니다.
하지만 대부분의 사람들은 행복한 순간을 허용하지 않습니다.
왜냐하면, 그들은 행복한 삶을 얻고자 애쓰느라 너무나 바쁘기 때문입니다.

7월 / 4주 안내글

부모 성장 클래스는 부모 교육으로 대체된다

| 7월 / 1주 | 안내글 |

하버드 친구들은 모두 다 "글로벌 리더" 입니다.

하버드학부모님들은 자녀의 매니저가 아닌 "리더"입니다.

엄마와 아빠의 양육 태도가 다른 것은 뇌 구조의 차이 때문입니다.
때문에 완전한 아이로 훌륭하게 키우길 원하신다면, 남자와 여자의 감성을 골고루 느끼며 아이의 뇌가 100% 발달할 수 있도록 도와주어야 합니다.
엄마의 뇌는 '공감의 뇌'이기 때문에 아이의 감정을 잘 헤아릴 수 있으며, 아빠의 뇌는 '체계화의 뇌'이기 때문에 상황을 감성적으로 판단하는 엄마에 비해 논리적이고 분석적입니다. 아빠는 엄마가 미처 보지 못한 부분을 정확하게 지적하며, 사건이나 사물의 본질을 이해하고 예측합니다.
그래서 엄마는 주로 언어가 발달해 있습니다. 엄마는 말을 할 때 좌뇌와 우뇌를 같이 쓰기 때문입니다.
우리 아이들을 감성적으로 잘 키우시려면 언어 교육은 엄마가, 공간 감각 등 원리에 입각한 과학 교육은 아빠가 시키면 효과가 대단할 것입니다.
희망을 나누는 부자 엄마, 아빠는 하버드학부모입니다.

• • • • • • •

| 7월 / 2주 | 안내글 |

내가 만일 다시 아이를 키운다면....

내가 만일 다시 아이를 키운다면 먼저 아이의 자존심을 세워주고 집은 나중에 세우리라.
아이와 함께 손가락 그림을 더 많이 그리고 손가락으로 명령하는 일을 덜 하리라.
아이를 바로 잡으려고 덜 노력하고 아이와 하나 되려고 더 많이 노력하리라.
시계에서 눈을 떼고 아이를 더 많이 바라보리라.
내가 만일 아이를 키운다면 더 많이 아는 데 관심 갖지 않고 더 많이 관심 갖는 법을 배우리라.
자전거도 더 많이 타고 놀이도 더 많이 놀아 주리라.
더 많이 껴안고 더 적게 다투리라. 덜 단호하고 더 많이 긍정하리라.
힘을 사랑하는 사람으로 보이지 않고 사랑의 힘을 가진 사람으로 보이리라.

세계의 공통 언어는 소통의 능력입니다.
아이들을 당당하게 키워 줄 분도 하버드학부모님들입니다.

• • • • • • •

| 7월 / 3주 | 안내글 |

Conversation ...

세상에서 성공한 사람들의 반열에 오른 삶들은 항상 자신과 대화를 한다고 합니다.

그들은 끊임없이 자신에게 말을 걸고 그 안에서 들려오는 신념의 소리에 귀를 기울임으로써 자신을 믿고 의지합니다.

그들은 다른 사람과의 소통에도 아무런 장애를 느끼지 못하며 보통 사람들이 상상하는 것보다 훨씬 더 많은 사람들과 대화를 합니다.

또 그들에게 자신들이 성취한 열매를 나누어 주는데 인색하지 않는다고 합니다.

이런 점에서 볼 때 성공과 실패는 당사자가 얼마나 긍정적인 사고방식을 가지고 명쾌하게 다른 사람과 소통하느냐에 따라 결정됩니다.

대화를 공부하는 일은 믿을만한 인간관계를 형성하고, 그로부터 삶의 목표를 달성함으로써 행복해지기 위한 필수요건입니다.

세상사가 복잡다단하듯이 세련된 대화의 경지에 들어가기 위해서는 정제된 준비과정이 필요하고 우리들은 어떤 환경에서든지 효과적인 대화를 해야 만 적응할 수 있고 기쁨을 누릴 수 있을 것입니다. 세계 공통 언어는 소통 능력입니다.

(하버드의 모든 학부모님들은 모두에게 당당하게 다가 갑시다/ 눈을 맞추고 대화를 합시다/ 칭찬, 격려, 배려를 아끼지 맙시다/ Story telling 기술을 연마 합시다. 하버드 학부모님들 화이팅 !)

• • • • • • •

| 7월 / 4주 | 안내글 |

마지막 스페셜 데이로 원내 1박 2일 캠프를 맞이하여 감성과 열린 교육을 추구함과 동시에 정의적인 면을 중시하겠습니다.

어린이들의 자아 개념, 기호, 성격, 정신 건강 등을 중시하고 새로운 경험을 체험하도록 하겠습니다. 1박 2일 원내 캠프를 통해 부모가 자녀를 신뢰하고, 믿어주고, 밀어주고, 결코 어린이로 보지 않고, 어떠한 상황이 주어졌을 때 스스로 헤쳐 나갈 수 있도록 지켜보는 것입니다.

'우리 애는 아직 어린데...' 하며 노심초사하는 부모의 밑에서 자란 어린이들은 긍정적인 생각을 갖지 못할 뿐만 아니라, 사회성 및 자율성의 발달이 부족한 경향이 있음을 생각하시길 바랍니다. 여름 하룻밤 자기는 자연을 이해하고 자기 또래의 아이들과 함께 가정과 엄마 품에서 떨어져 그 동안 공부하는 곳에서 공동체 생활을 함으로써 심신 개발과 자아 형성을 하고 자립심을 기르도록 하는데 목적이 있습니다.

여러 가지 활동을 통하여 공동생활에 대한 규율과 규칙을 지키는 다양한 경험을 학습하도록 하겠습니다.

•••••••

8월 / 4주 안내글

부모와 한뼘 한뼘 자라는 컨텐츠

| **8월 / 1주** | 안내글 |

하버드 친구들은 모두 다 "글로벌 리더" 입니다.

하버드의 학부모님들 – 하버드의 아이들을 행복하게 만들어 주세요

안녕하십니까?
지루한 여름 장마와 한 여름의 뜨거운 햇살로 조금은 힘들지만 푸르른 여름!
아이들의 신나는 여름 방학이 시작됩니다.
규칙적인 하버드 원 생활에서 이제는 자유로움을 누릴 수 있는 시간이지만, 방학 효도 쿠폰을 잘 활용해 주셔서 자녀들이 지속적으로 부모님을 도울 수 있는 기회로 활용 해 주시기 바랍니다. 그리고 부모님들께서는 그동안 아이들이 할 수 없었던 활동들을 폭 넓게 체험할 수 있도록 산과 바다로 나가 자연을 관찰하고 자연과 친해지고 자연의 여러 모습들을 탐색할 수 있는 기회를 만들어 사고의 폭을 넓혀 줄 수 있고 더욱 성숙해지는 값진 시간이었으면 좋겠습니다.
더불어 여름철 유아의 안전사고에 철저히 대비하셔서 최우선으로 신경을 써 주시기 바랍니다.
저희 교사들도 휴식과 재충전의 시간을 갖고 2학기에는 더욱 더 즐겁고 신나는 하버드 원 생활이 되도록 힘차게 준비하겠습니다.

• • • • • • •

| 8월 / 2주 | 안내글 |

안녕하십니까?

부모는 자녀의 인생에 대한 총체적인 책임을 가진 교사의 위치에 있기 때문에 자녀에게 영향을 주는 환경에 대해서 잘 알아야 하며 부모의 역할에 대한 정확한 인지와 더불어 체계적인 훈련이 필요합니다.

'빌게이츠'하면 무엇이 생각납니까? 그것은 바로 세계 최고라는 것입니다.

이는 자기 분야의 최고입니다. 그런데 이 세계 최고의 스타에게는 그의 뒤에서 조련하고 지도해 온 코치가 있었습니다. 그분은 바로 부모님이었습니다.

사람들은 모두 부모라는 코치를 가지고 있지만 모든 자녀가 성공하는 것은 아닙니다.

코치의 실질적인 코칭 스킬이 남달라야 합니다.

'세계적인 과학자 에디슨'과 '성군 세종대왕'에게는 어머니라는 코치가 있었습니다.

부모님들의 말 한마디! 눈길 한번! 제스처 한번에 따라 아이들의 인생은 180도 달라질 수 있습니다.

따라서 자녀를 성공하는 자녀로 만들고 싶다면 잠재력을 만개시킬 코칭 기술을 익혀 보십시오.

모든 아이는 어떤 부모의 코치를 만나느냐에 따라 평범한 사람이 되느냐 세상을 이끄는 지도자가 되느냐가 결정됩니다.

• • • • • • •

| 8월 / 3주 | 안내글 |

안녕하십니까?

무더운 여름도 이제는 끝이 보이고, 지겨운 장마도 함께 멈춰 서서히 아침, 저녁으로 서늘한 바람으로 가을의 문턱으로 다가오는 것만 같습니다.

여름의 끝이 9월 초까지 이어질지 모르겠지만 끝은 또 다른 2학기의 시작을 맞이할 것 같습니다.

아이들의 건강관리와 자연의 조화로움 속에서 학습의 효과를 기대해 보며 희망과 꿈의 초록 빛깔 세계를 마음껏 느끼며, 멀지 않을 시간에 가을을 맞이하는 우리 하버드귀염둥이들이 보람과 호기심의 충족으로 8월을 잘 마무리하고 9월을 맞이했으면 좋겠습니다.

| 8월 / 4주 | 안내글 |

하버드 친구들은 모두 다 "글로벌 리더" 입니다.

세상은 크고 거창한 것에 마음을 빼앗겨 작은 것엔 눈길도 마음도 주지 않지만, 세상의 모든 것은 작은 것에서부터 시작이 됩니다.
숲속 샘 하나가 강을 이룹니다.
씨앗 속에 과수원이 들어 있고요. 세상에는 다른 것들에 비해 유난히 작은 것들이 있습니다. 좁쌀만한 것, 콩알만한 것, 코딱지만한 것, 난쟁이 똥자루만한 것 등 작은 것을 일컫는 말이 다양합니다. 작은 것들은 애써 노력하지 않으면 다른 존재에 가려 보이지를 않습니다.
눈에 띄지를 않아 누군가로부터 따뜻한 관심을 받는 일도 드뭅니다.
시골 여행을 하다보면 농부들이 여러 가지 농사를 짓는 모습들을 봅니다.
그 중에서도 잎담배 농사짓는 모습을 흔하게 보곤 합니다.
중동 지역에서 가장 작은 것을 표현할 때 쓰는 말이 '겨자씨 같다' 라 하지만, 사실 겨자씨보다도 작은 것이 담배씨입니다.
재와 크게 다를 것이 없는 씨를 왕겨분탄에 섞어 심으면 어느새 싹이 나고, 그것을 밭에 옮겨 심으면 잠깐 사이 어른 키 이상으로 자라 오릅니다.
어느 해인가 이웃들이 밭에서 일하는 것을 돕다 문득 깨닫게 된 것이 있습니다. 씨가 열매보다 작구나 하는 생각이었습니다.
세상에 어떤 과일이든 채소든 큰 씨를 심어 작은 열매를 거두는 것은 없습니다.
많은 씨를 심어 적은 열매를 거두는 것 또한 없습니다.
언제라도 작은 씨를 심어 큰 열매를 거두고, 작은 씨를 심어 30배, 60배, 100배의 많은 열매를 거둡니다. 결정됩니다.

• • • • • • • •

9월 / 4주 안내글

감성적 컨텐츠를 인성 시리즈로

| 9월 / 1주 | 안내글 |

세상의 모든 씨는 열매보다 작다.

유아 감성 리더십이란 인성과 창의성의 두 날개를 가지고 평생을 살아갈 수 있도록 좋은 태도와 습관을 익히는 것을 말합니다.

유년기에 성공인자를 심어 성장하는 과정에서 꿈을 현실로 만들어낼 수 있도록 하기위해 유아기 때 감성 리더십 교육은 대단한 효율성을 발휘하게 됩니다.

21세기를 살아갈 우리 아이들은 자신과 타인에 대한 긍정적인 태도로 타인의 마음을 헤아려 소통하고, 공동의 목표를 향해 나아갈 건전한 영향력을 가진 리더로 자라날 것입니다. 이 시대에 좀더 앞서가는 리더십으로 미래 인재를 키워내기 위해서는 어릴 때 과잉보호에서 벗어나 약간의 고난을 만들어줄 필요가 있다고 합니다.

첨예한 경쟁력을 요구하는 미래에 무사안일주의는 보통의 아이로 밖에 성장 될 수 없으므로 나의 아이에게 고난을 주었을 때 창의적인 미래를 만들 수 있기 때문이라고 합니다.

이에 하버드 감성놀이는 시대에 맞춰 새로 리메이크한 유아 감성 리더십 종합 프로그램으로 약효가 있는 약과 같이 아이가 변하고 부모의 욕구가 바뀔 수 있는 획기적인 유아교육 해결책으로 자리 메김을 할 것입니다.

2020도 2학기에도 하버드귀염둥이들의 잠재력을 극대화하도록 하버드교사는 부단히 노력하며, 최선을 다하고, 겸허하게 평가를 받도록 하겠습니다.

• • • • • • •

| 9월 / 2주 | 안내글 |

하버드의 교육 철학 중 가드너의 다중지능이론은 누구나 타고난 여덟 가지 지능을 발휘함으로써 그동안 가려졌던 자신의 강점을 찾아내 적재적소에서 열심히, 행복하게 살아갈 수 있는 것이 특징입니다.
나의 아이들이 여덟가지 지능을 바탕으로 아이들의 숨겨진 재능을 찾는 것 또한 매우 중요합니다. 나의 아이가 흥미있어 하는 것이 무엇인지, 강점지능이 무엇인지 찾아 볼 수 있어 더더욱 좋습니다.
가드너는 기존의 IQ로 머리만 좋은 사람이 잘 풀린다는 편견을 버리고 각자가 지닌 재능을 효과적으로 키울 수 있는 환경이 마련되고, 그것을 발현할 기회가 열려있는 시대, 바야흐로 "좋아하고 잘하는 것"을 인정받을 수 있는 시대를 강조하여 단순 IQ만의 지능의 한계를 깨고 여덟가지 지능으로, 사람이 가지고 있는 단순 IQ보다 강점지능을 찾아 효과적으로 발휘하는 것이 중요하다고 강조하였습니다.
아이들이 각각의 가지고 있는 다양한 가능성을 인정하고 긍정적인 기회를 열어주는 것이 무엇보다 중요하다고 하겠습니다.

여덟가지 지능: 언어지능, 인간친화지능, 신체운동지능, 음악지능, 공간지능, 자기성찰지능, 논리수학지능

• • • • • • •

| 9월 / 3주 | 안내글 |

중추절입니다.
흩어져 있던 가족들 모이는 명절이 다가 옵니다.
조금은 빠른 감이 있지만 날씨가 좋아 황금 들녘이 마음을 넉넉하게 해주는 가을로 자리 잡을 것 같습니다.
유난히 비가 많이 온 여름을 지나 알차게 맺는 결실이라 더욱 값질 것이라 여깁니다.
예의염치가 사라지고 수많은 사회문제가 눈과 귀를 시끄럽게 하지만 더불어 사는 사회를 위해 조금씩 노력한다면 더 밝은 사회가 되지 않을까 생각 합니다.
온 가족이 모여 오순도순 풍요로운 말씀 나누시고 화목하고 마음 따뜻함을 나누는 복된 중추절 되시기 바랍니다. 가득 찬 보름달처럼 넉넉하고 가슴 따뜻한 마음으로 오랜만에 만나는 반가운 가족 친지들과 풍성함에는 "더도 말고 덜도 말고 한가위만 같아라!" 처럼 풍요로운 고유 명절 보내시기를 바랍니다.

• • • • • • •

| 9월 / 4주 | 안내글 |

안녕 하십니까?

가을은 결실의 계절이라고 일컬을 만큼 각종 농작물이 결실을 맺는 계절입니다.

어느덧 길가에 코스모스는 활짝 피어가고 시원한 가을바람에 몸을 맡기고 탐스런 밤송이는 다물었던 입을 벌리기 시작해 우리에게 기쁨을 선사하네요.

아마도 주렁주렁 탐스럽게 달린 밤송이를 하버드귀염둥이들이 볼 때면 구슬땀을 흘리며 알밤을 주워올 것입니다.

하버드의 귀염둥이들은 알밤 하나에 추억 하나씩을 꿰며 가을을 느끼고, 밤나무 숲을 거닐며 마치 보물찾기를 하듯 굵은 알밤을 찾는 재미가 쏠쏠 할 것 같습니다.

• • • • • • • •

10월 / 4주 안내글

최고를 꿈꾸며 살아라

| 10월 / 1주 | 안내글 |

하버드 친구들은 모두 다 "글로벌 리더" 입니다.

소중한 대화의 씨앗들을 만지며........

부모가 아이들을 가르친다는 것은 부모만이 가질 수 있는 기쁨입니다.

그 기쁨 안에서 아이들과 행복에 이르는 행복 길을 만날 수 있을 것입니다.

윌리엄 라이런 펠프 교수는 '가르치는 것의 흥분'이라는 저서에서 『가르친다는 것은 나에게 있어 가장 모험적이고, 흥분되고, 떨리는 일이다』 라고 말하듯 부모가 아이들을 가르치는데 있어 모험적이고, 흥분되고, 떨림이 있는 열정을 가져야 하겠습니다.

아이들을 가르치는 가장 중요한 요소를 든다면 아마도 사랑과 대화일 것입니다.

대화는 시인이 쓰듯이 아이들의 정서를 가꾸어줄 수 있으며, 대화는 꽃들처럼 향기로운 아이를 만들 수 있으며, 대화는 가을 하늘처럼 푸르른 느낌표(!)를 가진 아이를 만날 수 있으며, 대화는 아이의 가치관을 찾아주는 부모의 나침반입니다.

소중한 대화의 씨앗을 심어 아이의 가치관을 찾아준다면 하버드의 아이들과 행복에 닿을 수 있는 길을 함께 걸을 때쯤에는 하버드학부모님들 모두의 가슴은 심하게 요동칠 것입니다.

• • • • • • •

| 10월 / 2주 | 안내글 |

人生이란 내릴 수 없는 기차여행이라고도 합니다.

우리는 매일 다람쥐 쳇바퀴 돌듯이 같은 삶을 반복적으로 살아가고 있지만 세월이라는 기차는 우리의 의지와 관계없이 미래를 향하여 달려가고 있습니다.

보이지 않는 승차권 하나 손에 쥐고 떠나는 기차 여행과 같다고 합니다.

연습의 기회도 없이 한번 승차하면 시간은 거침없이 흘러 되돌리지 못하고 절대적으로 흘러만 가서 내릴 수 없는 여행이 곧 우리의 세상사 인생 여정과 다를 바 없는 닮은 꼴 여정인 것 같습니다.

| **10월 / 3주** | 안내글 |

안녕하십니까?

하얀 나비와 배가 불룩한 꿀벌들이 만개한 국화꽃 사이를 이리 저리 날아다니며 바쁘게 움직이는 모습, 고추잠자리가 빨간 배를 내놓고 나뭇가지 끝에 앉아있는 풍경이 어릴 적 잠자리를 잡으러 돌아다니던 때를 생각나게 합니다.

가을은 우리 하버드 귀염둥이들이 자연과 교감하고 풍성한 체험의 기회를 갖는 계절인데 이번 주 금요일에는 비가 와서 안타깝습니다.

하지만 귀염둥이들이 사과체험은 꼭 가고자 한주 연기를 하여 알록달록 자기 색들을 뽐내는 낙엽처럼 우리 아이들도 자기 색깔과 웃음소리를 자연과 함께 동화되어 책 한권 쓰고 오겠습니다.

• • • • • • •

| 10월 / 4주 | 안내글 |

할로윈의 유래는 미국이 아닌 먼 옛날 유럽의 영국과 아일랜드 지방을 지배했던 켈트족의 시대에 성직자들은 매년 10월 31일을 나쁜 영을 쫓는 자신들의 축제일로 삼았다고 합니다.

그 나쁜 영들을 달래기 위한 여러 가지 괴이하고 재미있는 행사를 했는데 아일랜드의 풍습으로 악령과 죽은 자들의 영혼을 기리는 날에서 성인들의 삶을 경축하는 날로 바꾸게 되었습니다.

일년 중 천국문이 딱 하루 열리는 영혼의 날 전에 모든 성인들이 나쁜 영혼의 구제를 위해 기도하고, 하루 천국문이 열리기 전에 못된 귀신들이 돌아다니면서 다음날 성인들을 따라 어떻게든 천국으로 같이 가볼까해서.., 천국으로 인도된 귀신이 은공을 잊지 않고 후일 우리들을 위해 또 기도해 준다고 믿어 온 것이 할로윈으로 유래되었습니다. 또한 우리 아이들이 변장을 하고 놀이를 하면서 사탕 얻는 날로 귀신에게 길을 밝혀주고 종교적으로는 빛이 어두움을 누른다는 상징적 의미를 지녔습니다.

■ Special Day 안내 – 『Enjoy every magic moment! Happy Halloween』

■ 하버드 아이들이 올해도 마녀, 해적, 만화주인공이 되어 보며 하루를 새로운 경험의 장으로 보낼 것입니다.

원에서 다채로운 경험들로 데코레이션을 하며 또한 호박을 준비(Jack ó lantern)하여 속을 파고 불을 켜 보기도 하는 등 재미있는 날로 Happy Halloween(초콜릿, 사탕, 캔디)을 만들어 보며 여러 가지를 더욱 알차게 준비하겠습니다.

• • • • • • •

11월 / 4주 안내글

전설이 다가 온다

| 11월 / 1주 | 안내글 |

하버드 친구들은 모두 다 "글로벌 리더" 입니다.

우리 아이들의 목표 자존감 - 크게 돼서 뭐 할려고? - "꿈 너머 꿈"

아이들의 꿈은 수시로 바뀌게 되는 것 같습니다.
TV에서 대통령을 보면 대통령이 되겠다고 하고, 소방차를 보면 소방관이 되고 싶다고 말하고, 병원에 가면 의사가 되는 꿈을 갖습니다.
성장하면서 우리 아이들의 목표는 온통 무엇이 되는 것에 관심이 있습니다.
왜 그것이 되고 싶고, 되어서 무엇을 해야 할 지에 대해서는 생각하지 않습니다.
아이들에게 이렇게 물어 보세요 "의사가 돼서 뭐 할래?" 분명 사람을 치료하고, 행복하게 살 수 있도록 돕고, 가난한 사람들을 치료해 주는 놀랍도록 순수한 생각을 말할 것입니다. 우리 아이들이 원하는 무엇이 되는 것보다 무엇을 할 것인가를 아는 것은 바로 자신을 아는 것입니다.
아침편지의 발송자인 고도원씨는 크게 되어서 무엇을 할 것인가를 물을 때 "꿈 너머 꿈"이라고 말을 했습니다. "꿈 너머 꿈"을 아는 사람은 사람을 중심에 두고 사람을 사랑하는 마음으로 살아가게 됩니다. 사람을 사랑하는 것이 진정한 꿈이고, 비전이며, 자존감이 아닐까요?

• • • • • • •

| 11월 / 2주 | 안내글 |

부정이냐? 긍정이냐? 가 관건입니다.

세상을 살다보면 어떤 이는 부정적인 생각에 발목이 잡혀 한 발걸음도 나아가지 못하며 부정의 웅덩이에서 헤맵니다.
또한 세상을 오랫동안 부정적으로 바라보며, 자기 자신까지 부정적으로 바라보고, 그 탓에 늘 인생은 아프기만 하고 무기력하기만 하며, 자신의 능력을 제대로 펼치지 못합니다.
하지만 어떤 이는 부정적인 멱살을 쥐어 잡고 멋진 결전을 치릅니다.
그리고 기어이 부정적인 생각을 밖으로 튕겨내며 긍정을 만들어내고 그토록 그리웠던 긍정의 맛을 맛볼 것입니다.
긍정적인 사람들인 하버드 가족은 긍정의 무지개를 펴서, 아름다운 무지개 하나 마음속에 걸어놓고, 세상을 무지개처럼 곱게 바라볼 수 있기를 바랍니다. 비가 억수로 쏟아지는 날에는 좋은 우산을 준비해야 하며, 눈이 펑펑 쏟아지는 날에는 따뜻한 털옷을 준비 하셔서 우리들의 거친 인생길에 좋은 우산과 따뜻한 털옷이 되어 주어 멋진 인생길, 아낌없이 즐기고 행복하게 살고, 그리고 한바탕 걸지게 놀아보심은 어떨까요? 하버드가족들 파이팅!

• • • • • • •

| 11월 / 3주 | 안내글 |

가을에서 겨울 문턱으로 들어서면서 알록달록 예쁘게 물들었던 낙엽들이 거리에 흩어지고 옷깃을 한 번 더 여미게 되는 바람이 차가워지는 나날 속에 쌀쌀해진 날씨로 체감온도를 많이 떨어뜨렸습니다.
며칠 지나면 거리의 나무들도 벌써부터 겨울옷으로 갈아입고 있고 추운 겨울을 맞이할 준비를 하고 있습니다. 우리 하버드 원에서도 겨울 준비는 잘 하고 있습니다. 쌀쌀해진 날씨에 아이들이 원에서 잘 지낼까 걱정이시겠지만 신나고, 자기가 제일인양 최고조로 조잘조잘 대곤 합니다.
이제는 바깥 활동이 줄어가고 적절한 신체활동이 원에서 활발하게 이루어져 규칙적이고 즐거운 맛을 더 볼 것 같습니다.
이번 한 주간도 여유롭고 행복한 시간 가져보시길 바랍니다. 하버드가족들 파이팅 !

| 11월 / 4주 | 안내글 |

세상의 모든 스포츠의 기본은 몸에 힘을 빼는 것이라고 합니다.
긴장을 하면 힘이 들어가고 스트레스 호르몬이 분비가 됩니다.
그래서 오히려 그러한 상태에서 운동을 하면 독이 되어 버립니다.
힘을 빼지 않으면 어떠한 것도 즐길 수 없게 되는 이치인 것입니다.
어깨도 살짝 내려도 보고 미소도 지어보면 몸 안에서 무거운 힘이 빠집니다.
그리고 욕심을 살짝 내려놓으면 마음 부담의 힘도 내려가게 됩니다.

카네기는 삶의 무게를 가볍게 하기 위해서 아침에 일어나면 늘 이 말을 했다고 합니다.
"나는 행복해, 나는 건강해, 나는 부자야." 모든 운동의 기본은 반복에 있습니다. 힘든 때든 즐거운 때든 때를 가리지 말고 읊조려보세요.
행복은 멀리 있지 않습니다.
바로 내 입 안에 있습니다.
무거운 무게를 지고 간다면 그 무게를 내려놓는 순간, 몸과 마음이 자유로워 질 것입니다.
그래서 하버드의 모든 가족들이 진정한 자유를 누리는 자유인이 되십시오.
하버드가족들 파이팅 !

• • • • • • •

12월 / 4주 안내글

원장인 나는 꿈꾸는 자

| 12월 / 1주 | 안내글 |

하버드 친구들은 모두 다 "글로벌 리더" 입니다.

리더자의 영향력

우리네 사람들은 매우 바쁘고, 매일 매일의 시간 또한 매우 소중합니다.
그러면서도 동시에 사람들은 수많은 정보의 홍수 속에서 미래를 향하여 달려가고, 미래에 둘러 싸여 있습니다. 5,000년 동안 있었던 정보의 양보다도 지난 30-40년간 동안 더 많은 정보와 지식이 새로 생겨나며 기하급수적으로 늘어만 가고 있습니다.

사람은 일생 동안 10,000명의 사람들에게 영향을 끼치며 살아간다고 합니다.
무엇보다도 중요한 문제는 어느 곳에서 어떠한 사람들에게 영향을 줄 것이냐가 아니라 어떻게 나의 영향력을 사용할 것이냐가 더욱 중요 한 것 같습니다.
그러므로 우리들이 원하는 것이 비즈니스를 확고히 세우는 것이든, 나의 아이들을 잘 양육하는 것이든, 또는 세상에 도전하는 것이든 간에 하버드학부모님들의 리더십을 끌어 올려 주셔야 할 것입니다.
오늘날 우리에게 필요로 하는 것이 지식의 능력이라면 지식의 능력위에 점프의 능력을 발휘하여 한 단계 도약해 다음 단계를 바라보면서 예측해 보는 것은 어떨까요?

• • • • • • •

| 12월 / 2주 | 안내글 |

삶의 가장 큰 행복은 자기 자신이 사랑 받고 있다는 믿음으로부터 나옵니다.
우리들은 언제나 사람의 얼굴을 보면서 그 사람의 감정과 기분을 읽어내고 내면을 바라보게 됩니다. 얼굴은 사람의 생각을 보여 주는 통로이기 때문입니다.
그리고 말도 꽤 정확하게 내면의 세계를 반영하며 생각을 그대로 보여 주는 거울입니다.
그러나 사람들의 평가에 신경 쓰는 사람은 절대적으로 "자기신뢰"가 부족한 사람입니다.
더불어 자신을 인정하는 "자존감"도 부족한 사람입니다.
타인의 평가에 좌지우지 되는 것은 다른 사람에게 자신의 인생을 맡기고 지배당하는 결과를 가져옵니다.
진정한 행복이란 내가 내 자신으로부터 사랑 받고 있다는 "믿음"일 것이요, 세상에서 가장 아름다운 눈은 자기 자신을 아름답게 보는 눈일 것입니다.
행복이라는 쿠폰의 미소를 어머님들께 드립니다.
환한 미소 7번씩,,,,

• • • • • • •

ㅣ 12월 / 3주 ㅣ 안내글 ㅣ

안녕하십니까?

"만일 1년을 더 살게 해 준다면 무슨 일을 하겠느냐?"는 현상 공모를 미국의 모신문사에서 하였습니다. 젊은 사람 왈 1년을 더 살게 해 주겠다니? 코웃음을 치며 "이 한해가 공짜로 생긴 것이라면 내년에도 또 한 해가 계속 될 것이니 그냥 이대로 살면 되지 뭐"라고 하며 영원한 인생을 사는 것처럼 생각하고 있다고 합니다. 그중에 1등은 "남을 돕는 1년, 남에게 주는 1년, 남을 사랑하는 1년, 남에게 축복을 주는 1년, 세상을 밝게 하는 1년을 만들겠다"라고 했고 그 이외 의견은 노래하는 1년, 웃음을 잃지 않는 1년, 이 세상에서 얻을 것이 다 되었다면 모든 미련 다 버리고 죽은 후 천당 가는 길을 찾는 1년....등 이였다고 합니다.

사람들의 가슴속에 베품을 중시하고, 타인에 대한 배려와 사랑이 담겨 있음을 새삼 느껴야 하지 않을까요.

그래서 사람이 꽃보다 아름답다고 하는가 싶습니다.

또한 사랑하고, 도움을 주고, 축복하면 여러 가지를 알게 되고, 알게 되면 느끼고 보이나니, 그때 보이는 것은 예전과 같지 않을 것입니다. 추위 속에 한해가 기울고 있습니다. 누가 따로 외치지 않아도 누구에게 사랑의 손을 내밀어야 하는 것인지를 아는, 이웃의 절박함을 헤아리는 하버드학부모님들과 함께 12월을 보냈으면 좋겠습니다.

• • • • • • •

| 12월 / 4주 | 안내글 |

안녕하십니까?

부부간의 사랑이란? 50대 50이 아니라 80대 20이라고 합니다.

최소한 받는 것의 4배를 더 주어야 서로간의 사랑이 시작 된다고 합니다. 이러한 말을 듣게 된다면 쇼킹할 것입니다.

우리들은 늘 공평하게 받는 대로 주는 법이고 주는 대로 받는 것이 사랑이라고 언제나 생각들을 하는데 어떤 이는 받는 것 보다 최소한 4개를 더 주는 것이 사랑이라고 말 합니다.

한개 주고, 또 한개 주고, 또 한개 주고, 또 한개 주는 사랑은 참으로 아름답기까지 할 것입니다.

사람과의 관계도 마찬가지가 아닐까 생각합니다.

하나를 주고 하나가 돌아오지 않아 너무나 아쉬워하고, 둘, 셋을 주었는데도 하나조차 돌아오지 않을 때는 성급하게 헤어짐을 생각하는 우리들의 마음이요, 성급한 마음을 갖는 서로에게 순간순간의 관계는 멍이 듭니다.

우리는 주면서도 또 주고 싶은 마음이 사랑이라 했던가요? 사랑을 다시 한 번 음미해 봤으면 좋겠습니다.

하버드귀염둥이, 학부모님들 언제나 파이팅!입니다.

1월 / 4주 안내글

원장-나는 아이들을 위한 선한 영향력을?

| **1월 / 1주** | 안내글 |

하버드 친구들은 모두 다 "글로벌 리더" 입니다.

안녕하십니까?
구정 새해 福 많이 받으시고, 새해에는 하버드귀염둥이들과 학부모님들 모두가 건강하시고, 부자 되시라고 교사 일동이 인사를 꾸벅 드립니다.
며칠 앞으로 다가온 설날 구정을 앞두고 세뱃돈 걱정이 앞설 것 같습니다.
과연 아이들에게 세뱃돈을 어떻게 주면 좋을까요?
그냥 현금을 쥐어주면 가장 쉽지만 그 만큼 아이들이 돈을 쉽게 써버리는 경향도 있고 해서 많은 부모님들이 설날에 아이들에게 색다른 방식으로 세뱃돈 주는 것에 고민을 하는 것 같습니다.
세뱃돈을 주는 재미도 누릴 수 있으면서 자녀의 경제관념도 길러주는 일석이조의 세뱃돈 방법을 한번쯤은 연구해 보셔야 할 것 같습니다.

* 세뱃돈을 통장에 넣어주면 쉽게 써버리지 않을 뿐 아니라 저축을 유도할 수 있어 좋습니다.
* 기프트 카드〈미리 정해진 액수만큼 살 수 있는 카드〉를 세뱃돈 대용으로 주기도 합니다.
* 키즈 프로젝트 상품권(신한은행) 어린이 쿠킹교실, 미술교실, 그림축제 이벤트 정보 제공 합니다.
* 국민은행 뽀로로 캐릭터 세뱃돈 봉투 무료 배부
* 기타 각종 상품권...

■ 새해, 새 아침 건강하게 시작해 보십시오.

하버드학부모님들의 가정과 사업처 위에 희망은 커지고 좋은 소식만 가득하기를 마음과 정성을 다해 기원합니다.

• • • • • • •

| 1월 / 2주 | 안내글 |

안녕하십니까?

새해에는 한번 성공해 보고, 새해에는 한번 실천해 봅시다.

아주 쉬운 계획일지라도 예전의 나를 버릴 수 있는 작은 성공체험을 만들어 보세요. 미래를 설계하는데 있어서 중요하게 다루어야 할 요소는 1년이나 3년의 중간목표를 설정하는 일입니다. 중간의 목표를 설정한다는 것은 최종목표를 달성할 도구를 확인하는 의미도 있지만 그 목표를 달성하기 위해 지금 당장 내가 무엇을 해야 하는지를 알려주기 때문입니다. 스펜서 존슨은 '선물'이라는 책에서 인생을 삼각대에 비유하고 있습니다. 삼각대는 다리가 셋일 때 완벽한 균형을 나타낸다고 하면서 그 삼각대를 '과거에서 배우기', '현재 속에서 살아가기' 그리고 '미래 계획하기'로 표현하고 있습니다. 현실적으로 많은 사람들이 미래계획을 세우고 있지만 실천을 하지 못하는 이유는 새로운 일에 도전하고 실행하려는 의지가 부족하기 때문인 것 같습니다. 새로운 일을 벌이기 위해서는 예전에 잡고 있던 낡은 것을 놓아버려야 하지만 손에 익숙한 예전의 것을 놓아버리기가 쉽지 않습니다. 운동을 해야겠다는 새해의 계획은 누구나 세울 수 있지만 이를 행동에 옮기는 사람들이 그리 많지 않은 것은 운동을 하려는 시간대에 하고 있던 예전의 달콤한 기억, 즉 단잠을 자고 있다든지 아니면 TV시청을 한다든지 하는 기억들을 버리기가 쉽지 않기 때문입니다. 과거와 현재를 잘 조율하면서 현재보다 더 나은 미래를 만드는 유일한 방법은 미래에 대한 철저한 계획일 것입니다. 새해에는 이것을 실천하여 성공하는 하버드가족이 되었으면 좋겠습니다.

• • • • • • •

| **1월 / 3주** | 안내글 |

우리나라 우도라는 섬에 가 보면 이런 글귀가 있습니다. "인생을 바르게 살면 미래가 보인다" 세상의 모든 것이 나를 위해 존재한다는 생각은 내가, 우리가 인생을 주인으로 살아가게 합니다. 우리는 가끔 몇몇 직장인들과 대화를 하다보면 자신은 직장을 위해 존재하는 부속품에 불과하다고 말들을 합니다. 또는 몇몇 가장은 자신은 가정에 돈을 벌어다주는 돈만 버는 기계에 불과하다고 말을 합니다. 결국은 직장과 가정의 가장은 부속물일 뿐이라고 실망을 합니다. 하지만 우리 모두는 인생의 무대에서 엑스트라도, 조연도 아닌 주인공들입니다. 산도, 바다도, 지구도, 우주도 바로 우리를 위해서 존재한다는 통 큰 생각들을 품어 보면 어떨까요? 우리 하버드의 학부모님들과 하버드귀염둥이들은 세상에 태어난 순간 세상의 모든 것을 선물로 받았습니다. 특히 하버드귀염둥이들은 글로벌 리더로 인생을 올바르게 살기 위해 미래를 잘 예측, 준비하면 우주의 주인은 하버드귀염둥이들이 될 것이며 세상의 주인공들이 다 될 것을 의심치 않습니다. 하버드귀염둥이들 언제나 파이팅! 입니다.

| 1월 / 4주 | 안내글 |

안녕하십니까?

우리 학부모님들이 바라고 있는 삶음 무엇이냐고, 학부모님들 자신에게 자문해보세요. 엄마는 커서 뭐 될 건데? 어느 엄마가 어린 자녀에게 "넌 커서 뭐 될 거니?" 하는 질문을 자주 했답니다. 엄마가 아이에게 참 궁금해 하는 것 중의 하나가 아이들이 갖는 꿈에 대한 것이지요. 어떤 날은 이렇게 대답하고, 저런 날은 저렇게 대답하고, 어떤 땐 대답을 망설이던 아이가 어느 날 같은 질문을 하는 엄마에게 되묻더랍니다.

"그럼 엄마는 커서 뭐가 될 건데?"마침내 아이가 엄마에게 던진 질문은 엄마의 마음속에 의미 있게 다가왔습니다. 엄마는 아이의 질문을 통해 비로소 그 동안 잊고 있었던 자기 자신의 모습을 보게 되었습니다. 어른이 되었다는 이유로, 나이를 먹었다는 이유로 이미 자신의 모든 것이 결정되어졌다고 생각했던 것이 얼마나 어리석고 불행한 것이었는지를 깨닫게 되었던 것입니다. 얼마든지 새로운 꿈을 가질 수 있고, 언제라도 새로운 변화를 위해 도전할 수 있는데도 마음속으로는 모든 것이 끝났다고 생각하며 살아왔던 것이지요. '넌 커서 뭐가 되고 싶냐?'는 질문을 아이들에게는 자주 하면서 왜 우리는 나 자신에게는 하지 않았던 것일까요? 나이와 환경, 주어진 의무 등이 감히 그런 생각을 갖지 못하게 했을 것입니다. 삶의 무게 때문이었겠지요. 우리 마음을 짓누르는 삶의 무게는 사실 만만한 것이 아니지요. 그러나 새로운 삶은 환경이 바뀌는 것보다는 마음이 바뀌는 데서부터 시작이 됩니다. 마음이 바뀐다면 주변 여건이나 환경이 전혀 달라지지 않는다 하여도 그의 삶은 분명 달라지게 됩니다. 넌 뭐가 될 거냐고 아이에게 습관적으로 묻던 질문을 오늘은 어머님들 자신에게 물어보았으면 좋겠습니다. 내가 정말로 바라고 있는 삶은 무엇이냐고, 바로 어머님들 자신에게 자문해보시기 바랍니다!

• • • • • • •

2월 / 4주 안내글

유아교육의 새로운 변화를 꿈꾸고 가자

| 2월 / 1주 | 안내글 |

하버드 친구들은 모두 다 "글로벌 리더" 입니다.

안녕하십니까?

새해를 맞이하여 나누는 덕담 중에 으뜸은 "건강하세요, 부자 되세요" 같습니다.

모두 건강하게 부자로 살라는 기원에서 일 것입니다.

장수, 즉 오래 산다는 것은 동서고금을 막론하고 모든 인간의 염원이기 때문인 것 같습니다. 모든 사람들이 묵은해보다 새해에 관심을 갖는 것은 새 것에 대한 희망 때문 일 것입니다.

문제는 어떻게 새해를 맞이했느냐입니다.

그러나 묵은해와 새해가 단순히 시간상의 차이라면 매일 매일 새롭지 않은 것은 없을 것입니다. 새해를 맞이한다는 것은 맞이하는 사람이 바뀐다는 것을 의미합니다. 사람이 바뀌지 않는다면 아무리 세월이 바뀌더라도 의미가 없습니다. 새롭다는 뜻을 가진 한자 신(新)은 나무를 자른 흔적을 뜻합니다. 이처럼 새롭다는 것은 묵은 것을 잘라내는 것입니다. 사람이 새해를 맞이하려면 그 동안 쌓인 찌꺼기를 과감하게 도려내야 합니다. 즉, 사람이 성장하기 위해서는 묵은 것을 잘라내야만 합니다. 스스로 묵은 것을 자르기는 결코 쉽지 않습니다. 그럼에도 불구하고 버려야 할 것은 버리고 새로운 맘으로 달려갔으면 좋겠습니다. 이제 새로운 하늘의 기운과 땅의 기운을 받아 새해를 기대하며 맛보고 어느 해보다 행복한 신념으로 각오를 다져서 진정 여의주를 품은 용처럼 하버드학부모님들 모두의 가정과 사업체가 힘차게 솟구치는 행복한 한해로 출발 했으면 좋겠습니다.

• • • • • • •

｜ **2월 / 2주** ｜ 안내글 ｜

안녕하십니까?

요즘처럼 자녀교육이 어려운 시대도 없는 것 같습니다. 하버드를 운영하면서 어머님들의 교육관들이 다 다름을 엿볼 수가 있습니다. 자녀교육 방법에 대한 의견이 분분하기 때문인 것 같습니다. 어떤 책에서는 이렇게 교육하라고 권하는가 하면 다른 책에서는 저렇게 교육하라고 권하고 또 다른 책에서는 그렇게 교육하면 안 된다합니다. 이웃에 사는 어떤 어머니는 이런 교육 방법이 좋다고 하고 다른 이는 그 반대 방법이 좋다고 하니, 초보 엄마의 경우 자신의 아이에게 어떤 교육방법을 적용해야 할지 좀처럼 갈피를 잡을 수가 없어 따라만 가는 어머님들도 종종 있습니다. 자녀교육은 예술 작품을 만드는 것과도 같습니다. 따라서 아무리 노력해도 완벽한 자녀교육이란 있을 수가 없는 것 같습니다, 같은 아이라 해도 키우기 수월한 아이가 있고, 어려운 아이가 있다 보니, 자녀 교육을 잘해 나가고 있는 부모가 자녀 교육에 실패한 부모보다 반드시 훌륭하다고 볼 수도 없는 것도 같습니다. 하지만 아무리 키우기 힘든 아이라도 그 원인을 알면 대처 방법도 생겨날 것입니다. 사람은 20년에 걸쳐서 어른이 됩니다. 이 20년이란 세월 동안 부모가 어떻게 자녀에게 인생의 길을 안내해 주느냐에 따라 아이의 장래가 달라집니다. 아이들에게 있어서 어머니는 가장 좋은, 가장 든든한 가정교사입니다. 직접 마음과 마음이 접촉해서 행해지는 가정교육, 즉 인간관계에 의해 행해지는 종합적인 "인간 만들기"의 교육은 그 효과가 더 한층 가치있는 것일 것 같습니다.

• • • • • • •

| **2월 / 3주** | 안내글 |

안녕하십니까?

지금의 우리는 '머리'의 삶을 살고 있을까요? 아니면 '가슴'의 삶을 살고 있을까요?

세상이 어떻게 변한다 해도 '가슴'이 뜨거운 삶을 아주 포기하는 일은 없으리라 확신합니다. 괜한 걱정이겠지만 점점 세월이 갈수록 머리는 뜨거워지고, 가슴은 차가워지는 게 아닐까 싶습니다. 사소한 일에도 금방 흥분을 잘하는 대신, 마음은 점점 냉정하게 변해 갑니다. 때로는 머리와 가슴의 역할이 바뀌어 가는 것이 아닐까 싶은 생각이 들곤 합니다. 그런 면에서 머리와 가슴을 비교한 글은 주목해서 읽고 마음에 담아두고 보시기 바랍니다.

"머리는 차가운 것을 좋아하고 가슴은 따뜻한 것을 좋아합니다.
머리는 현실을 좋아하고 가슴은 꿈을 좋아합니다.
머리는 딱딱한 것을 좋아하고 가슴은 부드러운 것을 좋아합니다.
머리는 걱정하기를 좋아하고 가슴은 기도하기를 좋아합니다.
머리는 권위를 좋아하고 가슴은 친절을 좋아합니다.
머리는 따지기를 좋아하고 가슴은 이해하기를 좋아합니다.
머리는 긴장을 좋아하고 가슴은 여유를 좋아합니다.
머리는 판단을 좋아하고 가슴은 인내를 좋아합니다.
머리는 성공을 좋아하고 가슴은 사랑을 좋아합니다."

• • • • • • •

ㅣ **2월 / 4주** ㅣ 안내글 ㅣ

"얼싸 안기"를 해 봅시다

학교 폭력문제가 도를 넘고 있는 것 같아 많은 이들의 염려를 사고 있습니다.

어쩌면 누군가를 왕따시키고 집단으로 괴롭히는 것은 내가 소외를 당할지도 모른다는 두려움, 누군가로부터 괴롭힘을 당할지도 모른다는 두려움이 있기 때문 아닐까요? 그 두려움이 모두에게 있어 내가 먼저 누군가를 소외시키고 집단으로 괴롭힘으로써 내 안에 있는 두려움으로부터 벗어나려고 하는 것이겠지요. 따돌림을 당하지 않기 위해서는 내가 먼저 누군가를 따돌려야 한다는 두려움이 집단적으로 나타나는 것이 아닐까 싶습니다. 우리말에 '얼싸안기'라는 말이 있습니다. 얼싸안기라는 말을 살펴보면 말 그대로 얼을 감싸 안는 것입니다. '얼'이란 정신 혹은 넋을 뜻하는 우리말입니다. 단지 몸이 아니라 마음 가장 깊은 곳을 의미합니다. 그러고 보면 얼싸안기는 누군가의 겉모습이 아닌 그의 가장 깊은 곳을 끌어안는 것이 됩니다. 독일 사람들이 하는 말 중에 '어릴 적에 받지 못한 것을 커서 남에게 줄 수 없다'는 말이 있답니다. 학교 폭력 문제에 대해 여러 가지 진단이 있고 처방이 있겠지만, 우리의 자녀들에게 결정적으로 부족한 것이 얼싸안기 아니었을까 돌아보게 됩니다. 누군가에게 따뜻하게 받아들여진 경험이 있다면, 그리고 그것이 얼마나 아름답고 소중한 것인지를 경험한다면 다른 누군가를 함부로 난폭하게 대하지는 않을 테니까요. 얼싸안기를 시작하는 것이 우리를 옥죄어 오는 난폭함을 이기는 길이지 싶습니다.

• • • • • • •

원장님의 감성적 영향력 II

3월 / 4주 안내글

유아 교육

| **3월 / 1주** | 안내글 |

하버드 친구들은 모두 다 "글로벌 리더" 입니다.

안녕하십니까?

소중한 귀염둥이들의 새로운 생활의 첫발을 내딛었습니다.
설레는 마음과 기쁨으로 시작한 새로운 생활과 환경에서 한마음 된 공동체 생활에 저마다 최선을 다해 열심히 적응해 나갈 것입니다.
학부모님들의 관심과 애정 어린 격려 덕분에 우수한 선생님과 다양해진 수업으로 앞서가는 하버드 원으로 자리매김하고 있음에 감사드립니다.
0000년 저희 원 교직원들을 아이들이 더욱 더 행복하게 생활할 수 있도록 최선을 다 하겠습니다.
가정에서도 인내를 가지고 새롭게 변화해 갈 아이들을 위해 다독거림과 애정으로 보살펴 주시기 바랍니다.

• • • • • • •

| 3월 / 2주 | 안내글 |

정직 지수

윗물이 맑았으면 좋겠습니다.

몇년 전 신문 기사에 우리나라 고등학교 학생 10명 중 4명은 '10억이 생긴다면 1년 정도는 감옥에 가도 괜찮다'고 생각한다는 조사결과가 나왔다는 것이었습니다.
'10억이 생긴다면 1년간 감옥행도 괜찮다'고 응답한 비율은 고등학생 44%, 중학생 28%, 초등학생 12%였습니다. 학년이 올라갈수록 돈을 중요한 가치로 여기되, 상대적으로 도덕적인 가치는 무시하고 있는 것을 보게 됩니다.
'시험성적을 부모님께 속여도 괜찮다'고 답한 학생은 고교생 35%, 중학생 24%, 초등학생 5%였고, '남의 물건을 주워서 내가 가져도 괜찮다'는 답도 고교생 62%, 중학생 51%, 초등학생 36%였습니다. 학생들의 응답을 바탕으로 '정직지수'를 산출한 결과 초등학생 85점, 중학생 75점, 고등학생 67점으로 학년이 높을수록 윤리의식은 낮아지는 것으로 조사되었습니다.
위와 같은 말들은 학생들의 정직지수의 결과만큼이나 마음을 아프게 합니다. 털면 먼지 안 나는 사람이 어디 있느냐며, 그 때는 다 그랬다는 식의 변명은 무슨 일이 있어도 해서도 안 됩니다.
다른 건 몰라도 자라나는 이 땅의 청소년들을 위해서라도 결코 해서는 안 되는 변명입니다. 정직하게 사는 것이 최선의 삶이라는 가치를 단숨에 부정하는 일로, 우리의 미래를 내내 흐리게 하는 것이기 때문입니다.
윗물이 맑으면 아랫물은 맑아지기를 염원해 봅니다.

• • • • • • • •

| 3월 / 3주 | 안내글 |

긍정적 사고의 힘- 자기 힘의 120%를 발휘할 수 있다

어떻게 자존심이 사고의 능력을 한 단계 높일 수 있는 것일까?

그것은 긍정적 사고의 힘이라고 할 수 있을 것 같습니다.

자존심이 높은 사람은 어떤 일이든지 '그 정도쯤은 나도 할 수 있어' 라고 생각을 합니다.

자존심이 약한 사람은 작은 일에서 조차 '어쩐지 못할 것 같아' 라는 부정적 자기 암시를 반복합니다.

이 둘 중 긍정적 사고를 하는 사람은 자기 능력의 120%를 발휘할 수 있다면, 부정적 사고를 하는 사람은 80% 밖에 발휘하지 못합니다.

우리는 같은 능력을 가진 사람이라도 마음가짐에 따라 좋은 결과가 나타납니다.

개인의 심리 상태는 두뇌 활동에 지대한 영향을 줍니다.

머리가 뛰어나더라도 부정적 사고에 젖어 있는 사람은 좋은 성적을 낼 수 없습니다.

반면 평범함 두뇌를 가졌어도 긍정적 사고를 하는 사람은 뛰어난 성적을 얻는 경우가 많습니다.

인간의 능력은 지능지수에 의해 결정되는 것이 아니라 지능지수와 감성지수가 높은 사람이 성공할 확률이 높습니다.

그리고 감성지수를 형성하는 중요한 요소가 바로 긍정적 사고입니다.

• • • • • • •

| 3월 / 3주 | 안내글 |

사랑의 다섯 가지 언어는 무엇일까요?

사랑의 언어에는 다섯 가지가 있는데 서로를 인정하는 말, 함께 하는 시간, 선물, 봉사, 육체적인 언어를 다섯 가지 사랑의 언어로 들고 있습니다.
어떤 이는 "나는 한 번 칭찬을 받으면 두 달간은 잘 지낼 수 있다"고 재미난 말을 했습니다.
서로를 인정하고 칭찬하고 격려하는 말이 곧 사랑의 언어인 셈입니다.
서로를 인정하는 말을 할 때는 격려를 해 주어야 하며 또 하나 중요한 것은 말투입니다.
우리가 하는 말은 말의 내용보다도 말투에 의해 전달이 됩니다.
인디언들은 자녀들에게 '누군가와 이야기할 때는 말이 아니라 말투를 들으라' 라고 가르친다고 합니다.
함께 하는 시간 그 자체가 사랑의 언어가 될 수 있습니다. 함께 하는 시간이란 시간만 같이 하는 것이 아닙니다. 온전히 서로에게 관심을 집중하는 것입니다.
눈을 마주하고, 마음에 있는 이야기를 나누며 감정의 연대감을 나누는 시간은 눈이 부시도록 아름다운 시간입니다.
대답이 아니라 공감을 원하는 것입니다. 진정한 사랑이 지속되려면 서로가 가지고 있는 사랑의 언어를 이해하는 것입니다.
사랑의 언어가 서로 통해 진정한 사랑이 깃드는 복된 삶을 꿈꿔봅니다.

4월 / 4주 안내글

대한민국 유아 교육은 빨간불

| **4월 / 1주** | 안내글 |

하버드 친구들은 모두 다 "글로벌 리더" 입니다.

최선을 다하는 모습은 언제나 아름답다.

최선을 다하는 모습은 아름답습니다. 그것이 무슨 일이든 상관이 없는 것 같습니다. 자기 자신이 있는 힘을 다해 일하는 사람은 숭고하기까지 합니다. 현대는 타고난 재능만으로 살아갈 수 없는 시대입니다. 초등학교 때는 타고난 머리만 가지고 우수한 성적을 거둘 수 있었지만 중, 고등학교 과정에서는 그럴 수 없습니다. 대학 과정에서는 더욱 그렇습니다. 타고난 머리만 믿고 노력하지 않는 사람은 각 분야의 전문 지식을 수용하지 못합니다. 인간은 자신이 가진 뇌세포의 일부분만을 사용하고 일생을 마친다는 것은 누구나 다 아는 사실입니다. 나머지 대부분은 백지상태로 남아 있다가 사라져 버리는 꼴입니다. 따라서 인간의 능력은 노력 여하에 따라 몇 배로 신장될 수 있습니다. 지적인 능력을 개발하는데 노력 이상의 미덕은 없습니다. 노력하는 자는 항상 선두에 있게 마련입니다. 천재란 남보다 머리가 좋은 사람이 아니라 열의를 가지고 몰두하는 능력을 가진 사람을 일컫는 것 같습니다. 자기 자리에서 최선을 다해 몰입하는 자는 성공의 자리에서 언제나 웃고 있을 것입니다.

그러한 분들이 우리 학부모님들입니다. 화이팅! 입니다.

• • • • • • •

| **4월 / 2주** | 안내글 |

나를 뒤돌아 볼 기회를 찾아………

어릴 적 우리 부모님들은 사람과의 믿음과 신용을 가장 중요한 덕목으로 가르쳐 왔습니다. 본분에 어긋나거나 자신을 과장하는 행동을 항상 경계하며 실수를 줄일 것을 강조하셨습니다. 항상 자신의 모습을 솔직하게 받아들이고 남에게 잘 보이려 과장된 언행을 하지 않도록 항상 가르쳤지만 제대로 실천하며 살지를 못했습니다. 나이가 들어갈수록 '남이 보는 나'와 '내가 아는 나'의 괴리가 점점 더 커지는 것을 느낍니다. 우리가 생각하는 나는 항상 부족하지만 지나간 시간에는 아쉬움이 많은 점에서 남다른 재주를 가진 사람인양 포장을 하곤 합니다. 그래서 우리는 수시로 나 자신들을 뒤돌아보곤 해야 하지 않을까요? "삶을 실수할 때마다 패를 하나씩 빼앗기는 놀이"이다. 라는 말이 있습니다. "삶에서 실수는 필수불가결한 것이기에 실수를 줄여야" 합니다. 왜냐하면 하나의 실수로 하나의 가능성이 없어지기 때문입니다. 우리에게 커다란 힘이 되는 말이 또 하나 있다면 "삶은 목걸이를 하나 만들어 놓고 거기에 진주를 하나씩 꿰는 과정이다"라는 말이 있습니다. 진주는 바로 그런 삶의 순간입니다. 부끄러운 순간마다 빼앗겨 버리는 진주를 안타깝게 생각하며 앞으로는 더욱 열심히 살아가겠다는 다짐을 해야 합니다. 우리는 삶을 행복으로 보면서 나에게 주어진 진주알을 성실히 꿰어 나가겠다고 다짐하며 달려갑시다.
우리 학부모님들 맘에 언제나 인생은 그림 같은 순간순간이 되시기를 바랍니다.

• • • • • • •

| 4월 / 3주 | 안내글 |

아이는 자라면서, 엄마와 아빠는 키우면서, 선생님은 이끌어 주면서 모두 행복하면 좋겠습니다.
아이에게 부모는 바로 "부모"라서 의미가 있는 것입니다. 유아기는 바로 "부모"를 만나고, "부모"를 경험하면서 행복을 향해 나아가는 특별한 시기입니다. 모든 인간은 행복을 추구합니다. 아이들 역시 모두 스스로의 본능처럼 행복을 찾아가고 있습니다. 교육이란 이러한 행복 추구의 본능을 믿는 데서 출발을 합니다. 모든 아이들은 유능하며, 엄청난 가능성이 있다고 믿는 것에서부터 출발하는 게 바로 교육입니다. 아이들은 처음에는 와서 머뭇머뭇하며 조금씩 세상을 알아 갑니다. 새로운 것이 있으면 눈을 동그랗게 뜨고 탐색하고, 즐기고, 놀이를 합니다. 다른 사람과 더불어 살아가는 방법을 배우고, 더불어 살아가는 기쁨을, 세상의 아름다움을 배웁니다. 그곳에 있는 선생님은 아이를 품어주고, 엄마, 아빠도 함께 품어 줍니다. 참 잘했다고, 앞으로도 계속 이렇게 하면서 손을 잡아 주고, 조금만 더 함께 노력하자고 격려 해 줍니다. 그러니 부모님들도 일하시는 선생님들을 존중해 주고 선생님을 품어 주세요. 선생님과 많은 이야기를 나누고, 여러 가지 생각을 서로 주고 받으세요. 그렇게 엄마, 아빠, 선생님이 서로를 존중하며 각자의 영역에서 최선을 다해 한 아이의 행복을 위해 노력한다면, 아이는 멋진 날개를 달고 더 큰 세상을 향해 날아갈 것입니다. 아이는 자라면서, 엄마와 아빠는 키우면서, 선생님은 이끌어 주면서 모두 함께 행복하면 좋겠습니다.

| 4월 / 4주 | 안내글 |

삶을 들여다보노라면...

우리네 인생들은 저마다 각기 다른 다양한 꿈과 미래를 향해 각자 최선을 다해 달려가고 있습니다. 그래서 때로는 벽에 부딪치고, 주저앉고, 실패하기도 합니다.

어떤 사람은 더 가치 있는 삶을 위해 자신의 삶을 희생합니다. 또 어떤 사람은 새로운 기록을 세우기 위해 노력을 합니다.

어떤 이는 더 풍요로운 삶을 위해 재물, 권력, 원하는 배우자 등을 추구합니다. 우리에게는 어떤 삶을 추구하든지 그 길에는 반드시 과정이 있고, 목표를 이루는 과정에서 사람들은 적어도 여러 단계의 과정을 거쳐야만 삶의 목표를 달성하느냐, 안 하느냐보다는, 이런 과정을 인식하고 마지막까지 인내하느냐가 실은 더 중요한 것 같습니다.

인생의 전 과정을 볼 수 있다면 각 과정에서 경험하는 다양한 경험들을 통해 내가 지금 어디쯤 가고 있는지를 가늠해 볼 수 있는 역량을 지닐 것입니다.

인생이 만만치 않다는 것을 인식하고 있는 사람은 현실의 어려움 속에서 절망하는 것이 아니라, 인생의 마지막을 바라보고 오늘을 극복하는 지혜를 얻게 될 것입니다.

인생에서 기대감, 두려움, 괴로움, 놀라움을 그리며, 새로운 목표를 추구했던 젊은 날의 꿈이 이제는 실제로 나의 삶에 즐거움으로 다가오기를 기대해 보며 달려갑시다.

• • • • • • •

5월 / 4주 안내글

유아 교육 정리가 필요합니다

| 5월 / 1주 | 안내글 |

하버드 친구들은 모두 다 "글로벌 리더" 입니다.

"나처럼 살지 말아라." VS "나처럼 살아라."

많은 부모들이 자녀들에게 많이 하는 말 중의 하나, 그리고 자녀들에게 바라는 마음 중의 하나가 바로 '나처럼 살지 말아라'입니다. 과거 보다는 덜 쓰는 말이지만 여전히 내 아이들은 나보다 더 좋은 교육을 받고 더 좋은 인맥을 갖고 더 부자가 되고 더 많은 사회적 지위와 권력을 잡고, 더 나은 삶 속에서, 사회적으로 인정받고, 좀 더 풍족하게 살았으면 하는 것입니다. 나처럼 살지 않기를 바라는 부모는 아이 교육에 올인하며 아이를 위해 자신을 어느 정도 희생해야 한다고 믿고, 사교육에 전념하며 기도제목을 '성적 향상'에 두고 달려갈 것입니다. 그렇다고 부모의 뜻대로 자랐다고 행복해 할까요? 물론 아이들이 잘 자랄 수 있도록 돕는 것은 당연한 부모의 역할입니다. "나처럼"에는 행복, 사랑, 감사, 웃음, 흥분, 도전, 열정, 기쁨, 관계, 나눔일 것입니다. 아이들이 자기의 인생을 살듯이 부모도 부모의 인생이 있습니다. 자녀에게 올인하면서, 행복하지 않은 삶을 살면서 그렇게 살지 말라는 것은 아이들과 부모 스스로를 불행하게 하는 일입니다. 아이들을 안전하게 봐 주되, 스스로 결정해갈 수 있는 힘을 키워주세요. 나는 부모로서 의무, 책임감, 도리, 극복, 인내, 꿈을 이루었다고 말해 주세요. "나처럼 이렇게 행복하게 살았으면 좋겠다." 라고 당당하게 말하는 부모가 되세요. 자녀로부터 독립하세요. 그리고 이제는 학부모님들! 언제나 행복만을 말하십시오.

• • • • • • • •

| 5월 / 2주 | 안내글 |

감동지수와 행복지수를 높이려면......

'감동지수'는 '행복지수'와 비례합니다. 많은 사람들은 자신의 건조한 삶을 각박한 세상 탓으로 돌리곤 합니다. 사람은 사회적 동물인지라 사회 구조의 영향에서 완전히 벗어날 수는 없지만, 자신의 의지에 따라 얼마든지 삶의 태도를 바꿀 수 있습니다. 세계 각국의 행복지수 통계를 보면, 한국의 행복지수는 참으로 안타깝게도 세계에서 가장 낮은 편입니다. 한국 사람들의 행복지수가 낮은 것은 가정과 직장에서 겪어야 하는 스트레스와 밀접한 관계가 있지만, 한국인의 성향도 무시할 수 없습니다. 한국인의 성향 중 하나는 좀처럼 만족하거나 감동하지 않는다는 점입니다. 특히 나이가 들수록 한국인은 쉽게 감동하지 않습니다. 행복지수를 높이려면 사소한 것에도 감동할 줄 알아야 합니다. 감동지수와 행복지수를 높이는 일은 매우 간단합니다. '가치의 전환'만 이루어지면 누구나 행복지수를 높일 수 있기 때문입니다. 이 세상에 존재하는 모든 것들은 가치를 지니고 있습니다. 자신에 대한 신뢰야말로 자신과 세상을 변화시키는 출발입니다.

• • • • • • •

| 5월 / 3주 | 안내글 |

아이들에게 자유 시간을 얼마나 주어야 하는가?

아이들이 얼마나 많은 활동을 해야 하고 얼마나 자유로운 시간을 가져야 하는지에 대한 분명한 지침을 정할 수는 없습니다.

하지만 동시에 두 가지 이상의 활동은 시키지 않아야 합니다. 하루에 한 가지 활동만을 하도록 하세요. 또한 아이들이 충분한 수면을 취하고 세끼 식사를 제대로 먹여 주세요.

이리저리 데리고 다니면서 차 안에서 패스트푸드를 먹인다면 약간은 문제가 있습니다.

가족이 함께 앉아서 저녁을 먹을 수 있어야 합니다. 적어도 일주일에 몇 번은 자유롭게 노는 시간을 주어야 합니다.

일주일에 한 두 번은 가족이 함께 모여서 뭔가를 함께하거나 아무것도 하지 않더라도 함께 시간을 보내야 합니다.

적어도 한 달에 두 번은 산책이나 문화생활을 가족활동으로 함께할 수 있어야 합니다.

어느 때나 아이들의 생활에서 게임이나 텔레비전이 대부분을 차지하고 있습니다.

게임과 텔레비전이 우리 아이들에게 어떤 도움이 될까요? 재미있습니다.

잠시 머리를 식힐 수 있습니다. 부모가 아이들을 즐겁게 해주지 않아도 됩니다.

조용한 시간을 보낼 수 있습니다. 아이들의 소중한 시간을 빼앗기만 할 뿐입니다.

결국은 부모를 위한 것이지 진정으로 아이들을 위한 것은 아닙니다.

• • • • • • •

| **5월 / 4주** | 안내글 |

♣ 사랑과 감사의 달 5월입니다.

5월엔 감사하고 기념해야 할 날이 참 많습니다.

사랑하는 부모님께, 평소 바빠 잊고 살았던 고마운 분들께 따뜻한 마음을 전해 보세요.

애정을 듬뿍 담은 "사랑합니다"

진심을 담아 나누는 "고맙습니다"

마음에서 우러나는 "존경합니다"

기쁨 충만한 마음으로 사랑 듬뿍 표현해 보세요.

따뜻한 말 한마디, 따뜻한 눈빛 나누는 행복한 5월 만들어 보시기 바랍니다.

하늘보다 높고 바다보다 넓은 어버이의 은혜를 생각하며, 하버드귀염둥이들이 사랑을 가득 담아 준비한 카네이션과 카드를 보내드렸습니다.

하버드귀염둥이들의 사랑을 듬뿍 느껴보세요~~

• • • • • • •

6월 / 4주 안내글

원장님 스스로 특별해져야 합니다

| 6월 / 1주 | 안내글 |

하버드 친구들은 모두 다 "글로벌 리더" 입니다.

농촌 풍경과 그 속에 스민 삶을 바라 보세요.

6월 초 시골길 밭 사이를 지나가다 보면 한창 꽃을 피워낸 감자 밭이 보입니다.
감자꽃은 따로 볼 땐 몰랐는데 한군데 피어있으니 그 또한 장관입니다.
요즘 학생들에게 이 꽃이 무슨 꽃인 줄 아느냐 물어보면 아는 학생이 별로 없습니다.
어이없어 하며 이게 바로 감자꽃이라고 하면 학생은 뜻밖이라는 듯 질문을 할 것입니다. "아니, 감자도 꽃이 펴요?" 우리에게는 권태응선생님(충주태생, 33년 살다 충주에서 돌아가심)이 쓴 동시 '감자꽃' 노래로 만든 동요가 있습니다. "자주꽃 핀 건 자주 감자, 파 보나 마나 자주 감자. 하얀 꽃 핀 건 하얀 감자, 파 보나 마나 하얀 감자." 〈감자꽃〉만큼 우리 농촌 풍경과 그 속에 스민 삶을 담아낸 글도 드물다 싶습니다.
감자꽃이 눈앞에 지천으로 피었어도 그게 감자꽃인 줄 모르는 학생들 세대, 그게 어디 단어 하나를 모르는 것일까 싶어 안타까운 마음이 드는 계절입니다.
아기들이 따먹는 빨간 앵두, 실에 꿰어 염주를 만들기도 했던 율무, 눈을 꼭 감고 무섬도 없이 떨어지는 도토리, 젖 한 통 먹고는 콜콜 잠에 빠진 송아지, 잡아뒀다 가물 때 울게 하고 싶은 청개구리, 봄에는 노랑꽃 가을에는 하양꽃 일 년에 두 번 꽃을 피우는 목화, 네 번 잠을 자는 누에, 논에다가 심는 논보리, 먼 산 나무 소바리에 싣고 오려고 먹는 새벽밥 등 〈감자꽃〉 속에는 농촌의 삶과 풍경이 빼곡하게 담겨 있습니다.
인터넷과 핸드폰에 정신이 팔린 아이들을 데리고 가까운 밭으로 나가 거기 활짝 핀 감자꽃을 보며 모처럼 이야기꽃을 활짝 피우는 것도 좋은 여름 맞이 아닐까요?

• • • • • • •

| 6월 / 2주 | 안내글 |

텃밭을 만듭시다

주말농장은 도시에 사는 사람들에게 흙을 접할 수 있는 기회를 주기 위해 만들어진 공간입니다. 언제든지 농장을 찾아가 야채나 곡식이나 열매를 가꾸도록 배려를 한 것입니다. 가족 단위로 농장을 찾아와 함께 일을 하고, 바비큐 등으로 식사를 하며 여유 있는 시간을 즐기는 모습을 어렵지 않게 보게 됩니다. 어디 멀리 시골에 따로 땅을 구하여 호화로운 집을 짓는 것이 아니라, 우리가 사는 곳에서 가까운 곳에 큰 비용을 지불하지 않고 흙과 함께 사는 삶이 가능하다고 하는 것은, 도시의 삭막함을 지워내는데 큰 도움이 된다고 보입니다. "일주일 동안 행복을 누리고 싶다면 아내를 얻어라. 한 달 동안 행복을 누리고 싶다면 돼지를 잡아라. 평생 행복을 누리고 싶다면 채소밭을 만들어라." 고대 중국의 격언이라고 합니다. 일주일의 행복과 한 달의 행복, 평생의 행복을 단순하게 비교하는 것이 재미있습니다. 결혼이 일주일, 돼지를 잡는 것이 한 달의 행복을 가능케 한다는 말도 뜻밖인데, 평생의 행복을 가능케 하는 일이 텃밭을 가꾸는 데 있다는 말은 정말 뜻밖의 말이어서, 텃밭이 갖는 것의 의미를 다시 생각하게 합니다. 그래서 어떤 이는 "자신의 작은 땅덩어리에서 곡괭이질을 하고, 씨앗을 심어 소생하는 생명을 지켜보는 것, 이것이 인류가 누릴 수 있는 가장 평범한 기쁨이자 사람이 할 수 있는 가장 만족스러운 일이다."라고 했습니다. 올해도 원에서는 관심을 갖고 텃밭 3,500평에 감자,옥수수,고구마를 심어 놓았습니다. 누구나 농사에 적극적으로 임한다면, 우리의 마음은 훨씬 유연하고 넉넉해지지 않을까 싶습니다.

• • • • • • •

| 6월 / 3주 | 안내글 |

사랑 받는 아이가 사랑할 줄 압니다.

'사랑은 돈으로는 살 수 없다'라고 합니다. 사실입니다. 사랑은 그 자체가 하나의 부유함이며, 그 어떤 물질적 부유함보다 더 소중합니다. 이 소중한 부유함을 차분히 앉아 계산해 보면 우리가 얼마나 부유한지 깜짝 놀랄 것입니다. 사랑하는 연인이나 배우자, 가족, 그리고 친구들, 이들의 사랑을 다 더해 보면 어마어마한 수치가 나올 것입니다. 그러나 잊지 말아야 할 것이 있습니다. 사랑은 우정 같은 것입니다. 따스한 마음으로 기꺼이 내주기 전에는 받을 것을 기대할 수 없습니다. 사랑 받는 아이가 사랑할 줄 압니다. 따뜻한 눈을 가진 부모 밑에서 따뜻한 눈의 아이가 자랍니다. 아이가 이러한 사람이 되기를 바라십니까? 스스로를 믿는 만큼 남을 믿고 세상을 사는 지혜와 힘이 넘치고 집안에서는 사랑을, 사회에선 믿음을 얻는 그런 사람. 엄마, 아빠의 따뜻한 눈길, 다정한 한마디가 아이의 오늘과 내일을 열어 줍니다. 세상의 어떤 사랑도 견줄 수 없는 사랑. 그건 부모님이 줄 수 있는 사랑이죠. 어른도 예전엔 아이였고, 아이의 마음과 아이의 키를 가진 때가 있었습니다. 혹시 그때를 너무 쉽게 잊어버리신 건 아니죠? 일 년을 하루 같은 마음으로 아이들을 사랑한다면 아이에게나 부모에게나 삶은 소중한 시간들로 기득 찰 것입니다. 오늘 아이의 손을 살며시 잡아보세요. 거기 사랑의 바다가 흐르고 있을 겁니다.

• • • • • • •

| 6월 /4주 | 안내글 |

훌륭한 아버지

자녀교육에 있어서 아버지의 역할은 너무나 큽니다. 한 어린이가 원만하고 성숙한 인간으로 자라기 위해서는 아버지의 보호와 사랑과 지도를 필요로 합니다. 그래서 아버지와 자녀의 관계는 참으로 독특합니다. 아버지에게는 가정을 돌보고 가정의 필요를 충족시켜 주어야하는 의무가 있습니다. 특히 자녀들이 훌륭한 어른으로 성장하기에 필요한 인생의 각종 기술을 가르치는 것은 '아버지의 사명'중에 하나입니다. 그런 아버지의 돌봄을 통해 자녀들은 어엿하고 성숙한 자녀들로 성장하게 됩니다. 훌륭한 아버지는 그러한 부모의 역할을 잘 감당할 뿐만 아니라, 자신이 먼저 바른 성품을 갖춘 인격자가 되는 사람입니다. 우리 귀염둥이 아이들은 아버지와의 대화에서 아버지를 배워 갑니다. 자녀의 이야기를 들어주며 인생의 귀중한 여러 가지를 자상하고 친절하게 가르쳐 주며 나의 아이의 일에 관심을 갖고 같이 놀아주는 아버지를 가진 어린이는 행복하고 훌륭하게 자랍니다. 아버지는 건전한 인생관과, 가치관, 권위와 법과 질서를 대표하는 분들이십니다.

• • • • • • •

7월 / 4주 안내글

원장님 뒤집어 바라 봐야 합니다

| 7월 / 1주 | 안내글 |

하버드 친구들은 모두 다 "글로벌 리더" 입니다.

커가는 아이들.....

아이들이 커갈수록 내가 부모로서 아이들한테 무엇을 해줄 수 있을지?...어떻게 해주어야 하는지?... 여러가지 고민이 많을 것입니다. 갓난아기 일 때는 먹이고 입히고 씻기고 재우는 것까지 너무도 육체적으로 힘들고, 정신적으로는 말할 것도 없었을 것입니다. 물론 아이들은 내가 잘한다고 잘 되는 게 아니고 내가 못한다고 또 못 되는 건 아닐 것입니다. 각자 타고난 성격도 있고, 개성도 있고, 가정환경도 중요합니다. 우리 집 정도의 가정환경이면 그래도 무난하고 그 타고난 성격과 개성을 존중하면서 아직 미숙한 아이, 완전한 인격체가 될 때까지 옆에서 매니저 노릇을 해주어야 하는 게 부모의 역할과 책임이 아닐까 생각이 듭니다. 어디서 배운 적 없는 엄마의 숙제는 너무나 큽니다. 자녀 교육서를 몇 권을 읽고 가슴에 새겨도 아이들에게 잘못하는 행동도 많고 나도 사람이기에 스트레스도 많고..... 아이들이 클수록 부모의 역할이 더욱 중요해지는 것 같습니다. 오늘도 내일도 아니 평생 나는 아이의 부모로서 노력해야 할 것입니다. 항상 아이와 대화하고, 따뜻하게 안아주고 아이의 눈높이에서 생각하고 아이의 의견과 생각을 존중해 줄 수 있다면 그 어떤 조건보다 더 잘 키우는 것이라고 생각해야 하겠습니다. 그래서 우리 부모님들은 오늘도 노력할 것을 믿고 있겠습니다. 나의 아이를 진정으로 존중하는 마음으로......

• • • • • • •

| 7월 / 2주 | 안내글 |

성취력과 인성지능

기본적인 지능의 수준을 지닌 사람이 뛰어난 성취력을 발휘하는 원동력은 IQ보다는 하워드 가드너의 다중지능이론이 더 타당하다고 합니다. 가드너에 의하면 인간의 지능은 서로 독립적으로 존재하는 적어도 여덟 개의 하위 요소로 구분되어 있습니다. 언어지능, 논리-수학지능, 시각-공간지능, 음악지능, 운동지능, 자연능력, 대인지능, 자기이해지능 등입니다. 이 중 대인지능과 자기이해지능은 인성지능에 관계된 것입니다. 이것이 성취도와 밀접한 관계가 있다는 것입니다. EBS에서 방영된 다큐멘터리 '아이의 사생활'에서 우리나라 국민 중 자기 고유분야에 뛰어난 업적을 남긴 사람들의 다중지능을 조사해 보았습니다. 국내 최초로 심장이식에 성공한 송명근씨는 논리-수학지능, 자연지능, 자기이해지능이 상대적으로 높았습니다. 발레리나 박세은씨는 신체운동지능, 대인관계지능, 자기 이해지능이, 패션디자이너 이상봉씨는 시각-공간지능, 언어지능, 자기이해지능이, 가수 유하는 음악지능, 언어지능, 자기이해지능이 높게 나타났습니다. 자기 분야에 뛰어난 업적을 남기는 사람은 각각 해당분야와 관련된 지능과 자기 이해 지능이 높다는 것입니다. 어떤 분야에 뛰어나려면, 또는 업적을 남기려면 반드시 대인지능과 자기이해지능과 같은 인성지능이 높아야 한다는 것입니다. 점수 따기 경쟁만으로는 훌륭한 성취를 이룰 수 없습니다. 자신을 존중하고 바로 세우며, 자신을 잘 관리하고 계발하고, 타인을 이해하고 따뜻한 인관 관계를 맺는 인성교육이 필요합니다. 인성지능은 손실이 아니라 다른 지능을 더욱 빛나게 해줍니다.

• • • • • • •

ㅣ 7월 / 3주 ㅣ 안내글 ㅣ

인생의 퍼즐 앞에서

아이들은 물론 어른들도 좋아하는 '퍼즐'(puzzle)이란 말은 '낱말 · 숫자 · 도형 따위를 이용하여 지적 만족을 얻도록 만든 놀이'를 뜻합니다. 아무 상관도 없는 것 같은 조각들을 맞추다보면 시간이 어떻게 지나가는 줄도 모를 만큼 재미에 푹 빠지게 됩니다. 퍼즐은 여러 조각으로 이루어져 있어 단번에 조각들을 맞추어 나갈 수는 없습니다. 조각을 찾아들고는 그 조각이 어디에 해당하는지를 차분히 생각하며 이곳저곳 서로를 맞춰보게 될 때 마침내 전체를 맞출 수 있게 됩니다. 곰곰이 생각해보면 퍼즐은 하나의 놀이만이 아니어서, 우리의 삶 자체가 하나의 퍼즐이 아닐까 싶기도 합니다. 왜냐하면 우리의 삶 또한 수많은 조각들로 이루어져 있기 때문입니다. 다양한 성격을 가진 서로 다른 일들이 서로 맞물리며 하나의 삶을 이룹니다. 때로는 이해할 수 없는 순간들도 있고, 때로는 받아들이기 힘든 일들도 찾아옵니다. 길을 잃었다고 여겨질 때도 있습니다. 어떤 순간에는 모든 것을 상실하는 듯한 아픔을 경험하기도 합니다. 감당하기 힘든 일들이 찾아오면 도대체 그 일이 내 삶과 무슨 상관이 있는 것인지 선뜻 이해할 수 없을 때가 적지 않습니다. 당연한 일이지만 퍼즐을 통해 그림을 맞추다 보면 모두가 같은 모양 같은 빛깔의 조각이 아님을 알게 됩니다. 서로 모양도 다르고 빛깔도 다르지만 그 모든 것들이 모여 하나의 그림을 완성하는 것입니다. 슬픔과 기쁨, 밝음과 어두움, 고마움과 미움, 평온함과 불안감, 신뢰와 실망…, 어쩌면 우리의 삶도 그 모든 것들이 모여 하나의 인생을 만드는 것인지도 모릅니다. 필요 없다 여겨지는 바로 그 순간으로 인하여 나머지 순간들이 명확해지고 빛을 발하게 되는 것입니다. 우리는 살아가며 도무지 이해할 수 없는 순간을 만나지만, 그 순간이 내 삶 전체에 어떤 의미를 갖는 것인지를 살핀다면 우리 삶에 무의미한 순간은 단 한 순간도 없을 것입니다.

• • • • • • •

| 7월 / 4주 | 안내글 |

힐링(Healing)

웰빙이라는 단어가 홍수처럼 범람하여 사람들이 그 격한 물살에 함께 소용돌이치던 때가 있었습니다. 육체적 정신적 건강의 조화를 통해 편안하고 행복한 삶이나 문화를 추구하려는 사람들은 너도나도 웰빙 바람 앞에 흔들릴 수밖에 없습니다. 웰빙이라는 단어가 슬그머니 사라지더니 지금은 힐링이 열풍입니다. 요즈음 힐링이라는 단어가 쓰나미처럼 나타나 너도나도 힐링을 한다고 난리들입니다. 힐링캠프, 힐링여행, 힐링푸드, 힐링요가, 힐링음악 등 힐링이 들어간 행사도 만만치 않습니다. TV프로그램도 힐링캠프라는 토크쇼를 진행하면서 지친 사람들의 몸과 마음을 치유한곤 합니다. 빠르게 변하는 세상은 우리의 마음을 지치고 병들게 하고 있습니다. 개인주의와 양극화에 서로가 서로에게 위로 받지 못하고 마음의 상처가 깊어지는 사람들이 점점 늘어나고 있습니다. 소통하지 못하고 마음의 벽을 닫고 자신만의 세계에 빠져 사회로부터 소외되는 그런 사람들에게 한 발짝 힐링이라는 이름으로 다가가고 있는 것은 아닐까요? 우리의 학부모님들은 힐링이 필요한 순간, 몸보다는 마음의 치유를 위하여 이곳저곳을 참여하여 힐링을 통한 삶의 가치를 높여 주시기 바랍니다.

• • • • • • •

8월 / 4주 안내글

놀자! 놀자! 재미있게 놀자!

| **8월 / 1주** | 안내글 |

하버드 친구들은 모두 다 "글로벌 리더" 입니다.

혀는 입안의 도끼라?....

상대를 생각하는 대화(對話)는 없고 일방적으로 던지는 발화(發話)만 넘치는 요즘, 세상을 부드럽게 만들고 정적까지도 아우를 수 있는 방법은 없는 걸까! 전문가일수록 품격있는 유머와 기지를 활용하라고 권합니다. 어떤 이는 경험에서 얻은 것이라고 하면서 말하기를 "원하는 걸 얻는 대화의 지름길은 상대방의 머릿속 그림을 그려보는 것"이라고도 했습니다. 작은 불이 큰 숲을 태우듯 세치 혀가 세상까지 망칠 수 있고, 혀는 심장계통에 속하므로 혀를 무분별하게 쓰면 심장이 상할 수 있고, 혀가 입안의 도끼라는 것을 모르니, 혀가 찰노릇이라. 일상생활에서 긍정어법을 쓰는 사람은 원하는 것을 부드럽게 얻는다고 합니다. 부정어법을 쓰는 사람은 금세 대결상황을 만듭니다. 〈적을 만들지 않는 대화법〉에서는 '하지만'과 '그리고'의 차이만 봐도 알 수 있을 것 같습니다. "문서를 훌륭하게 잘 만들었네. 하지만 여기에 이런 질문 하나 더 넣어주면 어떨까?" "문서를 훌륭하게 잘 만들었네. 그리고 여기에 이런 질문 하나 넣어 주면 어떨까?" 이럴 때 부정적 접속어 '하지만'은 칭찬까지도 비판으로 받아들이게 합니다. 쓰기에 따라 약도 되고, 독도 될 수 있는 말. 속되게 함부로 뱉는 막말은 독화살과 같고, 시위를 떠난 화살은 되돌릴 수도 없는 것 같습니다. 그렇습니다. 지혜로운 혀는 세상을 선하게 하고 어리석은 혀는 제 몸을 벱니다. 남의 입에서 나오는 말보다 자기 입에서 나오는 말을 잘 들으라는 경구도 그래서 나온 것 같습니다.

고작 9센티미터 밖에 안 되는 혀가 99 평생을 좌우하나니....

• • • • • • •

| 8월 / 2주 | 안내글 |

만남이 그리워지고 기다려지는 것은.....

'옷깃만 스쳐도 인연'이라는 말을 우리가 흔하게 씁니다만, 아무리 작고 우연한 만남이라도 그것을 함부로 생각하지 않아 소중하게 여겼던 예전과는 달리 요즘의 만남은 너무도 가볍고 사소한 것이 되어버린 것 같습니다. 서로의 비밀을 알지 못하면 아무리 오랫동안 만났다 하여도 그것은 헛 만남이고, 서로의 비밀을 알게 될 때 아무리 짧게 만났다 하여도 참 만남이라는 말이 있습니다. 누군가의 가장 깊은 내면을 알게 될 때 비로소 우리는 참 만남을 갖게 된다는 것인데, 과연 우리의 삶 속에 그런 만남이 얼마나 되는 것인지 모르겠습니다. 누군가의 속고갱이를 알기보다는 겉모습으로 많은 것을 판단하는 세상이 되고 말았으니까요. 참 만남으로 가기 위해서는 길들임이 필요한데, 길들임을 위해서 필요한 것은 참을성이며, 결국 오늘 우리들의 삶 속에서 참 만남이 사라졌다는 것은 오늘 우리에게 부족한 것이 서로의 부족한 면을 참고 또 참으며 오랫동안 기다려주는 마음이었던 것입니다. 만남의 의미에 대해 생각해 보시면 좋을 성 싶습니다. 가장 잘못된 만남은 생선과 같은 만남입니다. 만날수록 비린내가 묻어오니까요. 가장 조심해야 할 만남은 꽃송이 같은 만남입니다. 피어 있을 때는 환호하다가 시들면 버리니까요. 가장 비천한 만남은 건전지와 같은 만남입니다. 힘이 있을 때는 간수하고 힘이 다 닳았을 때는 던져 버리니까요. 가장 시간이 아까운 만남은 지우개 같은 만남입니다. 금방의 만남이 순식간에 지워져 버리니까요. 가장 아름다운 만남은 손수건과 같은 만남입니다. 힘이 들 때는 땀을 닦아 주고 슬플 때는 눈물을 닦아 주니까요. 많은 것들이 흔하게 스쳐가고 사라지는 세상, 그럴수록 참 만남을 그리는 마음은 더욱 간절해집니다.

• • • • • • •

| 8월 / 3주 | 안내글 |

매미는 훌륭한 성품을 가진 존재입니다.

매미 소리는 처절한 생존의 울림인 것 같습니다. 그러나 간혹 사람들은 매미 소리를 시끄럽다고 짜증냅니다. 2년에서 17년 동안 땅 속에 있다가 2주 정도 살다가 가는 매미 소리는 짝짓기를 위한 생존의 몸부림입니다. 매미의 이러한 삶을 한번이라도 생각한다면 결코 매미 소리에 짜증내지 않을 것입니다. 매미는 대부분 나무에서 이슬을 먹고 삽니다. 이처럼 맑은 매미의 존재는 나무에 살지만 2주 정도만 나무에 기생하다가 땅속으로 돌아가니 아주 검소한 존재입니다. 매미는 다른 곤충과 달리 이슬을 먹고 살기 때문에 나무는 물론 다른 생명체에 해를 끼치지 않습니다. 그래서 매미는 염치를 아는 존재입니다. 매미는 언제 와서 언제 가야할 지를 잘 압니다. 그래서 매미는 신의가 있는 존재입니다. 이슬만 먹고 살면서도 청아하게 살다가는 매미의 삶이야말로 인간이 본받아야 할 것 같습니다. 그러나 한 여름 밤을 더위에 싸우는 인간은 매미의 소리가 마냥 즐겁지만은 않을 수도 있습니다. 매미의 소리가 즐겁지 않는 것은 그 만큼 인간의 착한 심성에 문제가 있다는 증거입니다. 그런 매미의 삶이 인간에게 거의 해를 주지 않는다면 너그럽게 듣는 것도 좋을 것입니다. 매미의 소리를 음악으로 생각한다면 매미 소리는 아름다운 연주곡일 수도 있습니다. 이처럼 마음을 바꾸면 좋지 않은 일들도 아주 좋은 것으로 바뀔 수 있습니다. 그래서 매미는 여름마다 찾아오는 귀한 손님입니다. 손님의 소리에 귀를 기울이면 한층 행복한 여름을 보낼 수 있을 것 같습니다.

• • • • • • •

| 8월 / 4주 | 안내글 |

부모라는 모델과 어린이들의 자화상

어린이를 건전한 몸과 마음을 갖게하고 올바르게 교육하고 지도하는 일은 모든 부모의 책임이고 의무입니다. 자녀들과 생활해 나가는 데 있어 가장 중요한 마음의 바탕은 자녀들이 있는 그대로를 사랑하고 감사하며 만족해야 합니다. 또한 어린이들의 마음을 이해하고 성장하는데 있어서 무엇이 소중한가를 알고 키워줄 수 있어야 합니다. 자녀들이 부모를 닮아간다는 것은 필연입니다. 부모라는 모델을 보면서 그들의 자화상을 나날이 조각합니다. 부모에 대한 참다운 모방은 서로의 관계가 사랑과 존경으로 이루어질 때만 가능한 것입니다. 또한 가정에서 가르치고 있다는 점이 학교와 다릅니다. 이러한 교육이 인생을 좌우할 만큼 결정적인 영향을 주고 있다는 데 교육의 장으로써 가정의 중요성을 강조하고 싶습니다.

• • • • • • •

9월 / 4주 안내글

원장님 우리가 2번 변해야 할 때입니다

| 9월 / 1주 | 안내글 |

하버드 친구들은 모두 다 "글로벌 리더" 입니다.

1%의 행복- 나는 언제나 행복합니다.

사람들은 자꾸 묻습니다. 행복합니까?

저울에 행복을 달면... 불행과 행복이 반반이면 저울이 움직이지 않지만... 불행49% 행복51%면.. 저울이 행복 쪽으로 기울게 됩니다. 행복의 조건엔... 이처럼 많은 것이 필요없습니다. 우리의 삶에서 단 1%만 더 가지면... 행복한 겁니다. 어느 상품명처럼 2%가 부족하면. 그건 엄청난 기울기입니다. 아마... 그 이름을 지은 사람은?.. 인생에 있어서 2%라는 수치가 얼마나 큰지를 아는 모양입니다. 때로는 우리도 모르게 1%가 빠져나가.... 불행하다 느낄 때가 있습니다. 더 많은 수치가 기울기전에.. 약간의 좋은 것으로 얼른 채워 넣어... 우리는 다시 행복의 무게를 무겁게 해 놓곤 합니다. 약간의 좋은 것 1%! 우리 삶에서 아무 것도 아닌... 아주 소소한 것일 수도 있습니다. 기도할 때의 평화로움, 시원한 팥빙수, 친구의 감성적인 편지, 감미로운 음악, 숲과 하늘과 안개와 별 그리고.. 잔잔한 그리움까지... 팽팽한 무게 싸움에서는... 아주 미미한 무게라도... 한쪽으로 기울기 마련입니다. 단, 1%가 우리를 행복하게 또 불행하게 합니다. 우리는 매일의 오늘처럼.. 그 1%를 행복의 저울 쪽에 올려 놓고 달려갑시다.

그래서 행복하냐는 질문에 웃으며 대답해 보세요. '나는 언제나 행복합니다'라고 말입니다.

• • • • • • •

| 9월 / 2주 | 안내글 |

향기로운 마음의 선물

생일 선물은 무엇이 가장 좋을까요? 사랑하는 사람이 생일을 맞을 때 무엇을 선물하면 내 마음을 잘 전달하는 것이 될까요? 오래도록 기억될 마음의 선물을 고르기란 생각만큼 쉬운 일이 아닙니다. 얼마 전 우연히 어떤 남편에게서 부인에게 받았다는 생일 선물에 대한 이야기를 들었습니다. 그의 부인은 남편의 생일을 앞두고 남편이 모르게 남편을 기억하는 사람 마흔 명에게 편지를 보냈답니다. 머잖아 생일을 맞는 남편에게 생일을 축하하는 좋은 글을 보내주었으면 좋겠다는 편지였습니다. 굳이 마흔 명을 택한 것은 남편의 생일이 마흔 번 째 생일이기 때문이었습니다. 남편을 생각하는 부인의 마음에 감동한 편지를 받은 사람들은 빠짐없이 남편에게 편지를 보내왔고, 편지의 내용도 정이 가득한 내용이었습니다. 그의 삶을 축하하는 내용과 격려하는 내용이 편지마다 정겹게 담겼답니다. 그 모든 편지를 하나의 스크랩북에 담아 남편의 생일날 아침 생일 선물로 전했습니다. 물론 부인의 마음이 담긴 글도 빠지지는 않았겠지요. 아!, 선물을 받은 남편의 마음이 얼마나 행복하였을까요! 그만큼 향기나는 선물, 행복한 생일 선물이 어디 흔한 일일까요! 힘들어하는 남편에게 작은 위로와 용기를 주고 싶어 시작한 일이라 하지만 그것은 무엇과도 비교하거나 바꿀 수 없는, 어디에서도 살 수 없는 가장 귀한 마음의 선물이 되었겠지요. 우리가 사랑하는 사람을 위해 마음의 선물을 준비하려고 한다면 참으로 우리는 기발한 선물을 준비할 수도 있다는 사실을 편지를 선물로 준비한 부인을 통해 배우게 됩니다. 사랑하는 사람을 축하할 날이 다가오고 있지는 않은지요? 사랑하는 사람이 깜짝 놀라며 감격해 할 마음의 선물이 무엇인지, 그런 일을 고민하는 바로 그 시간부터 마음의 행복은 이미 충분히 시작되는 것이 아닐까요?

• • • • • • •

| 9월 / 3주 | 안내글 |

잘 익은 사랑 하나

우리는 후각 기능을 통해 인식하게 되는 것 중에서 '향기'라는 말과 '냄새'라는 말이 있습니다. '악취'라는 말은 물론이거니와 '향기'라는 말이 '냄새'라는 말과도 구별되는 것은 각각에서 생겨나는 감정이 다르기 때문일 것입니다. 사람의 마음을 즐겁고 유쾌하게 하는 냄새를 따로 구별하여 '향기'라 부르는 것일 테니까요. 그런 면에서 향기와 냄새는 꽃과 두엄더미에서만 나는 것은 아니지 싶습니다. 사람 중에도 향기 나는 사람이 있고 냄새나는 사람이 있습니다. 향수나 샴푸 냄새가 아닌, 마음에서 우러나는 은은한 향기를 가진 사람. 그런 사람 곁에 있으면 괜히 즐겁고 편안합니다. 향기가 눈에 보이지는 않지만 분명하게 느낄 수 있는 것처럼 향기로운 사람 또한 눈에 보이지 않는 기쁨과 생기의 이유가 되어주곤 합니다. 향기를 지닌 사람은 두고두고 많은 사람을 즐겁게 합니다. 시인 이시영의 "어느 향기"라는 시가 마음에 와 닿습니다.

"잘 생긴 소나무 한 그루는 매서운 겨울 내내 은은한 솔 향기를 천리 밖까지 내쏘아주거늘 잘 익은 이 세상의 사람 하나는 무릎 꿇고 그 향기를 하늘에 받았다가 꽃피고 비오는 날 뼛속까지 마음 시린 이들에게 골고루 나눠주고 있나니"

무릎 꿇고 향기를 받았다가 뼛속까지 마음 시린 이들에게 골고루 나눠주는 잘 익은 사람 하나. 마음 깊은 곳 향기를 지니고 살아가는 사람들이 그리워지며 많았으면 좋겠습니다.

어느새 가을...

올해도 추석이 찾아 왔습니다. 가을 햇살처럼 풍요롭고 여유로운 마음으로 감사하는 일이 많은 날들이었으면 좋겠습니다.

• • • • • • •

| 9월 / 4주 | 안내글 |

나무와 관상

아주 오랜만에 영화 '관상'을 보았습니다. 영화 관상은 조선시대 수양대군과 김종서를 둘러싼 권력투쟁과 얽혀 재미를 더하고 있는 내용입니다. 관상이 사람들의 관심을 끄는 것은 사람마다 다르겠지만 무엇보다도 한국 사람들이 관상 자체에 관심이 많은 민족이기 때문입니다. 관상은 일찍부터 사람을 이해하는데 큰 몫을 담당했습니다. 심지어 세간에 대기업에서 관상으로 사람을 뽑는다는 설까지 나돌 정도입니다. 관상의 '상(相)'은 '나무를 '본다'는 뜻입니다. 나무를 본다는 글자가 사람의 얼굴을 의미하는 글자와 같다는 것은 의미심장합니다. 나이테가 나무의 삶을 온전히 담고 있는 것처럼 얼굴도 사람의 삶을 온전히 담고 있습니다. 사람들은 매일 자신의 얼굴을 보지만 자세히 보지는 않습니다. 여자는 남자보다 훨씬 자신의 얼굴을 자세히 보지만, 대부분 얼굴이 예쁜지의 여부에 큰 관심을 가집니다. 그래서 어떻게 하면 얼굴을 예쁘게 만들까 걱정하면서, 시간과 돈을 투자합니다. 세상에 나쁜 관상은 없답니다. 오로지 좋은 관상만 존재할 뿐이랍니다. 세상에 좋은 관상만 존재하는 것은 인간이든 다른 생명체든 세상에 태어나는 순간 좋은 존재이기 때문일 것입니다. 다만 사람들이 자신이 좋은 존재라는 것을 모를 뿐입니다. 만약 처음부터 좋은 관상이라고 믿고 자신의 얼굴을 본다면, 분명 좋은 점을 발견할 것입니다. 행복과 불행은 자신의 얼굴을 어떤 관점에서 보는가에 달렸지 싶습니다.

• • • • • • •

10월 / 4주 안내글

전문성을 갖춘 교육기관

| 10월 / 1주 | 안내글 |

하버드 친구들은 모두 다 "글로벌 리더" 입니다.

컴퓨터가 사람의 五感(오감)을 읽는 시대

" 'Next Big Thing'은 센서가 될 것입니다. 모든 사물에 센서가 부착돼 세계는 새로운 감각을 갖게 될 것입니다." '웹2.0' 개념의 창시자 팀 오라일 리가 한 말입니다. 그의 말대로 최근 센서 관련 기술이 정보기술 융합과 차세대 유망 기술로 급부상하고 있습니다. 특히 오감 인식 기술, 즉 인간의 감각을 모방하는 기술은 이전과 다른 차원의 서비스를 제공한다는 점에서 가장 큰 주목을 받고 있습니다. IBM은 '컴퓨터가 5년 안에 인간과 같은 五感을 갖게 될 것'이라고 전망을 했습니다. 사람이 직접 조작을 하지 않아도 기계가 알아서 반응하는 ' 디지털 육감' 기술이 가능해질 것이라는 예측입니다. 이런 추세라면 사람의 마음을 읽고 주변 환경도 적절하게 파악해 맞춤형 정보나 서비스를 제공하는 '친절한 기계'가 등장할 날도 멀지 않은 듯합니다. 특히 시각 인식 기술은 사람의 얼굴 모양을 인식하는 단계에서 나아가 사람의 표정을 파악해 사람의 기분도 감지할 수 있는 수준까지 발전했습니다. 또 사람의 시선을 인식하는 기술은 소비자의 행동 분석, 장애인의 기기 조작 등에서 적극 활용되고 있습니다. 음성인식 기술은 음성으로 기기를 단순히 제어하는 것을 넘어서 기계와 소통할 수 있는 정도까지입니다. 오감인식 기술은 융합 기술로 인간과 기계의 소통과 교감을 넘어 인문, 사회, 예술 등을 넘어 다양한 학문 분야의 융합연구까지 확대된다 하니 새로운 세계가 우리를 기다리고 있는 듯 합니다

• • • • • • •

| 10월 / 2주 | 안내글 |

하루를 즐겁게 보내려면

'하루를 또는 평생을 즐겁게 보내려면'이라는 제목의 글을 통해 귀담아 듣고 싶은 마음의 것들이 있습니다. 우리는 자칫 반복되는 삶을 살다보면 하루의 즐거움을 잃어버리기 쉽고, 하루의 즐거움을 잃어버리는 것은 결국 삶의 즐거움을 잃어버리는 것일 수도 있기에, 아래 글에 대한 호기심을 갖고, 짧지만 많은 내용을 음미해 보시기 바랍니다. 『샤워할 때는 노래를 하라. 일 년에 적어도 한번은 해 오름을 보라. 완벽함이 아닌 탁월함을 위해 노력하라. 세 가지 새로운 유머를 알아두어라. 매일 세 사람을 칭찬하라. 단순하게 생각하라. 크게 생각하되 작은 기쁨을 즐겨라. 당신이 알고 있는 가장 밝고 정열적인 사람이 되어라. 항상 치아를 청결히 하라. 부정적인 사람들을 멀리하라. 잘 닦인 구두를 신어라. 지속적인 자기발전에 전념하라. 악수는 굳게 나누어라. 상대방의 눈을 보라. 먼저 인사하는 사람이 되어라. 새로운 친구를 사귀되, 옛 친구를 소중히 하라. 비밀은 반드시 지켜라. 남을 비난하지 말라. 당신 삶의 모든 부분을 책임져라. 사람들이 당신을 필요로 할 때 거기 있어라. 삶이 공정할 거라고 기대하지 말라. 사랑의 힘을 너무 얕보지 말라. 설명하기 위해서가 아니라 주장할 수 있는 삶을 살아라. 실수했다고 말하는 것을 두려워 말아라. 남의 작은 향상에도 칭찬해 주어라. 약속은 꼭 지켜라. 오직 사랑을 위해서만 결혼해라. 옛 우정을 다시 불붙게 하라. 자신의 행운을 기다려라.』 특별히 마음에 와 닿는 구절이 있는지요? 서너 개라도 좋고 한 가지라도 좋을 듯 싶습니다. 한 가지라도 마음에 담아두고 매일의 즐거움을 위해 지켜간다면 우리들의 일상은 어느새 달라지지 않을까요.

• • • • • • •

| 10월 / 3주 | 안내글 |

황금 들녘과 생명

전국의 들판이 황금색으로 변해 가고 있습니다. 벼가 누렇게 익어가는 황금들판을 바라보는 것만으로도 마음이 풍성할 뿐 아니라 감동의 눈물까지도 흐릅니다. 들판의 황금물결을 바라보면서 눈물짓는 사람은 농촌을 고향으로 둔 사람만의 특권일수 있습니다. 도시에서 어린 시절을 보낸 사람에게 황금들녘은 결코 황금으로 보이지 않기 때문입니다. 가을철 벼는 황금색으로 변하지만 이제 벼는 한국 사람에게 황금대우를 받지 못합니다. 쌀 소비가 날로 줄어들고 있기 때문입니다. 쌀 소비가 줄어드는 것도 쌀을 주식으로 살아가는 사람들이 점차 줄고 있기 때문입니다. 황금들녘은 단순히 벼가 누렇게 익어가기 때문에 붙인 이름이 아닙니다. 황금들녘이 곧 사람을 숨 쉬게 하기 때문입니다. 그러나 해마다 다른 용도로 사라지는 황금들녘이 사람의 호흡을 거칠게 만들지만 심각성을 알리는 소리는 들리지 않습니다. 더욱 심각한 문제는 다른 용도로 사라진, 특히 혁신도시로 사라진 황금들녘은 다시 되돌릴 수 없다는 사실입니다. 경제 활성화를 위해 '과감하게' 황금들녘을 걷어치우는 정책이 과연 인간의 미래를 밝게 할지 의문입니다. 황금들녘을 바라보면서 감동의 눈물을 흘리는 것은 단순히 농촌 출신의 향수 때문이 아니라 한국인에게 들판이 생명의 습지이기 때문입니다. 논을 생명의 땅으로 인식하는 사람은 어린 시절을 농촌에서 보내지 않았더라도 황금들녘을 바라보면서 눈물 흘릴 수 있습니다. 생명만큼 감동을 주는 대상이 없기 때문입니다.

• • • • • • • •

| 10월 / 4주 | 안내글 |

색깔의 축제 단풍

어느덧 세상은 주황색 단풍으로 물들어가고 붉게 타오르고 있습니다. 우리가 산을 자주 찾는 이유는 단풍의 찬란함에 유혹되어서가 아닐 수도 있습니다. 4계절의 변화가 뚜렷한 산색의 신비로움에 도취된 때문일 것입니다. 우리의 모든 산들은 4계절 모두 특별한 아름다움으로 자태를 드러내주고 있습니다. 봄이면 만산에 살구꽃이 흐드러지게 피고, 여름이면 나무숲의 향기도 일품이고, 가을이면 역시 다섯 가지 단풍색깔이 온 산을 붉게 물들입니다. 특히 된서리가 내릴 무렵의 단풍빛깔은 윤기 자르르한 가을 햇살과 한데 어울려 눈이 부십니다. 첫서리가 내릴 무렵 햇살 속으로 가까이서 단풍을 들여다보자면 찬란한 색깔이 시시각각으로 변하는 것을 알 수 있습니다. 그리고 하룻밤을 새고 나서 다시 보면 어느새 다섯 가지의 빛깔이 더욱 화사하게 짙어지면서 그 화려함에 온통 마음까지 설렙니다. 그런가하면 겨울의 산은 마치 설경산수를 펼쳐놓은 듯 사방이 정갈합니다. 단풍이 절정을 이룰 때는 산을 찾지 않는 이들도 있습니다. 발을 들여놓을 틈도 없이 인파가 몰리기 때문입니다. 단풍이 한창 흐드러질 때보다는 요즘처럼 서리가 내리기 직전의 첫 단풍이 들기 시작할 때나, 잎이 고스러지기 직전 마지막 빛깔을 삽상한 햇살 사이로 아낌없이 토해내는 늦가을을 선택하는 이도 있습니다. 우리나라 모든 산은 언제나 정겹고 평화롭게 우리를 맞아 줍니다. 올 한해 가족과 함께 마지막 단풍 산행은 어떠신지요?

• • • • • • •

11월 / 4주 안내글

전문성을 갖춘 교육기관

| 11월 / 1주 | 안내글 |

하버드 친구들은 모두 다 "글로벌 리더" 입니다.

이 세상에는 사랑의 다섯 가지 언어가 있는데 인정하는 말, 함께 하는 시간, 선물, 봉사, 육체적인 언어등 다섯 가지 사랑의 언어로 들고 있습니다. 어떤 이는 이렇게 말합니다 "나는 한 번 칭찬을 받으면 두 달간은 잘 지낼 수 있다"고 재미난 말을 했습니다. 서로를 인정하고 칭찬하고 격려하는 말이 곧 사랑의 언어인 셈입니다. 서로를 인정하는 말을 할 때 주의해야 할 것이 있는데, 격려와 잔소리를 구분하는 것입니다. 또 하나 중요한 것이 말투입니다. 우리가 하는 말은 말의 내용보다도 말투에 의해 전달이 됩니다. 인디언들은 자녀들에게 '누군가와 이야기할 때는 말이 아니라 말투를 들으라' 가르친다고 합니다. 함께 하는 시간 그 자체가 사랑의 언어가 될 수 있습니다. 온전히 서로에게 관심을 집중하는 것입니다. 눈을 마주하고, 마음에 있는 이야기를 나누며 감정의 연대감을 나누는 시간은 눈이 부시도록 아름다운 시간입니다.

사랑의 언어는 대답이 아니라 공감을 원하는 것입니다. 상대가 원하는 것을 기꺼이 인정하며 기회를 주는 선물, 상대가 원하는 것을 내가 대신해주는 봉사, 손을 잡거나 입맞춤을 하거나 포옹을 하는 등 다양한 육체적인 접촉, 그 모든 것은 그 자체로 사랑의 언어가 됩니다. 사랑을 표현할 때도 상대의 사랑의 언어로 표현해야 합니다. 나에겐 어렵고 낯설어도 상대의 언어로 사랑으로 표현할 때 비로소 사랑은 사랑으로 전해질 수가 있습니다. 사랑의 언어가 서로 통해 진정한 사랑이 깃드는 복된 삶을 우리의 원과 학부모님들과 함께하며 행복을 꿈꿔 봅니다.

• • • • • • •

| 11월 / 2주 | 안내글 |

하루하루를 감사하며 충실하게 .....

우리가 지구상에서 살수 있는 날들은 우리의 남은 생애에 주어진 날들뿐입니다. 그럼에도 불구하고 우리는 얼마나 많은 날들을 무의미하게 흘려보내고 있을까요? 주어진 모든 날들을 알차게 산다는 것은 의식이 깨어 있는 매 순간마다 의미 있는 일을 하고 뭔가를 성취하라는 뜻은 아닙니다. 그 누구도 그렇게 살 수는 없습니다. 이 말은 내 삶은 물론 다른 사람의 삶도 좀 더 값진 인생이 되는 힘이 될 일을 하며 살기를 바란다는 의미입니다. 누구나 언젠가는 좋은 날이 오리라 기대하며 삽니다. 다음 주, 다음 달, 아니면 내년 봄, 내년 여름이라도 ... 하지만 우리는 오늘 하루를 땀 흘리고, 지금 이 순간에 감사하며, 내일도 오늘처럼 살아갈 것입니다. 그러는 좋은 날이 내일 혹은 모레나 글피에 찾아올지도 모르겠습니다. 좋은 날을 기다리더라도 오늘 자신에게 주어진 모든 순간들에 감사할 줄 알아야 합니다. 당장 정리해야하고 하던 업무도 서둘러 마쳐야하겠지만, 이런 바쁜 와중에도 틈을 내어 내게 주어진 것들에 감사하는 시간들을 가지고 승리하는 한주간이 되었으면 좋겠습니다.

하루하루를 어떻게 사느냐가 우리네 인생을 결정합니다.

• • • • • • • •

| 11월 / 3주 | 안내글 |

긍정하는 삶을 살기 위한 조건들?

긍정하는 삶이 행복하다는 것은 우리 모두가 공통적으로 인정하는 사항입니다. 그러므로 긍정하는 습관이 몸과 마음에 뿌리 깊게 자리 잡아야 하지 않을까요? 세상을 행해 긍정하라는 의미는 결국 내면의 감정을 항상 즐겁고 행복한 상태로 유지하라는 것입니다. 나쁜 상황이 벌어지더라도 그 상황을 잘 이해하고 오해받는 상황이 벌어져도 그 상황을 열린 마음으로 받아 들여야 한다는 것이 긍정하는 삶의 조건입니다. 결국 우리 몸과 마음을 편안하고 긍정적으로 만들어야 할 책임은 본인에게 있는 것이며, 세상은 내가 해석하기 나름으로 이끌어 가는 것입니다. 오늘 이후부터는 세상을 긍정하는 위대한 자기 자신들을 만나 보시면 참으로 좋을 성 싶습니다. 세상을 긍정하지 않으면 자신이 피곤해집니다. 누구를 의심하고 시기하고 미워한다는 것은 정말 엄청난 긍정 에너지의 낭비입니다. 내가 살기 위해서는 진실로 세상을 아름답게 볼 수 있는 긍정하는 시각을 지녀보세요. 더불어 긍정하는 삶을 살기 위해서는 마음속에 아름다운 긍정의 꽃밭을 가꾸어 기시기 바랍니다. 아름다운 사랑의 언어로 주변사람들을 격려하고 위로해 봅시다. 그리고 아름답고 행복한 생각을 해 봅시다. 이제까지 힘겨운 삶을 살아왔다면 그것은 모두 본인이 만들어 놓은 거대한 부정의 장벽이였을 뿐입니다. 타인을 인정하고 타인에게 아름다운 언어를 언제나 선물합시다. 자신이 가진 부정의 족쇄를 벗어던지고 이제 나약한 "– 때문에 할 수 없다."는 말을 버립시다. 긍정할 수 없는 삶은 없습니다. 아름다운 세상은 모두 내가 느껴야 만들어지는 것입니다. 아름다운 마음속 꽃밭을 만들어 가십시오. 그래서 위대한 일들을 경쟁과 물질들로 멍들은 우리 가슴을 따뜻하게 치유하고 위로해 줍시다.
긍정의 학부모님들을 기대하며 긍정과 함께 행복한 시간을 만들어 가시기 바랍니다.

• • • • • • •

| 11월 / 4주 | 안내글 |

사랑의 언어

우리들에게 서로를 이해하는데 도움을 주는 다섯 가지 사랑의 언어가 있습니다. 서로가 가지고 있는 사랑의 언어를 이해함으로 서로를 사랑할 수 있도록 도와줍니다. 우리가 타문화를 배우기 위해서는 그 문화를 표현하는 언어를 익혀야 하듯이 한 사람을 이해하기 위해서는 그가 사용하는 언어를 이해할 필요가 있습니다.
 많은 경우 사람들은 사랑에 빠지는 것을 사랑이라 생각합니다. 사랑의 감정에 빠지면 소위 눈이 멀게 되어 아무 것도 보이지를 않습니다. 아니 좋은 것만 보입니다. 상대의 어떤 것을 보아도 다 좋게만 보입니다. 문제는 그 사랑의 감정이 오래 가지 않는다는데 있습니다. 흔히들 감정에 의한 사랑은 2년을 넘기기가 어렵다고 합니다.

사랑의 감정이 식어지든지 사라지면 실망하거나 당황해합니다. 내가 사랑한 사람이 이런 사람이었단 말이야? 하며 실망을 하기도 하고, 내가 생각한 사랑이 아니었다며 당황하는 것입니다. 사랑이 찾아올 때는 특별한 노력 없이 나도 모르게 찾아오지만 그 사랑을 지키기 위해서는 의지와 노력이 필요합니다. 사랑을 지키려는 의지를 가지고 사랑을 지키기 위해 필요한 노력을 할 때 비로소 진정한 사랑은 이어지게 됩니다.

• • • • • • •

12월 / 4주 안내글

우리 원 만의 특별함을...

| 12월 / 1주 | 안내글 |

하버드 친구들은 모두 다 "글로벌 리더" 입니다.

내 아이에게 행복한 삶을 선물하고 싶으십니까?

부모는 자녀에게 물려주고 싶은 것이 참으로 많습니다. 남부럽지 않은 재산, 좋은 직장을 가질 만한 학력, 남들에게 존경 받을 만한 인품, 그리고 무병장수할 수 있는 건강까지, 이것은 아이가 삶을 평안하게 영위하기 위한 조건으로 꼽기에 부족함이 없어 보입니다. 하지만 이 조건들에 우선순위를 매긴다면, 사정은 조금 달라집니다. 어떤 부모는 다른 것 필요 없이 성격 모나지 않고 사회 구성원으로서 둥글게 살아가면 충분하다고 여깁니다. 과욕부리지 않고 평범함 속에서 행복을 누리기를 바랍니다. 반면 어떤 부모는 나의 아이가 좋은 대학을 나와서 연봉이 높은 직장을 얻고 경제적으로 안정된 생활을 하기를 바랍니다. 머리로는 몸과 마음의 건강이 제일이라고 하지만, 세상의 잣대로 들이댄다면 물질적 풍요와 학벌에 욕심이 생깁니다. 부모 노릇의 차이는 바로 우선순위를 어떻게 매기느냐에 달려 있습니다. 이처럼 지향점이 다르면 양육방식에도 차이가 나게 마련이지만, 목표는 모두 "내 아이의 행복한 삶"입니다. 모든 부모는 아이가 자신의 인생을 행복하게 영위하기를 바라기 때문일 것입니다. 지금은 물론, 어른이 되어서도 행복이 지속되기를 희망합니다. 그렇다면 어떤 삶이 행복한 것일까요?. 그리고 내 아이가 행복한 삶을 누리려면 어떻게 키워야 하는 것일까요? 결론으로 말하자면, 인품이 훌륭한 사람도, 건강한 사람도, 돈이 많은 사람도, 학력이 높은 사람도 그 한가지 조건만으로는 온전히 행복하다고 말할 수 없을 듯합니다. 우리 생각하는 면면들을 살펴보면 중요도의 차이가 있지만 모든 요소요소(인품, 건강, 부요, 학력)들이 잘 배합되어 있을 때 행복을 느끼게 된다는 것을 알고 준비하는 아이들, 행복한 아이들로 키워가고 자라주었으면 좋겠습니다.

• • • • • • • •

| 12월 / 2주 | 안내글 |

생각 바꾸기

‘생각을 바꾸면 세상이 다르게 보인다.’ 어느 책의 재미있는 제목이다. 우리가 가지고 있는 고정 관념을 깨면 세상을 다른 눈으로 볼 수 있다는 것입니다. 즉 변화하는 세상에 대응하기 위해선 지니고 있는 생각을 바꾸는 사고의 전환이 절대로 필요하다는 말입니다. 지금도 부모님을 모시고 계신 가정을 방문하면 나이든 부모님의 사진이 간혹 벽에 누렇게 변한 결혼 사진이 걸려 있는 것을 볼 수 있을 것입니다. 부부가 둘이서 찍은 것, 오래된 사진, 왜 걸어 놓았을까? 생각을 불러 일으켜 봅니다. 지금은 늙었지만 그때는 젊었을 것입니다. 우리가 저렇게 좋은 때가 있었는데...하고 원점으로 돌아가 생각한다는 것입니다. 동시에 생각을 바꾸어 다각적으로 생각하는 지각 능력을 가지자는 뜻도 숨어 있습니다. 이런 생각은 기업 경영에도 적용되는 것 같습니다. 하와이는 태평양 한가운데 더운 곳에 있는 섬입니다. 그 하와이에서 누가 밍크코트 장사를 하겠다고 하면 미쳤다고 생각하지 않을까? 그런데 한 사람이 가죽옷, 밍크코트를 내놓고 파는 가게를 열었습니다. 다들 정신 나간 사람이라고 했지만 그는 생각하기를 온 세계 사람이 여기에 오는데, 많이 오게 되면 추운 지방 사람들도 온다는 것입니다. 그런데 일반적으로 지혜로운 사람은 겨울에 여름옷을 준비하고 여름에 겨울옷을 준비합니다. 이처럼 생각의 차이가 있는 것입니다. 이윽고 그 밍크코트 가게는 점점 사람들이 몰렸고 30억의 수입을 올렸습니다. 보통 사람은 생각지 못할 그의 생각은 남이 모르는 세계를 보았던 것입니다. 우리도 생각을 깊게, 과학적으로, 도덕적으로 할 줄 알아야겠습니다. 세상은 자꾸만 변하고 있습니다. 중국의 장관급 인사를 만난 어느 교수 이야기가 있습니다. “당신도 집에 가면 음식을 만드나요?” 교수가 묻자 “아, 그럼요. 음식 만드는 것은 재미있지요. 그런데 한 가지 어려운 것이 있어요. 장을 보아야 하는데 그것이 좀 힘들어요. 오늘 아침에도 장을 보아놓고 왔지요.” 13억이나 되는 중국 사람들이 이렇게 전부 남자가 음식을 만든답니다. 그런데 조그마한 나라에 살고 있는 우리는 남자가 부인 도우려고 부엌에 좀 들어간다면? 생각을 바꾸어야겠습니다. 사내자식이 가문 망신시키려고 부엌 나들이한다는 시어머니의 고정 관념도 깨야겠습니다. 그래야만 새로운 세계가 보입니다. 어찌 가정뿐이랴. 경제 회생의 가장 빠른 길은 벤처기업의 육성 발전이라고 합니다. 기발한 새로운 생각으로 도전하는 벤처기업이 경제의 한파를 녹일 것입니다. 우리의 생각을 바꾸는 것이 우리의 운명을 바꾸는 지름길임을 되새겨 봅니다.

• • • • • • •

| 12월 / 3주 | 안내글 |

부모의 7가지 교육 태도-맞벌이 부부의 가장 큰 고민은 자녀 교육입니다. 교육 심리학자들은 맞벌이 가정의 자녀문제중 대표적인 것이 부모와 접촉 시간이 짧아 자녀를 고독하게 만든다는 점과 이에 대한 죄책감으로 과잉보호와 과잉사랑을 베푼다는 점을 지적합니다. 과잉보호형은 부모가 자녀에게 미안하다는 생각을 갖고 있기 때문에 자녀들의 요구를 무조건 들어주는 타입입니다. 이런 태도는 절제할 줄 모르는 아이, 인내심이 없는 아이로 키우기 쉽습니다. 간섭형은 부모가 집에 돌아온 순간부터 나갈 때까지 잔소리를 퍼붓는 타입입니다. 이런 경우 자녀는 희망이나 불안한 일, 비밀스런 이야기가 있어도 부모에게 말하지 못합니다. 방임형은 부모가 정신적 육체적으로 피곤해 자녀들에게 관심을 못 갖는 타입입니다. 이런 때 자녀는 정서적으로 불안정한 상태가 되기 쉽습니다. 한편 맞벌이 부부의 자녀는 일에 있어 남녀의 능력차가 없다는 사실을 일찍 깨달으며, 자부심이 강합니다. 가정사역가들은 자녀의 연령에 관계없이 부모가 가져야 할 7가지 교육 태도를 제시하고 있습니다.

♥죄책감을 버려라. 죄책감을 가지면 자녀를 응석받이로 키우게 된다. ♥자녀와 함께 있는 동안 집안이 좀 지저분해도 신경쓰지 말고, 자녀에게만 관심을 쏟아라 ♥잠자기 전에 이야기를 들려주거나 일과 중 잘한 일을 칭찬해 주고 내일을 위해 기도해 줘라. ♥자녀에게 책임감을 심어 준다. 자녀들이 방과후 시간을 자율적으로 보낼 수 있게 시간 계획표 작성을 돕는다. ♥가사일엔 가족들을 최대한 동원시킨다. ♥가족을 위한 특별한 시간을 마련한다. ♥ 좋은 보모나 유치원을 선택한다.♥

• • • • • • •

| 12월 / 4주 | 안내글 |

열번의 반복으로 하나를 기억시킵니다.

아이는 무엇이든 곧 기억할 수가 있습니다. 그러나 어떤 일을 제대로 해내기 위해서는 약간의 시간이 필요합니다. 아이들을 기를때, 어른들은 이 점을 자주 잊어버립니다.
그래서 참을성이 부족한 사람은 곧 큰소리를 내게 됩니다. "왜 그렇게 모르냐? 전에 엄마가 가르쳐 주었잖아?" 하지만 이런 행동은 어린이에 대한 초보적인 이해가 부족하다는 증거일 뿐입니다. 즉, 열번쯤 반복해서 가르쳐야 겨우 하나를 기억하는 것이 어린이의 특성입니다.
그리고 아이를 가르칠 때 언어에 대한 지도가 전부라는 점도 문제입니다. 우선 어른이 직접 시범을 보입니다, 이어서 아이에게 그대로 해 보게 합니다, 잘 안되는 점을 고쳐 줍니다. 이런 기술적, 실질적 가르침이 부족한 것입니다.
"그렇게 일일이 가르친다는 건 너무 귀찮습니다. 시간이 많이 걸리고, 그러다 보면 부모도 지쳐 버릴 것입니다."
이 점은 사실입니다. 아이에게는, 별 것도 아닌 것을 하나하나 반복해서 가르치는 단조로운 작업이 일상생활의 대부분을 차지하는 시기가 있습니다. 그것이 바로 유아기입니다. 어른으로서는 상당한 각오가 필요한 시기입니다.
"아, 정말 힘들다. 아직 소변도 못 가리고, 사람들이 많은 곳에 가면 앙앙 울고…. 나를 집에다 이렇게 묶어 두는 아기란 참말 귀찮은 존재야."
이런 불평이 나오는 것도 당연합니다. 하지만 이런 상태가 언제까지나 계속되는 것은 아니다. 유아기에 가장 심하고, 나중에 사춘기가 되면 형태를 달리해서 등장하게 되는 고민일 뿐이다.
다. ♥가족을 위한 특별한 시간을 마련한다. ♥ 좋은 보모나 유치원을 선택한다.♥

• • • • • • •

1월 / 5주 안내글

차 한잔, 쉼표 하나....

| 1월 / 1주 | 인사글 |

하버드 친구들은 모두 다 "글로벌 리더"입니다.

안녕 하십니까?

새해가 밝았습니다.

다사다난이란 말이 실감 나던 한해를 보내고, 새해를 맞았습니다.

새해가 왔다는 것은 단순히 달력 한 장의 바뀜, 단순히 새 하루가 밝았음을 의미하지는 않습니다.

어제와 별로 다르지 않은 하루가 왔음에도, 어제 보던 해와 비슷한 해가 솟았을지라도 사람들은 그 해를 보며 새해라 하여 소망을 빌기도 하고, 한 해를 어떻게 보내야겠다고 다짐을 하기도 합니다.

사람들이 그렇게 의미를 크게 부여하는 것은 새해를 보는 사람들의 생각 안에는 과거를 청산하고 새로운 희망과 각오로 임하고 싶은 한 해를 맞고 싶기 때문입니다. 지난 일들 중에 행복했던 일은 간직하고 싶지만, 불행하거나 안 좋았던 일은 빨리 잊어버리고 싶기 때문일 것입니다.

또 자신이 발전하거나 좋아지는 모습으로 새롭게 태어나기를 바라는 마음이 있기 때문입니다.

• • • • • • • •

| 1월 / 2주 | 인사글 |

안녕 하십니까?

새해에는 모든 것이 모나지 않고 둥글면 좋겠습니다.

새로운 1년을 맞음으로써 자기 앞에 남은 1년 365일이란 시간의 담보 안에서 자신의 꿈을 이루고 싶기 때문입니다.

부자가 되는 꿈, 건강해지는 꿈, 멋진 사랑을 이루는 꿈, 성취를 바라는 꿈, 취직을 바라는 꿈 등 자신과 가족과 이웃을 위해 새롭게 발전해 가기를 바라는 마음이 깃들어 있기 때문입니다. 그러한 것을 이루기 위해 새로운 무엇인가를 시작하고 싶기 때문입니다. 지난 1년을 돌아보면 우리나라 정계에선 자신의 본분을 잊고, 자신의 본분에 맞지 않게 행동하여 많은 문제를 야기하고 나라의 꼴을 우습게 만들기도 했고, 결국은 자신들도 혼란스럽고 힘든 한 해를 맞기도 했습니다.

그러나 불행한 과거 때문에 새해마저 그러한 과거로 만들어서는 안 될 것 같습니다.

| 1월 / 3주 | 안내글 |

안녕 하십니까?

새해를 예찬으로 살아가겠다는 다짐을 했건만 나도 모르게 뒷 담화 하는 자신을 발견하고 깜짝깜짝 놀라고 있지는 않습니까?.

습관이란 놈은 무서운 것임을 절감하며 '그 사람'이 있을 때든 없을 때든 칭찬하는 습관을 우리들 삶에 끌고 와야겠다는 생각을 합니다.

허물없는 사람은 없다는 것을 안다면 관대함과 자애로움을 언제든 발휘할 수 있을테니까요. '예찬의 새해'가 그냥 오지 않을 것이기에 노력하고 또 노력하고 또, 노력합시다. 자신만의 인생길을 잘 살아가자고 생각하고 다짐하면서 모든 학부모님들께 큰 응원과 격려의 박수를 보내드립니다.

하버드학부모님들! 힘을 내시자구요. 화이팅!

• • • • • • •

| 1월 / 4주 | 안내글 |

새해에는 하루를 성실하게 살아가면 좋겠습니다.

오늘을 대충 허비하거나, 과거에서 허우적거리거나, 미래에만 열망하는 것은 좋지 않을 성 싶습니다. 어제에 발목을 잡히거나 미래를 근심하다가 정작 너무나도 소중한 오늘을 허비해 보내는 일이 많아서도 인될 성 싶습니다. 이미 지나간 과거는 돌이킬 방법이 없고, 미래는 비록 3만 6천 오백일이 계속 이어져 온다 해도 그날에는 각기 그날에 마땅히 해야 할 일이 있으니 이튿날로 미룰만한 여력이 없습니다. 하늘은 스스로 한가하지 못하여 항상 운행하여 계절의 변화와 매일의 변화를 주는데, 사람이 어찌 한가할 시간이 있겠습니까?

| 1월 / 5주 | 안내글 |

안녕 하십니까?

새해가 시작되고 순식간에 1주일이 후다닥 지나가버리니 소한 추위도 어쩔 수 없이 꼬리를 내리는 것은 아닐런지요. 겨울은 상념조차 차가운 느낌이니 따뜻한 '그리움' 한 조각 드리고 싶습니다. 깊어가는 겨울밤 그리움 속에 묻혀보는 것은 어떨런지요? 새해 첫 주 잘 지내셨는지요? 먼저 다시 한 번 새해 인사 올립니다. 새해 복 많이 지으시고 가지고 있는 행복 맘껏 누리시길 기원합니다. 사랑하는 학부모님! 건강한 한 해, 즐거운 한 해 맞으시길 기도드립니다.

2월 / 4주 안내글

나의 원 1년 계획

| 2월 / 1주 | 인사글 |

하버드 친구들은 모두 다 "글로벌 리더"입니다.

"같은 쥐면서도 곳간의 쥐와 화장실의 쥐가 다른 삶"

바람은 사람의 마음을 움직입니다. 특히 봄바람은 무겁고 지친 사람들의 어깨를 일으켜 세우는 마법을 지니고 있습니다. 그래서 많은 사람들이 봄바람을 한껏 기다립니다. 머지않아 남쪽부터 꽃바람이 불어오면 저마다 마음에 둔 곳을 찾아 길을 나설 것입니다. 옛날 중국 사람들은 여름이 오기 전에 24번의 꽃바람이 분다고 생각했습니다. 24번의 꽃바람 중에서도 가장 먼저 오는 꽃바람을 매화풍이라 불렀습니다. 요즘이야 흔하고 흔한 것이 매화지만, 그래도 아무리 매화가 흔해도 꽃의 자태만은 고고하고 아름답습니다. 매화는 자라는 장소에 따라서 매화의 삶은 조금씩 달라집니다. 사람도 예외가 아닙니다. 중국 한나라 사마천의 〈사기(史記)〉·〈이사열전(李斯列傳)〉에 따르면, 초나라에서 낮은 관직 생활을 하던 이사는 화장실에서 일을 보다가 "같은 쥐면서도 곳간의 쥐와 화장실의 쥐가 다른 삶"을 살고 있는 모습을 보고 곧장 제나라에 가서 순자의 제자가 된 후 결국 진나라의 국무총리 자리까지 올랐습니다. 삶의 터전인 공간은 아주 중요합니다. 어떤 공간에 살고 있느냐에 따라 앞날도 다릅니다. 그러나 나무는 사람과 달리 주어진 공간에서 최선을 다해 자신의 삶을 창조합니다. 일상에서 행복을 만들지 못하는 자가 어떻게 행복을 만들 수 있겠습니까?. 인간은 바람이 어디서 오는지, 어디로 가는지도 잘 모릅니다. 게다가 바람은 순식간에 수천 리를 갑니다. 모든 생명체의 바람은 자신의 색깔로 살아가는 것입니다.

• • • • • • •

| 2월 / 2주 | 인사글 |

안녕 하십니까?

봄은 경쾌한 왈츠 리듬으로 온다고 합니다.

어느새 우수, 언 땅을 녹이는 봄비가 촉촉이 내렸습니다. 봄의 전령 복수초가 언 땅을 헤치고 노란 꽃망울을 터트렸다는 꽃소식이 들린다. 코끝을 스치는 바람결도 한결 부드럽고 상큼해진 느낌입니다. 봄은 경쾌한 왈츠 리듬으로 온다고 합니다. 세상이 뒤숭숭하고 어수선합니다. 꽁꽁 얼어붙은 가계엔 찬바람이 붑니다. 그래서 봄이 더 기다려집니다. 모두가 웅크린 가슴 펴고 경쾌한 왈츠 리듬으로 다가오는 환희의 새봄을 맞아 행복했으면 좋겠습니다.

• • • • • • •

| 2월 / 3주 | 인사글 |

안녕 하십니까?

고향 잘 다녀 오셨습니까?

모두들 설 명절을 잘 보냈는지요? 고향엔 편히 다녀왔는지?, 길은 크게 막히지 않았는지?, 부모님들은 모두 평안하신지?, 오랜만에 만난 고향 친구들과 즐거운 시간을 보냈는지?, 맛있는 음식은 많이 먹었는지?, 모처럼 찾은 고향이 생소한 모습으로 다가온 것은 아니었는지? 모르겠습니다. 고단할지는 몰라도 고향을 다녀온 시간이 있어 우리는 다시 시작하는 시간을 새로운 마음으로 맞을 수가 있는 것이겠지요. 그러고 보면 귀소본능은 모천을 찾아 수천 킬로미터를 헤엄쳐오는 연어에게만 있는 것은 아니지 싶습니다. 고생을 고생이라 여기지 않고 먼 길 고향을 찾아 오가는 끝없는 행렬을 보면 본래의 자리를 향하는 귀소본능이 인간에게도 똑같이 주어진 강한 본능이라는 것을 생각하게 됩니다. 세월이 지나갈수록 더욱 그리워지는 자리, 마침내 돌아가 몸과 마음을 뉘일 곳, 그곳이 고향일 테니까요. 사실 명절을 맞아 고향을 찾으면 즐거운 일만 있는 것은 아닙니다. 새삼스럽게 확인하게 되는 걱정스러운 일들이 있습니다. 그동안 잘 알지 못하던 문제들을 비로소 알게 되기도 하고, 오랫동안 외면해선 안 될 것을 외면해왔다는 사실도 깨닫게 됩니다. 그러면 그동안 모르고 있었던 큰 숙제를 받은 것처럼 마음이 무거워지기도 합니다. 어쩌면 우리가 함께 사는 이유는 그런 것이 아닐까 싶습니다. 서로를 지켜주어 서로 외롭지 말자고, 힘들 땐 내가 곁에 있어 주겠다고 마음을 전하며 함께 사는 것 말이지요.

| 2월 / 4주 | 인사글 |

안녕 하십니까?

문화가 있는 한 해, 나의 마음에 작은 울림들이 이어지는 새해 새 날이 되기를 염원합니다. 정말 그랬으면 좋겠습니다. 새로운 한 주, 작은 감동이 있는 날들이 쭈욱 이어지길 기원합니다. 제 1의 부는 "건강"이라고 하니 건강 잘 챙기시기 바랍니다. 우리의 심신을 건강하고 풍요롭게 하는 것, 삶에 작은 감동을 느끼게 하는 것들이 우리에게 희망을 줍니다. 늘 사람의 숲에서 살아온 우리들이기에 새해엔 자신의 길을 뚜벅뚜벅 걸어가는 사람들을 응원하고 그들과 함께 하는 삶을 살아갔으면 좋겠습니다. 더 열린 마음으로 더 가까이에서 함께하면 좋을 성 싶습니다. 어쩌면 바로 우리 학부모님들이 '그들' 중의 한 사람일거라 생각합니다.

• • • • • • • •

■ Special Day 안내 – 안전 체험 활동

유아기는 어느 시기보다 안전사고의 위험이 높은 시기입니다. 발달특성 시 주변에 사물이나 환경에 대한 호기심이 많고 탐구하려는 충동이 강합니다. 반면 신체기능의 발달은 미숙하여 신체균형 유지 능력이나 운동능력이 충분히 발달되지 않아 판단능력과 자기조절 및 상황에 대한 인식능력이 부족한 시기입니다. 유아안전은 반복적인 연습, 다양한 활동을 통한 안전지식, 기술, 태도의 형성이 아주 중요합니다. 그래서 이번 주에는 안전체험활동을 합니다.

■ 도민 안전체험관

영상교육, 피난기구이용 대피, 물소화기, 옥내소화전 방수, 연기 속 탈출, 응급처치 풍수해 체험

■ Special Day 안내 – 태권도 & 신체검사

태권도 – 우리 민족 고유의 전통 스포츠로 웃어른에 대한 존경, 겸손, 관심, 배려, 마음가짐, 정신 함양과 미덕의 효과적인 측면에서 이뤄집니다.

내용 – 스트레칭, 키크기운동&유연성운동, 기본동작서기자세(앞차기, 앞굽이), 태권도를 배우는 목적

신체검사 – 하버드귀염둥이들의 1학기 신체검사가 이루어집니다. 인간의 성장 발달은 수정되는 순간부터 전 생애에 걸쳐 지속적으로 이루어집니다. 특히 유아기의 성장발달의 범위가 넓고 속도가 빠르게 진행되기 때문에 매우 중요합니다. 각 연령에 맞춰 우리 아이들이 얼마나 자라고 있는지 신체검사증을 통해 확인해 주세요.

■ Special Day 안내 – 숲 체험

봄기운에 꿈틀거리는 자연의 생명을 오감으로 체험할 수 있는 생태축제~!!
자연체험을 통해 도시안의 녹지공간에 대한 중요성과 필요성을 알고 자연의 신비함과 소중함을 일깨워주고, 숲길을 걸으며 숲을 보고, 듣고, 만지고 나무의 냄새를 맡아보면서 숲을 새롭게 배울 수 있는 시간을 갖도록 하겠습니다. 자연 속에서 소중한 나, 비교할 수 없는 나, 사랑받는 나를 발견할 수 있는 다양한 숲 체험을 통해 자연과 교감하는 행복한 경험을 해보겠습니다.

내용 - 숲과 인사하기(숲의 소리듣기, 숲속에서 뒹굴뒹굴, 공기를 마셔요)
칙칙폭폭 기차놀이, 원통으로 숲 보기, 책갈피 만들기, 자연물이 나타내는 표현 단어 찾기
게임(곤충을 찾아라, 거미집 통과하기)

■ 토마토 심기 체험

식물과 교감하는 어린이들은 그렇지 않은 어린이들보다 뛰어난 감수성을 갖게 된다고 합니다. 방울토마토를 직접 심고 식물을 돌보는 과정을 통해 자연친화적인 태도와 바른 심성을 기를 수 있습니다.

■ Special Day 안내 – 예절교육

예절교육 : 추석예절(큰절 배우기)
음력 8월 15일을 중추절, 한가위라고 부른다. “한”이라는 말은 “크다”라는 뜻이고 “가위”라는 말은 “가운데” 라는 뜻을 가진 옛말로 즉 8월 15일인 한가위는 8월의 한 가운데 있는 큰 날이라는 뜻입니다.
한가위는 예로부터 전해오는 큰 명절로서 춥지도 덥지도 않고 높고 맑은 하늘, 풍성한 과일과 햇곡식을 모아 놓고 저녁이면 동산에 둥글게 떠오르는 달을 보면서 온가족이 즐겁게 모이는 날입니다.
추석의 의미를 이해하고 올바른 전통예절을 익힌다.
손님 접대 시 바른 예절을 실천 할 수 있다.

원장님의 감성적 영향력 III

3월 / 5주 안내글

전문성을 갖춘 경영인

| 3월 / 1주 | 안내글 |

하버드 친구들은 모두 다 "글로벌 리더" 입니다.

안녕 하십니까?

봄은 경쾌한 왈츠 리듬으로 온다고 합니다.

어느새 우수, 언 땅을 녹이는 봄비가 촉촉이 내렸습니다.

봄의 전령 복수초가 언 땅을 헤치고 노란 꽃망울을 터트렸다는 꽃소식이 들립니다.

코끝을 스치는 바람결도 한결 부드럽고 상큼해진 느낌입니다.

봄은 경쾌한 왈츠 리듬으로 온다고 합니다.

세상이 뒤숭숭하고 어수선합니다.

꽁꽁 얼어붙은 가계엔 찬바람이 붑니다.

그래서 봄이 더 기다려집니다.

모두가 웅크린 가슴 펴고 경쾌한 왈츠 리듬으로 다가오는 환희의 새봄을 맞아 행복했으면 좋겠습니다.

• • • • • • •

| 3월 / 2주 | 안내글 |

하버드 친구들은 모두 다 "글로벌 리더" 입니다.

안녕하십니까?

네 살 아이가 휴대폰 동영상을.....

사랑하는 학부모님! 요즘 어린 나의 아이들이 핸드폰에만 메달려 고민이 많으실 줄 압니다. 얼마 동안 동영상을 볼 수 있는지 미리 시간을 정하고 아이에게 알려 주는 것이 좋겠습니다 "긴 바늘이 6자에 갈 때까지만 볼 거야"

"폴리 2개만 보고 끌 거에요" 갑자기 핸드폰을 꺼버리면 아이들이 그 상황을 받아들이기 어렵기 때문입니다. 그럼에도 계속 보겠다고 떼를 쓸 수 있지만, 이때 처음 한 약속을 일관성 있게 지키려는 노력이 필요 합니다

"약속한 시간이 다 됐으니까 오늘은 여기까지 보자"

"00가 약속을 잘 지키면 다음에 또 볼 수 있어요"라고 하는 겁니다.

엄마가 약속한 것처럼 일정 시간 동안 동영상을 볼 수 있게 되면 엄마 말에 대한 신뢰감이 생기기 때문에 울지 않고 자신의 욕구를 조절할 수 있게 됩니다.

이렇게 일정 시간 동안만 동영상을 보는 패턴이 습관이 될 때까지는 부모님들의 일관성있는 말과 행동이 중요합니다.

아이들이 엄마와 아빠와 놀고 싶어 하는 시기가 그리 길지 않기 때문입니다.

• • • • • • •

| 3월 / 3주 | 안내글 |

유아교육자의 10가지 기본 자세

하나. 확고한 교육철학이 있어야 한다.

하나. 인내심이 있어야 하고 어린이를 진정으로 사랑하는 마음을 표현해야 한다.

하나. 말한 것을 지킬 줄 아는 믿음과 신뢰성이 있어야 한다.

하나. 교육 연구에 대해 열정이 있어야 한다.

하나. 부지런해야하며 긍정적이어야 한다.

하나. 공부하고 노력해야 한다.

하나. 사람을 존중해야 한다.

하나. 어린이에게는 개인차가 있음을 인정하고 관찰할 수 있어야 한다.

하나. 어린이의 자유로운 표현을 허용해 줄 줄 알아야 한다.

하나. 항상 겸허한 자세로 온화한 표정을 잃지 말아야 한다.

(“제가 하겠습니다”라는 말을 아끼지 말아야 한다.)

• • • • • • •

| 3월 / 4주 | 안내글 |

하버드 친구들은 모두 다 "글로벌 리더" 입니다.

고마움과 긍정의 마음먹기

지난 한 주 잘 지내셨는지요?
소한에서 대한으로 가는 길, 오르락 내리락 하는 날씨에 무탈하신지 먼저 안부를 여쭙니다. 한여름의 더위를 친구하며 지내듯이 겨울의 추위 또한 동무삼아 지내면 어떨까요.
겨울이 겨울답다는 생각에 작은 고마움, 긍정의 마음 한 조각과 동행하면 더 좋을 거구요.
고향에 갔다가 눈 속의 얼어붙은 텃밭, 고향의 익숙한 겨울을 만났습니다. 착한 고양이 눈과 매서운 매의 눈을 오가는 자연의 두 모습을 생각하며 결국 그 무엇도 이유가 있음을 새삼 상기합니다.
그러기에 내 앞에 다가오는 '희노애락'의 삶을 여여하게 받아들일 수 있을 때 진짜 지혜로운 삶이 펼쳐지는 것이구요. 부디 강녕하시길 진심으로 기원합니다.

• • • • • • •

| 3월 / 5주 | 안내글 |

하버드 친구들은 모두 다 "글로벌 리더" 입니다.

사랑하는 학부모님! 어머님은 프로입니까? 아마추어입니까?
프로는 숲을 보지만 아마추어는 나무만 봅니다
프로의 하루는 25시간이지만, 아마추어의 하루는 24시간뿐이다
프로는 뚜렷한 목표가 있지만, 아마추어는 목표가 없다.
프로는 행동을 보여 주고, 아마추어는 말로 보여 준다
프로는 리더(Leader)고, 아마추어는 관리자(Manager)이다
프로는 사람을 소중히 하고, 아마추어는 돈을 소중히 한다.
프로는 꿈을 먹고 살지만, 아마추어는 꿈을 잃고 산다.
프로는 이끌기 위해 솔선수범하지만, 아마추어는 주어진 직책에 안주한다.
프로는 삶으로서 영향력을 발휘하지만, 아마추어는 직책으로 영향력을 행사한다.
프로는 함께 일하고. 아마추어는 혼자 일한다.
프로는 남에게 감사하지만, 아마추어는 남을 감시합니다.

4월 / 4주 안내글

원장의 다양한 문제 해결력

| 4월 / 1주 | 안내글 |

하버드 친구들은 모두 다 "글로벌 리더" 입니다.

안녕 하십니까?

봄에 피는 꽃이 유난히 눈부시게 여겨지는 데에는 몇 가지 이유가 있을 것 같습니다.

무엇보다도 겨우내 이어져 온 무채색에 가까운 세상 끝에 피는 꽃이기 때문일 것입니다.

온통 잿빛 가까운 시간이 이어지다가 빨강, 노랑, 주홍, 흰색 등 물감을 뭉뚝뭉뚝 찍어낸 듯한

원색의 꽃들이 피어나니 눈이 부실만도 합니다.

봄에 피는 꽃은 모두가 추위를 이겨냈다는 점입니다.

모진 추위를 이겨낸 뒤에 피는 꽃이기에 봄꽃은 당연하다고 여겨지지 않습니다.

어찌 저 여린 것들이 겨울을 견뎌냈을까, 장하다는 생각까지 듭니다.

그러나 봄꽃이 눈부시게 여겨지는 이유 중 뒤로 물릴 수 없는 이유가 있다 싶습니다. 봄꽃의

대부분은 꽃으로 먼저 피어납니다.

잎이 돋아나기도 전에 먼저 꽃으로만 피어납니다.

마치 오랫동안 예감하며 기다려온 봄의 기운을 더는 참을 수가 없다는 것 같습니다.

그런 점에서 잎을 잊고 꽃으로만 피어나는 봄꽃은 즐거운 몰두를 생각하게 합니다.

꽃으로만 피어나는 봄꽃처럼, 이 눈부신 계절 다른 것을 다 잊을 수 있는 즐거운 몰두에 빠져보면 어떨는지요?

• • • • • • • •

| 4월 / 2주 | 안내글 |

하버드 친구들은 모두 다 "글로벌 리더" 입니다.

안녕 하십니까?

당신 곁에 머물고 싶습니다.

봄비가 오락가락하는 봄이면 작은 인연, 새로운 인연들이 하나둘 모여듭니다. 그냥 걷다가. 여기도 기웃 저기도 기웃거리며 삶의 자유를 만끽합니다. 하나의 회사에 속해 있는 사람들도 아니고 학교 동창들이거나 한마을 사람들도 아닌데 뭔가에 끌려 이렇게 함께 하는 것을 보면 신기하기만 합니다. 하지만 분명 사람과 사람을 이어주는 뭔가가 있을 터. 한마디로 말해 우리가 연결된 존재로 '곁에서' 살아갈 때 '남의 일' 이 '나의 일'이 되어 결국 함께 무사할 수 있는 것입니다. 곁으로 여행 가는 것은 사랑의 총량을 키우는 행복한 일이라고 했습니다. 자연의 곁으로 가까이 가서 앉을 때 우리는 자연이 되고, 고통 받는 존재 곁으로 가면 위로와 응원이 될 것이니 어찌 사랑이며 행복이 커지지 않겠습니까? 어느 누군가 말을 했답니다 걷는 이가 많아지면 거기가 곧 길이 된다고. 누군가의 곁에서 연결된 존재로서의 공감의 교집합을 만들고, 작은 손을 꼭 잡고 뚜벅뚜벅 함께 길을 걷다 보면 새로운 길, 따뜻한 사람의 길이 만들어질 것입니다. 그 길 위에서 상대도 나도 혼자가 아니라는 마음이 생겨날 것이고 함께 힘이 날 것입니다. 누군가가 내 곁에 있기를 바라지 말고 지금 바로 누군가의 '곁으로' 행복여행을 떠나보면 어떨까요?. 함께 갈 분 손 드세요.

• • • • • • • •

| 4월 / 3주 | 안내글 |

하버드 친구들은 모두 다 "글로벌 리더" 입니다.

안녕하십니까?

학부모님! 평안한 한주를 잘 보내셨는지요?

새로운 한 주의 여명이 밝아오고 있습니다.

언제나 그렇듯이 새로운 시작은 설렘이 있습니다.

이번 한 주는 우리 아이들과 어떤 즐거움이 삶 속에 솟아날지 두근두근 기대가 됩니다.

걱정과 염려 대신 설렘과 기대로 힘차게 출발하시길 기원합니다.

어떤 경우에도 삶이 알아서 할 것이기 때문입니다.

• • • • • • •

| 4월 / 4주 | 안내글 |

하버드 친구들은 모두 다 "글로벌 리더" 입니다.

안녕 하십니까?

우리들의 팬들인 어머님들이 있어 좋고, 원장인 나는 그래서 마냥 행복합니다.
원장인 나를 믿고 나와 함께 의논할 수 있는 든든한 학부모님이 있어 행복합니다.
원장인 나를 믿고 어떤 선택들과 맞닥뜨렸을 때 앞서 그 길을 경험해 조언을 들을 수 있는 학부모님이 있어 행복합니다.
원장인 나를 믿고 머뭇거리고 잇을 때, 결단력 있게 충고를 해줄 수 있는 든든한 학부모님이 있어 행복합니다.
원장인 나를 믿고 나를 따라와 주는 학부모님이 있어 나는 행복합니다.
원장인 나를 믿고 나의 생각과 결정에 가차 없는 비판을 해 주고 좋은 약이 될 수 있는 충고를 해 주는 학부모가 있어 행복합니다.
원장인 나를 이해해주고 나의 편이 되어 줄 든든한 학부모가 있어 행복합니다.
원장인 나를 믿고 나에게 감정을 전달해주고 아름다운 미덕을 느끼게 하는 학부모가 있어 행복합니다.

• • • • • • •

5월 / 4주 안내글

원장의 프로그램 개발

| 5월 / 1주 | 안내글 |

하버드 친구들은 모두 다 "글로벌 리더" 입니다.

삶의 영원한 보루 가족

안녕하십니까?

우리는 삶이 얼마나 소중한지를 늘 깨닫고 살아갑니다.

가족의 소중함 평소에 가족과 어떤 관계를 유지하는가?!

가족이 어떤 존재인가를 생각해보아야 할 것 같습니다.

아무리 의학이 발달해도 인간은 겨우 백 년 밖에 못삽니다.

게다가 함께 식탁에 둘러앉아 대화를 나누며 가족이라는 공감을 나누는 시간이 얼마나 되겠습니까?. 학생 때는 공부로, 취업해서는 다른 지방으로 가거나 바쁘다는 핑계로 가족과 함께하는 시간이 부족합니다. 한번 흘러간 시간은 되돌아오지 않습니다.

무상한 세월, 그리고 험난한 세상살이에 가족은 삶의 안식처요, 영원한 보루입니다. 잊지 말고 감사하며 살았으면 좋을 성 싶습니다.

• • • • • • •

| 5월 / 2주 | 안내글 |

하버드 친구들은 모두 다 "글로벌 리더" 입니다.

안녕하십니까?

"FLOWER: (꽃, 개화, 만발, 만개, 꽃처럼 아름다운 사람)"만 생각하는 아이 "수만 가지 상상"을 하는 아이들은 원장님들만의 감성교육이 만듭니다.

아이들과 수없이 반복되는 학습, 하지만 정작 중요한 교육들은 따로 있습니다.

무한한 가능성을 가지고 있는 아이들의 잠재력, 그것을 키워주는 것이 진정 중요한 교육입니다.

하버드원에서는 아이의 감성과 행동력을 키우는 교육이 최우선 되어야 한다고 굳게 믿습니다.

세상을 바꿀 수 있는 자녀의 가능성 · 하버드원의 "감성교육"임을 자부하면 실현시키겠습니다.

| 5월 / 3주 | 안내글 |

하버드 친구들은 모두 다 "글로벌 리더" 입니다.

삶의 영원한 보루 가족

안녕 하십니까?

스승의 의미를 되새겨봅니다.

사람이 동물과 다른 것 중의 하나는 받은 은혜를 감사해 하고 보답하는 일입니다. 나면서부터 어머니라는 최초의 스승을 만나 입고 먹는 것 등을 배우며 성장해가다가 학교에 입학하면서 수많은 스승을 만나 하나의 독립된 인물로 자리 잡는 게 인생입니다. 스승으로부터 삶의 지혜를 또 자신이 스승이 되어 자식과 제자를 가르치며 사는 곳이 인간 세상입니다. 스승의 날을 맞아 여기까지 잘 오도록 어리석음을 크게 깨우쳐 주신 어머니, 아버지 그리고 초등학교 시절부터 만난 모든 스승들께 감사의 인사를 올립니다. 또한 모든 책들과 방송, 인터넷 등을 통해 만난 인류의 성인들과 교사들께도 경의를 표합니다. 그분들이 아니었으면 짐승과 같이 먹고, 자고 하는 일상 수준에서 벗어나지 못했을 것이고, 인간다운 성품을 제대로 알지 못했을 겁니다.

• • • • • • •

| 5월 / 4주 | 안내글 |

하버드 친구들은 모두 다 "글로벌 리더" 입니다.

삶의 영원한 보루 가족

안녕 하십니까?

"눈을 들어 하늘을 우러러 보고 먼 산을 바라보라. 어린애의 웃음같이 깨끗하고 명랑한 5월의 하늘, 나날이 푸러러 가는 이 산 저 산, 나날이 새로운 경이를 가져오는 이 언덕 저 언덕, 그리고 하늘을 달리고 녹음을 스쳐 오는 맑고 향기로운 바람..."

마음을 열면 다른 것, 새로운 것이 보입니다. 지금까지 보지 못했던 것이 보입니다.

타성에서 벗어나 아이의 다른 것이 보일 것이요, 새로운 것을 발견하는 엄마로 더 큰 것 들이 보일 것입니다.

• • • • • • •

6월 / 4주 안내글

원장의 리더십

| 6월 / 1주 | 안내글 |

하버드 친구들은 모두 다 "글로벌 리더" 입니다.

안녕 하십니까?

사랑하는 학부모님!

인생이란 낯선 곳에서 꿈이라는 희망의 나침반이 없다면 우리는 아무것도 할 수 없습니다.

지금 즉시 백지 한 장과 펜을 잡고 상상 속에 머물러 있는 여러분의 꿈을 글과 그림으로 표현 해보십시오. 그리고 '꿈을 이루는 10가지 DNA'를 적용해 실천 하십시오.

여러분의 삶에 활기가 불어 넣어져 신바람 나는 하루가 될 것이며 소망하는 일을 다 이룰 수 있습니다.

또렷한 기억보다 희미한 기록이 낫다는 말이 있듯이 글로 쓴 꿈을 가진 3%의 사람들이 우리 사회를 움직인다는 연구보고서가 있습니다.

- 모든 일을 할 때 꿈에 초점을 맞추고
- 꿈을 날짜와 함께 기록하면 목표가 되고
- 그 목표들을 세분화하면 바로 계획이 되고
- 그 계획을 정상을 향해 움직이도록 실천해 보고
- 매일 '꿈의 탑'에 지혜의 벽돌 한 장씩을 쌓는다는 끈기로 이끌어 가면서
- 이 모든 것들을 꿈을 향해 징검다리를 놓아 보세요!
- 내 꿈이 이미 달성 되었다고 시각화하고
- 내가 원하는 모습을 상상하면서 이미 다 이룬 것처럼 하루를 사세요!

• • • • • • •

| 6월 / 2주 | 안내글 |

하버드 친구들은 모두 다 "글로벌 리더" 입니다.

안녕 하십니까?

"네 살도 꿈이 있어요"

"00는 커서 뭐가 될 거야" "의사~" "… ??" "병원도 지어~" "병원은 00에 지을 거야, 아빠 엄마와 함께 사는 집 부근에 지을 거야?" 네 돌 지난 00에게 스쳐 가는 말로 물었더니 뜻밖의 대답이 돌아왔습니다. 병원까지 지을 것이라는 말에 놀랐습니다. 초등학생들을 대상으로 'NIE 속 네 꿈을 잡(Job)아라'를 주제로 강의를 진행하면서 네 살 어린이에게도 꿈이 있는지 궁금해서 물어봤답니다.

"어느 날 유치원(어린이집)에서 병원 놀이를 하고 와서" 나 "의사 할 거야" 하더라고 합니다. 진료 받으러 병원을 드나들고 역할놀이를 통해 의사가 무엇을 하는 사람인지 어렴풋이 알겠지만 병원까지는 상상 밖입니다. 철모를 때는 꿈이 풍선처럼 부풀다가 나이 들수록 풍선에 바람 빠지듯 현실 지향적으로 변하게 마련입니다.

• • • • • • •

| 6월 / 3주 | 안내글 |

하버드 친구들은 모두 다 "글로벌 리더" 입니다.

안녕 하십니까?

시골의 아침은 그냥 오는 법이 없습니다. 귀를 간질이듯 속살거리며 옵니다.

봄이 한창 무르익는 새벽 창밖에서 우는 참새 소리가 그렇습니다.

귀이개로 귀지를 건져 올리듯 간지럽습니다.

종지만한 참새들은 소곤대길 좋아합니다. 새벽잠이 없습니다.

길 건너 파란 대문집 대추나무가 참새들이 아침을 맞는 장소입니다.

참새 울음소리를 노래라 해야 하나 속삭임이라 해야 하나. 하여튼 참새들은 곤하게 잠든 우리들을 조곤조곤 깨웁니다.

자잘한 목소리로, 또록또록한 목소리로 어르듯이 우리들을 깨웁니다.

자연이 지어낸 자명종일 것입니다.

시골 아침의 참새는 소란하지만 소란하지 않고, 단조롭지만 단조롭지 않습니다.

한겨울 참새 소리는 맵고 싸늘하지만 봄의 참새 소리는 새로 돋는 풀잎처럼 통통하고 윤기 있고 풋풋합니다.

마치 살찐 쑥맛처럼 은근하고 친밀합니다. 맛있습니다.

귀 기울여 잘 들으면 참새 소리에서 반짝이는 여울물 소리가 납니다.

오늘 아침도 귀를 기울입니다.

숨이 멎을 듯 달콤한 밀어이기에.... 그 참새 울음소리는 내 마음에 속삭임처럼 남아 있습니다.

• • • • • • •

| **6월 / 4주** | 안내글 |

하버드 친구들은 모두 다 "글로벌 리더" 입니다.

안녕하십니까?

건강한 삶, 행복한 삶을 살기 위해 필요한 것들은 무엇일까요?

우리들에게는 관점만 달리해도 세상이 달라진 듯한 새로움을 느낄 수 있습니다.

변화의 시작, 그 출발점은 누구보다 "사랑스러운 귀염둥이들과 학부모님들"을 잘 아는 것일 것 같습니다.

우리들이 추구하고 나아갈 길을 어디일까요?

우리가 겪는 수많은 관계와 그 안에서 생기는 수많은 갈등과 고민들, 변화의 바람 속에서 새로운 관계의 방향을 제시하고 우리 스스로 변화를 이끌어 낼 수 있는 마음의 소리와 학부모님들의 소리에 귀를 기울여 달려가도록 늘 노력하겠습니다.

•••••••

7월 / 4주 안내글

원장의 경영 마인드

| 7월 / 1주 | 안내글 |

하버드 친구들은 모두 다 "글로벌 리더" 입니다.

안녕 하십니까?
말을 잘 하는 사람은 남의 말을 잘 듣는 사람입니다.
평판 좋은 이들을 보면 대개 말수가 적고, 상대편보다 나중에 이야기하며, 다른 이의 말에 세심히 귀 기울입니다.
대화의 목적을 파악한 뒤 그 기준에 맞추어 상대의 말을 경청합니다.
상대방의 말이 채 끝나기 전에 어떤 답을 할까 궁리하는 것은 좋지 않습니다.
주의가 분산돼 경청에 몰입하기 어려워집니다.
상대편의 성격, 인품, 습관을 파악하는 데에도 신경을 씁니다.
불필요한 감정, 시간의 소모 없이 생산적인 대화를 이끌어가기 위해서입니다.
대화 중 해서는 안 되는 질문들이 있습니다.
대표적인 것이 신체 사이즈, 염색이나 의치 사용, 수술 경험 등입니다.
급여, 경제 상황, 부부 생활, 신체적 약점에 대해서 질문하는 것도 큰 실례입니다.

• • • • • • •

| 7월 / 2주 | 안내글 |

하버드 친구들은 모두 다 "글로벌 리더" 입니다.

안녕 하십니까? 남 앞에서 자신의 장점을 자랑하고 싶은 것은 인지상정입니다.
그러나 이러한 욕구를 적정선에서 제어하지 못하면 만나기 껄끄러운 사람으로 낙인 찍히게 됩니다.
내면적 자신감을 갖고 있는 것과 잘난 척하는 것 사이에는 큰 차이가 있습니다.
장점은 남이 인정해 주는 것이지 자신이 애써 부각시킨다 해서 공식화하는 것이 아닙니다.
또 너무 완벽해 보이는 사람에겐 거리감이 느껴지게 마련이므로, 오히려 자신의 단점과 실패담을 앞세우는 것으로 더 많은 지지자를 얻을 수 있습니다.
여러 사람 앞에서 이야기할 때 시선을 한 사람에게만 고정시켜서는 곤란합니다. 전후좌우로 차례를 바꿔가며 2~3분씩 시선을 맞추어 주시기 바랍니다. 청중을 전혀 보지 않거나 가져온 원고를 줄줄 읽는 것도 좋지 않습니다.

| 7월 / 3주 | 안내글 |

하버드 친구들은 모두 다 "글로벌 리더" 입니다.

안녕 하십니까?

사람은 자신을 칭찬하는 사람을 칭찬하고 싶어 합니다.

그러므로 남을 칭찬하는 것은 곧 나를 칭찬하는 일입니다.

누구라도 한두 가지 장점은 있게 마련입니다.

그것을 발견해 진심어린 말로 용기를 북돋워 주어야 합니다.

그렇다고 거짓 찬사를 늘어놓는 것은 사이를 더 뒤틀리게 할 뿐입니다.

아첨인지 칭찬인지는 듣는 사람이 더 빨리 파악합니다.

또 한 가지, 심리학자 아른손의 연구에 의하면 사람들은 비난을 듣습니다

나중에 칭찬을 받게 됐을 때 계속 칭찬을 들어온 것보다 더 큰 호감을 느낀다고 합니다.

• • • • • • • •

| 7월 / 4주 | 안내글 |

하버드 친구들은 모두 다 "글로벌 리더" 입니다.

안녕하십니까?

네 살 아이가 휴대폰 동영상을.....

사랑하는 학부모님! 요즘 어린 나의 아이들이 핸드폰에만 메달려 고민이 많으실 줄 압니다. 유투브에 중독이 되어 몇 시간이고 동영상만을 보려고 할 때가 너무 많아 힘들 것입니다

그럴 때에는 어린시기에 휴대폰에 자주 노출이 되는 건 아이들의 건강한 성장에 긍정적이지 않습니다.

TV나 스마트폰은 일방적인 매체여서 아이들이 현란한 자극에 일방적으로 정신을 뺏기기 때문입니다.

특히 아이들은 자기조절력이 떨어지기 때문에 보면 볼수록 더 보고 싶어 합니다.

아이가 스마트 폰을 보고 싶어 할 때는 아이와 함께 놀아주시기 바랍니다.

스마트 폰을 보는 것보다 사람과 노는 것이 더 재미있다는 것을 아이가 경험하도록 어머님 이 놀아 주는 배려가 있어야 하겠습니다.

8월 / 4주 안내글

원장의 인적 네트워크

| 8월 / 1주 | 안내글 |

하버드 친구들은 모두 다 "글로벌 리더" 입니다.

안녕 하십니까?

대화에도 준비가 필요합니다.

첫 만남을 앞둔 시점이라면 어떤 말로 이야기를 풀어갈지 미리 생각해 두어야 합니다.

재치 있는 말이 떠오르지 않을 땐 신문, 잡지를 참고하거나 그날의 대화 주제와 관련된 옛 경험을 떠올려 봅니다. 사업상의 만남이라면 한두 가지라도 상대가 미처 생각하지 못하고 있을 법한 분야에 대한 지식을 쌓아두는 게 큰 도움이 됩니다. 좋은 대화에는 일정한 규칙이 있습니다. 상대방의 말을 가로막지 않습니다. 혼자서 대화를 독점하지 않습니다. 의견을 제시할 땐 반론 기회를 주어야 합니다. 임의로 화제를 바꾸지 않는 등 익히 알고 있는 것들이지만 지키기는 쉽지 않습니다. 말을 주고받는 순서, 그리고 자기가 쏟아내는 말의 분량을 늘 염두에 두고 있으면 실수를 줄일 수 있습니다.

• • • • • • •

| 8월 / 2주 | 안내글 |

하버드 친구들은 모두 다 "글로벌 리더" 입니다.

생각하는 아이, 기다리는 엄마

이 세상 엄마들의 마음속에 있는 자기 아이들을 그려 전시한다면, 행복하게 웃고 있는 나의 아이 모습이 가장 많이 그려져 전시되어 질 것 같습니다. 나의 아이들의 행복한 미래를 위해서 부모로서 나는 과연 무엇을 해야 하는지 수 많은 시간시간과 순간순간들에도 세상의 모든 어머님들은 자녀에 대해 끝없이 고민 중이실 것입니다.

"너 혼자 하겠다고? 넌 잘 못하잖아! 엄마가 해 줄게!"

"그것보다 이게 낫지. 엄마가 시키는 대로 해!"

아이의 행복을 위해 엄마들은 마법의 주문인 양 하루에도 몇 번씩 이런 말을 되 뇌일 것입니다. 하지만 알고 계시지요? 엄마의 이 한마디는 아이를 점점 수동적으로 만들어, 끝내는 자신의 생각조차 알지 못하는 로봇으로 만들어 버릴 수도 있다는 것을.

아이들이 모든 일에 있어서 자기 자신들이 직접 부딪치고 경험하여 깨달았을 때 자기 스스로 판단하는 힘이 커진다는 것을 말입니다. 우리 어머님들은 나의 아이들이 '스스로 생각 발전소'를 가동시켜 생각하고 결정할 수 있는 힘을 기르도록 도와 주셔야 합니다. 즉, 이 시대의 엄마 역할은 직접 나서는 "해결사"가 아닌 아이가 스스로 자라도록 옆에서 지켜보는 '조력자'인 것입니다.

우리의 귀염둥이들은 스스로의 꿈을 꾸되 꿈의 지도를 자기 자신이 만들어 꿈의 한 구간을 성공시킬 것입니다. 미래의 꿈을 이루어 가기 위해 귀염둥이들은 언제나 파이팅이며, "엄마 기다려 주세요" 입니다

• • • • • • • •

| 8월 / 3주 | 안내글 |

하버드 친구들은 모두 다 "글로벌 리더" 입니다.

역지사지의 정신1

행복의 문 하나가 닫히면 다른 문들이 열립니다.그러나 우리는 대게 닫힌 문들을 멍하니 바라보다가 우리를 향해 열린 문을 보지 못합니다. '노(no)'를 거꾸로 쓰면 전진을 의미하는 '온(on)'이 됩니다. 모든 문제에는 반드시 문제를 푸는 열쇠가 있습니다. 끊임없이 생각하고 찾아내야 합니다. 희망이 도망치더라도 용기를 놓쳐서는 안 됩니다.희망은 때때로 우리를 속이지만, 용기는 힘의 입김이기 때문입니다.

역지사지의 정신2

인생에는 진짜로 여겨지는 가짜 다이아몬드가 수없이 많고, 반대로 알아주지 않는 진짜 다이아몬드 역시 수없이 많습니다. 아내인 동시에 친구일 수도 있는 여자가 참된 아내입니다.친구가 될 수 없는 여자는 아내로도 마땅하지가 않습니다. 당신만이 느끼고 있지 못할 뿐.... 당신은 매우 특별한 사람입니다. 내가 만일 인생을 사랑한다면, 인생 또한 사랑을 되돌려 준다는 것을 알았습니다. 삶이란 우리의 인생 앞에 어떤 일이 생기느냐에 따라 결정되는 것이 아니라 우리가 어떤 태도를 취하느냐에 따라 결정되는 것입니다.

• • • • • • •

| 8월 / 4주 | 안내글 |

하버드 친구들은 모두 다 "글로벌 리더" 입니다.

"혀 밑에 도끼 들었다"

무엇인가에 몰두하다가 보면 저절로 인내심이 생기는 것인지, 인내심이 생겨 몰두하게 되는 것인지…. 특히 자기가 좋아하는 일을 할 때, 또는 꼭 해야 할 일이라고 생각하고 덤벼들 때는 그 모든 고난과 고통을 잊어버리고 그 일에 몰두하게 되나 봅니다. 인내심에 대해서도 잠시 생각을 해 봅니다. '참을 인'자 셋이면 살인도 면한다는 말이 있습니다. 감정이 상할 때라도 입속에만 삼키고 말을 하지 않는 참을 수 있는 인내를 기르는 것은 삶에서는 아주 중요한 일이고 더 큰 지혜가 아닐까 생각합니다. 우리는 가끔 억울한 일을 당하고 참지 못해 상대에게 대들거나 싸울 때가 있습니다. 물론 그렇지 못하고 가슴에만 쌓아두고 입 밖으로 발설하지 못한 채 묻어둔다면 속앓이로 병이 될 수도 있고, 억울한 일을 계속해서 당할 수도 있습니다. 그러한 억울함을 지적할 때는 조금은 지혜롭게 서로의 감정이 덜 상하도록 상대의 입장도 생각하면서 말을 할 필요가 있습니다. "혀 밑에 도끼 들었다"는 말을 언제든 상기하며 말을 함부로 하는 것에 대해 경계해도 좋을 듯합니다. 말이 많으면 실수하기 마련이기 때문입니다.

• • • • • • •

9월 / 4주 안내글

원장의 경영기법 습득

| 9월 / 1주 | 안내글 |

하버드 친구들은 모두 다 "글로벌 리더" 입니다.

안녕하십니까?

현자는 배움이란 "처리하기 어려운 일을 처리해야 식견이 자랄 수 있고, 다루기 어려운 사람을 다뤄 봐야 성품을 단련할 수 있다"고 합니다.

또한 "난처한 일을 겪어봐야 식견이 깊어지고, 예측하기 어려운 사람을 겪는 동안 마음 공부가 단단해 진다. "고도 하고," 거름을 너무 많이 주면 쭉정이가 많아지고, "수분이 조금 부족한 듯해야 밑동이 튼튼해져서 알곡이 야물다"고 했습니다.

"사물의 이치"에도 곱셈과 나눗셈이 있고, "사람의 도리"에는 덧셈과 뺄셈이 있다 라고 합니다.

현자는 결론적으로 "큰일을 이루려는 사람은 정화가 너무 일찍 새어 나가는 것을 경계하고, 멀리 안목을 지닌 사람은 쉬는 시간이 너무 지나쳐서는 안 된다" 했을 법 합니다.

• • • • • • •

| 9월 / 2주 | 안내글 |

하버드 친구들은 모두 다 "글로벌 리더" 입니다.

안녕 하십니까?

마을과 같은 작은 공동체 단위가 얼마나 소중한지를 잊고 살아왔습니다.

공동체가 무너지고 있다고 걱정하는 사람들이 늘고 있습니다.

인심은 각박해지고 물질중심의 이기주의는 우리네 삶의 중심에 떡 하니 버티고 있습니다. 많은 지자체들이 기초공동체인 마을 살리기에 몰두하는 것도 그 이유입니다.

마을의 작은 정치, 작은 경제, 작은 복지는 국가 단위의 큰 정치, 큰 경제, 큰 복지와 상승작용을 일으킵니다.

일방적인 의존 관계를 점차 수정함으로써 국가와 마을의 관계가 균형을 맞추게 된다면 국가는 한층 고유의 역할에 집중할 수 있고 마을은 더욱 활기를 찾게 될 것이며, 각 개인의 삶은 인간다워질 것입니다.

국가가 마을 공동체 복원에 관심을 가져야 하는 이유가 여기에 있습니다.

그런 의미에서 마을은 반드시 재발견되어야 합니다.

| 9월 / 3주 | 안내글 |

하버드 친구들은 모두 다 "글로벌 리더" 입니다.

우리가 지켜야할 계명

지금 힘이 없는 노인이라고 우습게 보지 마라. 그들도 젊었을땐 훨 훨 날랐다 나도 언젠가는 그렇게 되리니.. 네 밥값은 네가 내고 남의 밥값도 네가 내라. 기본적으로 자기 밥값은 자기가 내는 것이다. 남이 내주는 것을 당연하게 생각하지 마라 고마우면 고맙다고, 미안하면 미안하다고 큰 소리로 말해라. 입은 말하라고 있는 것이다. 마음으로 고맙다고 생각하는 것은 인사가 아니다. 남이 네 마음속까지 읽을 수는 없다.
남의 험담을 하지 마라. 그럴 시간 있으면 팔굽혀 펴기나 운동을 해라. 되도록 말을 아껴라. 남들은 모두가 다 보고 있다. 늙으면 말이 많아진다 남들이 싫어한다. 가능한 한 옷을 잘 입어라. 외모는 생각보다 훨씬 중요하다. 남들은 우선 외모로 사람을 판단하니 좋은 옷 한 벌 사 입어라. 너 자신을 발견해라. 다른 사람들 생각하느라 너를 잃어버리지 마라. 일주일에 한 시간이라도 좋으니 혼자서 조용히 생각하는 시간을 가져라. 남편아! 아내를 하늘같이 사랑해라.
남편이여! 아내를 내 몸같이 사랑하라.너를 참고 견디니 얼마나 좋은 사람이냐?

• • • • • • •

| 9월 / 4주 | 안내글 |

하버드 친구들은 모두 다 "글로벌 리더" 입니다.

안녕하십니까?
요즈음 이더리움, 리플, 비트코인 캐시, 에이다등등 비트코인 광풍으로 가상화폐 채굴공장을 통해 "채굴기" 수백, 수천 대를 돌려 가상화폐를 채굴합니다.
그런데 블록체인=가상화폐?가 같다고 생각들을 합니다
블록체인은 인터넷 거래 참가자에 테이터를 나눠 저장하는 기술을 지칭하고, 가상화폐는 그중 "금전거래" 저장을 하는 씨스템을 말합니다.
다시 말씀을 드리면 "블록체인"의 부모가 아들을 낳았는데 그 아들인 "비트코인"이 태어난 것입니다.
블록체인에 어떤 정보를 저장하느냐에 따라 블록체인을 활용할 수 있는 분야는 무궁무진해집니다.
비트코인을 비롯한 가상화폐는 이미 실제 돈처럼 사용되기 시작했습니다.
가상화폐를 이용해 결제를 하거나 오프라인에서 서비스를 구매할 수 있는 곳이 생겨났기 때문입니다.

10월 / 4주 안내글

원의 상호간 정보 공유

| 10월 / 1주 | 안내글 |

하버드 친구들은 모두 다 "글로벌 리더" 입니다.

안녕 하십니까?
중년의 엄마들이 한결 같이 하는 말이 있습니다. '자식이 둘이면 둘, 셋이면 셋, 똑같은 뱃속에서 나왔는데도 각각 개성이 다를 뿐만 아니라 취미나 성격까지도 다르다.' 그렇다면 이렇게 다양한데, 어떻게 자식을 키워야 하는가? 한마디로 똑같이 일괄적으로 대할 수 없다는 점입니다. 사람마다 그 사람만의 장점이 있고, 그 사람마다 잘할 수 있는 분야가 있습니다. 그런데 우리는 사람들을 대하면서나, 교육적인 면에서 사람들을 천편일률적으로 평가하는 경우가 있습니다. 그 사람만이 가지고 있는 아름다움을 보지 못한다는 점입니다 "누구나 각자 갖고 있는 아름다움을 본다" 입니다. 사람이 세상에 태어난 것은 결코 우연에 의한 것이 아니요, 신의 뜻이므로, 모름지기 바로 그 사람만이 가지고 있는 아름다움을 볼 수 있어야 한다는 것입니다. "큰 그릇은 다만 소용이 큰데 쓰여 질 뿐이고 작은 그릇은 작은데 소용이 될 뿐입니다. 크건 작건 그릇들은 각자 그들의 역할이 있습니다. 좋은 목수라면 큰 나무든 작은 나무든 결코 버리지 않는답니다. 어떤 나무든지 잘 사용합니다. 좋고 나쁜 것은 없습니다. 좋은 것들은 좋은 대로, 굽은 것은 굽은 그대로 목적에 맞게 잘 사용하면 됩니다." 꽃병은 꽃병 나름대로 역할이 있고 쓰이는 법인데, 꽃병을 밥그릇으로 사용하면서 밥그릇 역할을 못 한다고 꽃병을 탓할 수 없지 않은가?! 사람들은 다 각자 자기 나름대로 존재적 가치가 있으며, 그 물건은 그 물건 나름대로 역할이 있는 것이다. 바로 사람을 대하는 것도 그러하다. 어느 위치에서건 그 방향의 노하우를 가지고 최선을 다하고 최고의 권위자가 된 사람들입니다. 누가 인생을 옳게 살고, 누가 잘못 살고 있다고 정의내릴 수는 없습니다.
이 세상의 모든 존재는 제 나름대로 가치를 지녔고, 자신만의 아름다운 개성을 가지고 있을 뿐입니다.

• • • • • • •

| 10월 / 2주 | 안내글 |

하버드 친구들은 모두 다 "글로벌 리더" 입니다.

안녕 하십니까?

가장 멋진 원장님과 학부모님은!가장 현명한 사람은 늘 배우려고 노력하는 사람이고,

가장 겸손한 사람은 개구리 되어서도 올챙이 적 시절을 잊지 않는 사람입니다.

가장 넉넉한 사람은 자기한테 주어진 몫에 대하여 불평, 불만이 없는 사람이고

가장 겸손한 사람은 자신이 처한 현실에 대하여 감사하는 사람입니다.

가장 존경받는 부자는 적시 적소에 돈을 쓸 줄 아는 사람이고,

가장 건강한 사람은 늘 웃는 사람이며,

가장 인간성이 좋은 사람은 남에게 피해를 주지 않고 살아가는 사람입니다.

가장 좋은 스승은 제자에게 자신이 가진 지식을 아낌없이 주는 사람이고,

가장 훌륭한 자식은 부모님의 마음을 상하지 않게 하는 사람이며,

가장 현명한 사람은 놀 때는 세상 모든 것을 잊고 놀며 일 할 때는 오로지 일에만 전념하는 사람입니다.

가장 좋은 인격은 자기 자신을 알고 겸손하게 처신하는 사람이고,

가장 부지런한 사람은 늘 일하는 사람이며,

가장 훌륭한 삶을 산 사람은 살아 있을 때보다 죽었을 때 이름이 빛나는 사람입니다.

• • • • • • •

| 10월 / 3주 | 안내글 |

하버드 친구들은 모두 다 "글로벌 리더" 입니다.

안녕하십니까?

마음 편히 둘 곳 없는 변화와 혼돈의 시대에 리더자의 덕목은 총명하게 듣고 어떤 일들을 정확히 판단하고 처리할 수 있는지?를 묻는다고 합니다.

리더는 "여러 의견을 두루 들으면 현명해지고 한쪽 말만 들으면 아둔해진다" 조직 내에서 서로 다른 의견에 골고루 귀를 기울여야 상황을 명료하게 파악할 수 있다는 것입니다.

다시 말해 리더에게는 싫은 소리를 내색하지 않고 들어주는 인내심이 필요합니다. 그래야 어두운 곳 없이 모든 것을 파악할 수 있습니다.

또한 리더자는 어떤 현상들의 이면까지 꿰뚫어 볼 수 있어야 한다는 것입니다. 리더쉽의 핵심은 간단합니다. 사람, 환경들에 대해 있는 그대로의 현실을 파악한 후 그것을 기반으로 신속하고 결연하게 행동하는 것이라고 합니다.

즉 마음의 귀와 눈이 밝은 총명한 CEO가 되라고 교훈을 하고 있습니다.

• • • • • • •

| 10월 / 4주 | 안내글 |

하버드 친구들은 모두 다 "글로벌 리더" 입니다.

좋은 대화 상대가 되는 법

훌륭한 대화 상대가 되려면 다른 이의 마음을 짐작할 수 있어야 합니다.

좋은 말은 더 기분 좋게, 부담스러운 내용이라도 실망이나 다툼보다는 상호 이해에 이를 수 있도록 부드럽게 처리하는 요령이 필요합니다.

성의 있고 진실한 자세, 상대에 대한 세심한 관찰, 긍정과 공감에 초점을 둔 대화 기법이 안정감 있는 인간관계를 보장합니다.

11월 / 4주 안내글

원장의 리더십 배양

| 11월 / 1주 | 안내글 |

하버드 친구들은 모두 다 "글로벌 리더" 입니다.

안녕 하십니까?

내일의 삶을 엿볼 수 있노라

세상사는 마치 날씨와도 같은 게 아닌가 하는 생각이 듭니다. 대부분의 사람들인 우리는 맑게 개인 날만 계속되기를 소망합니다.

허나 날씨라는 것은 그렇지 못해 태풍도 불고 비바람, 눈보라도 있게 마련입니다.

하지만 어떤 태풍도 한 달 이상 계속되지는 않고 세찬 비바람과 눈보라도 여간해서는 며칠을 넘기지 못합니다. 설령 몇 달 동안 계속 햇빛만 내리쬐는 맑은 날만 계속 되었다고 칩시다.

하지만 그것 또한 슬픈 일이 아닐 수 없습니다.

매일 날씨가 좋아 햇살만 내리쬐면 그 땅은 이내 사막이 되어버리니까요.

비바람과 폭풍은 귀찮고 혹독한 것이지만 그로 인해 씨앗은 싹을 틔울 것입니다.

우리의 삶 또한 그와 다를 바 없습니다. 견디기 힘든 시련과 아픔이 삶의 여정이 왜 없겠습니까?.

하지만 시련과 아픔은 필히 거목으로 키우기 위한 밑거름입니다.

삶은 오늘 내리는 비바람과 폭풍우 속에서 맑게 개인 내일의 아침을 엿 볼 수 있는 우리들의 몫이 아닐까 싶습니다.

• • • • • • •

| 11월 / 2주 | 안내글 |

하버드 친구들은 모두 다 "글로벌 리더" 입니다.

안녕하십니까?

요즘 이런 고민을 해 본적이 있으신가요?

휴대전화에 경배하기! 지하철 안이나 모든 거리에서 흔히 보는 풍경입니다.

대다수가 머리를 숙이고 휴대전화에 고개를 끄덕끄덕하는 광경 말입니다.

그래 맞아, 휴대 전화에 "너무 많은 걸 넘겨 주었어" 그러니 경배할 수 밖에 머리와 가슴에 간직해야 할 소중한 엄마 전화번호와 아빠 전화번호를 제대로 외우지 못하면서 말입니다.

그래놓고 혹이나 핸드폰을 놓고 왔을 때 전화번호가 생각이 나지 않아 쩔쩔매는 때가 한 두번이 아닐 성싶습니다.

앞으로 인간은 기계에 마음 마져 넘겨버리고 멍해질지도 모릅니다.

스마트폰이 거기까지 팔을 뻗어 오고 아마도 우리 어머님들의 감정까지 가져가 버리지 않을까?

심히 고민해 보는 시간을 가져봐야 할 것 같습니다.

부모님들 대하는 마음이 엷어져 엄마, 아빠 전화번호도 모르는 내가 아닐까? 말입니다.

• • • • • • •

| 11월 / 3주 | 안내글 |

하버드 친구들은 모두 다 "글로벌 리더" 입니다.

하루를 행복하게 보내는 10가지 방법

1. 오늘만은 행복하게 살자. 사람은 자신이 결심한 만큼 행복해 지는 것이다.
2. 오늘만은 자기 자신을 장소와 상황에 순응시켜 보자.
   욕망을 버리고 직장이나 가정 등 발생하는 사실을 있는 그대로 받아들이고 그 사항에 적응시켜 보자.
3. 오늘만은 몸조심 하자.
4. 오늘만은 자기 자신의 마음을 굳게 지키자.
5. 오늘만은 세 가지 방법을 실행해 보자. 남들에게 친절히 대하자. 다른 사람들에게 유익되는 일을 해보자.
   자신이 하기 싫은 일을 자진해서 해 보자.
6. 오늘만은 유쾌하게 보내자,
7. 오늘만은 하루의 계획을 작성 해 보자.
8. 오늘만은 오늘 하루로서 살아 보자. 오늘 하루만의 골치 아픈 문제를 마무리 해 보자.
9. 오늘만은 조용히 혼자서 사색 해 보자.
10. 오늘만은 두려워하지 말자.

• • • • • • •

| 11월 / 4주 | 안내글 |

하버드 친구들은 모두 다 "글로벌 리더" 입니다.

안녕 하십니까?

삶은 끊임없는 선택입니다.

우리는 순간순간 얼마나 많은 선택을 해야 하는 걸까요? 얼마나 많은 갈등을 견디며, 그것을 이겨내며 살아가고 있는 것일까요? 아무리 편안해 보이는 사람일지라도 내면을 자세히 들여다보면 저마다 고민이 있고, 갈등이 있고, 그 속에서 순간순간 선택을 하며 살아갑니다. 프로스트의 시처럼 우리는 어느 길을 택하더라도 '가지 않은 길' 에 대해서 인생의 어디쯤에선가 한 번쯤 후회할지도 모릅니다. "나는 가끔 후회한다/ 그때 그 일이/ 노다지였을지도 모르는데……// 그때 그 사람이/ 그때 그 물건이/ 노다지였을지도 모르는데……// 더 열심히 파고들고/ 더 열심히 말을 걸고/ 더 열심히 귀 기울이고/ 더 열심히 사랑할 걸……// 반벙어리처럼……/ 귀머거리처럼/ 보내지는 않았는가/ 우두커니처럼……// 더 열심히 그 순간을/ 사랑할 것을……// 모든 순간이 다아/ 꽃봉오리인 것을/ 내 열심에 따라 피어날/ 꽃봉오리인 것을!" 우리는 지나고 나서 '그 모든 것들에 조금만 더 정성을 기울였다면 좀 더 나은 결과를 가져왔을 텐데….'하고 후회를 할 때가 많습니다.

그리고 우리가 살아가는 삶의 길은 벼랑 앞에 서게 될 때도 있습니다. 이때 우리는 독수리처럼 날아오르는 비상을 하든가, 아니면 물처럼 직활강의 낙하를 하든가 선택해야 할 것입니다.

• • • • • • •

12월 / 4주 안내글

4차 산업 혁명 방향 대비

| 12월 / 1주 | 안내글 |

하버드 친구들은 모두 다 "글로벌 리더" 입니다.

안녕 하십니까? 비밀의 공유는 강력한 유대감을 불러옵니다. 그러므로 좋은 관계를 유지하고 싶은 상대에게 내면 일부를 솔직히 공개하는 것은 상당한 효력을 발휘합니다. 이는 곧 '나는 당신을 나 자신처럼 믿는다'는 신뢰의 표현이기 때문입니다.

별것 아닌 일에도 버릇처럼 중의적인 표현을 사용하는 사람들이 있습니다.

곧이 곧대로의 칭찬, 감탄 대신 석연치 않은 뉘앙스를 풍기는 것은 듣는 이를 가장 기분 나쁘게 하는 어법 중 하나입니다.

특수한 상황이 아니라면 비꼬거나 빈정대는 듯한 표현은 멀리하는 것이 좋습니다.

산뜻한 칭찬과 비판이 대화의 격을 높입니다.

반대로 단정적인 말도 금물. 뜻은 같되 완곡한 표현법을 익힙니다.

• • • • • • •

| 12월 / 2주 | 안내글 |

하버드 친구들은 모두 다 "글로벌 리더" 입니다.

안녕 하십니까?

새해에는 모든 것이 모나지 않고 둥글면 좋겠다.

새로운 1년을 맞음으로써 자기 앞에 남은 1년 365일이란 시간의 담보 안에서 자신의 꿈을 이루고 싶기 때문이다.

부자가 되는 꿈, 건강해지는 꿈, 멋진 사랑을 이루는 꿈, 성취를 바라는 꿈, 취직을 바라는 꿈 등 자신과 가족과 이웃을 위해 새롭게 발전해 가기를 바라는 마음이 깃들어 있기 때문이다. 그러한 것을 이루기 위해 새로운 무엇인가를 시작하고 싶기 때문이다. 지난 1년을 돌아보면 우리나라 정계에선 자신의 본분을 잊고, 자신의 본분에 맞지 않게 행동하여 많은 문제를 야기하고 나라의 꼴을 우습게 만들기도 했고, 결국은 자신들도 혼란스럽고 힘든 한 해를 맞기도 했다.

그러나 불행한 과거 때문에 새해마저 그러한 과거로 만들어서는 안 된다.

| 12월 / 3주 | 안내글 |

하버드 친구들은 모두 다 "글로벌 리더" 입니다.

안녕 하십니까?

우리는 어떤 삶을 살아왔든 해가 가기 전에 뻥 한 번 쳐보자. 까짓것! 뻥이요!

"사랑"이란 무엇인가?. '사'심 가득한 남녀가 '랑'데부 하는 것

아침, 우연히 날아온 카톡 하나, 왠지 저절로 고개가 끄덕거려집니다.

맞아 맞아~ 나도 모르게 미소가 지어지고 공감의 물결이 입니다.

인생은 늘 부딪히며 살아가는 것, 어떤 정답도 없습니다. 그냥 겪어가는 것입니다.

흐르는 강물처럼 불어오는 바람처럼 자연스럽게 마주하며 살아가는 것입니다.

그런 의미에서 보면 뻥은 즐겁고 유쾌한 것입니다. 뻥은 나의 막힌 곳을 뚫어지고 얹힌 것을 속 시원하게 내려가게 합니다.

불법과 탈법을 저지르며 온갖 악행을 마다치 않는 자들도 떵떵거리며 사는데 뻥 한 번 치는 게 뭐가 대수일까요?

개인적 이익을 위해 뻥을 치면 사기꾼이지만 긴장을 풀어주고 삶에 재미를 주기 위해 하는 뻥은 널리 권장할 만합니다. 거기에 자유와 해방이 있고, 즐거움이 있기 때문입니다.

정말이지 다사다난했던 한 해가 저물어갑니다.

'나 올해 멋지게 살았거든. 정말 잘 살았어, 그래서 기분이 너무 좋아! 으하하~'

• • • • • • •

| 12월 / 4주 | 안내글 |

하버드 친구들은 모두 다 "글로벌 리더" 입니다.

안녕 하십니까?

고스톱 칠 때 짝이 안 맞으면...

요즘 우리는 마음에 와 닿는 따뜻한 소식을 만나게 되면 웃음을 짓게 됩니다. 사막이 아름다운 것은 사막 어디엔가 우물을 숨기고 있기 때문이라 했던 생텍쥐페리의 말을 실감하게 되지요. 충북 영동군에 있는 물한 계곡교회의 김선주 목사가 자신의 페이스북에 올린 글입니다. '목사 사용 설명서'라는 제목의 글이었는데, 마을 주민들에게 이런 일이 있을 때는 목사에게 전화해 달라는 내용이었습니다. 모두 열 가지의 경우였는데, 그 내용이 참 재미있습니다.

1. 보일러가 고장 나면 전화하세요. 2. 텔레비전이 안 나오면 전화하세요. 3. 냉장고, 전기가 고장 나면 전화하세요. 4. 휴대폰이나 집 전화가 안되면 전화하세요. 5. 무거운 것을 들거나 힘쓸 일이 있으면 전화하세요. 6. 농번기에 일손을 못 구할 때 전화하세요. 7. 마음이 슬프거나 괴로울 때 도움을 청하세요. 8. 몸이 아프면 이것저것 생각 말고 바로 전화하세요. 9. 갑자기 병원에 갈 일이 생겼을 때 전화하세요.

오늘날 농촌에는 대부분 연로하신 어르신들이 살고 있습니다. 혼자 사는 분들도 적지가 않습니다. 그분들이 겪는 불편과 고충은 한둘이 아닙니다. 자식들은 멀리 살고 도움을 청할 사람은 따로 보이지를 않습니다. 그런 점에서 위에 적은 아홉 가지의 경우는 농촌의 어르신들께는 정말로 요긴한 일들이 아닐 수가 없습니다. 경험과 현실에서 우러나온 이야기라는 것을 잘 알기에 가볍게 웃을 수만은 없었습니다.

마지막 열 번째 경우가 압권이었는데, '경로당에서 고스톱 칠 때 짝 안 맞으면 전화합니다.' 였습니다.

모든 담과 벽을 허물고 기꺼이 이웃에게 다가가려고 하는 따뜻한 마음이 물씬 묻어납니다. 정말로 마을 사람들은 짝이 안 맞을 때 동네 목사를 불렀을까요, 그럴 때면 목사는 막걸리라도 열병 사들고 경로당을 찾았을까요, 우리네는 심술궂게도 그런 것이 다 궁금해질 것입니다.

• • • • • • •

1월 / 5주 안내글

원장의 자산 관리 및 노후설계

| 1월 / 1주 | 안내글 |

하버드 친구들은 모두 다 "글로벌 리더" 입니다.

안녕 하십니까?

새해가 밝았습니다.

다사다난이란 말이 실감 나던 한해를 보내고, 새해를 맞았습니다.

새해가 왔다는 것은 단순히 달력 한 장의 바뀜, 단순히 새 하루가 밝았음을 의미하지는 않습니다.

어제와 별로 다르지 않은 하루가 왔음에도, 어제 보던 해와 비슷한 해가 솟았을지라도 사람들은 그 해를 보며 새해라 하여 소망을 빌기도 하고, 한 해를 어떻게 보내야겠다고 다짐을 하기도 합니다.

사람들이 그렇게 의미를 크게 부여하는 것은 새해를 보는 사람들의 생각 안에는 과거를 청산하고 새로운 희망과 각오로 임하고 싶은 한 해를 맞고 싶기 때문입니다. 지난 일들 중에 행복했던 일은 간직하고 싶지만, 불행하거나 안 좋았던 일은 빨리 잊어버리고 싶기 때문일 것입니다.

또 자신이 발전하거나 좋아지는 모습으로 새롭게 태어나기를 바라는 마음이 있기 때문입니다.

• • • • • • •

| 1월 / 2주 | 안내글 |

하버드 친구들은 모두 다 "글로벌 리더" 입니다.

안녕 하십니까?

새해가 시작되고 순식간에 1주일이 후다닥 지나가버리니 소한 추위도 어쩔 수 없이 꼬리를 내리는 것은 아닐런지요.

겨울은 상념조차 차가운 느낌이니 따뜻한 '그리움' 한 조각 드리고 싶습니다.

깊어가는 겨울밤 그리움 속에 묻혀보는 것은 어떨런지요?

새해 첫 주 잘 지내셨는지요? 먼저 다시 한 번 새해 인사 올립니다.

새해 복 많이 지으시고 가지고 있는 행복 맘껏 누리시길 기원합니다.

사랑하는 학부모님!

건강한 한 해, 즐거운 한 해 맞으시길 기도드립니다.

| 1월 / 3주 | 안내글 |

하버드 친구들은 모두 다 "글로벌 리더" 입니다.

안녕하십니까?

사랑하는 학부모님!

000년 0000년은 새 희망으로 선한 영향력을 전파하는 삶으로 맞이하시길 바랍니다.

더더욱 힘찬 행복 에너지를 만들어 무슨 일이든지 술 술 술 풀려 나아가시길 바랍니다.

0000년 학부모님과 저희 원 교사들이 만나게 된 것도 참으로 귀한 인연입니다.

0000년 한해 학부모님들과 우리 원은 행복하다고, 정말로 행복하다고 마법을 걸어 보시기 바랍니다.

• • • • • • •

| 1월 / 4주 | 안내글 |

하버드 친구들은 모두 다 "글로벌 리더" 입니다.

안녕 하십니까?

새해에는 하루를 성실하게 살아가면 좋겠습니다. 오늘을 대충 허비하거나, 과거에서 허우적거리거나, 미래에만 열망하는 것은 좋지 않을 성싶습니다. 어제에 발목을 잡히거나 미래를 근심하다가 정작 너무나도 소중한 오늘을 허비해 보내는 일이 많아서도 안될 성싶습니다. 이미 지나간 과거는 돌이킬 방법이 없고, 미래는 비록 3만 6천 오백일이 계속 이어져 온다 해도 그 날에는 각기 그날에 마땅히 해야 할 일이 있으니 이튿날로 미룰 만한 여력이 없습니다. 하늘은 스스로 한가하지 못하여 항상 운행하여 계절의 변화와 매일의 변화를 주는데, 사람이 어찌 한가할 시간이 있겠습니까?

| 1월 / 5주 | 안내글 |

하버드 친구들은 모두 다 "글로벌 리더" 입니다.

새해에 여는 하루

우리의 하루는 잠에서 깨어나 가장 먼저 내 몸과 마음이 세상과 만나는 것이 하루입니다. 때로는 닭울음 소리가 들리기도 하고, 이름 모를 새소리, 풀벌레소리가 아침을 깨우기도 합니다. 순간 내가 살아있음에, 새소리, 바람 한 줄기와 함께 살아가고 있음에 절로 찬탄이 일어납니다. 얼마나 즐겁고 신나는 느낌입니까?

• • • • • • •

2월 / 4주 안내글

원 경영의 노하우 공유

| 2월 / 1주 | 안내글 |

하버드 친구들은 모두 다 "글로벌 리더" 입니다.

세월을 느리게 가게하는 방법

어찌하든 나이가 들수록 시간이 빨리 흘러간다는 것엔 큰 이의가 없는 것 같습니다.
물리적인 나이의 한계는 어찌할 수 없다 해도 쏜살같은 시간을 강물이 흐르는 정도로 '느리게' 하는 방법이 없는 것은 아닙니다.
그 중 하나가 세상사에 호기심을 가지고, 가능한 한 새로운 경험을 많이 하며 변화를 적극적으로 받아들이면 스스로 느끼는 시간이 길어질 수 있습니다.
나의 이익에만 골몰하며 잔머리를 굴리는 대신 새로운 세상에 마음을 열고 감성의 촉수를 세우면 훨씬 '긴 인생'을 살 수 있지 않을까?.
삶이 힘들고 고통스러울 때 일상의 지옥을 헤쳐 나갈 때 길을 열어주는 지도 한 장이 얼마나 마음이 따뜻해지고 힘이 나던지.
새해에는 앞만 보고 달려 나가는 삶을 내려놓고 자전거를 타고 도서관에 가서 시집 한 권 펼쳐봅시다.
그래서 '맑고 향기로운 사람'이 되어봅시다.
누구보다도 자신에게 힘을 삶은 힘이 세다는 것을.

• • • • • • •

| 2월 / 2주 | 안내글 |

하버드 친구들은 모두 다 "글로벌 리더" 입니다.

안녕하십니까?
지난 한 주 잘 지내셨는지요?
한차례 추위를 몰고 왔다가 언제 그랬냐는 듯 시치미를 떼듯이 따뜻한 날이 계속되고 있습니다.
새로운 주 중에 다시 한파가 몰아친다고 하니 이에 대비를 해야겠습니다.
날씨에도 삶에도 작은 긴장감이 필요하다는 것, 일상에 작은 자극과 함께 즐거움을 주니 참 좋습니다.
부침이 많은 날씨에 건강 잘 챙기시기 바랍니다.

| 2월 / 3주 | 안내글 |

하버드 친구들은 모두 다 "글로벌 리더" 입니다.

안녕 하십니까?

고향 잘 다녀 오셨습니까?

모두들 설 명절을 잘 보냈는지요? 고향엔 편히 다녀왔는지?, 길은 크게 막히지 않았는지?, 부모님들은 모두 평안하신지?, 오랜만에 만난 고향 친구들과 즐거운 시간을 보냈는지?, 맛있는 음식은 많이 먹었는지?, 모처럼 찾은 고향이 생소한 모습으로 다가온 것은 아니었는지? 모르겠습니다. 고단할지는 몰라도 고향을 다녀온 시간이 있어 우리는 다시 시작하는 시간을 새로운 마음으로 맞을 수가 있는 것이겠지요. 그러고 보면 귀소본능은 모천을 찾아 수천 킬로미터를 헤엄쳐오는 연어에게만 있는 것은 아니지 싶습니다. 고생을 고생이라 여기지 않고 먼 길 고향을 찾아 오가는 끝없는 행렬을 보면 본래의 자리를 향하는 귀소본능이 인간에게도 똑같이 주어진 강한 본능이라는 것을 생각하게 됩니다. 세월이 지나갈수록 더욱 그리워지는 자리, 마침내 돌아가 몸과 마음을 뉘일 곳, 그곳이 고향일 테니까요. 사실 명절을 맞아 고향을 찾으면 즐거운 일만 있는 것은 아닙니다. 새삼스럽게 확인하게 되는 걱정스러운 일들이 있습니다. 그동안 잘 알지 못하던 문제들을 비로소 알게 되기도 하고, 오랫동안 외면해선 안 될 것을 외면해왔다는 사실도 깨닫게 됩니다. 그러면 그동안 모르고 있었던 큰 숙제를 받은 것처럼 마음이 무거워지기도 합니다. 어쩌면 우리가 함께 사는 이유는 그런 것이 아닐까 싶습니다. 서로를 지켜주어 서로 외롭지 말자고, 힘들 땐 내가 곁에 있어 주겠다고 마음을 전하며 함께 사는 것 말이지요.

• • • • • • • •

| 2월 / 4주 | 안내글 |

하버드 친구들은 모두 다 "글로벌 리더" 입니다.

안녕 하십니까?

문화가 있는 한 해, 나의 마음에 작은 울림들이 이어지는 새해 새 날이 되기를 염원합니다. 정말 그랬으면 좋겠습니다.

새로운 한 주, 작은 감동이 있는 날들이 쭈욱 이어지길 기원합니다.

제 1의 부는 "건강"이라고 하니 건강 잘 챙기시기 바랍니다.

우리의 심신을 건강하고 풍요롭게 하는 것, 삶에 작은 감동을 느끼게 하는 것들이 우리에게 희망을 줍니다.

늘 사람의 숲에서 살아온 우리들이기에 새해엔 자신의 길을 뚜벅뚜벅 걸어가는 사람들을 응원하고 그들과 함께 하는 삶을 살아갔으면 좋겠습니다.

더 열린 마음으로 더 가까이에서 함께 하면 좋을 성 싶습니다.

어쩌면 바로 우리학부모님들이 '그들' 중의 한 사람일거라 생각합니다.

• • • • • • •

원장님의 감성적 영향력 IV

3월 / 4주 안내글

성공적인 첫 단추

| 3월 / 1주 | 안내글 |

하버드 친구들은 모두 다 "글로벌 리더" 입니다.

부모와 아이가 대화한다는 것...

부모님들은 아이들 인생의 멘토가 되어야 한다고들 합니다. 멘토란 지혜와 신뢰를 바탕으로 하여 누군가의 인생의 모범이 되는 것을 말합니다. 그것은 아이와의 대화로 이루어진다고 생각을 합니다. 부모님들이 아이들과 대화를 한다는 것은 아이들에게 '인생은 이렇게 사는 거야' 하고 모범을 보이는 것과 똑 같습니다. 그래서 부모와 아이의 대화는 아이가 힘들어 하거나 문제를 일으켰을 때, 같이 빠져 들어 잘잘못을 따지는 것이 되어서는 안 됩니다.

또 치마폭에 아이를 감싸 안아서 무작정 보호만 하는 것이어서도 안 됩니다. 부모는 대화를 통해 아이에게 더 넓은 세계를 보여 주어야 하고, 삶의 비젼을 제시해야 합니다.

단순히 '~~하는 법'을 가르치는데 그치지 않고 아이에게 흔들림 없는 정서적 지지를 제공하면서 동시에 아이가 한층 더 성장하게끔 보다 큰 견지에서 이끌어 주는 것, 그것이 바로 부모님들이 해야 할 대화입니다. 우리가 우리의 아버지와 어머니들의 대화에서 그런 가르침을 받았듯이 말입니다.

• • • • • • •

| 3월 / 2주 | 안내글 |

하버드 친구들은 모두 다 "글로벌 리더" 입니다.

두 번째 탯줄 – 아이들은 자기 자신의 기분에 따라 행동한다.

우리는 첫 번째 탯줄을 자를 때 엄마와 아이를 하나로 이어주던 무감각한 기관을 자르는 것이었습니다. 그리고 그것은 엄마와 아이의 공생관계가 끝났음을 의미했습니다. 첫 번째 탯줄을 자르는 일은 엄마와 아이 모두에게 고통스럽지 않았고 자연스러운 일이었습니다. 두 번째 탯줄을 자르는 일을 진행하고 있는데 그것은 부모와 아이가 서로 떨어지는 행위입니다. 그러나 우리 부모들에게는 약간 고통스러운 일입니다. 부모는 이제 막 세상에 온 아이에게 세상을 알려주고, 차가운 세계로부터 보호해주고, 두려움에 떨면 위로해 주는 유일한 존재입니다. 부모는 아이를 위해서는 못하는 일이 없고, 아이가 원하는 것은 무엇이든 다 이루어 주는 신과 같은 존재입니다. 그러나 언젠가는 부모의 도움 없이 아이 스스로 자신의 삶들을 꾸려가야 합니다. 그래서 가능한 일찍 부모가 아이에게 "부모는 신이 아니다"는 신호를 보내는 것이 중요합니다. 너무 늦기 전에 아이 스스로 부모의 품을 떠나 자신의 길을 찾아갈 수 있도록 말입니다. 자신의 아이가 이기적이지 않고 다른 사람과의 관계 속에서 상대방을 존중하고 상대방에게 존중 받으며 그리고 세상에서 자기 마음대로 되지 않는 일이 있더라도 쉽게 포기하지 않는 아이로 자라길 원한다면, 우리는 고통을 참고 두 번째 탯줄을 잘라야 합니다.

• • • • • • •

ㅣ3월 / 3주 ㅣ 안내글 ㅣ

하버드 친구들은 모두 다 "글로벌 리더" 입니다.

안녕 하십니까?

▷ 처음 만났을 때 : 미소는 말이 아닌 몸으로 상대에 대한 호감을 표시하는 가장 효과적인 수단입니다. 그런 만큼 남에게 소개될 때, 처음 대면했을 때는 반드시 미소를 지어 주시기 바랍니다.
미소는 당신이 상대방과의 만남을 꺼리지 않으며 오히려 기꺼이 받아들이고 있음을 나타냅니다.

▷ 불편하거나 분위기가 어색하다고 느껴질 때 : 미소는 불안감을 감추는 데 도움이 됩니다.
또 보는 이로 하여금 긍정적인 반응을 하게 하므로 당신의 기분도 나아질 수 있습니다.
비즈니스를 할 때는 자신을 잘 조절하는 사람으로 보여야 합니다. 바른 자세에 미소를 곁들이면 더욱 효과적입니다.

▷ 칭찬을 받을 때 : 칭찬을 받으면 당황한 표정을 짓거나 심지어 얼굴을 찡그리기까지 하는 경우가 있습니다. 쑥스럽고 때로는 자신은 칭찬받을 자격이 없다고 생각하기 때문입니다.
나름대로 겸손의 표현인 셈이지만 칭찬한 이에게는 의외의 반응으로 비쳐 불쾌할 수도 있습니다.
칭찬을 받았을 땐 미소를 띠고 감사하다는 표현을 잊지 마시기 바랍니다.

▷ 손뼉을 칠 때 : 연사에게, 또는 높은 성과를 거둔 사람을 향해 손뼉을 칠 때가 있습니다. 설사 그 업적이 부럽거나 '내가 저 자리에 섰어야 하는데' 하는 아쉬움이 있더라도 힘있게 손뼉치며 따뜻한 미소를 짓는 것이 보기 좋다. 사심 없는 미소는 당신을 너그럽고 성격 좋은 사람으로 보이게 할 것입니다.

• • • • • • •

| 3월 / 4주 | 안내글 |

하버드 친구들은 모두 다 "글로벌 리더" 입니다.

안녕 하십니까?

세상에서 가장 값진 것은 사랑을 나눌 줄 알고 베풀 줄 아는 넉넉한 마음입니다

세상에서 가장 소중한 것은 작은 것이라도 아끼고 소중히 여길 줄 아는 겸소함입니다

세상에서 가장 소중한 것은 사랑입니다.

부모 자식 간의 사랑, 부부의 사랑, 연인들의 사랑, 친구 간에 사랑, 이웃 간에 사랑, 사랑이 없는 곳에는 웃음과 행복이 없기 때문입니다 세상에서 가장 아름다운 소리는 "당신을 사랑합니다".

그리고 "당신이 있어 행복합니다." 입니다.

이보다 더 듣기 좋은 말은 없을 테니까요. 세상에서 가장 중요한 것은 마음가짐입니다.

언제나 긍정적인 사고방식으로 살아가려는 마음은 마음에 평안과 안식을 줍니다.

세상에서 가장 소중한 것은 진실입니다.

진실한 말 한 마디로 믿음과 행복을 줄 수 있다면 마음 안엔 날마다 행복의 씨앗이 자라게 될 것입니다.

• • • • • • •

4월 / 4주 안내글

부모님에게 신뢰 받는 원

ㅣ4월 / 1주 ㅣ 안내글 ㅣ

행복한 가정으로 가는 조건? : 배려(인격이 입는 옷)

사람이 살아가는 목적 중 하나는 행복의 추구입니다. 사람들은 흔히 경제적인 안정이 행복을 줄 것으로 여기지만, 행복지수가 높고, 행복하다고 답하는 사람들은 다른 사람을 인정하고 존중하는 마음에서 비롯된다고 합니다.가정에서의 행복은 가족 구성원들의 삶에 긍정적인 영향을 줍니다. 행복을 느끼는 가족들은 몸도 마음도 더 건강하고, 고난이나 슬픔을 훨씬 더 슬기롭게 극복하며, 꿈을 더 잘 이룬다는 것을 깨닫곤 합니다.가족은 역동적으로 움직이는 유기체입니다. 가족 한 사람이 행복해지려면 나머지 가족도 행복해야 합니다. 그래서 가족의 행복은 저절로 얻어지는 것이 아니라 모든 가족들의 의도적이고 지속적인 노력을 통해서만 가능한가 봅니다. 가정에 대한 진심어린 애정과 돌봄, 믿음과 신뢰, 인정과 존중, 함께하는 배려(인격이 입은 옷), 편안함과 안정감, 고난과 역경에 대한 대적과 격려, 즐거움과 웃음 같은 것들을 주고자 가족 구성원 모두 함께 노력할 때 행복은 결과로서가 아니라 삶의 과정에서 느끼게 될 것입니다. 가정에서 서로의 인격에 멋지고 아름다운 옷들을 입혀 주면서 행복한 삶을 누려 보시기 바랍니다.

• • • • • • •

ㅣ4월 / 2주 ㅣ 안내글 ㅣ

"나는 어떤 부모인가요?"

부모는 멀리 보라하고, 학부모는 앞만 보라 합니다.
부모는 함께 가라하고, 학부모는 앞서 가라 합니다.
부모는 꿈을 꾸라 하고, 학부모는 꿈을 꿀 시간을 주지 않습니다.
부모의 모습으로 돌아가는 길, 참된 교육의 시작입니다.

아이의 숙제를 대신해 준다/ 횡단보도가 아닌 곳에서도 가끔 아이의 손을 잡고 달려 간다 / 아이가 챙기지 못한 준비물을 들고 원으로 달려 간다 / 아이의 컴퓨터 사용시간은 스스로에게 맡겨 둔다 / 아이가 선생님에 대한 불만을 이야기할 때 같이 화를 낸다 / 아이가 혼자 다 가지려고 욕심을 부리면 들어 준다.

아이가 좋아하는 프로그램을 함께 즐겨 본다 / 아이와 함께 가족행사에 참여한다 / 부모가 하는 일을 아이에게 설명해 준다 / 되도록 온 가족이 아침식사를 함께 한다 / 아이에게 관심을 가지고 대화를 자주 나눈다 / 아이의 친한 친구 이름을 알고 있다 / 지킬 수 없는 약속은 하지 않는다 / 출, 퇴근하는 부모에게 아이들이 항상 인사를 하도록 한다.

좋은 열매를 얻으려면 좋은 나무가 되어야 하고, 좋은 나무가 되려면 무엇보다 뿌리가 튼튼해야 하듯이 사랑과 정성, 그리고 기도를 모아 내 아이를 키워 보세요.

• • • • • • •

| 4월 / 3주 | 안내글 |

하버드 친구들은 모두 다 "글로벌 리더" 입니다.

"긴 질문에 대한 짧은 대답"

밤새워 비 내리고 아침.
모든 새싹들의 순들 그 오래 묵은 새싹들의 새촉들이 불쑥불쑥 뛰쳐나왔습니다. 올 봄도 온 우주의 대답이 이렇듯 간단 명료합니다. 만물이 소생하는 희망의 4월에 벌써 둘째 주를 맞이하네요. 누군가는 4월을 오히려 "잔인한 달"이라 했는데 말입니다. 기독교적인 인생관으로 본다면 영원한 안식을 누리는 저 세상에 비해 세상 온갖 만물에는 잠시 머물다 가는 덧없는 인생이요, 세상이므로 새 생명이 오히려 안쓰럽게 보일지도 모릅니다. 그러나 춥고 어두운 동토의 대지를 뚫고 연약한 새싹이 솟아오르는 걸 보면 가슴은 마냥 설레일 것입니다. 만물의 소생은 모든 어려움을 극복하면서 찬란한 꽃들을 피우고 알찬 결실을 맺으라는 아주 간단한 삶의 법칙을 알려 주는 것이니까요. 새싹들의 움트는 모습들을 보노라면 우주의 법칙이 숨어 있는 것을 느껴 봅니다. 우리의 귀염둥이들도 오랜 시간 준비되어 가는 가운데 힘차게 움터 아름답고, 황홀한 꽃들로 피어나기를 바라며 언제나 변함없이 사랑하고, 축복해 봅니다

• • • • • • •

| 4월 / 4주 | 안내글 |

"성질 급한" 놈들의 홍보 전략에 빠져 보세요

온 나라에 벚꽃이 흐드러졌습니다. 온갖 도로에는 크고 작은 벚꽃 길들도 모두 절정인 것 같습니다. 봄을 즐기려는 사람들, 봄꽃을 좋아하는 사람들, 힘들게 살았던 사람들이 봄을 더욱 좋아한다고 합니다. 봄은 황홀하면서도 소생하는 생명력이 있고 다시 시작할 수 있다는 희망을 주기 때문일 것 같습니다. 벚나무는 산수유, 개나리, 진달래, 살구꽃, 배꽃, 사과꽃, 복숭아꽃, 목련 등과 함께 잎보다는 꽃을 먼저 피우는 우리나라의 대표적인 '성질 급한' 꽃나무들입니다. 이들은 모두 지난해에 축척해 온 에너지를 사용하여 꽃부터 먼저 '출시'하고 꽃이 질 무렵에야 비로소 광합성을 하기 위해 잎을 만들다보니 마냥 신기하기도 합니다. 그래서 우리네 사람들은 그들의 홍보 전략에 따라 꽃이 필 때만 그들을 탐닉하고 그 후로는 일 년 내내 눈길조차 잘 주지 않습니다. 그러나 올해에는 팝콘이나 튀밥 터지듯 가지마다 환하게 펼쳐진 벚꽃 뒤의 벚나무 이파리도 관심을 가져 주면 어떨까요? 벚나무 이파리에 잎꼭지가 달려있는 부분을 잘 살펴보노라면 한 쌍의 작은 구멍이 뚫려 있습니다. 그곳에 혀를 대어보면 희미한 단맛인 꿀샘이 있다는 것을 아실 것입니다. 올 해도 마지막 벚꽃 구경과 더불어 벚꽃이 지고 난 벚나무에서 열심히 보디가드로 일하는 벌, 나비들까지도 아이들과 대화를 나누며 관찰해 보는 여유를 가지셨으면 좋을 성 싶습니다. 순백의 꽃잎들이 지상으로 낙하하며 흩날리는 벚꽃은 송이송이 눈꽃송이 같아 좋으니, 봄꽃의 압권에 져주는 척하면서 꽃그늘에서 수다를 떨어 보심은 어떠실지요?

• • • • • • •

5월 / 4주 안내글

행복한 아이들로 키워라

| 5월 / 1주 | 안내글 |

하버드 친구들은 모두 다 "글로벌 리더"입니다.

흙에서 배우는 점들 -'씨앗은 자기 두께만큼만 흙을 덮으면 된다'

모든 곡식은 트랙터로 골을 켜고 종자와 비료를 뿌린 뒤 흙을 덮습니다. 경험이 많은 어른들도 곡식을 뿌리는데 얼마나 뿌려야 할지 서로의 생각이 다를 수 있습니다. 어떤 이는 곡식을 드물게 뿌려야 한다고 했고, 어떤 이는 보이게 뿌려야 한다고 합니다. 서로의 의견이 갈렸을 때 옛날 동네 어르신의 예화를 들기도 합니다. "드문 곡식은 광을 채워도, 보인 곡식은 광을 못 채운다"는 이야기가 있습니다. 뜻을 풀이해 보면 그 뜻이 참으로 귀합니다. 언뜻 생각하기엔 촘촘하게 심은 곡식에서 더 많은 것을 거두어들일 것 같은데 오히려 드문드문 있는 종자가 나중에 광을 채우게 된다는 것입니다. 농부들에게 농사를 지을 때 흙을 얼마나 덮으면 될까 물으면 무슨 씨앗이든 "씨앗 두께만큼만 흙을 덮으면 된다는 것"입니다. 너무 두껍게 덮어도 싹이 잘 안 나고, 흙을 제대로 덮지 않으면 새에게 먹히든지 말라버리든지 할 것이고, 씨앗을 덮는 알맞은 두께는 자기 씨앗만큼의 두께라는 것입니다. '드문 곡식이 광을 채운다'는 말이나 '씨앗은 자기 두께만큼만 흙을 덮으면 된다'는 말은 곡식에 국한된 말이 아닌 것입니다. 우리의 삶도 마찬가지입니다. 우리가 자녀들을 무조건 닦달한다고 잘 자라는 것은 아닙니다. 아이들에게도 그들의 방식으로 숨을 쉴 수 있는 자리와 시간이 필요합니다. 그만한 여유가 없다면 우리의 기대와는 달리 그들 인생과 감성의 광은 텅 비게 될지도 모를 일입니다. 지나친 과보호도 그렇습니다. 너무나 많은 흙으로 덮어버리면 싹이 제대로 날 수가 없듯이. 과보호도 무관심도 아닌 알맞은 두께의 흙과 배려일 것입니다. 흙에서 듣고 배운 가르침이 그런 탓인지 더욱 그윽하고 소중하게 와 닿을 것입니다.

• • • • • • •

| **5월 / 2주** | 안내글 |

하버드 친구들은 모두 다 "글로벌 리더" 입니다.

지금 이 시간 시간이 너를 증명 한다.

이별, 시련, 좌절, 행복, 기쁨 등등을 학부모님들 자신에게 주어진 희로애락의 모든 순간을 차곡차곡 쌓아 우아하고 당당하게 자기만의 삶을 완성해 나가는 학부모님들께 박수 갈채를 보내 드립니다.
순간순간 우리는 포기하고 싶은 순간, 갈림길에서 불안해 했던 시간들을 묵묵히 견디며 이겨내는 학부모님들을 만날 때면 묵직한 감동이 우리 마음 가장자리에 다가 옵니다.
누구나 다 "시간이 부족하다"는 말들을 입에 달고 살기도합니다.
그러나 지나간 잘못을 쉽게 시간의 탓으로 돌리지 말고, 주어진 시간을 후회로 남길지 빛나는 훈장으로 만들지는 오직 학부모님들 자신에게 달려 있다고, 지금은 보잘 것 없다 치부해버리는 시간 마져도 자신들을 위해 정성을 다 한다면 그것으로 충분하다고 말해 주십시오.
"지금"이라는 놀라운 시간의 조각들이 너라는 보석을 완성한다고 위로와 응원의 따스함으로 위로 받으시기를 바랍니다. 지금의 시간은 조용하고 공평합니다.
마음이 반석처럼 단단하다면 시침과 분침이 충실한 목격자가 되어 교사들과 학부모님들의 수고와 노력을 기록해줄 것입니다.

• • • • • • • •

| 5월 / 3주 | 안내글 |

하버드 친구들은 모두 다 "글로벌 리더" 입니다.

삶의 존재 이유 가치 있는 삶, 풍요로운 삶?

인류가 지구별에서 삶을 영위한 이래 수많은 사람들이 태어나고 떠났을 것입니다.
아마 오늘도 누군가는 태어났을 것이고, 누군가는 어쩔 수 없이 지구별 소풍을 마칠 것입니다.
영원히 살 것처럼 잔뜩 움켜쥐고 부들부들 떨다가 떠나는 사람이 있는가하면 다 내려놓고 훌훌 털어버리고 민들레 홀씨처럼 가벼이 떠나는 사람도 있을 것입니다.
그러기에 이런 화두 하나 가지는 것은 너무나 자연스럽습니다. 나는 왜 여기에 왔고 어떤 삶?을 살다 갈 것인가?. 분명 아등바등 우왕좌왕 살아가는데 그것이 무엇을 위한 것인지 생각 한 번 하지 않고 살아가는 사람이 얼마나 많은지를 생각하면 더욱 그러합니다.
나부터 돌아봅시다. 뭐가 그리 바쁜지 정신없이 살아가지만 '무엇을 위해 그런 삶을 사느냐고 물으면' '바로 이것이다'라고 대답하기엔 머뭇거림이 없지 않습니다. 하지만 분명한 대답에 망설임이 있다 해도 이런 화두에 깨어있다는 것, 일상의 삶에 작은 긴장감을 가지며 산다는 것은 그 의미가 결코 작지 않습니다. 그런 삶의 자세가 나의 삶을 바로 세우고 가치 있는 삶, 좀 더 풍요로운 삶으로 이끌어 갈 것이기 때문입니다.

• • • • • • •

| 5월 / 4주 | 안내글 |

하버드 친구들은 모두 다 "글로벌 리더" 입니다.

♥ 교사의 사명감(교사의 기도)

나는 오늘도 신체적으로 건강하고 건전한 정신력을 소유하여 어린이의 호기심에 친절히 반응해 줄 수 있고 실천력이 강한 교사가 되겠습니다.

그리고 어린이의 인격을 사랑하고 존중하며, 이해할 수 있는, 어린이의 발달과 교육목적에 관한 충분한 이해와 지식으로 연구, 노력하는 교사가 되겠습니다.

저에게 주어진 오늘 하루도 이웃들에게는 밝은 미소와 기쁨을 주고, 소중한 우리 어린이의 성장에 아낌없는 도움을 줄 수 있는 교사가 되겠습니다.

• • • • • • •

6월 / 4주 안내글

정말로 멋진 교육기관

| **6월 / 1주** | 안내글 |

Special Day 안내 - 『한국잠사박물관 견학』

예로부터 동양에서는 누에를 '하늘의 벌레'라 하였습니다. '하늘의 벌레' 누에의 모든 것을 보여주는 잠사박물관은 자라나는 어린아이들에게 자연과학을 이해하고 배울 수 있는 생생한 학습현장을 제공하고 있습니다. 하버드 귀둥이들과 오감체험 학습의 장인 한국잠사 박물관에서 신나는 추억 가득 담고 오겠습니다.

체험 내용 : 오디체험(오디 따서 먹기), 누에 체험(뽕잎 따서 누에 먹이주고, 관찰하기), 만들기 체험

한국 잠사 박물관 관람, 세계 희귀 파충류 전 관람

• • • • • • •

| 6월 / 2주 | 안내글 |

나의 자녀들이 미래에 느끼는 점들

아들아! 그리고 딸들아!
행복이란 건 멀리 있어 열심히 찾아 헤매어야만 하는 것이 아니라 너희들 스스로가 만들어 가는 것이란다. 그리고 행복하기 위해서는 욕심 부리지 말고, 이기려고도 말고, 너 혼자만 앞서 나가려 하지도 말며, 무엇이든 웃으면서 많이 주어야 한단다. 너희들을 사랑하는 아빠, 엄마가 하는 말이니까 이해가 안 된다 해도 세월이 말해 주리라 믿고 싶구나.

나의 아버지는 내가.....
네 살 때, 아빠는 뭐든지 할 수 있었다.
다섯살 때, 아빠는 많은 걸 알고 계셨다.
여섯 살 때, 아빠는 다른 애들의 아빠보다 똑똑하셨다.
여덟살 때, 아빠가 모든 걸 정확히 아는 건 아니었다.
열 살 때, 아빠가 어렸을 때는 지금과 확실히 많은 게 달랐다.
열두살 때, 아빠가 그것에 대해 아무것도 모르는 건 당연한 일이다.
아버지는 어린 시절을 기억하기엔 너무 늙으셨다.
열네살 때, 아빠에겐 신경 쓸 필요가 없어. 아빤 너무 구식이거든.
스물 한살 때, 우리 아빠말이야? 구제불능일 정도로 시대에 뒤떨어졌지.
스물 다섯살 때, 아빠는 그것에 대해 약간 알긴 하신다. 그럴 수 밖에
없는 것은 오랫동안 그 일에 경험을 쌓아오셨으니.
서른살 때, 아마도 아버지의 의견을 물어보는 게 좋을 듯하다.
아버진 경험이 많으시니까.
서른 다섯살 때, 아버지에게 여쭙기 전에는 난 아무것도 하지 않겠다.
마흔살 때, 아버지라면 이럴 때 어떻게 하셨을까 하는 생각을 종종 한다. 아버진 그만큼 현명하고 세상경험이 많으시다.
쉰살 때, 아버지가 지금 내 곁에 계셔서 이 모든 걸 말씀 드릴 수 있다면 난 무슨 일이든 할 것이다. 아버지가 얼마나 훌륭한 분이셨는가를 미처 알지 못했던 게 후회스럽다. 아버지로부터 더 많은 걸 배울 수도 있었는데 난 그렇게 하지 못했다.

| 6월 / 3주 | 안내글 |

부모인 나는 어떤 존재인가요?

아이들의 뇌는 모든 자극에 반응을 할 수 있는 기능을 갖고 태어나고, 수많은 자극에 반응하면서 발달을 합니다. 뇌뿐만 아니라 눈, 코, 입, 귀, 피부 등 자극을 받아들일 감각 기능도 가지고 세상에 태어났습니다. 아주 기본적인 하드웨어가 완성된 상태로 인간의 몸에 장착되어 태어났지만 그 하드웨어는 환경과의 상호작용을 통해 몇 단계 더 업그레이드 되고 완성됩니다. 그러나 모든 감각기관을 정상적으로 갖고 태어났다고 하더라도 엄마가 눈을 맞춰주지 않고, 이름을 불러주지 않고, 품고 쓰다듬어 주지 않는다면 건강한 기관이라도 제대로 성장하지 못하고 시들해지기 마련입니다. 따라서 엄마는 아이와 열심히 놀아 주어야 합니다. 또한 아이가 쉬고 싶어 할 때는 편하게 쉴 수 있도록 도와주어야 합니다. 엄마 안에 내재된 정확하게는 엄마의 뇌에 있는 감정, 지각, 느낌, 기억을 총 동원해서 아이와 열심히 놀아줄 때 비로소 아이는 타고난 모든 기능을 제대로 발달시킬 수 있습니다. 엄마는 아이를 사람으로 만드는 모든 자극을 제공하는 주체이며, 과장된 표현을 빌리자면 아이의 생사여탈권을 쥐고 있는 절대적 존재입니다. 엄마로부터 좋은 자극, 풍부한 자극을 받은 아이는 신체의 모든 기관이 놀라울 정도로 발달하며, 그 모든 경험이 뇌에 기억으로 남아 이후 감성이 풍부한 아이, 다른 사람들과 잘 어울리는 아이, 머리가 좋은 아이로 성장할 수 있습니다.

• • • • • • •

| 6월 / 4주 | 안내글 |

성품 좋은 아이들로 키우기를 바라는 학부모님들께!

성품 좋은 아이들로 키우는 출발점은 가정입니다. 학부모님들께서 나의 아이들에게 어떻게 말하고 행동해야 하는지를 분명하게 말씀해 주셔야 합니다. 그리고 절대적으로 허용할 수 없는 상황이라면 부모님의 뜻을 확고하게 말씀하셔야 합니다. 그래야 자녀가 분별력을 기르게 되고, 모든 선택에는 책임이 따른다는 것을 배우게 될 것입니다. 성품 좋은 아이들로 키우기 위해서는 가정에서 부모님들이 행하셔야 할 책임들이 있습니다. 가족의 필요를 공급하기 위해 성실하게 일하시는 모습을 보여 주십시오. 자신의 직업을 귀하게 여기며 즐겁게 일하시는 모습, 그 일을 통해서 가족에게 필요한 것을 공급하시는 모습에서 자녀는 책임감을 배우게 되는 것입니다. 부모님이 선택한 결혼을 소중히 여기고, 배우자에게 책임을 다하는 모습을 보여 주세요. 부부로서 책임을 다하는 부모님을 보면서 자녀들은 안정감을 느끼며 진정한 책임감을 배우게 됩니다. 자녀가 잘못했을 때에는 적절한 격려와 훈계를 해 주세요. 자녀에게 책임감 있는 행동을 가르치게 된답니다. 공평하고 효율적으로 가사 일을 분담해서 실행하세요. 가정에서 작은 일이라도 맡아서 해보는 습관이 책임감을 기릅니다. 가족구성원의 능력이 최대한 계발되도록 키워 주세요. 진정한 사랑은 서로를 격려하고 성장시키는 것입니다. 가족 구성원 하나하나가 개인의 능력을 신장시켜 책임을 다할 때 성품 좋은 가정으로, 성품 좋은 아이들로, 성품 좋고 전통 있는 가정으로 꾸준히 이어지게 될 것입니다.
행복한 한주 보내십시오.

7월 / 4주 안내글

상상의 날개를 달아보자

| 7월 / 1주 | 안내글 |

성품 좋은 아이들로 키우기를 바라는 학부모님들께!

라틴어의 옴파로스인 "향기로운 배꼽"과 "세상의 중심"

나의 아이들이 서너 살쯤 되어 말문이 트이면 이것저것 질문을 하기 시작합니다. 그때 꼭 빠지지 않고 등장하는 질문이 바로 "엄마, 나는 어디서 나왔어?"입니다. 그 질문에 대한 대답은 대체로 "엄마 아빠가 서로 사랑을 해서"로 시작해서 또는 "엄마 아빠가 사랑을 하면 달리기를 최고로 잘하는 아빠 선수 1등이 만나 너를 만들어 배꼽에서 나왔지!"일 것입니다. 그래서 아이의 배꼽을 함께 들여다보는 것으로 끝이 나곤 할 것입니다. 배꼽은 엄마와 아이가 하나였음을 증명하는 가장 확실한 표시입니다. 그러고 보니 열매를 맺는 세상의 모든 것들은 사람처럼 배꼽을 가지고 있습니다. 생명을 키워 낸 자리에 훈장처럼 맺히는 아름다운 흉터 말입니다. 이 글을 읽으시는 학부모님들은 이 순간 가만히 자신의 배꼽을 만져 볼지도 모르겠습니다. 당신의 몸속에 깃든 어머니를 생각하면서 말입니다. 어머니에서 어머니, 그리고 어머니로서 나의 아이로 이어진 향기로운 인연의 끈을 생각하면서 말입니다. 라틴어로는 배꼽을 '옴파로스(Omphalos)'라고 부릅니다. 이 말에는 '세상의 중심'이라는 뜻도 있다고 합니다. 배꼽을 지닌 우리들 모두가 세상의 중심을 이루는 존재들입니다. 세상은 그 귀한 존재들이 어우러져 사는 곳이고, 모든 과일들의 꽃들이 떨어져도 그 나름의 향기는 우리들 기억 속에 남는 것처럼, 긴 인연의 끈을 물고 탯줄을 끊고 난 흉터인 배꼽을 음미해 보면서, 우리도 서로에게 아름다운 향기로 남을 수 있길 소망해 보는 시간을 학부모님 개개인이 가져 보는 것은 어떨까요?

• • • • • • •

| 7월 / 2주 | 안내글 |

세상을 아름답게 만드는 창의적 감성의 아이들

다중 지능의 창시자인 하버드 대학의 심리학자 가드너는 "열정과 기질"에서 창조적인 인물 7명을 연구한 결과 다음과 같은 공통점이 나타났다고 합니다. 첫째, 자신감과 자존감이 높고, 자신의 생각을 가장 잘 표현할 수 있다. 둘째, 자신이 하고자 하는 일에 대한 애착, 집중력, 열정이 있다. 셋째, 단순하고 천진난만하여 모든 사물을 당연히 여기지 않고 질문을 하면서도 자신의 새로운 생각을 실현시키려는 개방성과 생산적으로 풀어낼 수 있는 원숙함이 있다. 넷째, 자신만의 세계가 있으며 무조건 지지해주고, 기발한 아이디어들을 이해하며 유용한 조언을 해주는 멘토가 있다. 다섯째, 주류가 아닌 경계인으로 남더라도 두려워하지 않는다. 여섯째, 대개 10년 주기로 창조적 도약을 이루어낸다. 오랜 시간 집중하여 자기를 연마하는 힘이 있는 사람은 새로운 세계로 도약하는 힘을 갖게 됩니다, 처음 10년은 자기 분야를 통달하는 데 걸리는 시간이며 그 후 급격한 도약을 이루면서 10년을 주기로 자기가 이룬 세계를 세상과 연결시켜 의미를 확장시키는 모습을 보인다는 것입니다.

창의적 감성이 있는 사람들의 공통점을 살펴보면 우리가 부모로서 해야 할 역할들이 보입니다. 모든 아이들에게는 창의적 감성이 잠재되어 있습니다. 부모가 창의적 감성으로 아이들을 바라보면 창의적 감성이 있는 아이들이 됩니다. 문제는 다른 사람들이 하는 대로 따라하는 교육이 우리 아이들의 창의적 감성을 퇴보시킬 수 있다는 사실에 주목해야 합니다. 조건 없이 수용해 주어야 하고 사랑해 줄 때 자존감은 높아질 것이며 친밀한 부모로서 깊은 감정적 교류를 맺게 되면 주변을 두리번거리지 않고 안정적으로 자신의 길을 가는 열정의 소유자로 자랄 것입니다. 새로운 생각을 인정해 주고 인지적인 뒷받침을 제공해 줄 때 자녀의 창의적 감성이 꽃필 것입니다. 말 한마디, 태도 하나가 사물을 보는 시각을 바꾸어 줍니다. 부모의 생각을 강요하고 지시하는 태도를 멈추게 될 때 비로소 내 아이의 창의적 감성이 보이기 시작할 것입니다.
"세상을 아름답게 만들고 가꾸어 갈 감성적 영재들 파이팅! 입니다."

• • • • • • •

| 7월 / 3주 | 안내글 |

좋은 아빠 자리 찾기 – 우리 시대가 요구하는 새로운 아버지 像은?

우리나라는 예로부터 엄부자모(嚴父慈母)라고 하여 아버지는 항상 엄하고 가부장적인 모습이었습니다. 그래서 아버지가 자녀에게 직접 글을 가르치거나 밥상을 함께하는 것을 꺼리는 게 선비의 전통이었습니다.
이제 전통적인 아버지의 위상은 사라지고 대신 '프랜디'라고 하는 부드럽고 자상한 아빠가 등장했습니다. 부부 맞벌이에 따르는 공동가사, 공동 육아로 생활 패턴이 달라졌기 때문입니다. 이 시대 육아에 대한 알맞은 바람직한 아버지상은 과연 무엇일까요? 역시나 자녀와 함께 많은 시간을 보내며 소통하는 아버지일 것입니다. 격무에 시달리는 아빠들, 가정보다 일터에서 보내는 시간이 더 많습니다. 그러다 보니 가족을 위해 일하지만 오히려 일 때문에 가족과 점점 멀어지는 아이러니한 현실을 살아가고 있습니다. 휴일에는 어김없이 소파에 누워 텔레비전과 찰떡궁합이 되어 버리는 아빠에게 아이와 놀아 준다는 것은 또 하나의 일일 것입니다.
좋은 아빠는 한마디로 자녀와 잘 놀아 주는 아빠입니다. 하루에 1분이라도 자녀와 놀아 주면 자녀와 결속력이 강화되는 것은 물론 저절로 인성 교육이 이뤄진다는 얘기입니다. '49법칙'을 통해 아빠의 육아 참여 중요성이 있습니다. 49법칙이란 아빠들은 자녀에게서 4살부터 멀어지기 시작하고, 아이들은 9살부터 아빠에게 급격히 멀어진다는 뜻입니다. 아무리 좋은 아빠라 할지라도 사춘기에 접어든 이후 놀아 준다는 것은 쉽지 않기 때문에 태어나 10년 정도까지는 놀이로 소통하며 충분한 교감을 나누는 것이 필요합니다. 자녀들은 성장 후에도 유년기 시간 동안 쌓인 추억으로 아빠를 기억합니다. 그렇다면 바쁜 아빠가 아이들과 함께할 수 있는 효과적인 방법은 무엇일까요? 오랜 시간 아이들과 놀아 주고 대화한다면 더할 나위 없겠지만, 24시간을 48시간으로 바꿀 수 없는 노릇. 짧은 시간이더라도 여운을 남기는 알찬 방법을 택해야 합니다.
(이번 주 자랑스러운 아빠 실천 예시; 오랑우탄놀이, 아빠와 등산, 아빠 등에 태워주기, 손씨름 발씨름, 하루 1분 음미하며 안아주기, 직장에서 1분 통화하기, 행복 쿠폰 발행하기, 키 재주기, 발 씻어 주기,...)

• • • • • • • •

| 7월 / 4주 | 안내글 |

우리의 삶은 시큼한 추억의 맛이 배인

빛깔 고운 자두처럼 익어가고...
7월에는 여름의 추억 속에서 첨벙거리며 시큼한 자두하나 깨물어 보세요. 추억의 신맛이 입안 가득히 몰려들 거예요. 아주 오래전, 여름이 시작되는 소리는 자두향과 수박장수 아저씨의 맛보기 수박 가르는 소리와 함께 시작 되었던 것 같습니다.
시큼한 자두만큼이나 입안 가득 추억의 시큼한 맛이 있는 추억의 여름을 잊을 수가 없네요. 골짝 옹달샘 바위틈에 숨은 가재의 재빠른 몸놀림만큼 세월은 갔지만 고추잠자리 나래치는 여름 들판은 파도소리, 가슴으로 밀려드는 여름 노래, 책갈피를 넘기는 산들바람 소리는 가슴에 남아 있네요. 고운 내 아이들이랑 뜨거운 여름날, 냇가 바위에 앉아 첨벙거리며 시큼한 자두하나 깨물어 보세요. 우리의 삶은 그렇게 시큼한 추억의 맛이 배인 빛깔 고운 자두처럼 익어가고 있습니다. 학부모님들 곁의 사람의 마음 한 입 깨물고, 아이의 미소 한 입 깨물고, 일상의 시간 한 입 깨물고, 냇가 바위에 앉아 작은 행복을 첨벙거려 보심은 어떠실지요? 산과 들이 온통 푸른 열기를 내뿜고, 시원한 강과 바다가 손짓하고, 바다의 푸른 물결을 눈에 담아 봅니다. 얼마 남지 않은 7월 만사가 술술 풀리도록 칠칠하게 잘 가꾸어 성공을 향한 자양분으로 승화되는 그런 의미 있는 여름이었으면 좋겠습니다.

• • • • • • •

8월 / 4주 안내글

우리원 만의 또다른 경쟁력

| 8월 / 1주 | 안내글 |

하버드 친구들은 모두 다 "글로벌 리더"입니다.

우리의 아이들을 행복한 인재로 만들 수 있는가?

교육현장에서 교육자로서 우리는 많은 아이들과 부모님들을 만납니다. 다양한 전문분야의 학부모님들과 접해 봅니다. 그래서 서로 많은 문제들로 질문을 하곤 하는데 그 중 하나가 "내 아이의 인생에서 가장 소중한 것은 무엇인가?"입니다. 우리의 인생은 다양한 경험들로 이루어져 있습니다. 경험은 삶의 태도를 바꿉니다. 어떻게 마음먹느냐에 따라 인생의 결말은 달라지는 것 같습니다. 여기서 '어떻게 마음먹느냐'를 조종하는 결정적 비밀이 바로 '자존감' 입니다. 우리는 아이의 자존감에 관심을 기울여야만 합니다. 자존감이 높은 아이야말로 우리가 가장 이상적이라고 판단한 '행복한 인재' 를 만드는 길입니다. 자아 존중감, 즉 자존감이란 자신이 사랑 받을만한 가치가 있는 소중한 존재이며, 어떤 성과를 이뤄낼 만한 유능한 사람이라고 생각하는 마음이며 성과를 이루어내지 못한다 하더라도 자기 자신을 있는 그대로 마음에 들어 하는 것입니다. 자존감이 높은 아이는 '나는 참 소중한 사람이야. 나에게는 여러 가지 단점이 있지만, 장점은 더욱 많기 때문에 어떤 어려운 일을 만나더라도 포기하지 않고 도전한다면 분명 좋은 결과가 있을 거야. 실패하더라도 열심히 노력한 내가 참 마음에 들어' 라고 말할 수 있습니다. 이제부터라도 내 아이 인생에서 가장 소중한 것을 찾아준다면 자존감이 그 극복의 열쇠가 될 것입니다.

• • • • • • •

| 8월 / 2주 | 안내글 |

올 여름에는 더위가 더욱 맹위를 떨치는 가운데에서도 방학과 휴가 기간 동안 얘기들을 들어보니 땅 친구들, 물 친구들, 여행 친구들을 만나 반짝반짝 재미있게 잘 놀았던 것 같습니다. 건강한 모습들로 원에서 또는 등원하면서 학부모님들과 아이들이 활기가 넘치는 모습들로 만나게 되어 너무너무 행복하고 즐겁기만 합니다. 세계를 향해 빛낼 내일의 아이들을 이번 2학기에는 더 참신한 원생활을 위해 힘을 쏟으며, 꿈을 움직이는 학기가 되도록 더욱 연구하고 노력하며 준비하여 진행하겠습니다. 귀염둥이 아이들을 만나니 힘이 불끈불끈 솟습니다. 그러하기에 아이들의 웃음소리가 가득하고, 뭔가 새로운 것들을 찾으며 선생님들의 열정과 사랑과 미소로 이내 귀여운 아이들에게 더 맑은 미소로 어우러지도록 힘쓰고자 합니다. 이제 개학을 하여 언제나 변함없는 것처럼 내일도 모래도 원에 즐거운 마음으로 등원할 것이기에 낯익은 선생님들을 만날 때마다 "안녕하십니까?" 멋진 인사로 반갑게 인사하며, 또는 "선생님 사랑합니다" 로 인사를 나누며 날마다 새롭고 웃음 짓는 하루 하루를 기쁘게 시작하고 마무리하겠습니다.

• • • • • • •

| 8월 / 3주 | 안내글 |

자부심을 높이는 에너지 퍼포먼스

에너지가 넘치는 삶이란 자기 자신을 좋아하는 마음이며 그것은 바로 자부심에서 시작됩니다. 자부심은 나를 사랑하는 에너지가 높은 사람으로 표정, 말, 행동에서 빛이 두드러집니다. 우리 사람들은 태어나자마자 벌거벗고 모르는 사람들 앞에서 큰소리로 목청껏 당당하게 외치지 않았습니까? "응애"라고 말입니다. 우리는 용감했고, 자신감이 넘쳤고, 최고였습니다. 이러한 자신감을 유지하려면 매일같이 자부심을 충전하며 살아야 됨을 되새김 해야만 합니다. 그 되새김의 방법으로는 "나는 내가 정말 좋다!" 이 말이면 충분하며 자기 달성적인 자성 예언으로 또는 긍정문으로, 성공을 부르는 마법의 주문으로 "석세스렙"기법이면 충분하다고 합니다. 모든 명칭은 달라도 그 의미는 같습니다. 말한 대로 된다는 것! "나는 내가 정말 좋다!"라는 이 말이 우리의 낮아진 자부심을 높이는 최고의 말이니까요. 주위에 아무도 없을 때 큰소리로 외쳐 보세요! 혹이나 옆에 누군가 있다면 알아서 이해할 것입니다."나는 내가 좋다!" "나는 내가 좋다!" "나는 내가 좋다!" "나는 모든 면에서 점점 더 나아지고 있다!" 앞으로는 자부심 넘치는 학부모님들의 모습과 자부심 넘치는 아이들의 모습 안에서 에너자이저의 삶과 에너자이저의 생활이 되도록 염원하며 이번 한주간도 파이팅! 입니다

■ 1학기 학부모 방문 상담 – (1학기 평가 후 2학기를 시작하겠습니다.)

0000학년도 한 학기를 마무리하면서 데일리 노트와 전화 상담을 통해 여러 가지로 이해를 하셨으리라 생각됩니다만 하버드아이들 개개인에 대해 더욱 바르게 알기 위해서(담임교사와 상호작용, 신뢰감, 안정감, 아이의 발달 정도, 부모님들의 기대나 아이들에 대해 걱정이 있는지? 등등) 가정과 하버드원의 연계성을 위해서 또, 원에 대한 교육 기대감 등을 상담을 통해 나누고자 학부모 방문 상담을 실시합니다.

• • • • • • •

| 8월 / 4주 | 안내글 |

행복해서 웃는 것이 아니라 웃어서 행복한 것

항상 행복해질 꺼라 믿고 웃어 주세요. 사랑스러운 자녀들과 건강하고 즐겁게 행복한 추억을 만들고, 아무런 사고 없이 어느덧 1학기 과정을 마무리하고 짧은 여름방학을 맞이하게 되었습니다. 부모님들께서 기다림으로 지지해 주시고 믿음으로 늘 응원해 주셔서 한 학기를 잘 마무리 할 수 있었습니다. 이번 방학 동안에는 원 생활에 분주했던 어린이들의 긴장도 풀어 주시고 또, 부모님들과 함께할 수 있는 활동들의 폭을 넓혀서 자연과 친해지고 자연의 여러 모습들을 관찰, 탐색할 수 있는 기회를 만들어 사고의 폭을 넓게 경험할 수 있는 그런 값진 시간들이 되었으면 좋겠습니다. 한 학기 동안 애정 어린 눈빛으로 격려해 주신 학부모님들도 여름방학 동안 자녀들과 행복한 대화를 통해 기쁨을 나누는 가족들과 시간들을 만들어 주시고, 늘 웃을 일이 많았으면 좋겠습니다. 희망과 꿈의 초록빛깔의 세계를 마음껏 느끼며 8월을 맞이할 수 있도록 도와주시고 여름철의 여러 가지 특성을 잘 살펴 건강관리 및 새로운 경험을 도와주셔서 2학기에도 즐겁고 건강한 모습으로 만나길 바랍니다.

• • • • • • •

9월 / 4주 안내글

유아 교육의 중심에 서다

| 9월 / 1주 | 안내글 |

하버드 친구들은 모두 다 "글로벌 리더" 입니다.

내 아이의 숨어 있는 가치를 믿으십시오

내 아이를 키울 때 가장 중요한 것은 부모님들에게 철학과 원칙이 있어야 한다는 것을 다 아시죠? 우선 내 아이의 미래에 대해 청사진을 그려볼 필요가 있습니다. 아이의 건강과 인성을 무엇보다 중요시하고, 아이의 재능과 소질을 파악하며, 장차 어떤 사람이 되었으면 좋겠는지 목표와 계획을 세워보셨겠지요? 아이와 함께 목표와 계획을 이루기 위해, 부모는 어떤 환경에서 어떤 내용을 무엇으로 가르칠지, 자녀교육의 원칙을 세워야 합니다. 자녀교육에 대한 철학과 원칙이 있어야 내 아이를 소신 있게 키울 수 있기 때문입니다. 자녀교육에 대한 철학과 원칙을 세울 때는 내 아이에 대한 믿음이 밑바탕이 되어야 합니다. 믿음이란, 우리 아이에게는 부모가 예측할 수 없을 만큼 놀라운 능력이 숨어 있다는 것입니다. 아이들은 자신이 좋아하는 일, 자신이 하고 싶은 일을 할 때, 그리고 그것을 부모가 믿고 뒷받침해줄 때 능력을 발휘할 수가 있습니다. 아이는 골대를 향해 굴러가고 있는 축구공입니다. 부모에게는 축구공이 경기장을 벗어나지 않으면 된다는 원칙만 있으면 됩니다. 그저 부모의 역할이란, 저절로 굴러 가던 축구공이 경기장을 벗어나려고 할 때 발로 툭 건드려 다시 경기장을 향하도록 하는 일입니다. 부모가 아이의 숨어 있는 가치를 믿어줄 때 나의 아이는 자신의 꿈을 이룬, 행복한 어른이 될 수 있습니다.

• • • • • • •

| 9월 / 2주 | 안내글 |

내 아이에게 행복한 삶을 선물하고 싶으십니까?

부모는 자녀에게 물려주고 싶은 것이 참으로 많습니다. 남부럽지 않은 재산, 좋은 직장을 가질 만한 학력, 남들에게 존경 받을 만한 인품, 그리고 무병장수할 수 있는 건강까지, 이것은 아이가 삶을 평안하게 영위하기 위한 조건으로 꼽기에 부족함이 없어 보입니다. 하지만 이 조건들에 우선순위를 매긴다면, 사정은 조금 달라집니다. 어떤 부모는 다른 것 필요 없이 성격 모나지 않고 사회 구성원으로서 둥글게 살아가면 충분하다고 여깁니다. 과욕부리지 않고 평범함 속에서 행복을 누리기를 바랍니다. 반면 어떤 부모는 나의 아이가 좋은 대학을 나와서 연봉이 높은 직장을 얻고 경제적으로 안정된 생활을 하기를 바랍니다. 머리로는 몸과 마음의 건강이 제일이라고 하지만, 세상의 잣대로 들이댄다면 물질적 풍요와 학벌에 욕심이 생깁니다. 부모 노릇의 차이는 바로 우선순위를 어떻게 매기느냐에 달려 있습니다. 이처럼 지향점이 다르면 양육방식에도 차이가 나게 마련이지만, 목표는 모두 "내 아이의 행복한 삶" 입니다. 모든 부모는 아이가 자신의 인생을 행복하게 영위하기를 바라기 때문일 것입니다. 지금은 물론, 어른이 되어서도 행복이 지속되기를 희망합니다. 그렇다면 어떤 삶이 행복한 것일까요?. 그리고 내 아이가 행복한 삶을 누리려면 어떻게 키워야 하는 것일까요? 결론으로 말하자면, 인품이 훌륭한 사람도, 건강한 사람도, 돈이 많은 사람도, 학력이 높은 사람도 그 한 가지 조건만으로는 온전히 행복하다고 말할 수 없을 듯합니다. 우리 생각하는 면면들을 살펴보면 중요도의 차이가 있지만 모든 요소요소(인품, 건강, 부요, 학력)들이 잘 배합되어 있을 때 행복을 느끼게 된다는 것을 알고 준비하는 아이들, 행복한 아이들로 키워가고 자라주었으면 좋겠습니다

• • • • • • •

| 9월 / 3주 | 안내글 |

내 안에 숨겨진 리더십을 키웁시다!

훌륭한 리더는 태어나는 것이 아니라 만들어지는 것입니다.
리더는 앞장서서 무리를 이끌어 거는 사람을 말합니다. 남보다 먼저 생각하고, 계획하고, 행동하여 사람들에게 새로운 길을 알려주며 안내하는 사람을 리더라고 합니다. 내 사전에는 불가능이란 없다고 외친 나폴레옹, 한글을 만든 세종대왕, 철강 왕 앤드류 카네기, 반도체의 선구자 이병철 등등. 이름만 대면 감탄사가 절로 나오는 이들이야말로 훌륭한 리더들입니다. 이 사람들은 한 개인으로서 자신의 꿈을 이루었지만 그것이 곧 변화하는 세상을 이끈 리더의 모습입니다. 우리 귀염둥이들 모두에게는 훌륭한 리더가 될 수 있는 무한한 잠재력을 가지고 있습니다. 자신의 일에 최선을 다하는 사람, 자신의 꿈을 위해 노력하는 사람, 사랑을 나누고 남을 이해할 줄 아는 사람, 고난이 와도 좌절하지 않는 사람이라면 누구나 멋진 리더가 될 수 있습니다.
우리 귀염둥이들은 자기 분야에서 성공한 리더, 인생의 리더, 이 세상을 이끄는 리더가 되기를 꿈꾸며 이루어 나아가기를 진심으로 바랍니다

• • • • • • •

| 9월 / 4주 | 안내글 |

지난 한 주 잘 지내셨는지요?
9월이 문을 열어젖히고 우리들 품에 안겨 오고 있습니다.
끝은 늘 시작을 잉태한다고 하지만 그럼에도 끝에 서면 늘 아쉬움과 안타까움이 밀려오는 것은 어쩌면 인간의 숙명인지도 모를 일입니다.
끝을 그 마음 그대로 인정하고 이해하면 아름다운 추억과 그리움이 한 움큼 마음에 가득하게 찰 것입니다.
감정에서 한 걸음 떨어져 지켜보면 진짜 삶의 모습이 보일 것 같습니다.
그래서 어떤 감정에도 자유롭게 되니 진정 편안함이란 바로 이런 게 아닌가 싶습니다. 한 해 끝에서 이런 질문 어떨지 모르겠습니다.

10월 / 4주 안내글

원 교육 속에서 행복을 외치세요

| 10월 / 1주 | 안내글 |

하버드 친구들은 모두 다 "글로벌 리더" 입니다.

안녕 하십니까?사람은 언어만으로 의사소통을 하는 것이 아닙니다.

자세, 손의 움직임, 시선 접촉, 공간 사용 등 다양한 코드를 통해 속 뜻을 표현합니다.

사람들은 특별한 학습 없이도 다른 이의 몸짓언어를 이해하는 능력을 갖추고 있습니다.

그러나 능숙하게 사용하는 것은 또다른 문제여서 은연중 신중치 못하거나 부적절한 반응으로 낭패를 볼 수도 있습니다.

먼저 당신의 모든 동작과 움직임은 어떤 성격 내지는 의도를 내포하고 있음을 인식해야 합니다.

하품, 팔짱, 출입구 쪽에 자리 잡기, 딴 곳을 향하는 시선 등은 부정적인 심리를 대변합니다.

그러므로 상대에게 자신의 속마음을 송두리째 드러낼 생각이 아니라면 무의식적인 행동 하나하나에도 주의를 기울여야 합니다.

특히 사업상의 만남이나 갈등을 조절해야 할 시점일 땐 더욱 그렇습니다.

또 같은 동작이라도 문화권에 따라 전혀 다른 뜻으로 해석될 수도 있는 만큼 여행 중에는 방문국의 대한 사전 지식을 갖고 가는 것이 현명합니다.

• • • • • • •

| 10월 / 2주 | 안내글 |

자기를 변화시키는 능력

삶에서 내 앞에 문제의 바위가 여전히 있는 현실에 낙심하지 마십시오.

눈에 보이는 현실이 인생의 성패를 좌우하는 최종 결과는 아닙니다.

눈에 보이는 현실보다 눈에 보이지 않는 현실이 훨씬 더 큽니다.

현실의 작은 전쟁에서 실패했어도 인생 전체의 큰 전쟁에서 승리하면 됩니다.

내 앞의 일시적 실패는 내 안의 영원한 성공을 선도하기 위해서 잠시 등장한 엑스트라이자 도우미일 뿐입니다.

환경과 상관없이 나를 변화시켜 보십시오. '변화된 나' 는 어떤 환경도 극복하게 만듭니다.

결국 산을 옮기는 믿음은 나를 옮기는 믿음에서 출발합니다. 산을 옮기기 전에 나를 옮겨야 합니다. 거창하게 세상의 변화를 꿈꾸기 전에 소박하게 나의 변화부터 꿈꾸어야 합니다.

남의 변화되지 않는 모습에 답답해하기보다 나에 대한 프라이드부터 버릴 줄 알아야 합니다.

'타인을 변화시키려는 노력' 보다 '자기를 변화시키는 능력'이 더 중요합니다.

• • • • • • •

| 10월 / 3주 | 안내글 |

하버드 친구들은 모두 다 "글로벌 리더" 입니다.

안녕하십니까? 가을?

지난 한 주 잘 지내셨는지요?

아니 어떤 가을날을 만끽하셨는지 안부를 겸하여 여쭙습니다.

참 좋은 시절, 10월이 잊혀 진 계절처럼 저물어 가고, 가을에 대한 미련이 아직 꽤 남아있는데 세월은 속절없이 흘러가버립니다.

짧은 가을이 곧 이별을 고 하려나 봅니다. 어찌하든 기약 없이 흘러가는 계절을 아쉬워하지 말고 바로 지금 내 앞의 가을날을 즐기는 것이 바로 가을에 대한 예의가 아닐까 싶습니다. 때가 되면 시의 적절하게 변신해가는 자연이 얼마나 신기하고 경이로운지 모릅니다. 이런 저런 모임에서도 물론이고 늘 일상속에서 만나는 사람들과 아름다운 인연을 가꾸어가는 것이 삶에 있어 참으로 즐겁고 가치있는 일임을 경험합니다. 스스로를 사랑하고 응원하는 학부모님들이 최고입니다.

| 10월 / 4주 | 안내글 |

가을 운동회의 추억

모처럼 쾌청한 가을 하늘을 보며 가을 운동회에 참석했습니다.

특히, 가을 추수를 어느 정도 해놓고 늦가을에 여는 운동회는 어린 아이들에게 즐거운 추억으로 기억합니다. 그러기에 어린 시절 순수했던 동심이 그리워지고 나이가 들어 추억의 운동회에 참석하는 일이 그만큼 감회가 새로워지는 이유인 듯합니다. 아울러 만국기가 펄럭이는 운동장에서 청군, 백군으로 나뉘어 벌이는 운동회는 온 동네가 들썩일 정도로 신명이 났습니다. 특히 학부모 누구나 한 번쯤 달리기를 할 때는 열심히 달려서 상을 받았던 기억도 납니다. 그것도 공책이나 스케치북 등 문구류가 대부분이지만 받은 아이들은 신이 나고 못 받은 아이들은 시무룩해지곤 했습니다. 그래도 승패와 상관없이 즐거웠습니다. 추억의 운동회를 테마로 한 릴레이마을 축제를 연다고 하여 주목을 끌고 있습니다. 종목은 박 터트리기, 고무신멀리던지기, 쌀 포대 이어달리기, 공굴리기, 훌라후프, 제기차기 등이고, 굴렁쇠, 투호놀이, 딱지치기, 윷놀이 등 전래놀이 체험부스와 추억의 먹거리(쫀드기, 팝콘, 부침개, 돈부 과자 등) 장터도 운영하여 인기를 끌었다고 합니다.몸은 생각만큼 따라주지 않지만 게임도 하고 노래도 하며 어릴 적 추억으로 돌아가 청명한 가을날 하루를 즐길 수 있는 소박한 추억의 운동회가 오랫동안 이어지길 바래봅니다

•••••••

11월 / 4주 안내글

유아들의 행복이 원장님의 행복입니다.

| 11월 / 1주 | 안내글 |

하버드 친구들은 모두 다 "글로벌 리더" 입니다.

이번 추석은 가족 소통의 한가위로 보내시기 바랍니다.

추석이 다가오고 있습니다. '더도 말고 덜도 말고 한가위만 같아라'라는 민족의 큰 명절이지만 살아가기 팍팍한 서민들의 마음은 무겁습니다. 예년 보다 빠른 추석에 물가는 천정부지로 치솟아 고향 가는 선물꾸러미도 가벼워 질 수밖에 없습니다. 그래도 뿔뿔이 흩어졌던 가족들이 고향에서 만나 끈끈한 혈육의 정을 확인하는 게 명절인 것 같습니다. 친족문화가 빠르게 변해 친가는 물론 처가도 섭섭하지 않게 신경 써야 하고 전통적인 가부장제의 빛이 바래고 양계제(兩系制)가 보편화되면서 처가의 영향력이 커져 '장모의 시대'라고도 하는 것 같습니다. 아들의 월급은 몰라도 사위의 월급은 아는 게 요즘 세태이고, 경제적 지원도 친가 보다 처가에서 더 많이 받는 다는 통계도 나왔고, 형제간의 유대감도 처가 쪽이 훨씬 많은 추세인 것 같습니다. 사정이 그렇다보니 딸만 둔 사돈댁을 배려하여 차례 상을 물리자마자 친정에 가라는 마음씨 넉넉한 시어머니가 있는가하면, 아들과 며느리는 더 있다가 가라고 붙잡으면서 딸네 가족은 왜 빨리 안 오느냐고 조바심을 내는 이중성을 드러내기도 합니다. 명절 때면 며느리와 시어머니 사이의 묘한 신경전은 여전히 매듭을 풀어야 할 실타래입니다. 추석을 앞두고 시어머니와 며느리 사이의 행복한 인사를 나누시기 바랍니다. 시어머니는 며느리를 볼 때 아들이 사랑하는 사람이고 아들의 행복을 위한다면 웬만한 불만은 안으로 곰삭이고 이해해 주시면 어떨까요? 아마도 마음이 훨씬 편할 것입니다. 며느리는 어떤 경우에도 자기주장으로 시어머니를 설득시키려 하지 말고, 곰살스럽게 말을 붙이고 시어머니의 생활인습을 이해하였으면 좋을 성 싶습니다. 어머니와 아내 사이의 소통의 가교역할을 하고 중심을 잡아주는 것은 아빠의 몫인 듯싶습니다. 가족 간의 소통을 통해 서로를 위로하고, 서로의 존재에 감사하고, 가족의 의미를 되새기는 즐겁고 뜻깊은 한가위가 되기를 바랍니다.

• • • • • • •

| 11월 / 2주 | 안내글 |

아이와 함께 인생 설계도를 다시 한 번 그려 보세요.

우리는 집을 짓거나 만들 때 설계도가 필요하듯, 훌륭한 인생을 살아가기 위해서는 인생설계도가 필요한 것 같습니다. 인생을 항해하는 데 꼭 필요한 방향성을 제시해주며, 지치지 않고 꾸준히 나아갈 수 있도록 나의 아이를 도와주세요. 또한 아이 스스로 "나는 누구인지?", "삶의 목표가 무엇인지?", "어떻게 살아야 하는지?" 근본적인 문제를 생각해 볼 수 있어 인성교육에도 큰 효과가 있습니다. 인생 설계도를 만드는 방법은 간단합니다. 먼저 아이의 인생목표를 정해야 합니다. 아이에게 "너는 장차 어떤 사람이 되고 싶니?", "네가 하고 싶은 일은 무엇이니?", "너의 꿈은 무엇이니?" 라고 물어 보시기 바랍니다. 만일 답이 나오지 않으면 부모가 제시해도 좋습니다. 나중에 수정할 기회는 얼마든지 있으니, 어렵다고 미루지 말고 생각나는 대로 정해 보세요. 진정한 성공은 "나도 잘 되지만 사회에도 유익한 사람"이 아닐까 싶어요. 다시 말해 "성공적으로 사회에 필요한 사람"이 되는 것입니다. 그런 의미에서 교육의 목적은 성공하는 사람(남), 행복한 사람(나), 사회에 봉사하는 사람(일)으로 정리할 수 있습니다. 성공하려면 남들과 사이좋게 조화를 이루면서 살 줄 알아야하고, 행복한 사람이 되려면 자신의 몸과 마음, 시간과 돈을 잘 관리하고 경영할 줄 알아야 하겠습니다. 특히 마음이 큰 자로서 자기 마음을 잘 다스릴 줄 알아야 할 것입니다. 나의 아이와 함께 10-20년의 시간을 두고 세부 항목을 정하고 실천하면서 진지한 인생 설계를 그려 보시고 성취하는 글로벌 리더들이 다 되기를 바라겠습니다.

• • • • • • •

| 11월 / 3주 | 안내글 |

나의 아이는 왜 나를 성가시게 할까?

나는 어린 시절에 언제 행복했지? 사랑을 듬뿍 받을 때나 인정받고 칭찬받을 때 기뻐했나?, 아니면 내게 영향력이 있다는 걸 확인했을 때 더 기뻐했나? 내 아이는 언제 행복해 보이지? 사랑을 받을 때? 인정받을 때? 영향력을 행사할 때? 난 내 아이의 행복에 어떤 기여를 하고 있지? 인간은 생존을 위한 본능적 욕구 이외에도 기본적인 사회적 욕구를 가지고 있습니다. 아이도 어른과 똑같이 사회적 욕구를 지니며, 가정에서 인정받는 중요한 구성원이 되기 위해 애를 쓰고 있습니다. 자신이 가족에게 영향력을 행사하는 의미 있는 존재이며, 부모로부터 사랑과 보호를 받고 있다는 확신을 갖는 것. 이런 욕구는 아이가 보이는 많은 행동의 동기가 되고 있으며, 아이는 온갖 수단을 동원하여 이 욕구를 충족하려고 합니다. 아이는 자신의 관찰과 경험을 통해, 어떤 방법이 가장 큰 성공을 가져다줄지 자기방식대로 추론을 합니다. 따라서 자녀 교육에서는, 아이에게도 나름의 소망이 있다는 점을 이해하는 것이 중요합니다. 부모가 아이의 동기를 분명하게 인식할수록, 그만큼 더 빨리 성가신 행동에 적절히 대처할 수 있게 됩니다. 또한 아이의 사회적 욕구를 효과적으로 충족시켜 줄 건설적인 방법을 찾도록 학부모님들이 도와 주셔야 할 것입니다.

• • • • • • • •

| 11월 / 4주 | 안내글 |

가을의 채색과 판타지로 가을 여행을 떠나 보세요~

바람은 억새에 머물고 싶어 하고 억새도 바람이 있어야 제멋이라고 장단을 맞추고 있습니다. 제멋과 장단, 그것이 곧 흔들림의 미학일 것 같습니다. 누구는 억새는 초가을 파릇파릇하게 시작해 분홍 보라색 빛의 솜방망이 황금빛 순으로 절정을 이룬 뒤 한 겨울에는 줄기 끝에 눈꽃을 피는 모습이 장관이라고 했습니다. 파란 하늘과 맞닿은 억새 바다의 물결 늦가을 정취를 만끽할 수 있는 절정기로 치닫는 느낌을 얻을 것입니다. 억새와 바람은 아마도 천생연분인 듯싶습니다. 바람이 떠나기 싫어하니까요. 억새도 좋아하는 바람입니다. 바람과 억새가 깊어가는 가을의 정취를 한껏 북 돋웁니다. 10월, 11월은 단풍의 계절일까? 아니면 억새의 계절일까요? 단풍이 가을의 채색이라면 억새는 가을의 판타지일 것 같습니다. 단풍이 드넓은 산에 수채화를 뿌려 놓은 듯 울긋불긋 빛깔을 자랑한다면 억새는 은색의 향연이 시간의 흐름에 따라 바람결에 흩날리며 황금빛으로 변하는 흔들림의 미학인 것 같습니다. 가을의 상징인 그 황금빛 흔들림의 미학을 찾아 여행을 찾아 떠나 보세요. 마지막 가을을 찾아 확 트인 능선 사방이 어디를 둘러봐도 단풍 대신 손사래 같이 휘젓는 무성한 억새들이 출렁이는 여행을 만끽할 것 같습니다

•••••••

12월 / 4주 안내글

즐거운 교육이

행복한 꿈을 꾸는 아이들로 만듭니다

| 12월 / 1주 | 안내글 |

하버드 친구들은 모두 다 "글로벌 리더" 입니다.

행복하기란 얼마나 쉬운가?

가을은 책읽기 좋은 계절이라 하지만, 실제로 책은 가장 안 팔린다는 이야기를 책 만드는 일을 하는 분으로부터 들은 적이 있습니다. 분명 가을은 책을 읽기에 좋은 계절이기는 하지만, 그것뿐만 아니라 밖으로 나들이 하기에도 좋은 계절이니 어찌 책 읽는 것을 당연하다 하겠습니까?

요즘은 뛰어난 이야기꾼이자 훌륭한 영성지도자였던 앤소니 드 멜로 신부의 책 〈행복하기란 얼마나 쉬운가?〉라는 책을 읽는 즐거움이 쏠쏠합니다. 어렵지 않는 이야기로 깊이 있는 가르침을 주고 있습니다. 여러 가지 면에서 우리 삶의 근본이 되는 것을 뒤 돌아보게 합니다. '인생의 비극은 얼마나 많은 고통을 겪느냐에 있지 않고, 얼마나 많은 것을 놓치느냐에 있다'는 말도 마음에 닿습니다. 많은 경우 많은 사람들은 내게 다가온 고통이나 고난으로 인하여 자신의 삶이 행복하지 않다고 생각을 합니다. 이런 일만 없다면 나는 행복할 텐데, 생각하는 것입니다. 그러나 우리를 불행하거나 비참하게 만드는 것은 우리에게 찾아온 고통이 아니라 우리가 놓치고 있는 것들, 알지 못한 채 보내버리고 마는 소중한 것들에 있다는 말이 그윽한 가르침으로 다가옵니다. 오늘 우리들의 삶도 크게 다르지 않습니다. 많은 경우 많은 사람들이 내가 서 있는 곳의 소중함을 깨닫지 못한 채 살아갑니다. 내가 선 곳의 소중함을 깨닫는 것, 바로 그것이 행복으로 가는 첫 걸음이지 싶습니다.

• • • • • • •

| 12월 / 2주 | 안내글 |

좋은 성품은 명품 인생을 만들 수 있어요

바이올린의 명기 이탈리아 안토니오 스트라디바리는 현대 표준형 바이올린의 창시자로 그가 만든 악기들은 라틴어로 '스트라디바리우스'로 불립니다. 그의 악기는 히말라야 혹은 알프스 계곡에서 세찬 비바람과 눈보라를 맞고 자란 나무만을 골라서 재료로 쓰고, 만고의 풍랑을 견디며 자란 나무로 만들어야 세월이 갈수록 변함없는 맑은 소리를 내고 재질도 단단하여 변하지 않고 공명이 좋은 명품 악기를 만들 수 있다는 것입니다. 그래서 바이올린 가격이 무려 20-40억 원까지 받을 수 있고 세계 최고의 명품으로 인정을 받습니다. 그러고 보면 사람도 마찬가지인 것 같습니다. 고난이 그 사람의 인생을 명품으로 만들어 줍니다. 고난 때문에 인생이 더 아름다울 수 있고 풍요로울 수 있습니다. 고난을 격어 본 사람만이 자신의 인생에 대해 견고한 자신감을 갖게 되고, 아름다움을 간직할 수 있는 것 같습니다. 사람도 고난이 없으면 결코 큰 사람이 될 수 없는가 봅니다. 인내란 좋은 일이 이루어질 때까지 불평 없이 기다리는 것이며, 책임감이란 내가 해야 할 일이 무엇인지 알고 끝까지 맡아서 잘 수행하는 태도라고 우리는 가르치고 있습니다. 우리 아이들이 인내와 책임감을 마음에 새겨 비바람 치는 혹한에서도 자신을 인내하고 자신의 인생을 끝까지 책임지는 명품인생으로 성장되고 뿌리 내리기를 간절히 소망해 봅니다

• • • • • • •

| 12월 / 3주 | 안내글 |

스토리텔링의 대가가 나도 될수 있다.

스토리텔링의 세계적인 대가 로버트 맥기 교수에 따르면 우리는 스토리를 통해 바다로, 달로, 대통령궁으로, 농부의 집으로 어디든지 갈 수 있고, 또한 스토리는 우리가 세상에 눈뜨고 세상을 진정으로 이해하고 배울 수 있게 해 주기도 하며, 우리의 작은 삶을 확장시켜 주는 훌륭한 장비라고 정의했습니다.
또한 "우리들이 경험하는 세상은 아주 작습니다. 하지만 스토리를 통해 다른 사람과 자신을 동일시하는 경험을 수천, 수만 번 반복하면서 우리의 작은 삶은 확장을 합니다. '나도 저렇게 할 것 같아' '어머, 나는 저러지 않을 텐데'라고 하면서요. 역사와의 관계에 대해 알게 되고, 무엇보다 우리가 누군인지에 대해 깨닫게 됩니다. 스토리 없이 살게 된다면 우리는 매우 작은 존재가 될 것입니다." 리더십의 요체도 스토리텔링입니다. "리더십의 요체는 상대방을 설득하고 변화시키는 것입니다. 그 가장 효과적인 방법이 바로 스토리텔링입니다. 팩트(사실)만 나열해서는 상대방의 생각을 바꿀 수 없습니다. 데이터는 숫자일 뿐입니다. 리더는 사실들을 갖고 이야기로 만들어내야 합니다. '우리가 이일을 하면 이런 일이 일어날 거야. 지금은 이렇지만, 내일은 이렇게 바뀔 거야'라는 식으로 말입니다. 좋은 리더와 스토리는 사람들에게 인간 대 인간으로 말하고 이해시킵니다. 그리고 삶에 대해 제대로 이해하는 것이 첫째고, 강력해야 한다는 것이 둘째라고 강조하고 있습니다. 우리의 글로벌 리더들인 하버드 아이들 모두는 똑똑한 리더들로, 스토리로 설득하고, 작지만 가슴으로 감정에 호소하며, 계속해서 사람들이 원하는 것을 아는 훌륭한 스토리를 만들어서 성공의 대열에 다 서 있기를 바랍니다.

• • • • • • •

| 12월 / 4주 | 안내글 |

요즘 살만 합니까?

아니면 삶이 퍽퍽하거나 막막합니까?

물어보면 어떤 답으로 들려 올 까요? 우리가 얻으며 달려 나온 돈과 명예 또는 권력 등이 이젠 무뎌진 무엇이 되어 내 곁에서 나뒹굴고 있음을 느껴본 적이 있는지요?

뭔가 허전함이 밀려오지는 않던가요? 우리가 삶의 중심축에 놓고 있는 경제는 '존재의 문제'지만 '어떻게 존재하느냐'의 문제는 다른 차원의 것입니다. 바로 거기에 이 허전함의 근본이 숨어있는 듯합니다. 바로 문화, 즐기는 삶의 부재가 아닐까요.

경제는 생존의 문제지만 문화는 삶의 질의 문제라는 것을 인식하고 그 삶을 지향해 나가는 것, 그런 삶이 나를 풍요롭게 하고 생생한 힘을 느끼게 할 테니까요.

다른 세상의 달, 12월이 살며시 우리 곁으로 다가왔습니다.

아쉬움보다는 새로운 희망을 챙기며 지내고픈 마음이 간절함으로 다가옵니다. 새로운 한 주, 자신만의 절실함을 담아 뚜벅뚜벅 걸어가면 좋겠습니다.

가장 소중한 '나의 삶'을 잘 챙겨 가시구요.

하버드학부모님! 변함없이 파이팅!입니다.

• • • • • • •

1월 / 4주 안내글

유행복한 꿈이 행복한 세상을 만듭니다

| 1월 / 1주 | 안내글 |

하버드 친구들은 모두 다 "글로벌 리더" 입니다.

학부모님 댁내에도 평안들 하시지요?

하루가 쌓여 열흘이 되고, 열흘이 쌓여 한 달이 되고, 한 달이 쌓여 1년이 됩니다.

하루를 성실하게 사는 것이 평생을 성실하게 사는 것이 됩니다.

지금의 내가 하는 일이 쌓여 미래의 내가 되는 것이니, 더 좋은 사람이 되기 위해 끊임없이 노력해야 할 것 같습니다.

매일 매일 새롭게 어제와 다른 내가 되기 위해 노력하는 열정이 필요합니다.

00년, 새해에는 자기 직분을 정확히 알고, 오늘, 즉 '지금, 여기'를 가장 소중히 여길 줄 아는 한 해가 둥근 꽃처럼 피면 좋겠습니다.

• • • • • • •

| 1월 / 2주 | 안내글 |

안녕 하십니까?

새해엔 칭찬해 보리라

00년 새해엔 덜 불평하고 덜 비난하고, 더 많이 칭찬하리라.

그 칭찬의 삶에 공감하고 배려하고 인정하는 삶이 덤으로 따라붙으면서 절로 행복을 누리게 될 것만 같습니다.

그러니 어찌 삶을, 사람을 사랑하지 않을 수 있겠는가?

새해엔 그 누구도 아닌 내 자신을 위해 '칭찬'의 길에 서 있으면 참 좋겠습니다.

"나 그대를 예찬했더니 그대는 백 배나 많은 것을 돌려주었다.

고맙다, 나의 인생이여!"

다시 트루니에의 말입니다.

| 1월 / 3주 | 안내글 |

날마다 기분 좋은 날!

좋은 사람들과 함께 인생을 살아간다는 것은 참으로 행복한 일인 것 같습니다. 서로가 서로를 믿고, 의지하고, 인정하며 함께한 올 한해 참으로 고맙고 행복했습니다. 또한 우리들의 노력과 땀으로 채운 하루하루가 365일이 모여 한해를 떠나보내고, 우리 모두에게 달갑지 않은 '나이 한 살'이 얹어지고 있습니다. 마지막 12월 며칠은 올 한해 채우지 못한 것들을 행복으로 가득 채우는 시간이 되었으면 좋겠습니다. 날씨는 추워지고, 경제는 어렵지만 마음만은 따뜻함을 잃지 않는 부요함도 얻으셨으면 더욱 좋겠습니다. 새로운 태양을 품은 0000년! 하루를 지나고 나면 더 즐거운 하루가 되고 사람을 만나고 나면 더 따스한 마음으로 생각하고 좋은 일이 생기면 더 행복한 일을 만들 수 있는 아름다운 새해가 되기를 기원합니다. 또한 새해에 뜨는 해는 우리 학부모님들의 가정과 사업처 위에 축복의 부요함과 더불어 건강 잃지 않고 행복으로 소복소복 쌓였으면 좋겠습니다.

• • • • • • •

| 1월 / 4주 | 안내글 |

복을 이웃과 함께 나누면서 출발합니다!!

0000년 새해가 밝아왔습니다. 복조리, 복돼지, 복권, 복사마귀 등 우리는 누구나 복 받기를 좋아합니다. 복이란 무엇일까요? 알고 보면 복이란 횡재가 아니라 어두움에서 밝음으로, 가난에서 부자로, 낮은 데서 높은 데로, 울음(눈물)이 변하여 웃음이 되는 상태를 말합니다. 복의 출발점은 꿈꾸는 데서 시작합니다. 천진 난만한 어린 아이들을 보세요. 사소한 것을 보고도 소리 내어 웃습니다. 뭐가 그렇게 우스운지 그냥 웃습니다. 웃음은 나에게도 복이 되지만, 타인을 향한 나의 웃음은 타인에게도 복이 됩니다. 경제는 어려워지는데 내야 할 세금은 더욱 무거워지고 하니 밝은 웃음은 커녕 우리들의 표정은 울상이 되기 쉽습니다. 우리 학부모님들의 마음들을 새롭게 하여 새해를 희망찬 복의 해로 만들어 가야겠습니다. 어려운 이웃끼리 서로 웃음으로 복을 함께 나누는 정든 사회를 만들어 갑시다. 알고 보면 우리 이웃에게는 따뜻한 온정이 있으며 우리 국민들은 어려우면 어려울수록 그것을 함께하는 위대한 정신이 있습니다. 바로 '이웃사촌' 정신입니다. 꿈을 함께 하고 함께 노력할 때 그 꿈은 이루어집니다. 그리고 서로 작은 것이라도 나눕시다. 칭찬과 격려부터 말입니다. 칭찬과 격려야말로 복을 받는 통로입니다. "좋아졌다, 좋아졌다" 하면서 열심히 노력하는 가운데 결국 좋아지고야 말 것입니다. 복 있는 삶은 무엇일까요? 사랑하기 때문에 일하고 교육하는 삶입니다. 우리의 모든 학부모님들은 사랑하는 가슴을 가지고 칭찬과 격려, 밝은 웃음을 서로 나눌 때 행복한 삶은 오고야 말 것입니다.

• • • • • • •

2월 / 4주 안내글

우리 원이 남다른 이유

| 2월 / 1주 | 안내글 |

하버드 친구들은 모두 다 "글로벌 리더" 입니다.

목표가 우리들의 성공을 결정한다.

우리의 과거와 현재 – 그 중에 중요한 것은 어떤 일을 하고 어떤 성과를 거둘 것인가 하는 것입니다. 인생은 망망대해이고, 우리는 망망대해 속을 항해하는 배입니다. 빨리 육지에 도착하고 싶다면 목표를 잘 세워야 합니다. 목표가 있는 사람만이 자신의 운명을 결정할 수 있습니다. 하버드 대학에서 "목표가 인생에 미치는 영향"에 대해 조사했습니다. 조사 대상은 우수한 성적으로 졸업한 각 분야의 졸업생들이었습니다. 25년 후 이들을 다시 조사한 결과입니다. 명확하고 장기적인 목표가 있었던 3%는 25년 동안 한 방향으로 노력했고, 대부분 사회적으로 성공한 사람이 되어 있었습니다. 기업의 사장 또는 사회의 엘리트가 되어 있었습니다. 명확하고 단기적인 목표가 있었던 10%는 단기적인 목표를 하나하나 실현해 각 분야의 전문가가 되었고, 사회의 중산층이 되어 있었습니다. 목표가 불분명했던 60%는 특별한 성과 없이 평범한 생활을 하고 있었으며, 중하위층이었습니다. 목표가 아예 없었던 27%는 삶이 뜻대로 되지 않아 남과 사회를 원망하며 살고 있었습니다. 성공이란 무엇일까요?. 자신이 세운 목표에 도달하기 위해 끊임없이 노력하고 그 목표를 이루는 것입니다. 목표를 향해 최선을 다해야 우리의 삶이 아름다워 집니다. "성공의 비결은 목표를 끝까지 밀고 나가는 것"입니다.

• • • • • • •

| 2월 / 2주 | 안내글 |

삶을 느리게 산다는 것….

삶을 느리게 산다는 것 안에는 우리들에게 무한한 의미가 함축되고 담겨져 우리들의 마음과 가슴속으로 아련하게 다가옵니다. 예를 든다면 느림의 대명사로 달팽이를 들 수 있을 것 같습니다. 달팽이는 한 시간 동안 평균속도로 50미터 정도밖에 못갑니다. 그러면서 달팽이는 "집에서 멀리 나갔다가 오는 길이 너무 멀고, 낮에는 해가 높이 떠서 나를 찌르고, 때로는 친구들에게 인사를 하고 홀로서 흥얼거리기도 합니다. 그러면서 언젠가는 저 넓고 거칠은 세상 끝 바다로 갈 거라고. 아무도 못 봤지만 기억 속 어딘가 들리는 파도소리 따라서. 나는 영원히 갈래" 하고 다짐을 할 것입니다. 그리고 또 하나는 음악의 감동을 통해서 빠르고 역동적임과 느림이 교차하는 순간의 아름다움을 느낄 수 있습니다.
우리들의 삶도 빠른 삶이 있다면 또 그것을 풀어주는 여유와 느긋함이 있게 마련입니다. 느림이란 빠름에 적응하는 능력이 없음을 의미하지는 않는 것 같습니다. 그것은 시간을 여유롭게 다루고, 삶의 길을 가는 동안 나 자신을 잃어버리지 않고 세상을 받아들이겠다는 의미의 산물인 것 같습니다. 하여 느림은 꼴찌가 아닌 완성의 시작입니다. 느림은 '그리움'과 '기다림'이 만나 새로운 창조의 힘을 경험하게 해 줍니다 사랑도 느림이 가져다주는 행복 가운데 하나입니다. 들녘에 예쁜 꽃이 피어 있어도 멈추어 바라보지 않으면 아름다움을 느낄 수 없는 것처럼 우리들의 삶에서도 여유를 가져야 보이는 아름다움이 많을 것 같습니다.
꼴찌가 아닌 완성을 향한 느린 첫걸음 올 한해도 행복함 속에서 '파이팅'입니다.

• • • • • • •

| 2월 / 3주 | 안내글 |

공부보다 역지사지(易地思之)부터....

열 살 전의 아이를 둔 부모에게 공부에 앞서 남의 감정을 헤아리는 법부터 가르쳐야 합니다. 다른 사람의 기분이나 고통, 상처 등을 헤아릴 수 있는 능력이 별것 아닌 것 갖지만 사실 살아가는데 이보다 더 중요한 능력은 없습니다. 그러므로 다른 사람의 감정을 읽는 능력이 무엇보다 중요하고 이 능력이 뛰어난 사람이 도덕지능이 높습니다.

부모는 아이가 자신의 감정에 솔직하고, 남의 감정에도 민감할 수 있도록 자극을 주어야 합니다. 가장 좋은 방법은 항상 다른 사람의 입장에서 생각해 보게 하는 것입니다. 이렇게 역지사지의 태도를 연습시키고 습관으로 굳어지게 해야 합니다. 이를테면 집에서 기르는 강아지의 꼬리를 잡고 괴롭히는 아이에게 "네가 강아지라면 어떻겠니?" 라고 물어서 고양이의 입장을 생각해 보게 하는 것입니다. 동생을 때리고 괴롭히는 아이에게는 "네가 동생처럼 맞는다면 어떻겠니?" 하고 물어 생각할 시간을 주어야 합니다. 이처럼 부모가 의식적으로 아이에게 다른 사람과 다른 생명체들의 느낌과 감정을 생각해 보게 만들면 아이의 공감 능력이 확 자라게 될 것입니다.

• • • • • • •

| 2월 / 4주 | 안내글 |

0000학년도를 마무리 하며 인사를 드립니다.

지난 1년을 마무리하고 새로운 학년을 준비하는 2월이 되면 여러 가지 복잡한 생각이 듭니다. 과연 아이들을 위해 최선을 다 했는가? 교사들이 마음껏 수업할 수 있는 환경을 제공했는가? 새 학기를 준비해야 하는 이 시점에서 반성의 시간을 가져 봅니다. 돌아오는 새 학기에는 아이들을 더욱 사랑하고, 교사들의 기를 더욱 북돋아 주며, 학부모님들의 마음을 더욱 잘 읽을 수 있는 완벽한 능력이 생겼으면 하는 바람입니다. 하버드귀염둥이들이 한 단계 올라 갈 날이 얼마 남지 않았습니다. 제법 키도 크고, 친구들과 우정을 나눌 줄 아는 아이들의 모습을 보면 훈훈함이 전해집니다. 1년 동안 저희 하버드를 믿고 아이들이 행복하게 생활할 수 있도록 뒷받침해주신 학부모님들께 진심으로 감사를 드립니다.

■ Special Day 안내 – 안전 체험 활동

유아기는 어느 시기보다 안전사고의 위험이 높은 시기입니다. 발달특성상 주변에 사물이나 환경에 대한 호기심이 많고 탐구하려는 충동이 강합니다. 반면 신체기능의 발달은 미숙하여 신체균형 유지 능력이나 운동능력이 충분히 발달되지 않아 판단능력과 자기조절 및 상황에 대한 인식능력이 부족한 시기입니다. 유아안전은 반복적인 연습, 다양한 활동을 통한 안전지식, 기술, 태도의 형성이 아주 중요합니다. 그래서 이번 주에는 안전체험활동을 다녀오겠습니다.

■ 하버드귀염둥이들의 1학기 신체검사가 이루어졌습니다.

인간의 성장 발달은 수정되는 순간부터 전 생애에 걸쳐 지속적으로 이루어집니다. 특히 유아기의 성장발달의 범위가 넓고 속도가 빠르게 진행되기 때문에 매우 중요합니다. 각 연령에 맞춰 우리 아이들이 얼마나 자라고 있는지 신체검사증을 통해 확인해 주세요.

■ 예절교육

몸가짐을 깨끗하게 가지고 사물을 대함을 온화하게 하는 것이 곧 훌륭한 행실이다.

■ 수용공

한국 민족의 어머니 율곡 이이선생의 가르침으로 공손하고 바른 손에 대한 예절을 가르친다.(손을 공손하게 모으고 불필요한 손놀림을 삼간다/ 어른의 말씀을 바른 자세로 잘 듣는다 / 방향을 가리킬 때는 손가락을 모은다 / 손톱을 물어뜯지 않는다 / 문을 여닫을 때 손을 공손히 한다 / 다른 사람을 꼬집거나 때리는 것을 삼간다) 손, 발, 얼굴, 머리, 표정 등 몸으로 표현되는 바른예절과 구용에 대해 배우고 익힙니다.

■ 창작동요

손손손(짝짝짝)/ 손손손(짝짝짝)/ 손을 공손하게 잡아요/ 손을 공손하게 잡아요
손은 깍지 끼지 마세요/ 손톱 물어뜯지 마세요/ 가지런히 모아 보세요/ 손손손손 수용공

■ 숲체험

어린 아이들의 자연 생태계 체험을 통해 자연친화적인 사람과 생태환경에 대한 학습 동기를 부여해 주고, 자연을 배우고 "자연과 교감 할 수 있는 기회" 와 "환경 문제에 대한 올바른 가치관 형성"에 도움을 주기 위해서 여는 숲 체험 활동으로 재미있고 의미 있는 시간을 갖도록 하겠습니다.
(내용 : 새눈, 새순 관찰하기, 애벌레 찾기, 곤충 되어 보기, 나무 안아주기, 돌멩이 길 밟기, 잔디 구장에서 뛰어 노는 작은 운동게임, 비눗방울 놀이, 야외 점심 먹기...)

■ Special Day 안내 –『 태권도 및 장구수업』

태권도: 우리 고유의 무술, 정신적 무장과 자기극복을 통한 올바른 사람으로 자라도록 열심히 아이들과 함께 하고 있습니다. 하버드귀염둥이들의 성장 발육, 체력 증진 등에 도움이 되며 건전한 가치관을 심어주어 생활에서 필요한 덕목들을 배우는 시간입니다.

장구수업: 우리 것이 좋은 것이여~!
장구는 오동나무를 파서 만들며 양편의 가죽이 장구에 꼭 붙어 있게 하여 소리를 조절하며, 섬세한 가락을 연주하는 역할을 합니다. 특히 가락, 몸동작, 고개짓 등이 어우러지며 흥을 낼 때에는 판에서의 역할을 극대화 할 수 있습니다.

■ Special Day 안내 –『숲체험』

어린 아이들의 숲 체험을 통해 자연친화적인 사람과 생태환경에 대한 학습 동기를 부여해 주고, 자연을 배우고 "자연과 교감 할 수 있는 기회" 와 "환경 문제에 대한 올바른 가치관 형성"에 도움을 주기 위해서 여는 숲 체험 활동으로 재미있고 의미있는 시간을 가져 볼 수 있도록 하겠습니다.

♥ 내 용 : 솔방울 던지기, 물 그림 그리기, 칙칙폭폭 기차놀이, 풍선놀이, 비행기 날리기, 고무줄놀이

Special Day 안내 – 『아나바다 알뜰 시장놀이』

♣ '아' 아껴쓰고, '나' 나눠쓰고, '바' 바꿔쓰고, '다' 다시쓰자.

하버드친구들과 알뜰 시장놀이를 실시 하고자 합니다. 각자 사용하던 물건 중에서 사용 할 수 있지만 친구들과 바꿔 쓰고 싶은 물건이 있으면 가져와서 자신에게는 필요 없는 물건도 다른 친구들에게는 소중 할 수 있다는 중요성을 배우고, 평소 갖고 싶었던 물건을 얻을 수 있는 합리적 경제생활의 즐거움을 맛보는 보람된 시간을 갖고자 합니다.
시장놀이의 효과적인 운영을 위하여 준비물이 잘 갖추어져야 합니다. 아래 준비 품목을 확인 하신 후 00일 까지 보내 주시기 바랍니다.

Special Day 안내 – 『디보빌리지 & 키자니아 』

'어린이들에 의한 어린이들을 위한 나라' 디보빌리지와 키자니아를 위즈둥이 친구들이 찾아갑니다.

– 4세, 5세

디보 빌리지코지랜드에는 분홍토끼 버니와 아기 까마귀 크로, 용감한 코끼리 엘로, 큰언니 애니와 아기양 올리버가 살고 있습니다. 어느날 쿵쾅쿵쾅! 하는 커다란 발소리와 함께 선물 공룡 디보가 찾아옵니다. 디보는 코지랜드 친구들에게 매일 하나씩 선물을 주며, 친구들을 모험의 세계로 초대합니다. 하버드친구들 디보와 함께 하는 즐거운 코지랜드의 세계로 출발~~!!

– 6세, 7세 : 키자니아

전 세계 어린이들과 함께하는 키자니아! Real–진짜, Learn–배움, Experience–경험, Safe–안전 키자니아에서 현실 그대로의 도시에서 생생한 직업체험을 통해 내가 벌고 쓰면서 사회를 배우게 됩니다. 직업을 직접 체험해 볼 수 있는 키자니아를 하버드친구들이 찾아갑니다.

■ Special Day 안내 – 『견우와 직녀가 만나는 칠석축제』

까마귀도 '칠월칠석은 안 잊어버린다.'는 견우와 직녀 이야기에서 유래된 것으로 중요한 사실이나 날짜는 명심해서 잊지 말 것을 일깨울 때 쓰는 속담입니다. 이처럼 까마귀도 안 잊어버린다는 칠월칠석은 음력 칠월 초이렛날 밤을 일컫는데 올해는 8월 24일이 칠석날입니다. 이 날을 기념하며 하버드에서 견우와 직녀의 애틋한 사랑이야기를 듣고 칠석 축제를 통해 풍습을 경험해 보는 시간을 갖고자 이 주제를 선정하였습니다. 견우와 직녀 이야기를 통해 칠석의 풍습을 이해하고 놀이와 먹을거리를 경험할 수 있는 즐거운 시간 보내겠습니다.

■ Special Day 안내 – 『예절교육 + 생일파티』

♣ 예절교육 "다례(茶禮)하나 / 茶이야기" : 최근 전통차에 대한 선호가 높아지고 있는데 이는 단순히 몸에 좋아서라기보다는 심신수련을 도와주고 여러 가지 교육적인 효과가 있기 때문입니다. 전통차를 마시는 교육 기회를 갖게 하여 우리 문화에 대한 자긍심을 느끼게 하고, 심신 수련의 기회를 제공하고자 합니다.

– 전통차를 마실 때의 마음가짐은 공경, 청결, 정성스러움을 지키도록 합니다.

– 차의 유래와 효능을 통해 전통차의 의미를 알게 합니다.

– 차를 마실 때는 오른손으로 찻잔을 들고 왼손으로 찻잔을 받치며 차의 색과 향과 맛을 음미하며 나눠 마십니다.

■ Special Day 안내 – 『동요대회』

사랑하는 하버드귀염둥이들이 언제나 꿈과 희망을 간직하고, 예쁜 모습으로 자라나 자신감을 키워 세상을 아름다움으로 채워 가길 바라며 동요 발표회를 준비하였습니다.

예쁜 목소리로 표현 하고 더불어 친구들에게 웃음꽃을 피우고, 풍부한 감성을 자랑하여 아름다운 감성으로 키워가길 바라며 우리 하버드귀염둥이들에게 힘찬 응원 부탁드립니다

■ Special Day 안내 – 『현장학습』

♣ 4세, 5세, 6세: 공원 & 물홍보관

물 문화관은 댐 물 홍보관을 증축하여 다양한 기능과 역할을 수행할 수 있는 복합문화공간으로 조성된 곳으로 물에 대한 지식과 물 사랑 실천이 이루어질 수 있도록 구성되어 있으며 넓고 푸른 잔디와 대청호가 어우러진 호수 공원에서는 자연과의 정서적, 신체적 교감을 느껴 볼 수 있는 곳입니다. 공간과 시간의 제약 없이 가장 풍요로운 활동으로 자연물을 통해 자연이 주는 지혜를 배우고 오겠습니다.

♣ 7세: 백제 대제전 – 부여

세계 대 백제전 열렸던 부여, 백제의 전통과 얼, 혼이 살아 숨 쉬는 도시 부여를 다녀오겠습니다
(백제 왕릉원, 부여박물관, 정림사지, 부소산, 구드래 둔치, 서동공원....)

■ Special Day 안내 – 『농장체험 & 민속체험박물관』

♣ 고구마 캐기

내용 : 하버드자연체험 텃밭을 꾸준히 가꾸어 놓았습니다. 올해는 고구마를 심어 하버드귀염둥이들이 수확의 기쁨을 체험 할 수 있도록 준비 하였습니다. 고구마를 가지고 오면 엄마표 요리로 맛나게 요리 해 주세요.

♣ 민속체험박물관

예부터 이어져 내려오는 농경문화를 전시해 놓은 민속체험 박물관은 전통문화에 대한 이해와 선조들의 지혜를 배울 수 있는 곳입니다. 두레관, 문화체험관, 향토자료전시관으로 구성되어 있어 증평의 역사, 문화재, 옛 사진, 출토유물, 고서, 민예품 등 다양한 유물을 관람할 수 있습니다.

■ Special Day 안내 – 『추석맞이 민속놀이』

추석은 우리 고유의 명절로 계절도 좋고 먹을 음식이 풍부하여 모두가 즐기는 때입니다. 하버드 귀염둥이들이 우리의 추석 명절에 관심을 가지고 알아갈 수 있도록 민속의 날 활동을 구성했습니다. 민속의 날에 대해 이해하고 탐색해 본다면 이번 추석을 더욱 의미 있게 맞을 것입니다.

♣ 활동

송편 만들기, 민속놀이(강강 수월래, 비석치기, 구슬치기, 딱지치기등)

■ Special Day 안내 – 『Enjoy every magic moment! Happy HalloWeen』

하버드 아이들이 올해도 마녀, 해적, 만화주인공이 되어 보며 하루를 새로운 경험의 장으로 보낼 것입니다. 원에서 다채로운 경험들로 데코레이션을 하며 또한 호박을 준비(Jack lantern)하여 속을 파고 불을 켜 보기도 하는 등 재미있는 날로 Happy Halloween(초콜릿, 사탕, 캔디)을 만들어 보며 여러 가지를 더욱 알차게 준비하겠습니다.

♣ 활동내용

할로윈 의상 패션쇼, 헌티드 하우스, 마녀스프공장

♣ 준비물

귀여운 캐릭터나 유령 분장을 해서 등원시켜 주세요.

■ Special Day 안내 – 『졸업여행 & 숲체험』

♣ 7세 졸업여행

7세 친구들이 감성교육의 모든 과정을 마치기 전 멋진 추억을 만들고자 제주도로 졸업여행을 전체 25명이 함께 다녀오겠습니다.

– 일 정 : 푸시켓 월드, 테지움, 승마 체험, 공룡 랜드, 에코 랜드, 삼나무 숲길, 일출 랜드, 감귤 체험

■ Special Day 안내 – 『예절교육 & 태권도』

예절교육: 어린이 훈육서의 가르침

첫째, 부자유친(父子有親), 장유유서(長幼有序), 붕우유신(朋友有信)의 개념을 이해하고 생활에서 실천할 수 있도록 합니다. 둘째, 오륜(五倫)의 바른 의미를 배웁니다. 윤리(倫理)란 인간과 인간 사이 관계의 이치 또는 그 바른 길을 의미합니다.

① 아빠, 엄마께 감사한 마음을 갖고 투정부리지 않게 합니다

② 어른들이 먼저 수저를 드신 후에 음식을 먹도록 합니다

③ 버스나 지하철을 타면 어른들께 자리 양보합니다. 그러나 유아는 먼저 보호받아야 하므로 자리 양보의 뜻만 알려줍니다

④ 친구의 마음을 괴롭혔을 때는 미안하다고 사과합니다.

태권도:

우리 고유의 무술, 정신적 무장과 자기극복을 통한 올바른 사람으로 자라도록 열심히 아이들과 함께하고 있습니다. 하버드 귀염둥이들의 성장 발육, 체력 증진 등에 도움이 되며 건전한 가치관을 심어주어 생활에서 필요한 덕목들을 배우는 시간입니다.

원장님의 감성적 영향력 V

3월 / 4주 안내글

최고의 콘텐츠는?

| 3월 / 1주 | 안내글 |

하버드 친구들 모두는 "글로벌 리더"입니다.

"하버드의 학부모님들과 선생님들이 해야 할 일"

하버드 귀염둥이들의 눈에는 모든 것이 크고 아름답기만 합니다. 유아들의 어린 시절은 하루하루가 지루해 할 시간이 없습니다. 교육의 반복 속에서도 늘 놀라움으로, 늘 신비함으로, 늘 호기심에 넘치며 진주빛 광채로 반짝일 것입니다. 우리 하버드 귀염둥이들의 유아 시기에는 반복해서 진행하는 감성적 교육 안에 하나의 삶을 살기에 앞서 많은 삶을 살기를 소망합니다.

우리 하버드 아이들은 동화처럼 푸근하고 솜사탕처럼 달콤한 꿈을 꾸며 멋지게 자라날 것입니다. "희망이란 아이들이 비를 맞으며 따라가는 웃음 띤 무지개"라고 합니다.

우리 귀염둥이들이 깊게 생각하고 다듬어 갈 꿈들이 하버드 학부모님들과 하버드선생님들에 의해 다듬어지면서 자라났으면 좋겠습니다.

하버드 귀염둥이들이 부모님들이나 남이 꿈꾸는 꿈이 아니라 귀염둥이들만의 "자기 꿈"을 품게 하는 것은 누구보다도 하버드부모님들과 하버드선생님들의 몫이라 생각해 봅니다.

• • • • • • •

| 3월 / 2주 | 안내글 |

하버드 친구들 모두는 "글로벌 리더" 입니다.

안녕하십니까?

아이들을 Mom대로 키워 "삶"과 "앎"의 중요성으로, "채움"으로 감동을 느껴 보세요.

요즈음은 'Mom대로 키우세요' 라는 말이 유행처럼 번져가고 있습니다.

Mom대로라는 것이 어쩌면 하버드 학부모님들도 참으로 마음에 들어 하실 것 같습니다.

어머님들의 말대로, 어머님들의 소신대로, 어머님들 Mom대로 키웠을 때 하버드 귀염둥이들이 꿈꾸는 것을 다 이룰 수 있는 그런 세상이 만들어지지 않을까요?

앞으로는 어머님들의 역할을 더불어 기대해 봅니다. 아이들을 위해서 삶을 실천하고 아는 것으로, 또한 어머님들의 모든 것으로 아이들에게 채워주는 역할을 톡톡히 해 주시리라 믿습니다. 그럴진대 하버드 귀염둥이들 모두가 우주처럼 반짝반짝 빛나는 상상력 안에서 단순한 호기심을 넘어 큰 사랑을 담고 행복한 길을 걸을 때 쯤이면 어머님들은 가슴 뿌듯할 것입니다.

끊임없는 노력과 의문을 안고 언젠가는 세상과 세계를 향해 빛낼 나의 아이들을 기대하면서 하버드 귀염둥이들을 축복하며 사랑하겠습니다.

• • • • • • •

| 3월 / 3주 | 안내글 |

하버드 친구들 모두는 "글로벌 리더" 입니다.

안녕 하십니까?

카네기가 한 재미있는 이야기가 있습니다.

"가장 쉬운 행복의 발견"이라는 글에서 그는 '행복을 찾는 공식'을 소개하였습니다.

사라졌던 그 모든 것이 하나씩 다시 내 곁으로 돌아오고,

완전히 처음의 상태로 환원되었다고 생각한다.

이러한 상상의 공식을 밟으면 지금 살아있는 것이 감사하고,

가족이 있는 것이 감사하고, 집이 있는 것이 감사하고,

직장이 있는 것이 감사하고, 아프지 않은 것만으로도 감사할 수 있으며,

결국 지금의 자신이 얼마나 행복한지를 느끼게 된다고 하는 카네기의 권고입니다.

• • • • • • •

| 3월 / 4주 | 안내글 |

하버드 친구들 모두는 "글로벌 리더" 입니다.

안녕 하십니까?

건강을 잃으면 왜 모든 것을 잃는다고 했는지 그 의미를 깊이 깨닫는 때가 있습니다.

인간은 늘 이렇게 무엇인가를 잃고 나야만 비로소 그 가치를 알게 되는 가 봅니다.

신이 우리가 왜 범사에 감사해야하는지 그 이유를 가르치시기 위해서 인간이 이해할 수 있는 방법으로 때때로 인간에게 소중한 것들을 잃게 하신다는 생각이 들었습니다.

때문에 지금 감기로 인해 건강을 잃은 것을 감사하기로 했습니다.

건강이 얼마나 소중한 것인지를 알게 되었기 때문입니다.

그간 건강했던 것이 얼마나 감사한 일이었는지 깨달았기 때문입니다.

사랑하는 하버드 학부모님 지금 무엇을 잃으셨습니까? 건강입니까? 집입니까? 직장입니까? 가족입니까? 사랑하는 사람입니까? 만약 그 잃은 것으로 인해 그 가치를 알게 되었다면 잃은 것을 감사하시기 바랍니다. 잃은 것을 통해 그 가치를 깨닫고 감사할 수 있는 사람... 세상에서 가장 행복한 사람입니다

• • • • • • •

4월 / 5주 안내글

다양한 체험을 주제로 하라

| 4월 / 1주 | 안내글 |

하버드 친구들 모두는 "글로벌 리더" 입니다.

봄기운에 꿈틀거리는 자연의 생명을 오감으로 체험할 수 있는 생태 축제 속에서, 자연체험을 통해 도시안의 녹지공간에 대한 중요성과 필요성을 알고 자연의 신비함과 소중함을 일깨워주는 숲길을 걸으며 숲의 나무들의 이름도 배우고 나무의 냄새를 맡아보면서 숲을 새롭게 배울 수 있는 시간을 갖는 것이 좋겠습니다.
최근 숲에서 할 수 있는 여러 가지 활동들을 통해 일상생활에 지친 몸을 바로 잡아주는 숲 체험 프로그램이 다양하게 진행되고 있습니다.
나무에게 인사를 하고 새들과 친구가 되어 숲을 보고, 듣고, 만지는 체험을 통해 자연과 교감을 할 것입니다.
숲은 자연물 하나하나가 모여 커다란 공간을 이루고 있으며 숲에 들어가기 전 숲의 전체 모양과 부분을 바라볼 수 있는 관점을 키워 줍니다.
숲은 모험의 공간이며, 감각을 통해 새로운 경험을 할 수 있는 최고의 놀이터입니다.

• • • • • • • •

| 4월 / 2주 | 안내글 |

하버드 친구들 모두는 "글로벌 리더" 입니다.

안녕 하십니까?
대화를 하는데 있어서 가장 쉬운 방법은 상대편의 말을 그대로 반복하는 것입니다.
"요즘 사업하기 너무 힘들어요"라는 말을 들으면 곧 "정말 힘이 드시겠군요"하고 맞장구를
쳐줍니다.
사람은 자신의 희로애락에 공감하는 이들에게서 안정감과 친근감을 느낍니다.
'긍정의 기술' 도 필요합니다.
"얼굴이 왜 그렇게 안 좋아요?" 하는 것보다는 "요즘 바쁘신가 봐요. 역시 능력 있는 분은 다르군요"라고 말해 주는 편이 훨씬 낫습니다.
"당신도 이렇게 멋있어!" 하는 말보다 "당신 참 멋있어!"라고 담백하게 표현하는 쪽이 더 긍정적입니다.
그때그때 적절한 감탄사, 맞장구와 조심스러운 의견 제시는 상대방으로 하여금 당신이 자신
의 말을 경청하고 있다는 느낌을 갖게 합니다.

| 4월 / 3주 | 안내글 |

역지사지의 정신

마음이 너그럽고 따뜻한 사람은 마치 봄바람이 만물에 온기를 주어 이를 기르는 것과 같아서 누구나 이런 사람을 만나면 기를 펴고 마음이 편안하여 활기가 넘치게 됩니다.
이와는 반대로 마음이 잔인하고 의심이 많은 사람은 마치 추운 지방에 설한(雪寒)이 닥치는 것 같아서 모든 것이 음산하고 얼어붙어 누구나 그런 사람을 만나면 의기(意氣)가 저상(沮喪)이 되어 활력이 없어집니다. 그러므로 우리는 어디까지나 남에게 관대하게 대하여 모든 사람이 활기에 넘치도록 해야 합니다.

• • • • • • •

| 4월 / 4주 | 안내글 |

하버드 친구들 모두는 "글로벌 리더" 입니다.

안녕 하십니까?
우리 아이들에게 콩을 많이 먹여야 될 성 싶습니다.
21세기 신데렐라 효소식품입니다. 영양분을 분해, 흡수시키는 건 오직 이 친구만이 할 수
있다고 자랑하네요. 발효과정에서 미세하게 분해된 날렵한 단백질입니다.
몸속으로 들어가면 바로 문을 통과하여 신속하게 근육을 만들기를 하는 근육세포의 역할을 줄기차게 합니다.
또한 단백질 효소는 흡수되지 못한 채 쌓여있던 영양분을 열심히 분해도 합니다. 그래서 단백질과 효소는 짝궁이라고 하는가 봅니다.
단백질이 발전소를 재건하고, 효소가 연료를 공급하니 우리의 몸이 탄탄해지고 힘이 마구마구 솟습니다.

| 4월 / 5주 | 안내글 |

세 살 아이의 행복한 미소

며칠 전 출근 길 엘리베이터 안에서 만난 세 살 아이의 미소와 천진난만한 손짓 인사를 받고 기분이 상당히 좋아졌습니다. 할머니 유모차에 타고 바깥나들이를 가는 아이의 얼굴에는 아무런 꾸밈도 없는 순진무구한 모습이었습니다. 그 아이는 누가 시킨 것도 아닌데 손짓을 하며 방긋방긋 웃어 주었습니다. 우연한 일 같지만 그 아이의 미소는 그날 최고의 선물이었습니다. 우리도 예전엔 동네 어른이나 이웃을 만나면 "식사 하셨습니까?" 라든지 "밤새 안녕히 주무셨습니까?" 가 입에 달고 살았던 시절이 있었습니다.
요즈음엔 어른들의 잘못으로 갈등과 대립이 심해지고 있어 안타깝습니다. 이웃 간에 소음으로 인하여 참지 못하고 살인까지 벌어지는 무서운 세상이 우리의 슬픈 자화상입니다. 지금 우리 사회는 치열한 생존경쟁에 내몰려 순수한 동심을 잃어 버린 지 오래입니다.

• • • • • • •

5월 / 4주 안내글

연령별 차별화 프로그램

| 5월 / 1주 | 안내글 |

하버드 친구들 모두는 "글로벌 리더" 입니다.

안녕 하십니까? 0000년 우리는 모든 것을 할 수 있습니다.
우리의 귀염둥이들이 자라거나 나무가 크거나 그 외의 동 · 식물이 자라는 것을 본다는 것은 매우 기쁜 일입니다.
특히나 한달 사이에도 눈에 보일 만큼 자라나 있는 것을 보는 것은 더욱 신기한 일입니다.
우리는 빠르게 쑥쑥 자라는 것을 가리켜 '우후죽순(雨後竹筍)'처럼 자란다고 합니다.
그러고 보면 비 온 뒤 죽순처럼 잘 자라는 채소를 보는 듯 합니다.
시골 살 때 매일 아침 호박 덩굴과 오이 덩굴이 얼마큼 자랐나, 또 줄기에 달린 호박과 오이가 얼마나 자랐나, 궁금해 눈만 뜨면 그곳으로 달려가던 어린 날이 기억납니다.
하루 만에 쑥쑥 자라는 성장성이 참으로 신기했을 것입니다.

• • • • • • •

| 5월 / 2주 | 안내글 |

하버드 친구들 모두는 "글로벌 리더" 입니다.

봄이면 논밭에 씨를 뿌리는 농부처럼 우리는 사랑과 정성을 우리 귀염둥이들과 실천하며 살아야 하겠습니다.
싹이 돋는가 싶더니 매일매일 잘 자라고 있는 것을 보고, 말 못하는 식물들도 정성을 들이면 저렇게 잘 자라 기쁨을 주는데, 자신의 감정을 표현할 수 있는 귀염둥이들에게 사랑과 정성을 주면 더 많은 기쁨을 우리들에게 주지 않을까요?
물론 사랑과 정성을 쏟아도 변화가 느린 아이들도 있을 수 있고, 우리에게 실망을 주는 아이들도 있을 수 있습니다. 그렇다고 하여 우리가 쏟아야 할 사랑과 정성을 실행하지 않는다면 어찌 되겠습니까?
우리가 바라는 것만큼 100% 잘 자라고 성장을 보장 할 수 없다 할지라도, 봄이면 논밭에 씨를 뿌리는 농부처럼 우리는 1년, 2년, 3년, 변함없이 귀염둥이들과 사랑과 정성을 듬뿍 주고, 실천하며 살아야 할 것입니다.
우리들의 주변이 늘 생명력으로 활력이 넘치고 환한 기쁨의 세상이 되게 하려면 귀염둥이들에게 진정한 사랑과 정성을 들여야 할 것 같습니다.

| 5월 / 3주 | 안내글 |

하버드 친구들 모두는 "글로벌 리더" 입니다.

안녕 하십니까?아이들에게도 어른들의 욕심으로 수단과 방법을 가리지 말고 출세하라고 강요하는 세상이 되어 버렸습니다.

아이들의 개성을 발견하고 창조적으로 살아가는 기술과 방법을 가르쳐주어야 하는 데, 공무원이나 교사 같은 편안한 직장만을 강조하는 것은 어른들의 욕심입니다. 롱펠로우 시인은 '어린이는 어른의 아버지(The Child is father of the Man)'라고 표현했습니다.

롱펠로우가 표현한 어린이는 어른들 마음속에 영원히 존재하고 있는 동심으로 본마음이라고 할 수 있습니다.

동심을 유지하면서 살았던 천상병 시인의 '난 어린애가 좋다'는 시가 생각납니다. 어린이들은 보면 볼수록 좋다.

"잘 커서 큰 일 해다오...." 요즘 같으면 미쳤다고 하겠지만 천상병 시인의 순진무구한 표현이 가슴을 따뜻하게 합니다.

돌이켜보면 나이가 먹은 어른이라는 이유만으로 자기만의 고집을 내세우며 우리 아이들의 해 맑은 미소에 제대로 응답하지 못하는 바보가 아니었는지 반성합니다.

자기의 마음에 안 들면 아이들을 무시하고 화를 낸 어른들의 얼굴이 우리의 자화상입니다. 어느 날 우연히 만난 세 살 아이의 환한 미소와 인사는 살면서 기억해야 할 우주의 선물이라고 여겨집니다.

아이의 해맑은 미소를 떠올리며 모처럼 내 입가에도 미소가 번집니다.

• • • • • • • •

| 5월 / 4주 | 안내글 |

하버드 친구들 모두는 "글로벌 리더" 입니다.

5월에는 아이들과 온 가족이 다 함께 사랑의 노래를 부르세요. 우리는 스승의 날이 되면 감사의 꽃을 보내옴에 마음이 따뜻함을 느낍니다.
사람이 동물과 다른 것 중의 하나는 받은 은혜를 감사해 하고 보답하는 일입니다. 나면서부터 어머니라는 최초의 스승을 만나, 입고, 먹는 것 등을 배우며 성장해가다가 학교에 입학하면서 수많은 스승을 만나 하나의 독립된 인물로 자리 잡는 게 인생인 듯싶습니다.
삶의 지혜를 스승으로부터 또 자신이 스승이 되어 자식과 제자를 가르치며 사는 곳이 현재의 삶이 아닌가 싶습니다.
오늘날 '스승'은 단순히 지식을 가르치는 선생님이란 뜻만이 아니라 삶의 지혜까지도 가르치는 정신적인 선생님을 가리키는 말로 쓰이고 있습니다.
내가 누군가의 스승이 되는 길은 그만큼 더욱 노력하여 매사에 모범적인 생활을 해야 가능한 일입니다. 스승의 가르침 덕분에 행복하게 살 수 있는 모두가 되기를 바라마지 않습니다.
우리 조상들은 사랑의 매를 사용해서라도 인간다운 인간을 기르려고 하는 교육관을 지니고 있었습니다. 그런 정신에 의해 '동방예의지국' 이라는 칭호가 생긴 것 같습니다. 스승의 날을 맞아 여기까지 잘 오도록 어리석음을 크게 깨우쳐 주신 어머니, 아버지 그리고 초등학교 시절부터 대학에 이르기까지 만난 모든 스승들께, 학부모님들께 감사의 인사를 올립니다.

• • • • • • •

6월 / 4주 안내글

학부모들에게 삶으로 감동을 줘라

| 6월 / 1주 | 안내글 |

하버드 친구들 모두는 "글로벌 리더" 입니다.

하버드 학부모님 !

아이들이 가장 좋아하는 것이 무엇인지 아시나요?. 그것은 부모님이 언제나 기뻐하시는 것입니다. 요즘 시대는 유아기에서부터 초등학교 때까지는 부모님들이 원하는 대로, 좋아하는 대로, 부모님을 기쁘게 하려는 노력을 많이 하는 시기이기 때문에 부모님의 비젼에 아이들은 따라가게 되어있습니다. "매니저 역할을 하기보다 리더 역할"을 하는 부모님이 많아졌으면 합니다.

하나부터 열까지를 챙기기 보다, 올바른 비젼과 가이드를 제시해야 아이들이 크게 되고, 제대로 자랄 수 있습니다.

하버드 학부모님 ! 아이들이 스스로 할 수 있도록 해주세요.

부모님들이 아이들의 일들을 다 챙겨 준다면 아이 스스로 할 수 있는 기회를 차단해 버리는 것입니다.

부모로서 비젼이 제대로 서 있는지를 다시한번 점검해 보는 침묵, 사색의 시간을 가져 보는 것도 좋을 것 같습니다.

• • • • • • •

| 6월 / 2주 | 안내글 |

하버드 친구들 모두는 "글로벌 리더" 입니다.

삼식이.....

한 때 유행하던 '삼식이 시리즈'가 있습니다. "남편이 하루 세끼를 집에서 먹으면 삼식이, 하루 두 끼를 먹으면 두식이, 하루 세끼를 밖에서 먹어 부인을 편하게 해주는 남편은 영식이"라는 유머가 회자되었습니다. 모 여성 언론인이 재작년에 쓴 '삼식이 남편 길들이기'라는 칼럼이 공감을 줍니다. "남편이 집에 있다는 것은 여성들에게 단순히 남편이 곁에 있다는 의미가 아니다."그러면서 하나부터 열까지 시중들어야 할 상전이 버티고 있기 때문에 은퇴해 집에만 있는 남편을 여성들이 '애물단지'라고 부른다면서, '삼식이' 스트레스가 사실임을 입증하고 있습니다.

이른바 삼식이 남편 길들이기 작전은 남편을 스스로 밥 차려 먹을 줄 아는 사람으로 만들라는 것입니다.

첫째는 간단한 요리 가르치기. 둘째는 각자의 시간 갖기. 부부가 각기 다른 봉사단체에 가입하거나, 다른 그룹과 취미활동을 하는 것입니다. 또한 집에서도 항상 붙어있지 말고 각자 다른 방에서 지낼 필요도 있다는 것이고, 이따금 마주 앉아 이런 저런 대화를 나누며 서로를 다독이고 이해하는 시간을 가지라는 충고입니다.

• • • • • • •

| 6월 / 3주 | 안내글 |

하버드 친구들 모두는 "글로벌 리더" 입니다.

안녕 하십니까?

젊음의 특권이란 무엇인가. 도전하다 실패해도 다시 일어설 기회가 있는 것입니다.

패배를 두려워하지 맙시다.

절망하지 말고 도전하여 인생을 반전시켜서 절망은 희망의 씨앗이 될 수 있습니다.

어떤 이들은 나락의 밑바닥에서 다시 시작합니다.

그는 밑바닥 생활을 하면서 자신에게 치욕과 모멸감을 준 사람들에게 복수할 심정으로 칼을 갈았습니다.

하지만 가장 낮은 자세로 일하며 땀 흘러 번 돈의 가치를 깨닫게 해주고 행복의 의미를 일깨워준 그들에게 오히려 감사하다고 합니다.

"인생은 반전이 있고 역전이 있어 멋지다"며 웃을 것입니다.

금수저에서 흙수저로 전락했으나 그들은 흙수저 환경을 스스로 극복하여 반듯하게 자랐습니다.

젊은 세대들이 '수저 타령'에 매몰되어 도전하려는 의지가 엿보이지 않는 건 비극적 현상입니다.

3포에서 7포까지 포기하는 개수만 늘렸지 극복하려는 패기가 없습니다.

한국인의 자부심은 사라지고 '헬 조선'의 '노예'로 스스로를 비하시킵니다. 비하의 요인은 '절망' 입니다.

• • • • • • •

| 6월 / 4주 | 안내글 |

하버드 친구들 모두는 "글로벌 리더" 입니다.

안녕 하십니까?

고향 가는 길의 옷차림을 생각해 봤습니다. 저마다 가장 좋은 옷, 깨끗하게 세탁한 편안한 옷 그리고 새로 산 옷들을 입고 오랜만에 만날 가족과 친구들과의 만남을 기대합니다. 우리들의 기억에도 어린 시절 부모님은 명절이 되면 장터에 나가 옷을 사주신 기억이 있습니다. 아마도 당신의 아들이 조부모나 친척들에게 근사하게 보이길 바라셨을 것입니다. 그리고 지금은 설날에 입고 갈 옷을 며칠 전부터 깨끗하게 준비를 합니다. 옷차림은 자신의 상황을 대변해 주고, 그 사람의 멋과 감각, 스타일을 반영합니다. 그래서 사람들은 누군가를 보는 순간 옷 입는 스타일에 따라 그 사람을 대하기도 하고 관심을 기울일 만한 사람인지를 판단하기도 합니다. 오랜만에 만나는 고향의 친구들에게 또 부모님에게 우리는 옷차림으로 많은 것을 보여줍니다. 사회적 위치, 경제적 상황... 그래서 옷차림에 더욱 신경을 쓰시는 분들이 많으실 것입니다. 누군가를 만날 때 처음 몇 분 이내에 상대방이 나에 대해 내리는 판단은 다른 어떤 것보다도 겉으로 보여 지는 모습에 크게 좌우됩니다. 그리고 겉으로 보여지는 모습은 본질적으로 옷차림에서 어떻게 입었느냐 하는 것과 같을 수 있습니다. 그래서 우리는 상황에 맞게 옷을 입어야 하며 만나는 사람에 따라 다른 옷을 입어야 합니다. 그래야 신뢰를 줄 수 있습니다. 명절연휴에 오랜만에 부모님을 만나러 가면서 더러워진 그리고 지저분한 옷차림은 결코 하지 않을 것입니다. 명절연휴 부모님을 만나기 위해 준비하는 옷차림처럼 상대방에게 호감과 신뢰를 줄 수 있는 상황에 따른 옷차림의 노력을 통해 0000년 하시는 모든 일에 학부모님들의 가정에 발전이 있으시길 기원합니다.

• • • • • • •

7월 / 4주 안내글

교육적 가치에 중점을 둬라

| 7월 / 1주 | 안내글 |

사람은 '사회적인 동물'이라고 합니다. 사회에서 벗어나서는 하루도 살아갈 수 없기 때문입니다. 간혹 속세를 벗어나 혼자만 살아가는 자연인도 있겠지만, 그들 또한 하늘과 자연을 의지하며 살아가고 결국엔 사회의 혜택을 벗어나지를 못 하는 것이 사실입니다. 산악인 엄홍길씨가 사회 저명인사와 등반하면서 기업 활동과 삶에 대해 이야기 하는 것을 보면서 인간관계의 소중함을 공감했습니다. 그 친구는 공주에서 친환경 단열재를 생산하는 모 기업의 대표로 지난해 10월 '기업인 대상' 종합대상을 수상한 바 있습니다. 기업인대상 종합대상에 선정된 이 기업은 1986년 설립돼 충남 공주의 장기농공단지에 최초로 입주해 친환경 단열재와 전자 보냉·완충재, 포장용기를 제조하는 업체입니다. 내실 있는 경영으로 강소기업의 반열에 올라와 있는 것은 물론, 지역사회에 공헌 활동을 적극 펼치고 있어 귀감도 되고 있습니다. 방송에 나와 고생담을 이야기 하면서 그 친구는 직원들을 위해 '행복한 회사'를 만들기 위한 경영철학을 밝히기도 하였습니다. 평소에도 넉넉하고 온화한 친구 모습이 경영철학에서도 따뜻한 인간미로 그대로 드러나는 것을 느꼈습니다. 우리 주변에 그런 친구만 있다면 북유럽의 덴마크나 히말라야의 부탄처럼 행복지수가 높은 나라처럼 될 텐데 그런 생각을 해봅니다.

• • • • • • •

| 7월 / 2주 | 안내글 |

내가 살아 보니까?

세상에 태어나 학교를 다니고 직업을 가지면서 우리는 수많은 사람을 만납니다. 사람마다 성격과 취향에 맞추어 호불호(好不好)가 갈라지고 은인과 원수가 생깁니다. 사람은 크게 두 종류로 나누어집니다. 남에게 덕을 베푸는 사람과 자기 이익만을 위해 사는 사람입니다. 사람이라면 살아가면서 잘 사는 방법이 무엇일까 숱하게 고민해봤을 것입니다. '살아온 기적 살아갈 기적' 중에 나오는 구절이 인생살이에 대한 해답을 주는 것 같습니다.

"내가 살아보니까 사람들은 남의 삶에 그다지 관심이 많지 않다. 그래서 남을 쳐다볼 때는 부러워서든, 불쌍해서든 그저 호기심이나 구경 차원을 넘지 않더라./내가 살아보니까 정말이지 명품 핸드백을 들고 다니든, 비닐봉지를 들고 다니든 중요한 것은 그 내용물이더라./내가 살아 보니까 남들의 가치 기준에 따라 내 목표를 세우는 것이 얼마나 어리석고, 나를 남과 비교하는 것이 얼마나 시간 낭비고, 그렇게 함으로써 내 가치를 깎아내리는 바보 같은 짓인 줄 알겠더라./내가 살아보니까 결국 중요한 것은 껍데기가 아니고 알맹이더라.
겉모습이 아니라 마음이더라. 예쁘고 잘 생긴 사람은 TV에서 보거나 거리에서 구경하면 되고 내 실속 차리는 것이 더 중요하더라. 재미있게 공부해서 실력 쌓고 진지하게 놀아서 경험 쌓고 진정으로 남에 대해 덕을 쌓는 것이 결국 내 실속이더라./내가 살아보니까 친절과 사랑은 밑지는 적이 없더라. 소중한 사람을 만나는 것은 한 시간이 걸리고 그를 사랑하게 되는 것은 하루가 걸리지만 그를 잊어버리는 것은 일생이 걸린다는 말이더라./내가 살아보니까 남의 마음속에 좋은 추억으로 남는 것만큼 보장된 투자는 없더라."는 구절 중에 '남에 대해 덕을 쌓는 것이 최고의 투자'라는 내용이 가슴에 와 닿습니다.

어느 사람은 "살아보니까 돈이 많은 사람이나 잘난 사람이나 많이 배운 사람보다 마음이 편한 사람이 훨씬 좋더라"고 노래했습니다. 어려서 고생하면서 고통을 겪어본 사람은 어려운 사람을 보면 조건 없이 도와줍니다.

• • • • • • •

| 7월 / 3주 | 안내글 |

하버드 친구들 모두는 "글로벌 리더" 입니다.

성공의 에너지 웃음

함께 있으면 즐겁고 활기가 넘치고 항상 밝은 표정과 긍정의 에너지를 소유한 하버드의 선생님들, 우리는 그런 선생님과 함께 기쁨으로 일하기를 원합니다. 그래서 우리선생님들은 교사로서의 전문가로서 조금은 힘들더라도 기운을 내고 웃음을 잃지 말라고 가끔 조언을 합니다. 아마도 우리원의 학부모님들도 공감을 하실 것 같습니다. 하지만 우리 모두는 웃기가 어렵다 합니다. 왜 그럴까요?
아마도 웃음의 필요성과 중요함은 알고 있지만 현실적으로 너무 힘들고 바쁘기 때문은 아닐까요? 힘들다고 바쁘다는 핑계보다 조금만 생각을 바꾸면 웃음도 그렇게 어렵지만은 않을 것 같습니다.
평생을 살아가면서 웃을 때 쓰는 시간이 평균 100일이 되지 않는다 합니다. 그런데 우리가 무의식 중 코를 파는 데 쓰는 시간은 150일 정도 쓴다고 합니다. 알고 있는 웃음의 필요성. 지금 바로 미소 띠고 웃는 실천을 통해 올 한해에도 성공의 에너지를 갖으시길 바랍니다.

• • • • • • •

| 7월 / 4주 | 안내글 |

하버드 친구들 모두는 "글로벌 리더" 입니다.

안녕 하십니까?

삶의 영원한 보루 가족

우리는 삶이 얼마나 소중한지를 늘 깨닫고 살아갑니다.

가족의 소중함 평소에 가족과 어떤 관계를 유지하는가?!

가족이 어떤 존재인가를 생각해보아야 할 것 같습니다.

아무리 의학이 발달해도 인간은 겨우 백 년 밖에 못삽니다.

게다가 함께 식탁에 둘러앉아 대화를 나누며 가족이라는 공감을 나누는 시간이 얼마나 되겠습니까?.

학생 때는 공부로, 취업해서는 다른 지방으로 가거나 바쁘다는 핑계로 가족과 함께하는 시간이 부족합니다.

한번 흘러간 시간은 되돌아오지 않습니다.

무상한 세월, 그리고 험난한 세상살이에 가족은 삶의 안식처요, 영원한 보루입니다.

잊지 말고 감사하며 살았으면 좋을 성 싶습니다.

• • • • • • •

8월 / 4주 안내글

유아들의 흥미 플러스

| 8월 / 1주 | 안내글 |

하버드 친구들 모두는 "글로벌 리더" 입니다.

"남에게 덕 쌓는 게 잘사는 길"

세상에 태어나 학교를 다니고 직업을 가지면서 수많은 사람을 만났습니다. 사람마다 성격과 취향에 맞추어 호불호(好不好)가 갈라지고 은인과 원수가 생깁니다. 사람은 크게 두 종류로 나누어집니다. 남에게 덕을 베푸는 사람과 자기 이익만을 위해 사는 사람입니다.

"내가 살아보니까 사람들은 남의 삶에 그다지 관심이 많지 않다. 그래서 남을 쳐다볼 때는 부러워서든, 불쌍해서든 그저 호기심이나 구경 차원을 넘지 않더라". / 내가 살아보니까 정말이지 명품 핸드백을 들고 다니든, 비닐봉지를 들고 다니든 중요한 것은 그 내용물이더라. / 내가 살아 보니까 남들의 가치 기준에 따라 내 목표를 세우는 것이 얼마나 어리석고, 나를 남과 비교하는 것이 얼마나 시간 낭비고, 그렇게 함으로써 내 가치를 깎아내리는 바보 같은 짓인 줄 알겠더라. / 내가 살아보니까 결국 중요한 것은 껍데기가 아니고 알맹이더라.

겉모습이 아니라 마음이더라. 예쁘고 잘 생긴 사람은 TV에서 보거나 거리에서 구경하면 되고 내 실속 차리는 것이 더 중요하더라. 재미있게 공부해서 실력 쌓고 진지하게 놀아서 경험 쌓고 진정으로 남에 대해 덕을 쌓는 것이 결국 내 실속이더라./ 구절 중에 '남에 대해 덕을 쌓는 것이 최고의 투자' 라는 내용이 가슴에 와 닿습니다. 어느 사람은 "살아보니까 돈이 많은 사람이나 잘난 사람이나 많이 배운 사람보다 마음이 편한 사람이 훨씬 좋더라"고 노래했습니다. 어려서 고생하면서 고통을 겪어본 사람은 어려운 사람을 보면 조건 없이 도와줍니다. 정유년에는 무리를 불러 모이를 나누어 먹는 닭의 의리를 잊지 말자고 다짐합니다.

• • • • • • •

| 8월 / 2주 | 안내글 |

삼식이 남편 길들이기

■ "남편이 하루 세끼를 집에서 먹으면 삼식이, 하루 두 끼를 먹으면 두식이, 하루 세끼를 밖에서 먹어 부인을 편하게 해주는 남편은 영식이"라는 유머가 요즘 회자됩니다. 집에 돌아오니 아내가 "무슨 음식을 먹었느냐"며 다정하게 말을 건넸습니다.

■ 나이 들어 부부의 소중함을 느끼고 있지만 평소 남편의 식사에 신경을 쓰는 아내의 정성에 고마울 뿐입니다. "공무원으로 오래 일하다 은퇴한 60대 중반의 남성인데 요즘 하루하루가 바늘방석"이라고 했습니다. 그의 아내 때문입니다. 수 십 년 아침에 나가서 밤늦게 돌아오던 남편이 갑자기 하루 종일 집에 있게 되자 그 상황에 적응이 안 되는 걸것입니다.

■ 그의 아내는 우울증에 걸리고 말았습니다. 남편은 아내의 반응이 당황스럽다 못해 충격을 받았습니다. 남편의 입장에서 보면 남편이 안 됐고, 아내의 입장에서 보면 그 또한 이해가 됩니다. 전형적인 60 · 70대 한국 남성을 전제로 할 때, 남편이 집에 있다는 것은 여성들에게 단순히 남편이 곁에 있다는 의미가 아닙니다. 그러면서 하나부터 열까지 시중들어야 할 상전이 버티고 있기 때문에 은퇴해 집에만 있는 남편을 여성들이 '애물단지'라고 부른다면서, '삼식이' 스트레스가 사실임을 입증하고 있습니다.

• • • • • • •

| 8월 / 3주 | 안내글 |

하버드 친구들 모두는 "글로벌 리더" 입니다.

우리도 살면서 이런 경험을 해 보았을 것이다. 스스로 해결할 수 있는 문제도 남의 도움이나 바라고 또 그것이 뜻대로 되지 않을 때는 세상을 원망하게 됩니다.

인간의 잠재능력은 무한합니다. 그것을 잘 갈고 닦아서 긍정적으로 활용할 때 삶은 자신의 것이 됩니다. 시작이 반입니다. 도전하는 자만이 쟁취할 수 있습니다.

게으름 부리지 말고 분발하면 자신이 원하는 만큼 이룰 수 있을 것입니다.

해 보지도 않고 포기하지 말고 최선을 다하면 스스로의 힘으로도 우리는 어려움을 극복해 나갈 수 있을 것입니다!.

무엇이든 목표를 정해놓고 지금 당장 도전해 보는 것이 중요합니다. '천 리 길도 한 걸음부터'라는 말이 있습니다. 자기가 진심으로 하고 싶은 일은 용기를 가지고 도전하는 것이 중요하고 어려운 일은 최선을 다해 극복하려는 노력이 필요합니다.

• • • • • • •

| 8월 / 4주 | 안내글 |

하버드 친구들 모두는 "글로벌 리더" 입니다.

웃음을 나누는 한국인이 됩시다.

■ 살다보면 주위 사람 중에 마음에 드는 사람, 마음에 안 드는 사람이 있게 마련입니다. 그래서 '제 눈에 안경'이라는 말도 있는 가 봅니다.만나면 반가운 사람은 마음이 넉넉하고 유머가 있어 가는 곳마다 사람이 따릅니다. 반대로 까칠한 성격으로 고집을 피우며 사는 사람은 나 홀로 족이 많습니다.

■ 사회적적으로도 최근엔 후자의 사람들이 늘고 있다고 하여 안타깝습니다. 그러다 보니 가는 곳마다 잔잔한 웃음을 전파하기도 하고, 겸손한 마음으로 상대를 대하기 일쑤여서 주변도 빛이 난다고 합니다.

■ 먼저 좋은 인상이란 누구에게든 일단은 미소로 부터 시작한다고 합니다. 누구에게나 스마일할 수 있는 용기가 필요하고, 매일 아침 세수하며 거울 한번 보고 씨익 웃어주는 센스와 만나는 사람마다 웃음을 주면 얼마나 좋을까요?. 경기도 안 좋고 일도 안 풀리고 그렇다고 얼굴마저 찌푸리며 살 순 없잖습니까?

그래서 외국인에게 좀 더 친절하고 좋은 한국인 인상 심어주자는 의미에서 첫째, 길 가다가 외국인을 만나면 스스럼없이 "헬로우!, 하이!" 해 줍시다 물론 스마일하면서. 둘째, 외국 채팅사이트 같은 곳에서 안 좋은 말 안 쓰기를 생활화 합시다. 셋째, 아무리 월드시대라고 하지만 가장 한국다운 게 가장 세계적이라 하지 않습니까?. 한국다운 것을 주변 친구나 새로운 한국 방문객들에게 많이 보여줍시다. 뭐 어쨌든 첫째도 둘째도 친절인 것 같아서 온라인상이나 현실에서나 더 나이스 한 한국인 되어보면 어떨까요?

• • • • • • • •

9월 / 4주 안내글

부모님들이 울 수 있는 감성 프로그램
3가지 이상을 실시하라

| 9월 / 1주 | 안내글 |

하버드 친구들 모두는 "글로벌 리더"입니다.

안녕 하십니까?

뙤약볕을 견디고 나니 가을의 문턱 9월이 살며시 우리 곁에 왔습니다. 60년이 넘는 인생을 살아오다 보니 자연의 변화가 왜 이리도 신기하고 경이로운지 모르겠습니다. 그래도 이 자연에 대한 느낌이 되살아나는 것이 어쩌면 나이가 들수록 완고해지는 타성적 생각에 작은 브레이크가 되어줄 것 같아 다행스럽습니다. 인디언들은 인간의 마음이 자연으로부터 멀어지면 완고해지며, 자연에 대한 존경심을 잃으면 자연 속에 살아있는 것들 또한 인간에 대한 존경심을 잃게 된다고 믿습니다. 대지는 그들의 삶의 근거이자 나서 돌아가야 하는 곳이기 때문에 결국 대지는 모든 존재의 어머니라고 생각합니다. 우리는 눈앞의 이익에 연연해하며 '내 것'을 차지하려고 안간힘을 쓰지만, 인디언들에게 세상의 만물은 서로 이어져 있고 각자가 서로를 품고 있다고 생각합니다. 그들에게 생명은 받았다가 언젠가는 돌려줘야 하는 신의 선물과 같은 것이기에 인생은 축복이며, 배움이며, 선물이다. 절로 고개가 끄덕거려지고 감탄사가 뒤를 잇습니다.

인디언들에게는 애초부터 소유의식이 없었습니다. 아메리카대륙에 등장한 백인들에게 그들은 모든 것을 나누어줬습니다. 그러니 법정 스님의 무소유 정신도 그들에게는 별 의미가 없을 것입니다. 인디언들은 물질을 축적의 도구가 아닌 선물과 나눔의 대상으로 여깁니다. 인디언들의 전통 중에 '포틀래치(potlatch) 문화'가 있는데 이는 남에게 얼마나 많은 선물을 했느냐에 따라 사회적 지위와 계급·신분이 결정되는 풍습입니다. 하지만 인디언들은 많은 선물을 나눌 수가 없었습니다. 풍족한 생활이 아닌데다가 유목생활을 했기에 많은 것들을 가지고 다닐 수도 없었습니다. 하지만 그들은 몸에 밴 나눔 정신으로 자신의 마음을 나누려 애썼습니다. 자신이 지닌 손때 묻은 것이든 방금 익힌 재주든 무엇이든 '선물'을 준비했습니다. 그리고 그 선물을 주고 싶은 사람의 눈길이 머무는 곳에 슬쩍 놓아둡니다. 받는 사람에게 필요한 물건이면 기꺼이 감사하게 받게 되고, 필요 없는 물건이면 오히려 짐이 되니 그대로 놓아두면 되었습니다. 그러면 준 사람은 자신이 공개되지 않았기에 자신의 성의가 무시되었다는 원망 대신 그 사람에게 꼭 필요한 선물을 준비 못 한 자신의 정성이나 마음의 부족을 확인하고 선물을 회수하거나 다음 기회를 기다립니다.

어쩌면 인디언의 선물은 받지 않더라도 일정 기간 내어 주었다가 때가 되면 회수해가는 자연을 닮았는지도 모릅니다. 그에 비해 우리는 나름 '감사의 말'을 기대하면서 선물을 준비하고 준 선물을 받지 않거나 선물을 받고도 답례가 없으면 큰 모욕을 받은 것처럼 느낍니다. 그것은 공정하게 주고받아야 하는 일종의 거래가 되기도 합니다. 그러니 마음을 나눌 기회나 방법을 잃어 버립니다. 불교에 무주상보시라는 게 있습니다. 나누되 나누었다는 생각조차 사라져버린 최상의 보시라 할 수 있습니다. 일상의 관계에서 드러나진 않지만 거래가 되어버린 '주고받는' 삶은 끈질기게 이어집니다. 작은 마음의 나눔은 세상을 아름답게 합니다. 곧 추석 명절이 다가옵니다. 명절의 의미는 오랜만에 만난 가족들이 서로의 작은 마음을 나누는 데 있는지도 모릅니다. 선물(膳物)!~ 한자로는 다르지만 '착한 물건'이라고 해도 좋은 것에 따뜻한 마음을 전해 봅시다. 이 글을 읽는 우리들부터 바로 지금 현재(present) 내가 할 수 있는 정성이 담긴 소박한 선물(present)을 준비합시다. 대가를 바라는 대신 인디언처럼 사랑과 헌신을 담아 말입니다.

| 9월 / 2주 | 안내글 |

하버드 친구들 모두는 "글로벌 리더" 입니다.

가을 하늘에 편지를 쓰고 싶다는 노래처럼 세상 끝까지 파란 하늘이 펼쳐져 있어 잊혔던 누군가에게 편지를 쓰고 싶은 10월이 다가왔습니다. 콧등으로 불어오는 신선한 바람과 푸른 하늘이 기분 좋은 요즘입니다. 푸른 하늘과 산들 바람을 느끼며 자녀와 함께 손잡고 뛰어 놀며 푸른 하늘을 바라보시는 것은 어떨까요? 그리고 나의 아이들에게 사랑한다고 말해 주세요.

자연속에서 부모의 사랑을 받는 자녀는 행복한 꿈을 꾸며 감성적인 아이들로 자라날 것입니다. 나의 아이들이 자신의 꿈을 이야기할 수 있도록 자유로운 분위기를 만들어 함께해 주시고, 자녀의 꿈에 대해 반응적 경청을 해주시기 바랍니다. 나의 아이들과 함께 가을 하늘을 바라보며 힘차게 달려보는 시간을 상상하며 즐거운 주말 보내십시오.

• • • • • • •

| 9월 / 3주 | 안내글 |

평생직업의 조건!

평생 직업을 선택하기 위해서는 몇 가지 조건을 생각해봐야 합니다.

첫 번째는 자신이 좋아하는 일을 해야 합니다. 일을 좋아하지 않고서는 일을 지속하기 어려울 것입니다. 좋아하는 일에 흥미를 느낄 수 있고 흥미를 느낄 때 일에 더 빠져들 수 있을 것입니다. 두 번째는 하고 싶은 일을 해야 합니다. 하고 싶은 일인 만큼 의욕이 생기고 더 큰 열정이 생길 것입니다. 열정이 있을 때 우리는 더 큰 추진력과 원동력을 가질 수 있습니다. 평생 직업을 선택하기 위한 세 번째 조건은 스스로 잘 하는 일을 선택해야 한다는 것입니다. 좋아하고 하고 싶은 일이기는 하지만 일의 역량이 다른 사람에 미치지 못한다면 성과를 얻을 수 없습니다. 결국 지속해서 일을 하기는 어렵게 될 것입니다. 분명 본인이 잘 할 수 있는 일, 그런 일이 성공 가능성을 높일 수 있습니다. 다른 사람의 성공에 부러워하기보다 본인이 정말 잘 할 수 있는 일을 찾아야 할 것입니다. 마지막으로 평생 직업을 선택하기 위해서는 시장성이 있는 일을 선택해야만 합니다. 미래의 시장성이 있는 일에 몰두할 때 지속적인 성취감은 더욱 커질 수 있습니다. 자신이 좋아하고 정말 하고 싶고 잘 할 수 있는 그리고 미래의 시장성이 있는 일에 대한 진지한 생각과 자기분석을 통해 많은 분들이 보람과 행복을 느낄 수 있는 평생 직업을 선택하시길 바랍니다.

• • • • • • •

| 9월 / 4주 | 안내글 |

표정에 투자하라

성공을 위한 이미지 메이킹에서 첫 번째로 중요한 게 무엇이냐고 묻는다면 많은 사람들이 '미소'라고 답할 것입니다. 그만큼 미소는 성공을 위해서 반드시 필요한 요소입니다. 취업을 앞두거나 사업을 하는데 있어서 미소로 표현되는 밝은 표정은 아무리 강조해도 지나치지 않습니다. 하지만 많은 분들에게 평소 미소 짓는 연습을 하라고 강조하면 수긍은 하면서 실천하지 못합니다. 그 이유는 무엇일까요? 얼굴에 미소를 띠는 일은 너무 쉽습니다. 그래서 많은 분들은 필요에 의해서 자신은 언제나 미소를 지을 수 있다고 생각하기 때문입니다. 하지만 여기엔 우리가 쉽게 간과하는 함정이 있습니다. 얼굴에는 대략 80여 개의 근육이 있는데, 이중 미소에 쓰이는 근육은 15개 정도라고 합니다. 근육도 평소 잘 쓰던 근육이 쉽고 편안하게 움직일 수 있듯이 평소 미소에 필요한 근육을 잘 써야 편안하고 좋은 표정이 연출될 수 있습니다. 대학에서 강의할 때, 취업을 앞둔 학생들에게 저는 항상 미소연습을 하라고 강조합니다.

하지만 대부분의 학생들은 알고 있다는 듯이 거의 반응하지 않습니다. 그리고 면접을 앞두고 집에서 혼자 있을 때 거울 앞에서 미소연습을 해본다고 합니다. 편안한 장소에서 대부분 연습을 하기 때문에 표정이 아주 좋습니다. '나 정도면 뽑히겠지?'라고 자화자찬을 할 정도입니다. 하지만 면접 장소는 그런 편안한 자리가 아닙니다. 막상 면접 장소에 들어가서는 미소를 띠려고 입 꼬리는 최대한 올리고, 눈도 나름대로 초롱초롱한 눈빛을 보이려 하지만 긴장된 자리다보니 최대한 올린 입 꼬리는 끝은 떨리고, 눈은 긴장한 표정이 역력하기 마련입니다. 미소를 위해 쓰이는 근육은 적어도 열흘 이상 꾸준히 움직여야 자연스런 표정이 연출 될 수 있다는 점입니다. 강의 중 저는 이런 질문을 종종 합니다. "장사가 잘 되는 가게 사장님 표정이 밝습니까? 어둡습니까?"라고 물으면 누구나 "밝지요!"라고 답을 합니다. 그러면 저는 또 묻습니다. "그럼 장사가 잘 되는 사장님은 장사가 잘 돼서 표정이 밝을까요? 표정이 밝아서 장사가 잘 될까요?"라고 물으면 많은 사람들은 머뭇거리다가 이렇게 답을 합니다. "표정이 밝아서요." 장사가 잘 돼서 표정이 밝을 수 있지만, 분명한 건 표정이 밝아야 장사가 잘된다는 사실은 모두가 인지하는 부분입니다. 알고 있는 것을 실천하는 것이 변화의 시작입니다. '미소가 필요하다.'라고 알고 있지만 말고, 흔히 알고 있는 '김치~, 치즈~ 위스키~' 한 번 해보세요! 밝은 미소는 "나는 당신에게 호감을 갖고 있습니다."라고 하는 것과 같습니다. 호감을 갖고 있는 사람에게 무언가 베풀어주고 싶은 마음이 드는 것은 인지상정입니다. 여러분 얼굴의 거울은 지금 이 순간 여러분을 바라보고 있는 다른 사람의 얼굴입니다. 바로 옆에 있는 사람의 얼굴을 한 번 보세요. 그 사람이 미소 띠고 있다면 그것은 여러분의 얼굴에 밝은 미소가 있기 때문입니다

10월 / 4주 안내글

원장님 원에 대한 자부심과 긍지

| 10월 / 1주 | 안내글 |

좋은 글 중에 '인간 관계의 5가지 법칙'이 있어 소개하려합니다. 첫째는 751의 법칙입니다. 사람이 평균적으로 새로운 사람 70명을 만나면 1명과 친한 관계가 되고, 5명 정도의 사람과 알고 지내는 관계가 되는 만큼, 많은 인연을 맺으려 애쓰기보다는 나와 맞는 사람들과 어울리면서 악연을 피하고 좋은 인연을 맺는 것입니다. 둘째는 369의 법칙으로 인간관계는 3번 정도 만나야 잊히지 않고, 6번 정도 만나야 마음의 문이 열리고, 9번 정도 만나야 친근감이 느껴지기 시작합니다. 좋은 친구가 되려면 오랜 시간 진심과 정성을 기울여야 합니다. 셋째는 248의 법칙으로 두 개를 받고 싶으면 네 개를 주어야 하고, 네 개를 받고 싶으면 여덟 개를 주어야 합니다. 넷째는 114의 법칙으로 나의 이야기는 1분 정도 하고, 상대방에게 1분 정도 질문하고, 상대방의 이야기를 4분 정도 경청하라는 것입니다. 다섯째로 911의 법칙입니다. 911의 법칙은 신뢰는 형성되기 어려워도 깨지기는 매우 쉬워 인간관계에서 매우 유념해야 할 가르침입니다. 아무리 9번을 잘 했어도 그 다음 1번과 또 그 다음 1번도 잘 해야 한다는 것입니다. 영국 일간지 인디펜던트는 '당신에게 해가 되는 친구의 신호 6 가지'를 소개하면서 이런 친구를 주의해야 하며, 이런 상황이 지속된다면 차라리 관계를 끊으라고 조언했습니다. 해가 되는 친구는 "1. 지속적으로 비판만 쏟아내는 친구 2. 다른 친구에게서 당신을 떨어뜨리려는 친구 3. 자기중심적인 친구 4. 먼저 연락하지 않는 친구 5. 당신의 비밀을 지켜주지 않는 친구 6. 당신의 변화를 반대하는 친구" 입니다.모든 사람이 친구가 될 수는 없습니다. 하지만 나와 안 맞는다고 구태여 적으로 여겨 성질내지 말아야 합니다. 기업인 대상을 받은 친구처럼 함께 있을 때 마음이 즐겁고 편안해지면 좋은 관계에 감사하고, 함께 있을수록 마음이 불쾌하고 불편하다면 "그러려니"하고 열 받지 말아야 합니다.

• • • • • • •

| 10월 / 2주 | 안내글 |

안녕 하십니까?인간관계를 연구하는 전문가들에 의하면 성공과 실패의 중요한 조건 중 하나가 주위 사람을 잘 만나야 한다는 점을 피력합니다. 인맥관리에 대해 "인맥관리가 중요한 것은 내가 만나는 사람들로부터 생각의 변화, 능력의 변화를 가져오기 때문에 인맥은 타인을 관리 하는 것이 아니라 자기를 위한 관리로 인맥은 곧 자신의 인생" 이라고 강조하고 있습니다. 나부터 성품이 좋은 사람으로 변화하기 위해 '마음을 다스리는 10가지 교훈' 을 찾아 되새겨봅니다. 10가지 교훈은 "첫번째, 먼저 인간이 되라. 두 번째, 적을 만들지 마라. 세 번째, 스승을 찾으라. 네 번째, 만나는 사람마다 생명의 은인처럼 대하라. 다섯 번째, 첫 만남에서 첫사랑보다도 강렬한 인상을 남겨라. 여섯 번째, 헤어질 때 다시 만나고 싶은 사람이 되라. 일곱 번째, 하루에 3번 참고, 3번 웃고, 3번 칭찬하라. 여덟 번째, 내일처럼 기뻐하고 내일처럼 슬퍼하라. 아홉 번째, 주고 또 주고 잊어버려라. 마지막으로 열 번째는 한번 맺은 인연은 영원한 인맥으로 만나라" 등 입니다. 20%의 좋은 사람으로 기억되고 싶습니다.

| 10월 / 3주 | 안내글 |

우리나라 꽃 무궁화는 삼천리강산의 국화(國花)입니다. 요즘 전국 어딜 가더라도 무궁화를 만날 수 있습니다. 그래서 그 어느 때보다 무궁화가 우리나라 꽃이라는 것을 실감합니다. 지금처럼 무궁화를 쉽게 만날 수 있는 것은 과학기술 덕분입니다. 실제 우리가 어린 시절 본 무궁화는 대부분 진딧물로 가득했습니다. 그러나 지금은 무궁화에 진딧물을 거의 발견할 수 없습니다. 우리나라에서 가장 나이가 많은 무궁화는 강원도 강릉시 사천면 강릉 박씨 중시조 박수량의 재실에 살고 있습니다. 110살 정도의 이곳 무궁화는 천연기념물 제520호입니다. 그곳의 무궁화는 인천시 옹진군 백령면의 90-100살 천연기념물 제521호 무궁화와 함께 아주 귀한 나무입니다. 보통 무궁화는 50살을 넘기기가 어렵습니다. 어떤 사람은 아침에 피었다가 저녁에 지는 무궁화의 꽃을 빠른 흥망성쇠에 비유하고, 어떤 사람은 그러한 무궁화의 생태에서 끝없는 변화를 읽습니다. '끝이 없다' 는 뜻의 무궁과 태극은 같은 의미입니다. 태극은 무극(無極)과 같은 뜻입니다. 그래서 무궁화의 궁과 태극기의 극은 같은 뜻입니다. 무궁과 태극은 단순히 마지막 단계를 의미하는 것이 아니라 우주의 원리를 뜻합니다. 무궁과 무극은 세상을 창조하는 개념입니다. 아침에 피었다가 저녁에 지는 무궁화의 꽃은 우주 만물의 원리인 변화를 상징적으로 보여줍니다. 오랫동안 꽃을 피운다는 것은 그만큼 에너지가 넘친다는 뜻입니다. 에너지 넘치는 우리나라 사람들의 기질도 무궁화를 무척 닮았습니다. 진정한 애국은 무궁화를 사랑하는 데 그치는 것이 아니라 무궁화의 삶을 실천하는 것이며, 기념일에 태극기를 꽂고 손으로 태극기를 흔드는 데 그치는 것이 아니라 태극의 의미대로 사는 것입니다.

• • • • • • •

| 10월 / 4주 | 안내글 |

"벼의 생일"을 아시는지요?

우리나라는 세계에서 가장 이른 시기에 벼농사를 지었습니다. 1998년 3월 충북 청원군(현 청주시) 소로리에서 구석기시대의 돌망치와 찍개 등 구석기 유물과 함께 볍씨 11톨이 나왔습니다. 학자들의 연구 결과 소로리 볍씨는 적어도 1만5천 년~1만3천 년 전으로 판명되었습니다. 이곳에서 발견된 볍씨는 평균 길이가 6.0~8.25mm 정도로 오늘날의 볍씨보다 가늘고 작은 편이지만, 우리나라 벼농사의 위대한 역사를 생각하면 추석 명절은 한층 뜻깊습니다. 그러나 추석 명절에 대한 이해는 아주 단편적이고 피상적입니다. 우리나라의 벼농사는 매우 중요한 의미를 갖습니다. 최근 벼농사의 비중이 아주 많이 줄어들었지만, 그간 벼농사가 남긴 역사와 문화를 생각하면 결코 벼농사의 가치를 잊어서는 안됩니다. 소나무가 우리나라 나무의 아이콘이라면, 벼는 우리나라 풀의 아이콘입니다. 소나무 없는 우리나라의 역사와 문화를 상상할 수 없는 것처럼, 벼가 없는 우리나라의 역사와 문화도 상상할 수 없습니다. 중국의 강남에서는 음력 8월 24일(양력 10월 6일)을 '벼의 생일'로 기념했습니다. 벼의 생일은 그만큼 벼가 사람의 생명에 절대적으로 필요했기 때문이었습니다. 어느 교수는 벼의 생일을 기념하는 행사를 치른 적이 있었다고 합니다.. 사람의 생일처럼 케이크를 사서 벼의 생일을 축하한 후 학생들과 케이크를 나눠 먹었습니다. 학생들에게는 아주 낯선 풍경이었지만, 학생들에게 죽을 때까지 잊지 못할 추억을 선사하고 싶었답니다. 가족과 함께 송편을 나누면서 보내는 추석 명절이지만 그 누구도 벼의 생일을 기억하지 않을 것입니다. 벼의 생일을 만든 것은 인류의 중요한 문화유산입니다. 추석 명절은 추수한 식물을 부모의 제사상에 올리는 행사이지만, 인간은 정작 식물 자체에는 감사하지 않습니다. 인간이 식물에 감사해야 하는 이유는 식물이 없으면 인간은 하루도 존재할 수 없기 때문입니다.

• • • • • • •

11월 / 4주 안내글

앞서 가는 교육 기관

| 11월 / 1주 | 안내글 |

하버드 친구들 모두는 "글로벌 리더" 입니다.

안녕 하십니까?
태풍이 지나가고 난 후의 푸른 가을 하늘, 며칠 전과 달리 아침저녁이 선선합니다.
아름다운 또 한 번의 가을이 내 앞에 와 있습니다. 늘 이맘때면 또 가을이구나. 올 한 해 난 무엇을 위해, 무엇을 하며 보냈는가? 하는 생각에 빠져듭니다. "엄마는 엄마의 가을을 몇 번이나 더 맞을 것 같아? 너무 일에 매이지 말고, 즐기기도 하고, 건강도 챙기세요!" 딸들은 엄마에게 가을이 되면 묻곤 할 것입니다.
우리네 엄마, 아빠들은 늘 일에 치여서 시간 가는 것도 모르고, 계절이 바뀌는 것에도 둔감하게 반응하면서, 건강관리조차 제대로 안 하면서 지내다가 어느덧 인생의 중반을 넘겼습니다. 남들처럼 해외여행도 좀 많이 하여 견문도 넓히고, 또 즐거운 일을 찾아 깔깔거리며 즐기기도 하고, 친구들도 자주 만나 우정도 깊게 해야 할 텐데…. 늘 종종걸음으로 우물 안 개구리처럼 살다 보니 지금의 자리에 와 있습니다. '우물쭈물하다 내 이럴 줄 알았다'는 누구의 묘비명처럼.
따가운 햇살과 매미 소리, 여름의 피서객들로 붐비던 바다와 산의 계곡들도 가을로 접어들면서 조금은 편안하게 휴식을 취하고 있는 듯한 느낌이 듭니다. 길가의 코스모스는 하늘거리며 가을을 반기는 듯합니다. 헤르만 헤세의 「구월」 이란 시가 떠오른다. '뜰이 슬퍼하고 있다./ 차디찬 빗방울이 꽃 속에 떨어진다./ 여름이 그의 마지막을 향해/ 조용히 몸부림친다.// 잎새들이 하나씩 금빛 물방울이 되어/ 높은 아카시아 나무에서 굴러 떨어진다./ 죽어가는 정원의 꿈 속에서/ 여름이 깜짝 놀라 피로한 미소를 띤다.// 여름은 지금 잠시 동안/ 장미꽃과 더불어 잠들고 싶어 한다./ 이윽고 여름은 서서히/ 피로한 그 큰 눈을 감는다. - 헤르만 헤세의 「구월」 전문. 여름의 긴긴 해를 견디고 비바람 폭풍우를 견뎌낸 가을꽃들이 피고 있다. 구절초, 코스모스, 들국화 어느 하나 함부로 된 것이 없고, 의미 없이 피는 꽃도 없으리라. 저마다 소박하고 정겹고 저린 사연들을 가지고 꽃을 피우고 열매를 맺을 것이다. 흔하게 울어대는 울 밑의 귀뚜라미도 우는 사연이 있고, 뜨락의 한 잎 떨어지는 잎도 온몸으로 뜨겁게 자기의 생을 살아왔을 것이다. 우주의 삼라만상이 크든 작든 저마다의 사연으로 흔들리며 부대끼며 살아왔고 또 살아갈 것입니다.
여름이 서서히 물러가면서 하늘은 더 맑게 높아지고, 흐르는 물소리도 잘 여문 듯이 느껴집니다. 곧 알알이 벌어질 것 같은 알밤들이 익어가는 모습과 가을 햇살 아래 잠자리들이 자유롭고 평화롭게 날고 있는 모습, 아름다운 가을날이 올것입니다. 잘 익어가고 있는 평화로운 분위기의 이 가을 한 장, 이 가을 한 판을 누구에겐가 고스란히 보내주고 싶기도 하고, 이렇게 잘 익은 가을 한 잔을 정겹게 차를 따르듯 누군가에게 따라주고 싶기도 합니다.
모두가 가치 있고, 평화롭고 행복한 가을날이 되시기를 기원하면서!

| 11월 / 2주 | 안내글 |

하버드 친구들 모두는 "글로벌 리더" 입니다.

안녕 하십니까?

추풍낙엽(秋風落葉)이 입동(立冬)을 불렀으니, 추월한강(秋月寒江)을 꿈꿔야 합니다. 가을은 여름의 탁한 물을 밀어내고 맑은 물을 만날 수 있는 계절입니다. 잔잔하고 아름다운 가을의 물결, 즉 추파(秋波)는 여름내 싸인 마음의 찌꺼기를 걷어내는 데 적격입니다. 추파는 은근한 마음을 나타내는 여자의 마음을 뜻하기에 더욱 가슴을 맑게 합니다.

단풍낙엽은 차가운 물을 붉게 물들이고도 남습니다. 물결 따라 흘러가는 낙엽은 편주(片舟)입니다. 우리는 물에 떠내려가는 낙엽을 보는 순간, 낙엽에 몸을 싣고 어디론가 떠나고 싶어집니다. 늘 물에 떠내려가는 낙엽을 볼 때마다 종착지가 궁금합니다. 만약 낙엽을 타고 가다보면 분명 목적지를 알 수 있을 것입니다. 물 위의 낙엽은 분명 나무의 꿈을 싣고 갈 것입니다. 나무가 물 위에 잎을 떨어뜨리는 것은 평생 한 곳에서 살아가야 하는 숙명에서 벗어나고 싶었기 때문인지도 모릅니다.

• • • • • • •

| 11월 / 3주 | 안내글 |

하버드 친구들 모두는 "글로벌 리더" 입니다.

가을비에 젖은 낙엽이 물결 따라 마음껏 떠내려가야만 나무의 꿈도 영글지만, 현재 겪고 있는 가뭄의 고통에서도 벗어날 수 있습니다. 낙엽이 물에 푹 젖어야만 계곡과 연못에 물이 고이기 때문입니다. 가을의 서리는 가뭄과 더불어 고단한 삶을 한층 고통스럽게 만듭니다. 이 같은 고통을 해소하는 방법의 하나는 추상같은 책임자들의 정책이지만, 현실은 그렇지 않습니다. 가을은 낙엽의 계절이지만, 지난 세월을 반성하면서 새로운 각오를 다지는 때입니다. 가을을 의미하는 '추(秋)'는 가을에 잡은 거북으로 점을 친다는 뜻입니다. 이 글자에는 1년을 마무리하면서 다가올 삶을 걱정하는 인생관을 엿볼 수 있습니다. 이즈음 우리나라 사람들도 김장을 비롯한 월동 준비에 여념이 없습니다. 서리는 많은 것을 시들게 하고 심지어 죽음으로 몰아넣지만, 새로운 생명을 잉태시킵니다. 만약 서리 같은 고통의 시간이 없다면 이 땅의 생명체는 결코 살아남지 못했을 것입니다. 우리는 서리가 내린 이즈음 벼를 수확한 들판에서 마늘과 양파를 심던 기억을 떠올립니다. 마늘과 양파의 두 작물은 서리를 맞고 혹한 겨울을 견디고서야 정체성을 갖춥니다. 사람들이 마늘과 양파를 즐겨 먹는 이유 중 하나도 두 식물의 이러한 삶과 무관하지 않습니다. 마늘과 양파는 파종과 수확 과정이 무척 힘듭니다. 대부분 사람의 손에 의지해야 하기 때문입니다.

| 11월 / 4주 | 안내글 |

하버드 친구들 모두는 "글로벌 리더" 입니다.

안녕 하십니까?

생명체는 누구나 이별의 시간을 맞습니다. '이별(離別)'을 의미하는 한자는 '다른 곳으로 떠난다'는 뜻입니다. '만나면 반드시 헤어진다'는 회자정리(會者定離)는 이별에 대한 가장 흔한 단어입니다. 많은 사람들이 이별을 아픔과 슬픔으로 인식하지만, 이별이 반드시 그런 의미만 갖고 있는 것은 아닙니다. 이별은 다른 존재와의 관계 속에서만 이루어지지 않습니다. 자신과의 이별도 매우 중요합니다. 나무는 자신과 이별하는 대표적인 존재입니다. 그 중에서도 갈잎나무는 단풍을 통해서 매년 자신과 이별합니다. 나무의 이별연습은 단순히 아픔과 슬픔의 과정이 아니라 성숙의 시간입니다. 나무처럼 이별을 성숙의 순간으로 만들기 위해서는 무엇보다도 성실히 살아야만 합니다. 성실히 산다는 것은 우주의 법칙과 같습니다. 우주는 한순간도 쉼 없이 운행합니다. 그 덕분에 모든 생명체들이 지구에서 살 수 있습니다. 나무가 단풍을 만드는 과정도 우주의 법칙처럼 성실할 때만이 가능합니다. 많은 사람들이 단풍의 빛깔을 아름답게 생각하지만, 단풍의 아름다움은 이별을 알기 때문에 드러납니다. 나무의 단풍은 절제의 미덕으로 완성됩니다. 나무는 일정한 시기에 물 공급을 중단하면서 생존에 대비합니다. 만약 시기를 놓치면 내상을 입는다고 합니다. 인간이 매일 만나는 갈잎나무의 아름다운 단풍은 빈틈 없는 나무의 삶 덕분입니다. 욕망의 균형은 가장 아름다운 생존전략입니다. 특히 욕망의 절제를 통한 나무의 단풍 만들기는 아름다움에 대한 새로운 인식을 제공합니다. 그러나 요즘 단풍을 감상하는 사람들은 과도하게 욕망을 분출합니다. 나무는 아름답게 자신과 이별하지만, 사람들은 나무의 이별과 만나면서 마냥 즐거워합니다. 이처럼 나무는 자신과 이별하면서도 인간에게 무한한 감동을 선사합니다. 인간은 언제 자신과 이별하면서 다른 존재에게 무한한 감동을 선사할까?. 그날은 바로 나무처럼 성실하게 사는 오늘일 것입니다.

• • • • • • •

12월 / 5주 안내글

학부모님들이 만족하는 원을 만들어라

| 12월 / 1주 | 안내글 |

하버드 친구들 모두는 "글로벌 리더" 입니다.

안녕 하십니까?

지난 한 주 잘 지내셨는지요?

비 내리는 휴일이자 성탄절 이브입니다. 며칠 전까지 겨울의 중심에 있는 듯 매서운 추위가 몰아치더니 어느 새 봄날 같은 날씨가 계속되고 있습니다.

롤러코스터는 인생살이와 우리 감정에 만 있는 줄 알았더니 날씨마저 지조 없이 부화뇌동하는 줄 진즉 몰랐습니다. 삼한사온의 부활이 아닌가 싶어 다행스럽기도 하구요. 눈이 내리는 화이트 크리스마스가 아니어서 아쉬움이 없지 않지만 오히려 차분한 느낌이 들어 좋습니다.

성탄과 연말연시로 이어지는 끝과 시작의 언저리에서 모든 학부모님들께 큰 감사를 드리며, 큰 복이 깃들기를 진심으로 기원합니다.

말 그대로 다사다난한 0000년 한 해가 저물고 있습니다.

• • • • • • •

| 12월 / 2주 | 안내글 |

하버드 친구들 모두는 "글로벌 리더" 입니다.

안녕 하십니까?

좋은 인연으로 함께 한 모든 학부모님들께! 진심으로 감사의 인사 올립니다.

학부모님들이 있었기에 진정 즐겁고 행복했던 한 해, 행복하게 운영 잘 했습니다.

올 한 해 '당신의 말과 생각이 그대로 현실이 된다'는 말로 인사를 마무리해 봅니다

혹 그대로 해 본 학부모님들이 있다면 아마도 분명 학부모님들의 말과 생각대로 되지 않았을까 생각합니다. 말과 생각은 그만큼 힘이 세기 때문입니다.

0000년 마지막 한 주이자 새로운 한 주, 원하는 말과 생각으로 힘차게 보내시길 기도드립니다.

자신이 해답을 가지고 있다고 생각하는 사람들로부터는 언제나 거리를 두게 하시고

'보라!'라고 말하면서 놀라움 속에 웃는 사람들과 언제나 가까이 있게 하소서. Merry X-mas 입니다.

| 12월 / 3주 | 안내글 |

하버드 친구들 모두는 "글로벌 리더" 입니다.

안녕 하십니까?

먼저 행복편지를 통해 새해 인사드립니다. 어떤 0000년을 보내셨는지 여쭙니다.

아쉬움 한 조각이야 늘 끌어안고 살아가는 게 인생살이 이지만 지난 한 해 수고 많으셨고 잘 사셨습니다.

응원과 격려, 축하의 큰 박수 보냅니다. 0000년 새해 복 많이 지으시고 건강하고 행복하시길 진심으로 기원합니다.

그리고 저희 원에게 보내주신 관심과 성원, 사랑에 진심으로 고마운 인사 올립니다.

함께 해서 즐거웠고 의미 있는 시간이었습니다.

또한 새해부터는 개인적으로 마음을 열고 사람과 세상에 대한 호기심과 감성들을 느낌 그대로 온전하게 표현하고 이야기하며 살아가겠다는 것이지요.

무엇하나 허투루 하지 않고 긍정적이고 적극적인 자세로 행복에너지, 행복 바이러스를 오롯이 전할 수 있다고 생각합니다. 벌써부터 마음이 설렙니다.

• • • • • • •

| 12월 / 4주 | 안내글 |

하버드 친구들 모두는 "글로벌 리더" 입니다.

안녕 하십니까?

겨울은 추운 계절이라는 것을 새삼 상기하며 함께 견뎌갈 온기를 모아야 하겠습니다.

12월 중순, 깊어가는 휴일 밤을 따뜻하게 껴안습니다.

지난 한 주 따뜻하게 잘 지내셨는지요? 이제 0000년도 막바지에 이르렀습니다.

지난 한 해를 돌아보니 정말이지 말 그대로 다사다난한 한 해였다는 생각이 듭니다.

개인적 삶도 세상의 일도 수많은 굴곡과 변화가 이어졌으니 말입니다. 무상의 시간과 공간속에서 나는 무엇을 하며 살았는지 돌아봅니다.

0000년의 삶을 함께 만들어 온 수많은 학부모님들께 고마운 인사를 올립니다.

지난 시간들 속에서 나의 말과 행동이 진정 온전했는가를 돌아봅니다.

그럴싸한 말만 내세운 것은 아닌지, 누군가의 고통을 애써 외면한 것은 아닌지도 살피구요. 또한 우리가 하는 행동과 말, 우리가 내민 손길이 누군가에게는 인생의 마지막 순간이 될 수도 있음을 생각하니 더욱 마음이 저밉니다. 잇속만을 챙기는 차가운 반응이 아니라 따뜻한 말 한마디, 부드러운 눈빛 하나를 잘 챙겨야 하는 이유도 생각합니다. 그나저나 올 한 해 원하는 삶, 힘 있는 삶을 살아오셨는지 여쭈어 봅니다. 거기에 내가 좋아하는 삶을 살았는지도 함께 여쭈어 보고, 인생의 마지막은 언제 올 지 아무도 모르기에 진정 내가 원하는 것, 하고 싶은 것들을 미루지 말고 바로 오늘 해보면 참 좋겠습니다.

지혜로운 삶이 거기에 숨 쉬고 있기 때문입니다. 오늘 학부모님들을 아끼고 사랑하는 누군가가 있다는 것을 기억하고 힘차게 신나게 한 주를 열어 가시길 기원합니다.

• • • • • • •

| 12월 / 5주 | 안내글 |

하버드 친구들 모두는 "글로벌 리더" 입니다.

안녕 하십니까?

지난 한 주 잘 지내셨는지요?

대설이 지나서인지 때늦은 폭설이 마음 놓고 온갖 공간을 뒤덮었습니다.

산길 비탈길도 하얀 눈으로 옷을 갈아입었습니다. 을씨년스러움이 한 순간에 포근함으로 바뀐 걸 보며 자연의 변화무쌍함에 엄지 척을 해주고 싶습니다.

삶을 돌아보기에 딱 좋은 시절, 어떤 한 해를 보내셨는지요?

하얀 휴일 아침이 낮 내내 온기에 녹아든 것이 차가운 동장군의 등장을 알리는 징후였나 봅니다. 뚝심 있어 보이는 겨울마저 변덕이 심한 게 혹 내 모습을 닮은 듯 싶어 머쓱합니다. 어찌하든 눈 내리고 차가운 바람이 부는 겨울이 진짜 겨울답다는 생각에 괜시리 즐거워집니다. 한 해의 끝에서 작은 긴장감을 가지기에도 좋구요. 그리고 내 자신이 온기를 가진 존재라는 게 얼마나 다행스러운지 모릅니다. 따뜻한 겨울날을 열어갈 수 있을 테니까요.

따뜻한 새 날을 꿈꾸며 차가운 휴일 밤 속으로 깊게깊게 빠져듭니다. 겨울다운 차가움 속에서 새로운 한 주가 시작됩니다. 나를 깨우는 성찰이 있고, 내일을 품어 안는 희망이 있는 날들로 쭈욱 이어지길 염원합니다. 나를 아끼며 세상과 함께 하다보면 끝내 행복한 세상은 우리의 것이 될 것 같습니다. 하버드학부모님들께서는 따뜻한 온기를 나누며 건강 잘 챙기시길 바랍니다.

• • • • • • •

1월 / 4주 안내글

상상력과 꿈이 자라는 페스티벌

| 1월 / 1주 | 안내글 |

하버드 친구들 모두는 "글로벌 리더" 입니다.

안녕 하십니까?

1월이라!~

지독한 고통도 결국 끝이 있음을 알려주려 하는 것일까요. 며칠 전의 혹한의 추위가 순식간에 봄날이 되어 버렸습니다.

날씨가 롤러코스터를 탄 게 분명합니다.

아직 음력으로 동짓달이니 언제 다시 추위가 찾아올지 모르겠습니다.

눈 덮인 고향 텃밭의 마늘들은, 이런 날씨 속에 더욱 실해질 것 같습니다.

우리네 인생은 견디고, 버티고, 그리고 울다가 웃으며 살아가는 것이 바로 인생임을 다시

한번 생각 해 봅니다.

자연의 이치도 세상의 이치도 다 그러함을 그대로 느끼며 새로운 한 주를 맞을 준비를 해야 겠습니다.

곧 동이 터올 것이고 새 날을 맞을 준비를 해야겠습니다.

• • • • • • •

| 1월 / 2주 | 안내글 |

하버드 친구들 모두는 "글로벌 리더" 입니다.

안녕 하십니까?

새해가 열린지 엊그제 같은데 순식간에 보름이 흘러갔습니다.
나이가 들면 사람은 느리게 가는 시계로 변해 가는 것 같습니다. 요즘은 우리네들 삶의 속도가 느려지면서 상대적으로 세월의 속도가 빠르게 느껴집니다. 물리적인 나이와 세월의 빠르기가 함께 하는 것입니다. '나이 들수록 왜 시간은 빨리 흐르는가?'에서 이야기합니다."인생의 초입에 서 있는 사람은 강물보다 빠른 속도로 강둑을 달릴 수 있습니다. 중년에 이르면 속도가 조금 느려지기는 하지만, 아직 강물과 보조를 맞출 수 있습니다. 그러나 노년에 이르러 몸이 지쳐버리면 강물의 속도보다 뒤처지기 시작합니다. 결국 우리네는 제자리에 서서 강둑에 드러누워 버리지만, 강물은 한결같은 속도로 계속 흘러만 갈 것입니다."
같은 맥락에서 이야기하는 사람도 있습니다. 어릴 때는 모든 게 새롭고 신기하여 학습할 시간이 필요하다 보니 시간이 더디게 간다고 느껴지고 나이가 들수록 일상이 다람쥐 쳇바퀴처럼 반복되고 기억할 정보가 적어지면서 시간이 빨리 가는 것 같은 느낌이 든다고.....

• • • • • • •

| 1월 / 3주 | 안내글 |

하버드 친구들 모두는 “글로벌 리더” 입니다.

안녕 하십니까?

0000년 새해가 밝았습니다. 연초 마다 다짐하는 것은 많지만 그해 말미에 다다르면 후회가 막급하다는 것이 보통사람의 일상인가봅니다.사람들은 새해 소망으로 건강과 행복, 행운에 대한 글귀가 많지만 인간관계에 대해서는 소홀한 것 같습니다. 세상을 살아가면서 독불 장군 식으로 잘난 체하여 주위에 사람이 없다면 얼마나 심심할까요? 그만큼 삶에서 인간관계는 매우 중요합니다. 새해 필요한 사자성어로, ‘난득호도(難得糊塗)’라는 글씨였습니다. 알기 쉽게 풀이하면 ‘바보인척 하기 쉽지 않다’ 는 뜻입니다. 이 말은 겸손함을 거론할 때 쓰여 졌다고 합니다. 4차 산업시대로 접어든 요즘 세상은 온통 똑똑한 자만이 성공한다며 사람들에게 총명함을 요구하고 있습니다. 현대문명의 편리함에 길들여진 사람들은 더욱 풍요로운 물질을 획득하기 위해 혈안이 되고 있다고 합니다. 우리는 자연에서의 들꽃과 풍경, 좋은 글귀를 보고 감동을 받곤 합니다. 우리의 어느 친구의 좌우명은 “바보같이 살자. 첫째로 남보다 뒤떨어지게 살아도 바보처럼 살자. 둘째로 바르게 살면 보람이 있다.” 라는 좌우명으로 그다지 총명하지도 않으면서 잘난 체 하며 살았던 것에 대해 참회였습니다.

• • • • • • •

| **1월 / 4주** | 안내글 |

하버드 친구들 모두는 "글로벌 리더" 입니다.

안녕 하십니까?

새해를 맞는 사람들의 소망에는 작년과 다른 모습을 담고 있습니다. 그러나 대부분의 사람들은 얼마 지나지 않아 새해의 소망을 잊어버리고 작년과 같은 삶을 살아가는 자신을 발견합니다. 사람들은 해마다 반복되는 자신의 태도에 절망하면서도 좀처럼 태도를 바꾸지 않습니다. 그만큼 사람들의 행동은 쉽게 바뀌지 않습니다. 그 이유는 의지력이 약하기 때문입니다. 우리들 누구나 습관을 갖고 있습니다. 습관은 행동을 결정하는 데 중요한 역할을 합니다. 의지력도 습관입니다. 습관은 나쁜 것이 아니라 어떤 습관인가가 중요합니다. 인간의 행동은 습관의 축적에 따라 달라지기 때문입니다. 나무가 매일 매일 자신을 변화시키는 것도 습관이며, 나무가 사람들에게 사랑받는 것은 꽃과 열매를 맺는 과정이 성실하기 때문입니다. 그러나 대부분의 사람들은 나무가 살아가는 태도를 보기보다는 꽃과 열매에 주목하길 좋아합니다. 사람들의 소망은 자세를 바꿀 때 이루어집니다. 자세를 바꾸지 않고서는 아무리 새해마다 소망을 빌어도 결과는 크게 달라지지 않습니다.

사랑하는 학부모님! 건강한 새해 맞이하시고 소망하는 모든 것 소원성취 하시길 바랍니다.

• • • • • • •

2월 / 4주 안내글

생동감 넘치는 체험 활동

| 2월 / 1주 | 안내글 |

하버드 친구들 모두는 "글로벌 리더" 입니다.

안녕 하십니까?

웃으면 성공합니다.
"진정한 성공은 얼마나 많이, 자주 웃느냐로 알 수 있습니다." 어느 웃음 강사는 이런 말도 합니다. "웃으면 성공한다." 정말이지 요즘은 많이 웃고 또 웃기면 성공하는 시대인 것 같습니다. 그래서 즐거운 펀(Fun), 웃음, 유머 강의가 가장 인기 있는 강의 중 하나로 자리 잡아가고 있습니다.
모든 사람에게 친절하고 웃는 얼굴을 보이는 것은 원을 평가하는 척도도 됩니다. 우리 원에서는 선생님들이 초심을 잃지 않고 웃는 얼굴을 늘 유지 한다면 학부모님들과 즐거운 주파수를 맞추는데 좋은 효과를 드리며, 잘 웃는 선생님들로 학부모님들께 편안함과 호감을 주도록 힘쓰겠습니다.
많은 사람들은 95%를 이성으로 판단하고 5%로의 감성으로 자극을 준다는 말이 있습니다. 우리원에는 언제나 웃음이 있는 원으로 사기 진작과 행복함을 부여하도록 늘 웃음으로 학부모님들과 소통하겠습니다.

• • • • • • •

| 2월 / 2주 | 안내글 |

하버드 친구들 모두는 "글로벌 리더" 입니다.

안안녕 하십니까? 설날 명절처럼! 며칠 전 우리는 민족 대명절인 설날을 보냈습니다.
연휴는 짧았지만 그래서 더 그립고 조금은 아쉬운 시간이였습니다.
설날에 많은 가정들의 풍경을 떠올릴 때면 우리의 머리에 많은 이미지로 남아 있습니다.
한복을 차려입고 새배를 하고 새뱃돈을 받고 미소를 짓고, 부모님께 용돈을 드리며 뿌듯해
하기도 하며 한편으로 죄송한 마음을 갖기도 하는 표정들입니다.
이야기꽃을 피우며 나누는 즐거운 대화, 가족과 어울려 크게 소리 지르며 즐기는 윷놀이 등등. 생각만 해도 고향이 그립고 항상 편안함과 사랑을 느끼게 합니다.
0000년 새해 복 많이 받으시고 행복하시길 기원 드립니다.

| 2월 / 3주 | 안내글 |

하버드 친구들 모두는 "글로벌 리더" 입니다.

0000학년도 2월을 마무리 하고 0000년 3월을 시작하면서 칭찬하기입니다.
모든 것을 잘 했다고 칭찬을 할 때
더욱 더 잘하려고 노력하는 사람은
비단 우리 귀염둥이 아이들뿐 만은 아닐 것입니다.

사람에게는 누구나
어린아이의 마음과 같은 모습이 있습니다.
우리 모두가 잘했다고 칭찬을 합시다.
우리 모두가 고맙다고 말합시다.
우리 모두가 미안하다고 말합시다.
아들, 딸에게
엄마, 아빠에게
모오든 사람에게

• • • • • • •

| 2월 / 4주 | 안내글 |

하버드 친구들 모두는 "글로벌 리더" 입니다.

안녕 하십니까?
평생을 어떤 안목으로 인생을 바라보았는가?
사랑하는 학부모님들!
인생의 결과를 좌우하는 결정적 차이는 뭘까요?
방황하는 젊은이들에게 인생에서 무엇이 가장 중요할까요?
우리는 같은 환경에서 태어났습니다.
그런데 왜 누구는 성공하고 실패를 할까요?
인생의 행복과 불행, 성공과 실패는 "인생을 바라보는 안목"에 따라 갈린다고 합니다.

원장님의 감성적 영향력 VI

3월 / 4주 안내글

원장님! 우리 원은 즐거워요

| 3월 / 1주 | 안내글 |

하버드 친구들 모두는 "글로벌 리더" 입니다.

안녕하십니까?

소중한 우리 아이들의 새 학기가 힘차게 시작 되었습니다.

우리 아이들은 어떤 마음으로 새로운 시작을 맞이하고 있을까요?

새로운 변화에 조금은 낯설고 두려우면서도 한편으로는 설렘과 기대가 있을 것입니다.

첫 학기의 첫 주! 우리 아이들의 원 풍경이 어떨지 궁금하시죠?

아이들은 저마다 최선을 다해 열심히 적응해 낼 것입니다.

아이들의 적응력은 생각보다 뛰어 납니다.

우리 아이들이 새로운 변화에 잘 적응하고 더욱 더 행복하게 생활할 수 있도록 응원하고 돕겠습니다.

학부모님들도 함께 응원해 주십시오.

이번 한 주 동안은 우리 어린이들이 새로운 변화에 적응하는데 중점을 두고 교육을 진행할 계획입니다.

우리 어린이들이 원의 반, 선생님과 친구들에게 관심을 갖고, 원은 즐거운 곳이라고 생각할 수 있도록 도울 것입니다.

• • • • • • •

| 3월 / 2주 | 안내글 |

하버드 친구들 모두는 "글로벌 리더" 입니다.

안녕하십니까?

입학식을 마치고 새로움 생활의 첫발을 내딛었습니다.

기쁘고 설레는 마음과 동시에 삼월 한 달은 새로운 생활에 대해 아이들이 혼란과 불안감을 느낄 수 있습니다.

"잘 해낼 수 있을까?" 하는 근심과 걱정보다는 믿고 기다려 주는 인내심이 필요한 때입니다.

가정에서는 인내를 가지고 우리 아이들이 낯선 환경에 적응해 갈 수 있도록 많은 다독거림과 애정으로 보살펴 주시기 바랍니다.

원에서도 모든 아이들이 빠른 시일 내에 적응할 수 있도록 더 많은 관심 기울이겠습니다.

| 3월 / 3주 | 안내글 |

하버드 친구들 모두는 "글로벌 리더" 입니다.

먼저 하버드가족으로 하나 됨을 진심으로 환영합니다.
부모님들이 담아주신 사랑만큼 원장인 저와 선생님들은 우리 예쁜 귀염둥이들에게 한결 같은 사랑으로 한 마음 되어 한 해 동안 꿈을 펼쳐주어, 감성적인 아이들로, 창의적인 아이들로, 과학적인 아이들로, 그리고 기쁨과 사랑으로, 향기롭게 자라도록 최선을 다 해야 하겠습니다.

우리의 아이들이 뿌리가 내리고, 튼튼하게 잘 자라서, 무성한 열매를 맺기 위해서는 원장과 선생님과 학부모들인 우리가 하나 되어 멋진 역할들을 잘 해 나갈 때, 비로소 우리는 우리의 소망인 귀염둥이들의 무성한 열매를 기대 할 수 있을 것입니다.
우리 모두는 다함께 파이팅! 을 외치며 멋진 하모니를 이루고 기대하며 달려가자고 다짐, 다짐, 또 다짐 해 봅니다.

• • • • • • •

| 3월 / 4주 | 안내글 |

하버드 친구들 모두는 "글로벌 리더" 입니다.

안녕하십니까?
우리 아이들이 어느새 한 달이 다 가고 있습니다.
처음에는 엄마와 떨어지지 않으려고 울며 애태우던 친구들이 서먹해하던 친구들이 언제 그랬냐는 듯이 말마다 반갑고 즐거운 얼굴들로 뛰어 놀고 있습니다.
따뜻한 봄기운이 느껴지는 주말에는 아이들과 함께 가까운 공원으로 산책을 나가보시는 것은 어떨까요?.
봄에 피어나는 꽃들도 감상을 하고 꽃 이름도 알아본다면 그보다 더 생생한 현장교육은 없을 것입니다.
아이들과 함께 즐거운 봄맞이를 하시길 바랍니다.

4월 / 4주 안내글

우리 원은 경쟁력이 높아요

| 4월 / 1주 | 안내글 |

하버드 친구들 모두는 "글로벌 리더" 입니다.

안녕하십니까?

인간을 바꾸는 힘은 교육이며 바른 인간, 바른 성격은 천부적인 소질이 아니라 원과 학부모님들이 연계하여 최선을 다해서 하고자 하는 교육으로 교육의 성과를 성취시킬 수 있습니다.

나의 자녀들이 성장하는 매 단계마다 자녀의 신체. 지식, 정서적 욕구들에 관심을 갖고 자녀의 행동을 이해하고 예측하여 자녀들을 더 잘 자라도록 힘써야 할 것입니다.

하지만 역할에 있어서는 부모님들의 역할도 선생님들의 역할도 어렵습니다.

서로의 어려운 점을 이해할 줄 알고 용기를 줄 때마다 하버드 교육은 더욱 빛을 발할 것입니다.

학부모님들의 적극적인 협조를 부탁드리면서 선생님과 학부모님들 간에 가슴으로 대화하고

피차 사랑으로 교육하는 학부모님, 선생님들이 되도록 말입니다.

• • • • • • •

| 4월 / 2주 | 안내글 |

하버드 친구들 모두는 "글로벌 리더" 입니다.

안녕하십니까?

일생에 있어서 가장 중요한 시기는 유아기임을 다 알고 계실 것입니다.

이 중요한 시기의 교육을 책임지고 있는 저희들은 항상 긴장하며 열심히 노력하고 있습니다. 그러나 교육의 가장 중요한 곳은 바로 가정입니다.

이에 저희 교사들은 가정과의 연계교육의 중요성을 인식하고 학부모님과의 진지한 만남의 자리를 마련하였습니다.

참되고 원활한 교육의 실현을 위해서 꼭 필요한 행사이니 만큼 부모님들의 적극적인 협조를 부탁드리고자 합니다.

해당되는 날짜와 시간을 꼭 지켜 주시길 바라며 학부모님의 면담을 계획 알려드립니다.

부모님의 면담일은 월 일 – 월 일 까지 입니다.

♥ 정해진 상담시간보다 5분 미리 오셔서 기다려 주시기 바랍니다.

♥ 상담시간은 12분입니다. 뒤에 기다리는 어머님을 위해 시간을 지켜 주시기 바랍니다.

♥ 상담에 못 오시는 어머님은 전화 상담 가능합니다.

♥ 시간 변경은 사전에 미리 연락 주시기 바랍니다.

• • • • • • •

| 4월 / 3주 | 안내글 |

하버드 친구들 모두는 "글로벌 리더" 입니다.

안녕하십니까?
우리는 낙천적인 사람이 되겠다고 결심을 하면 어떠한 어려운 상황 속에서도 모든 일들을 새롭게 바라보고 긍정적인 시각으로 생각을 전환 할 수 있을 것입니다.
긍정적인 태도를 결심한 사람은 어떤 상황에서도 주위 사람들에게 긍정적인 분위기를 전해 줄 것입니다.
우리는 우리에게 아무리 어려운 일들이 닥쳐와도 긍정적인 마음을 갖겠다고 결심하고 이를 행동에 옮긴다면 우리는 부정적인 모든 일들을 극복하고 행복의 사람들이 다 될 것입니다.
그래서 주변의 많은 사람들까지 행복으로 이끌 수 있는 영향력 있는 사람으로 변화할 것입니다.

• • • • • • •

| 4월 / 4주 | 안내글 |

하버드 친구들 모두는 "글로벌 리더" 입니다.

세상을 여는 힘

이름 모를 씨앗을 심었습니다. 씨앗은 정원에서 돋아난 예쁜 싹을 틔웠습니다. 아직은 어떤 꽃을 피울지 모릅니다. 장미꽃이 피어라, 사과 꽃이 피어라라고 해서 그 씨앗이 그렇게 되지는 않을 것입니다. 이제 막 인생의 봄을 맞아 무럭무럭 자라날 아이들이 씨앗입니다. 단지 우리가 해 줄 수 있는 것은 햇살과 같이, 물과 같이 꼭 필요한 시기에 필요한 만큼 아이들에게 성장의 도움을 줄 수 있다면 그것은 우리선생님들에게 주어진 가장 큰 역할이자 행복일 것입니다. 우리 아이들은 스스로 크는 나무입니다. 아직 무슨 꽃을 피울지 열매를 맺을지 모릅니다. 그 무한한 잠재적 가능성을 키워주는 일은 그들이 스스로 꿋꿋하게 설 수 있도록 환경을 제공해주고 사랑을 잃지 않게 하는 일일 것입니다.

어른들이 원하는 대로, 어른들이 시키는 대로 성장하기를 바라는 것은 온실 속의 분재와 같습니다. 분재는 어떤 틀 속에 가두어 놓고 성장을 왜곡시켜 만들어 내는 나무입니다. 꽃을 피울지는 몰라도 제 모습의 열매를 맺을 수 없으며 스스로의 씨앗을 만들어 낼 수는 없을 것입니다. 각각 다른 우리 아이들은 제 모습을 스스로 이해하고 격려 해줄 때 그들은 그들 몫만큼의 삶의 열매를 튼실하게 키워낼 수 있을 것입니다. 우리아이들이 햇살을 듬뿍 받고 충분한 영양분을 충분히 받아 환한 웃음을 터뜨리며, 즐거운 함성을 지르게 되기를 소망합니다.

• • • • • • •

5월 / 4주 안내글

자신감과 자존감이 있어요

| 5월 / 1주 | 안내글 |

하버드 친구들 모두는 "글로벌 리더" 입니다.

안녕 하십니까?

가장 따뜻하고 든든한 가족의 사랑을 느끼며 행복의 현혹 속에서 눈을 떠보시는 경험들을 해 보는 5월이 되시기를 바랍니다.

사랑, 가장 받고 싶은 선물입니다.

무조건적인 사랑이란 상대가 무엇을 하든 사랑을 하는 것입니다. 자녀의 신체를 건강하게 돌보는 것만큼 자녀의 감정을 수용하는 것은 중요합니다.

나의 아이가 음식을 먹고 싶어 하고 포옹을 받고 싶어 하고 가장 사랑스럽게 잠을 자고 사랑한다는 말을 또한 듣고 싶어 합니다.

신체적 스킨 쉽의 사랑과 언어적 사랑의 표현은 매우 중요합니다.

왜냐하면 사랑과 수용을 받으며 성장하는 어린이들은 건전한 자기애를 가질 수 잇기 때문입니다.

가까이에서 공기처럼 한결같은 사람들에게 감사를 전할 수 있는 5월입니다.

우리는 마음을 표현하기에 좋은 선물을 고르느라 분주해지지만 어린이날은 부모님에게나 어린이들에게 최고의 선물은 사랑일 것입니다.

사랑이 있는 가정은 자녀에게 평온함과 안정감을 줄 것입니다.

5월의 힘든 날들! 하버드학부모님들! 파이팅!입니다.

• • • • • • •

| 5월 / 2주 | 안내글 |

하버드 친구들 모두는 "글로벌 리더" 입니다.

안녕하십니까?

아이의 고운 얼굴에 비치는 5월의 하늘이 참 아름답습니다.

아이의 고운 눈빛에 모든 아이들은 5월이 새 생명의 초록을 품어내듯 우리의 고운 아이들 생활이 향기를 품어내며 삶의 소중함이 되어 엄마의 자랑이 되고 있습니다.

아빠의 자랑이 되고 있습니다.

5월에는 아이들과 사랑의 노래를 부르세요.

그대 곁의 사람과 같이 보았던 그 옛날 사랑의 빛깔 그대 아이의 얼굴에 비치고 있습니다.

그대 곁의 사람과 같이 보았던 그 옛날 사랑의 속삭임 그대 아이들의 가슴에 행복별을 띄우고 있습니다.

5월에는 아이들과 사랑의 노래를 부르세요.

하버드학부모님들 파이팅! 하시기 바랍니다.

• • • • • • •

| 5월 / 3주 | 안내글 |

하버드 친구들 모두는 "글로벌 리더" 입니다.

안녕하십니까?

엄마, 아빠 들어 주세요

모든 대화의 기본은 상대방을 존중하는 태도일 것입니다.

자녀와의 대화에서도 마찬가지 일 것입니다.

어린이를 존중하는 태도를 나타내는 길 중의 하나는 어린이가 하는 말에 귀를 기울이는 것입니다.

부모라고 해서 우월한 입장에서 자녀를 볼 것이 아니라 자녀의 입장에서 "너도 네 생각이나 느낌, 감정을 표현 할 권리가 있다", "네 생각이 참 좋구나", "네 의견을 들어보자"등 자녀가 부모님과 동등한 인간임을 느끼게 해 주는 일은 매우 중요합니다.

부모님이 자녀를 존중하는 태도를 가지면 그 결과 자녀는 자신이 가치 있는 사람임을 인정하게 되고 대화의 문을 활짝 열고 자유롭게 의사 표현을 할 수 있게 됩니다.

좀 더 적극적으로 자녀가 이야기할 수 있게 도와주는 대화의 열쇠는 "어디 이야기 해 봐", "그것 참 재미있는 생각이구나", "이건 너에게 아주 중요한 것 같구나"라고 아이들의 이야기들을 들어 주시기 바랍니다.

• • • • • • •

| 5월 / 4주 | 안내글 |

하버드 친구들 모두는 "글로벌 리더" 입니다.

가정과 함께하는 5월의 축제

"사랑해요" 라는 말이 가장 어울리는 달 5월입니다.

5월 한달 어린이날과 어버이날, 스승의 날까지 우리 아이들이 가족 간의 사랑을 느끼고 부모님과 선생님에게 감사할 줄 아는 아이로 자랄 수 있도록 우리 아이들이 "나는 행복해요!"를 느껴보는 즐거운 시간을 함께 맞이하시기를 바랍니다.

"예쁜 00야- 누구 닮아서 이렇게 예쁘니?" "저는 요? 눈은 엄마 닮았고요, 코는 우리 아빠랑 똑 같데요"라고 대답하는 아이들의 웃음이 얼마나 예쁜지 아시나요? 사랑하는 부모님을 닮아 행복한 우리 아이들. 아이들의 웃음을 항상 지켜 주세요.

더불어 "나는 어떤 부모인지?", "부모로서 나의 역할은 무엇인지?" 바쁜 생활 중에도 되돌아보며 우리 아이들이 항상 평화로운 환경 속에서 안전하고 행복하게 잘 자랄 수 있도록 다짐해 보는 시간을 가져 보시기 바랍니다.

우리 아이들이 생각하는 하버드학부모님들은 항상 최고! 최고! 입니다 !!!

• • • • • • •

6월 / 4주 안내글

인성 프로그램이 좋아요

| 6월 / 1주 | 안내글 |

하버드 친구들 모두는 "글로벌 리더" 입니다.

아이들이 듣는 시냇물 소리들..

어느 원에서 소풍을 갔습니다. 한 아이가 선생님께 질문을 했습니다. "선생님!, 시냇물은 왜 소리를 내며 흘러가나요?" 선생님은 시냇물에 귀를 기울였습니다. 정말 시냇물은 "ㄹ ㄹ", 또는 "졸졸졸" 소리를 내며 흐르고 있었습니다. 자세히 듣고 살펴보니 시냇물이 소리를 내는 것은 물속에 돌맹이들이 여기저기 모여 있음을 볼 수 있었습니다.

돌맹이가 들쑥날쑥 어울려 있었기에 시냇물은 아름다운 소리를 내고 흐르는 것을 발견 했습니다. 시냇물이 아름다운 소리를 내듯이 우리들 아이들의 생활도 나름대로 아름다운 소리를 냅니다. 우리 아이들이 아름다움의 소리를 알려고 하고, 느끼려고 하는 것처럼 우리들의 삶에 있어서, 곱고 아름다운 배려 가운데 서 있게 하고, 한편으로 힘들고 어려운 삶을 살아온 우리들에게 새로운 안목으로 인생을 바라보라는 선물이 아닌가 싶습니다.

우리네 삶을 무지개처럼 아름답게 바라보고, 바르고 행복한 삶이 되었으면 좋겠습니다.

하버드학부모님들! 파이팅! 입니다.

• • • • • • •

| 6월 / 2주 | 안내글 |

하버드 친구들 모두는 "글로벌 리더" 입니다.

들어 주고 들어주고 또 들어주자

아이들이 이야기를 하고자 하는 말들을 귀담아 들어 주면, 아이들은 마음속에 있는 하고 싶은 말을 마음껏 할 수 있어 시원해 합니다.

친구들: 엄마! 스무 살이 되려면 몇 밤을 자야 돼요?.

엄마: 아주 많이 자야 하는데 왜?, 스무 살이 빨리 되고 싶니?.

친구들: 그런데요? 스무 살이 되면 결혼해도 돼요?.

엄마: 너에게 좋아하는 친구가 생겼구나!.

친구들: 그래요! 그런데 그 친구가요, 나 보고는 스무 살까지 기다려 달래요.

아이들은 마음속에서 우러나오는 말들을 많이 하게 해야 아이들이 살아납니다. 지금까지는 쓸데없는 말이라고 말을 하지 못하게 하거나 듣기 싫어하며 매몰차게 몰아 붙였다면 억울하고, 분하고, 답답하고, 외롭고, 무섭게만 느꼈을 것입니다. 아이들에게 모든 말들을 마음껏 할 수 있게 해 주시기 바랍니다. 아이들은 자기들의 말들을 들어주지 않아 답답해 할 뿐만 아니라 아이들은 스스로 힘이 빠져 시무룩하게 지내는 아이들이 많이 생겨 납니다. 아이들의 말을 들어주고, 들어 주고, 또 들어 주시기 바랍니다. 그래서 아이들이 되살아납니다. 아이들이 하고 싶은 말을 못하게 하고 어른들이 하고 싶은 말만 하면 되겠습니까? 아이들에게 죽어가던 말들을 살려내고, 속에서 하고 싶은 말들을 마음껏 하게 해야 아이들이 살아나고 말이 살아납니다.

• • • • • • •

| 6월 / 3주 | 안내글 |

하하버드 친구들 모두는 "글로벌 리더" 입니다.

안녕하십니까?

우리의 아이들이 친구를 사귀고 교제를 나누는 일은 무척 중요하다고 생각을 합니다.

친구는 우등생만이 좋은 친구는 아니며 비록 실력이 뒤떨어진다고 할지라도 자신의 개성이나 가능성을 이끌어 줄 수 있다면, 좋은 친구라 할 만합니다.

학부모님들이 좋아하고 싫어함을 떠나서 어디까지나 자녀 편에 서서 냉정한 판단을 해야 합니다.

그렇다고 어느 누구와도 친구가 되라는 뜻 또한 아닙니다.

물론 사회생활을 위해 많은 사람과 사귀는 것도 좋은 일이겠지만, 진정으로 자신에게 도움이 될 수 있는 친구를 선택할 때 신중을 기하고 자기발전에 도움을 줄 수 있는 친구가 가장 바람직한 친구이며 자기를 이끌어 주는 것도 좋지 않을까요?

•••••••

| 6월 / 4주 | 안내글 |

하버드 친구들 모두는 "글로벌 리더" 입니다.

안녕하십니까?

아홉 가지 자녀 교육의 길잡이를 소개 합니다.

볼 때는 분명하기를 생각하고,

들을 때는 확실하기를 생각하며

얼굴빛은 온화하기를 생각하고,

태도는 공손하기를 생각하며

말은 충실하기를 생각하고,

일은 신중하기를 생각하고

의심이 날 때에는 물어 볼 것을 생각하고,

분이 날 때에는 재난을 생각하며

이득을 보면 의로운가를 생각하라.

톨스토이는 "아이는 어른보다 총명하다고 했습니다. 아이는 자기의 영혼과 똑같은 모습의 것이 누구에게나 있다고 마음으로부터 느끼기 때문이다"라고 했습니다.

순수한 마음의 눈으로 보는 일은 우리가 오히려 아이들에게 배우게 되는 소중한 지혜인 것 같습니다.

• • • • • • •

7월 / 4주 안내글

대화와 소통과 감동이 있어요

| 7월 / 1주 | 안내글 |

하버드 친구들 모두는 "글로벌 리더" 입니다.

우리는 다른 사람입니까? 같은 사람입니까?

우리는 다르지만 같은 사람입니다.

우리는 생김새도 다르고, 사는 곳도 다르고, 생각하는 방식도 다릅니다.

그러나 한가지만큼은 다를 수가 없습니다. 우리는 원장선생님과 선생님과 학부모라는 각기 다름 역할과 책임을 지녔지만 아이들을 키우는 특별한 삶과 일들 가운데에서는 분명 하나처럼 같은 교사입니다.

좋은 교사는요?

차분한 분위기속에서 대화를 나누어 본 아이는 말을 잘하고 이해력이 많다고 합니다.

아이에게 여러 가지를 요구하기 전에 먼저, 바람직한 환경을 만들어 주는 것이 중요합니다. 늘 아이는 우리 곁에 있기에 더욱 거리를 좁혀서 아이에게 다가 갈 수 있는 방법이 분명히 있기에 교사인 우리들이 진정으로 아이들의 세상에서 아이들을 대할 때, 아이는 이 거대하고 복잡한 세상이 두렵지 않을 것입니다.

• • • • • • •

| 7월 / 2주 | 안내글 |

하버드 친구들 모두는 "글로벌 리더" 입니다.

아이들을 교육 속으로 끌여 들여 알아주기

말하기 교육은 생활 속에서 일어나는 문제를 교육 속으로 끌어들여 들어내 풀어가야 합니다. 말하기 교육은 가르치려 들지 말고 들어주고 들어줘야만 아이들을 위한 생활 교육으로, 아동중심 교육으로, 열린 교육으로 아이들을 위한 교육이 될 것입니다.

"엄마! 자꾸만 하는 말이지만요. 말은 왜 있어요?.
내가 하고 싶은 말 마음껏 하고 싶은 말, 마음껏 하고 자라도록 도와야지요?"
아이들이 하고 싶은 말 마음껏 하고 자라게 하려면 누군가는 들어줘야지요.
들어 주는 사람이 있어야 말을 하지요.
그럼요! 생활 속에서요! 말이 하고 싶어 견딜 수 없어 터져 나온 말 외우지 않은 말 가득 들어 있는 말을 교육 속으로 끌어들여 또 들어주고 또 알아주고 또 감동케 해 주세요.

• • • • • • •

| **7월 / 3주** | 안내글 |

하버드 친구들 모두는 "글로벌 리더" 입니다.

안녕 하십니까?

시골의 아침은 그냥 오는 법이 없습니다.

귀를 간질이듯 속살거리며 옵니다.

봄이 한창 무르익는 새벽 창밖에서 우는 참새 소리가 그렇습니다.

귀이개로 귀지를 건져 올리듯 간지럽습니다.

종지만한 참새들은 소곤대길 좋아합니다.

새벽잠이 없습니다. 길 건너 파란 대문 집 대추나무가 참새들이 아침을 맞는 장소입니다.

참새 울음소리를 노래라 해야 하나 속삭임이라 해야 하나.

하여튼 참새들은 곤하게 잠든 나를 조곤조곤 깨웁니다.

자잘한 목소리로, 또록또록한 목소리로 어르듯이 우리들을 깨웁니다.

자연이 지어낸 자명종일 것입니다.

시골 아침의 참새는 소란하지만 소란하지 않고, 단조롭지만 단조롭지 않습니다.

한겨울 참새 소리는 맵고 싸늘하지만 봄의 참새 소리는 새로 돋는 풀잎처럼 통통하고 윤기 있고 풋풋합니다.

마치 살찐 쑥맛처럼 은근하고 친밀합니다. 맛있습니다.

귀 기울여 잘 들으면 참새 소리에서 반짝이는 여울물 소리가 납니다.

오늘 아침도 귀를 기울입니다.

숨이 멎을 듯 달콤한 밀어이기에....

그 참새 울음소리는 내 마음에 속삭임처럼 남아 있습니다.

• • • • • • •

| 7월 / 4주 | 안내글 |

하버드 친구들 모두는 "글로벌 리더" 입니다.

안녕 하십니까?

학부모님 댁내에도 평안들 하시지요?
하루가 쌓여 열흘이 되고, 열흘이 쌓여 한 달이 되고, 한 달이 쌓여 1년이 됩니다.
하루를 성실하게 사는 것이 평생을 성실하게 사는 것이 됩니다.
지금의 내가 하는 일이 쌓여 미래의 내가 되는 것이니, 더 좋은 사람이 되기 위해 끊임없이 노력해야 할 것 같습니다.
매일 매일 새롭게 어제와 다른 내가 되기 위해 노력하는 열정이 필요합니다.
올 해에도 자기 직분을 정확히 알고, 오늘, 즉 '지금, 여기'를 가장 소중히 여길 줄 아는 한 해가 둥근 꽃처럼 피면 좋겠습니다.

• • • • • • •

8월 / 4주 안내글

아이들의 눈높이가 높아요

| 8월 / 1주 | 안내글 |

하버드 친구들 모두는 "글로벌 리더" 입니다.

안녕 하십니까?

사랑하는 학부모님!

인생이란 낯선 곳에서 꿈이라는 희망의 나침반이 없다면 우리는 아무것도 할 수 없습니다.

지금 즉시 백지 한 장과 펜을 잡고 상상 속에 머물러 있는 여러분의 꿈을 글과 그림으로 표현 해보십시오.

그리고 '꿈을 이루는 8가지 DNA'를 적용해 실천 하십시오.

학부모님들의 삶에 활기가 불어 넣어져 신바람 나는 하루가 될 것이며 소망하는 일을 다 이룰 수 있습니다.

또렷한 기억보다 희미한 기록이 낫다는 말이 있듯이 글로 쓴 꿈을 가진 3%의 사람들이 우리 사회를 움직인다는 연구보고서가 있습니다.

- 모든 일을 할 때 꿈에 초점을 맞추고
- 그 목표들을 세분화하면 바로 계획이 되고
- 그 계획을 정상을 향해 움직이도록 실천해 보고
- 꿈을 날짜와 함께 기록하면 목표가 되고
- 매일 '꿈의 탑' 에 지혜의 벽돌 한 장씩을 쌓는다는 끈기로 이끌어 가면서
- 이 모든 것들을 꿈을 향해 징검다리를 놓아 보세요!
- 내 꿈이 이미 달성 되었다고 시각화하고
- 내가 원하는 모습을 상상하면서 이미 다 이룬 것처럼 하루를 사세요!

• • • • • • •

| 8월 / 2주 | 안내글 |

하버드 친구들 모두는 "글로벌 리더" 입니다.

안녕하십니까?

현자는 배움이란 "처리하기 어려운 일을 처리해야 식견이 자랄 수 있고, 다루기 어려운 사람을 다뤄 봐야 성품을 단련할 수 있다"고 합니다.

또한 "난처한 일을 겪어봐야 식견이 깊어지고, 예측하기 어려운 사람을 겪는 동안 마음공부가 단단해 진다" 고도 하고," 거름을 너무 많이 주면 쭉정이가 많아지고, "수분이 조금 부족한 듯해야 밑동이 튼튼해져서 알곡이 야물다"고 했습니다.

"사물의 이치"에도 곱셈과 나눗셈이 있고, "사람의 도리"에는 덧셈과 뺄셈이 있다라고 합니다.

현자는 결론적으로 "큰일을 이루려는 사람은 정화가 너무 일찍 새어 나가는 것을 경계하고,

멀리 안목을 지닌 사람은 쉬는 시간이 너무 지나쳐서는 안 된다"했을 법 합니다.

• • • • • • •

| 8월 / 3주 | 안내글 |

하버드 친구들 모두는 "글로벌 리더" 입니다.

안녕하십니까?

건강한 삶, 행복한 삶을 살기 위해 필요한 것들은 무엇일까요?

우리들에게는 관점만 달리해도 세상이 달라진 듯한 새로움을 느낄 수 있습니다.

변화의 시작, 그 출발점은 누구보다 "사랑스러운 귀염둥이들과 학부모님들" 을 잘 아는 것일 것 같습니다.

우리들이 추구하고 나아갈 길을 어디일까요?

우리가 겪는 수많은 관계와 그 안에서 생기는 수많은 갈등과 고민들, 변화의 바람 속에서 새로운 관계의 방향을 제시하고 우리 스스로 변화를 이끌어 낼 수 있는 마음의 소리와

하버드학부모님들의 소리에 귀를 기울여 달려가도록 늘 노력하겠습니다.

• • • • • • •

| 8월 / 4주 | 안내글 |

하버드 친구들 모두는 "글로벌 리더" 입니다.

안녕 하십니까?

건강을 잃으면 왜 모든 것을 잃는다고 했는지 그 의미를 깊이 깨닫는 때가 있습니다.

인간은 늘 이렇게 무엇인가를 잃고 나야만 비로소 그 가치를 알게 되는 가 봅니다.

신이 우리가 왜 범사에 감사해야하는지 그 이유를 가르치시기 위해서 인간이 이해할 수 있는 방법으로 때때로 인간에게 소중한 것들을 잃게 하신다는 생각이 들었습니다.

때문에 지금 감기로 인해 건강을 잃은 것을 감사하기로 했습니다.

건강이 얼마나 소중한 것인지를 알게 되었기 때문입니다.

그간 건강했던 것이 얼마나 감사한 일이었는지 깨달았기 때문입니다.

사랑하는 학부모님 지금 무엇을 잃으셨습니까? 건강입니까? 집입니까? 직장입니까?

가족입니까? 사랑하는 사람입니까?

만약 그 잃은 것으로 인해 그 가치를 알게 되었다면 잃은 것을 감사하시기 바랍니다.

잃은 것을 통해 그 가치를 깨닫고 감사할 수 있는 사람...

세상에서 가장 행복한 사람입니다

9월 / 5주 안내글

부모님들과 소통이 잘 돼요

| 9월 / 1주 | 안내글 |

하버드 친구들 모두는 "글로벌 리더" 입니다.

인간을 향하여 "도전"해 오는 자연의 악조건에 대항하여 거기에 "응전"하는 자세가 필요합니다. 모름지기 우리 모두는 고난과 역경을 싫어 하지만, 그럼에도 불구하고 그것들은 우리들을 향하여 도전해 오고 있습니다. 그러나 어떤 악조건도 결코 절망과 패배만을 안겨 줄 수도 없으며, 오히려 우리들의 진취적인 자세에 커다란 도움이 될 수 있다는 것을 우리들의 삶을 통해서 보여 주고 있습니다. 우리는 그러한 역경에서 승리한 많은 사람들을 적지 않게 보아 왔습니다. "북풍이 바이킹을 만들었다"는 서양 속담처럼 추위와 억센 북풍을 극복하기 위해 우리들은 스스로를 발전시켜 왔기 때문에 북풍은 오히려 복이 될 것입니다.

꿀벌은 더운 지방에서는 사철 꽃이 피어 있기 때문에 따로 양식을 저장할 필요를 느끼지 않아 좋은 꿀을 기대하기 어렵다고 합니다. 추운 지방에 사는 꿀벌들은 겨우내 먹어야 할 양식을 저장하기 위해서 질 높은 꿀을 수확하지 않으면 안 되었기에 양질의 꿀을 만든다는 것입니다.

우리의 삶도 마찬가지입니다. 우리들의 삶을 가볍게 하기 위해서는 다가오는 도전에 용기를 가지고 열심히 준비하여 힘차게 살아 갈 때 보람 있고 가치가 있기에 최선을 다해 살아가야 할 것 같습니다.

• • • • • • •

| 9월 / 2주 | 안내글 |

하버드 친구들 모두는 "글로벌 리더" 입니다.

우리가 지켜야할 계명

지금 힘이 없는 노인이라고 우습게 보지 마라. 그들도 젊었을 땐 훨 훨 날랐다 나도 언젠가는 그렇게 되리니..
네 밥값은 네가 내고 남의 밥값도 네가 내라. 기본적으로 자기 밥값은 자기가 내는 것이다. 남이 내주는 것을 당연하게 생각하지 마라
고마우면 고맙다고, 미안하면 미안하다고 큰 소리로 말해라. 입은 말하라고 있는 것이다. 마음으로 고맙다고 생각하는 것은 인사가 아니다. 남이 네 마음속까지 읽을 수는 없다.
남의 험담을 하지 마라. 그럴 시간 있으면 팔굽혀 펴기나 운동을 해라.
되도록 말을 아껴라. 남들은 모두가 다 보고 있다. 늙으면 말이 많아 진단다. 남들이 싫어한다.
가능한 한 옷을 잘 입어라. 외모는 생각보다 훨씬 중요하다. 남들은 우선 외모로 사람을 판단하니 좋은 옷 한 벌 사 입어라.
너 자신을 발견해라. 다른 사람들 생각하느라 너를 잃어버리지 마라. 일주일에 한 시간이라도 좋으니 혼자서 조용히 생각하는 시간을 가져라.
남편아! 아내를 하늘같이 사랑해라. 남편이여! 아내를 내몸 같이 사랑하라.너를 참고 견디니 얼마나 좋은 사람이냐?

• • • • • • •

| 9월 / 3주 | 안내글 |

하버드 친구들 모두는 “글로벌 리더” 입니다.

벌초와 추석

추석을 한국인들의 꿈과 희망이 어디로 향하고 있는지를 확인할 수 있는 시기입니다. 추석 2주전이면 도로는 벌초에 참가한 사람들의 차량으로 몸살을 앓고, 이산 저산에서는 벌초 기계음이 진동합니다. 산소 주위에서 살아가는 식물들은 어쩌면 인간들에게 아주 유익한 존재인지도 모릅니다. 그러나 사람들은 늘 곁에 있는 존재의 가치를 잊곤 합니다. 주변에서 만나는 벼, 콩, 감나무, 대추나무, 밤나무 등 한국인의 삶과 불가분의 관계에 있는 식물들에게 늘 감사하면서 살아야 합니다. 가까이 있는데도 소중한 가치를 절실하게 느끼지 못하는 것만큼 불행한 것도 없습니다. 인간의 행복은 일상에서 늘 가까이하는 것들의 가치를 인정하는데서 출발하기 때문입니다. 대추는 잎이다른 나무에 비해 늦게 세상에 나와 ‘양반나무’라는 별칭을 갖고 있습니다. 이런 열매를 제사에 올리는 것은 열매가 많이 열려 다산을 의미하기 때문입니다. 대추는 붉게 익은 후에는 잘 변하지 않고, 씨도 하나입니다. 참나뭇과의 밤은 아주 강한 가시를 갖고 있습니다. 그 이유는 밤알맹이가 씨방이라서 강한 가시로 보호해야 하기 때문입니다. 밤송이는 싹이 나오더라도 껍질이 뿌리와 함께 합니다. 이런 대추와 밤나무의 특징은 모두 조상을 향한 일편단심을 상징합니다. 올 추석도 힘든 여정 안에서도 행복하게 보내시기 바랍니다.

• • • • • • • •

| 9월 / 4주 | 안내글 |

하버드 친구들 모두는 "글로벌 리더" 입니다.

안녕 하십니까? 사람은 자신을 칭찬하는 사람을 칭찬하고 싶어 합니다.
그러므로 남을 칭찬하는 것은 곧 나를 칭찬하는 일입니다.
누구라도 한두 가지 장점은 있게 마련입니다.
그것을 발견해 진심어린 말로 용기를 북돋워 주어야 합니다.
그렇다고 거짓 찬사를 늘어놓는 것은 사이를 더 뒤틀리게 할 뿐입니다.
아첨인지 칭찬인지는 듣는 사람이 더 빨리 파악합니다.
또 한 가지, 심리학자 아른손의 연구에 의하면 사람들은 비난을 듣습니다.
나중에 칭찬을 받게 됐을 때 계속 칭찬을 들어온 것보다 더 큰 호감을 느낀다고 합니다.

• • • • • • •

| 9월 / 5주 | 안내글 |

하버드 친구들 모두는 "글로벌 리더" 입니다.

자기를 변화시키는 능력

삶에서 내 앞에 문제의 바위가 여전히 있는 현실에 낙심하지 마십시오.
눈에 보이는 현실이 인생의 성패를 좌우하는 최종 결과는 아닙니다. 눈에 보이는 현실보다 눈에 보이지 않는 현실이 훨씬 더 큽니다. 현실의 작은 전쟁에서 실패했어도 인생 전체의 큰 전쟁에서 승리하면 됩니다.
내 앞의 일시적 실패는 내 안의 영원한 성공을 선도하기 위해서 잠시 등장한 엑스트라이자 도우미일 뿐입니다.
환경과 상관없이 나를 변화시켜 보십시오. "변화된 나"는 어떤 환경도 극복하게 만듭니다.
결국 산을 옮기는 믿음은 나를 옮기는 믿음에서 출발합니다.
산을 옮기기 전에 나를 옮겨야 합니다. 거창하게 세상의 변화를 꿈꾸기 전에 소박하게 나의 변화부터 꿈꾸어야 합니다.
남의 변화되지 않는 모습에 답답해하기보다 나에 대한 프라이드부터 버릴 줄 알아야 합니다.
'타인을 변화시키려는 노력' 보다 '자기를 변화시키는 능력'이 더 중요합니다.

10월 / 4주 안내글

아이들 호기심에 날개가 달렸어요

| 10월 / 1주 | 안내글 |

하버드 친구들 모두는 "글로벌 리더" 입니다.

어느새 수확의 계절 가을이 되었습니다.

결실의 계절과 함께 찾아온 한가위, 가을 햇살처럼 풍요롭고 여유로운 마음으로 감사하는 일이 많은 날 들이었으면 좋겠습니다.

그 동안 흩어져 있던 가족들이 모이는 명절입니다.

일상 속에서 힘들었던 일들 잠시나마 접으시고 넉넉한 가슴 따뜻한 마음으로 오랜만에 만나 반가운 모든 분들의 가슴이 정겹고 즐거운 시간으로 붙들었으면 좋겠습니다.

황금 들녘이 마음을 넉넉하게 해주는 가을, 올해는 유난히 비가 많이 오는 여름을 지나 맺는 결실이라 더욱 값진 중추절을 맞이하게 되었습니다.

아무쪼록 온가족이 모여 오순도순 좋은 말씀 나누시고, 맛난 것도 많이 잡수시고 우리 농산물도 격하게 사랑해 주시기 바랍니다.

화목하고 복된 명절 보내시길 바랍니다.

가족과 함께 편안한 연휴 보내시고 뜻한 바 좋은 결실을 맺는 풍성한 가을 보내시기 바랍니다.

언제나 우리 하버드학부모님들 힘내시라고 파이팅! 입니다.

• • • • • • •

| 10월 / 2주 | 안내글 |

하버드 친구들 모두는 "글로벌 리더" 입니다.

안녕 하십니까? 비밀의 공유는 강력한 유대감을 불러옵니다.
그러므로 좋은 관계를 유지하고 싶은 상대에게 내면 일부를 솔직히 공개하는 것은 상당한 효력을 발휘합니다.
이는 곧 '나는 당신을 나 자신처럼 믿는다'는 신뢰의 표현이기 때문입니다.
별것 아닌 일에도 버릇처럼 중의적인 표현을 사용하는 사람들이 있습니다.
곧이 곧 대로의 칭찬, 감탄 대신 석연치 않은 뉘앙스를 풍기는 것은 듣는 이를 가장 기분 나쁘게 하는 어법 중 하나입니다.

특수한 상황이 아니라면 비꼬거나 빈정대는 듯 한 표현은 멀리하는 것이 좋습니다. 산뜻한 칭찬과 비판이 대화의 격을 높입니다. 반대로 단정적인 말도 금물. 뜻은 같되 완곡한 표현법을 익힙니다.

• • • • • • •

| 10월 / 3주 | 안내글 |

하버드 친구들 모두는 "글로벌 리더" 입니다.

하버드 학부모님들! 안녕 하십니까? ♣
논리적 언변은 대화를 이끌어가는 데 큰 힘이 된다고 합니다.
그러나 이견이 있거나 논쟁이 붙었을 때 무조건 앞뒷 말의 '논리적 개연성'만 따지고 드는 자세는 사태 해결에 도움이 되지 않습니다. 설사 논쟁에서 승리한다 해도 두 사람의 관계는 예전으로 돌아가기 어려울 것입니다. 학문적, 사업적 토론에는 진지하게 임하되 인신공격성 발언은 피하고, 제압을 위한 논리가 아닌 합의를 위한 논리를 지향합니다. 또 일단 논쟁이 일단락된 다음에는 반드시 서로의 감정을 다독이는 과정을 밟아야 합니다. 논쟁 자체가 큰 의미가 없는 것일 땐 감정에 호소하는 말로 사태를 수습하는 것도 나쁘지 않은 방법입니다

| 10월 / 4주 | 안내글 |

하버드 친구들 모두는 "글로벌 리더" 입니다.

성품 리더십 -"정직"이 성공하는 리더십입니다.

요즘에는 정직하면 손해를 본다는 인식이 팽배해 있습니다. 정직의 유익은 무엇보다도 신뢰를 얻는다는 것입니다. 정직은 어떠한 상황에서도 생각, 말, 행동을 거짓 없이 바르게 표현하여 신뢰를 얻는 것입니다. 그럼으로 가정에서도 정직의 성품을 키워 보심이 어떠실지요?. 가정에서 정직의 성품을 키우는 여섯 가지의 길을 소개하겠습니다.

첫째, 옳은 일을 선택할 수 있는 용기라고 가르치세요-"진정한 용기"란 아닌 것에 No하고, 내가 저 지른 잘못에 Yes하고 변명하지 않는 것입니다. 손해가 되더라도 자신의 생각과 행동을 솔직하게 표현할 수 있는 용기입니다. 둘째, 부모님이 먼저 정직의 신념을 확고히 하고 모범을 보여 주세요- 자녀들의 성품은 부모님들이 보여주는 작은 일상을 통해 계발됩니다. 작은 일이라도 투명하고 올바르게 선택한 행동을 자녀에게 보여주고 이야기함으로써 정직한 성품의 모범이 되어주세요. 셋째, 속임수나 거짓말이 어떤 결과를 가져 오는지 알려주세요- 정직의 열매는 신뢰입니다. 신뢰를 얻지 못한 사람과는 아무도 친구가 되지 않으려고 하고 외톨이가 된다는 사실을 알려주세요. 넷째, 자녀가 정직하지 못한 행동 을 했을 때는 그 자리에서 즉시 짚고 넘어가세요- 아무도 없는 곳에서 일대일로 이야기를 나누셔야 합니다.

공개적인 훈계는 상황을 더욱 악화 시킬 수 있습니다. 말과 행동을 최대한 침착하게 하고 무엇보다 자녀의 특정 행동에만 초점을 맞추십시오. 다섯째, 자신의 결심을 여러 번 반복할 수 있도록 도와주세요- 옳고 그름을 선택해야 할 상황 가운데서 자신의 결심을 여러 번 반복하여 확인하고 말하는 습관을 기르면 나도 모르는 사이에 자기 확신을 갖게 됩니다. 여섯째, 정직한 행동에 대해 칭찬해 주세요. 결과에 대해서만 칭찬하는 것이 아니라 정직한 행동을 한 과정까지 세심하게 칭찬을 해 주세요. 칭찬과 격려는 자녀의 정직한 성품을 발달시킬 것입니다.

정직한 성품, 성공으로 가는 지름길이며 동시에 강력한 리더십입니다.

• • • • • • •

11월 / 4주 안내글

아이들을 위한 창의력이 뛰어나요

| 11월 / 1주 | 안내글 |

하버드 친구들 모두는 "글로벌 리더" 입니다.

행복하기란 얼마나 쉬운가요?

가을은 책읽기 좋은 계절이라 하지만, 실제로 책은 가장 안 팔린다는 이야기를 책 만드는 일을 하는 분으로부터 들은 적이 있습니다. 분명 가을은 책을 읽기에 좋은 계절이기는 하지만, 그것뿐만 아니라 밖으로 나들이 하기에도 좋은 계절이니 어찌 책 읽는 것을 당연하다 하겠습니까?
요즘은 뛰어난 이야기꾼이자 훌륭한 영성지도자였던 앤소니 드 멜로 신부의 책 〈행복하기란 얼마나 쉬운가〉라는 책을 읽는 즐거움이 쏠쏠합니다. 어렵지 않는 이야기로 깊이 있는 가르침을 주고 있습니다. 여러 가지 면에서 우리 삶의 근본이 되는 것을 뒤 돌아보게 합니다.
'인생의 비극은 얼마나 많은 고통을 겪느냐에 있지 않고, 얼마나 많은 것을 놓치느냐에 있다' 는 말도 마음에 닿습니다. 많은 경우 많은 사람들은 내게 다가온 고통이나 고난으로 인하여 자신의 삶이 행복하지 않다고 생각을 합니다. 이런 일만 없다면 나는 행복할 텐데, 생각하는 것입니다. 그러나 우리를 불행하거나 비참하게 만드는 것은 우리에게 찾아온 고통이 아니라 우리가 놓치고 있는 것들, 알지 못한 채 보내버리고 마는 소중한 것들에 있다는 말이 그윽한 가르침으로 다가옵니다. 오늘 우리들의 삶도 크게 다르지 않습니다. 많은 경우 많은 사람들이 내가 서 있는 곳의 소중함을 깨닫지 못한 채 살아갑니다. 내가 선 곳의 소중함을 깨닫는 것, 바로 그것이 행복으로 가는 첫 걸음이지 싶습니다

• • • • • • •

❘ 11월 / 2주 ❘ 안내글 ❘

하버드 친구들 모두는 "글로벌 리더" 입니다.

"더 높이 더 많이"

한 지혜로운 심리학자가 자녀의 놀이학교 입학을 앞두고 고민에 빠졌습니다. '어떻게 하면 내 아이가 더 많은 것을 배울 수 있을까?' 그는 한 가지 비결을 생각해 냈습니다. 그것은 바로 '더 높이 더 많이 손을 드는 것'이었습니다. 그는 아이에게 수업 시간뿐 아니라 화장실을 가고 싶어 때도 손을 번쩍 들라고 일러 주었습니다. 딸은 아버지가 일러 준 대로 실천을 했습니다. 한두 달 시간이 흐르자 선생님은 손들기 좋아하는 아이에게 관심을 보이기 시작했습니다. 결국 아이는 다른 친구들에 비해 많은 지식을 쌓았고 원 생활에도 즐겁게 잘 적응을 할 수 있었습니다. 더 높이 더 많이 손을 드는 것, 이것은 심리학자가 자녀의 인생과 성공을 위해 숨겨 둔 비밀 병기와도 같은 것이었습니다. 성공하는 사람들에게 한 가지 특별한 점이 있습니다. 바로 '적극적'이라는 것입니다. 지혜로운 아버지와 어머니가 자녀에게 가르쳐 준 것은 바로 성공하는 사람이 반드시 지녀야 할 '적극적 사고방식'입니다. 우리는 체면 때문에 또 남에게 손가락질 받을까 두려워서 자신의 입장을 정확하게 전달하지 못할 때가 있습니다. 성공의 길은 머릿속의 잡념을 떨쳐 버린 채 자신을 더 많이 표현하고 더 많이 드러내는 사람에게 활짝 열려 있는 것 같습니다.

• • • • • • •

| 11월 / 3주 | 안내글 |

하버드 친구들 모두는 "글로벌 리더" 입니다.

안녕 하십니까? 요즘 세상살이가 힘들다고 아우성치는 사람들이 늘어나고 있습니다.

그들의 아우성은 충분히 현실을 대변합니다.

날이 갈수록 국내외의 경제 사정이 어려워지고 있으니 많은 사람들이 고통을 호소하는 것은 당연합니다.

그러나 소리친다고 해서 모든 것이 해결되지 않는 것 같습니다.

내색한다고 해서 누군가가 해결해주는 것도 아닙니다.

그래서 어떤 이는 세상이 험하고 힘들수록 각자의 자리에서 내색하지 않고 살아가는 나무를 생각하고, 어떤 이는 인생에서 가장 힘든 시절을 맞이했을 때 나무의 삶을 통해 용기를 얻었다고 합니다.

그는 힘들 때마다 그 누구에게도 내색하지 않고 묵묵히 살아가는 나무의 삶을 통해 무거운 발걸음을 내디뎠던 시절을 기억하며, 눈물 훔치면서도 어두운 곳에서 묵묵히 걸어 나왔던 그 시절을 떠올리면서 매일 매일 당당하게 집을 나섭니다.

암담한 현실 앞에서 처진 어깨를 펴면서 살아가는 비법은 오로지 뒤돌아보지 않고 자신의 삶을 묵묵히 살아가는 실천력과 한마디 말보다 소중한 것은 자신의 생각을 직접 옮기는 행동력이며, 꽃이 아름다운 것은 내색하지 않고 자신의 힘으로 피우기 때문이라고 합니다.

• • • • • • •

| 11월 / 4주 | 안내글 |

하버드 친구들 모두는 "글로벌 리더" 입니다..

안녕 하십니까?

감정계좌

모든 사람은 감정탱크, 사랑은행, 감정계좌 등 다양하게 불리는 것을 가지고 있습니다.

예금계좌와 마찬가지로, 우리는 이 감정계좌에 입금을 하고 출금을 합니다.

우리가 말을 하는 것, 시간을 함께하는 것, 의미 있는 대화를 나누는 것, 서로를 돕는 것, 서로의 좋은 파트너가 되는 것, 재미있고 충실한 파트너가 되는 것 – 이 모든 것들은 우리가 입금과 출금을 할 수 있는 몇 가지 부분들입니다.

부부가 함께 하지 않거나 사랑을 느끼지 못하거나 별거나 이혼을 생각하고 있는 것은 한쪽 또는 양쪽의 감정계좌가 바닥을 드러내고 있거나 완전히 비어 버렸기 때문입니다.

부부는 감정적으로 배우자를 파산시킬 때 이혼합니다.

대금을 항상 늦게 결재해 주는 사업가가 어리석은 것과 같이 필요할 때에 아내의 감정계좌에 입금을 하지 않는 남편도 어리석기는 마찬가지이다.

우리들 모두는 출금을 하고 있습니다.

문제는 어떻게 하면 출금보다 더 빨리 입금을 하느냐는 것입니다. 당신이나 당신 아내가 하는 모든 일은 입금 아니면 출금입니다.

우리 아내의 계좌에 사랑과 신뢰의 저수지를 오늘 만들어 보십시오.

오늘, 바로 지금 당신의 감정계좌에 있어 입출금의 균형 상태는 어떤 것 같습니까?

당신은 아내의 감정계좌에 대해서 어떻게 평가하겠습니까?

• • • • • • •

12월 / 4주 안내글

유아 교육의 선두 주자

| 12월 / 1주 | 안내글 |

하버드 친구들 모두는 “글로벌 리더” 입니다.

추운 기온과 바람에 어깨를 움츠리게 만드는 겨울, 그래도 겨울은 야박하게 느껴지지 않는 것은 눈이 오기 때문입니다. 밤사이 함박눈이 조용히 내렸습니다. 눈은 때 묻지 않은 순수함으로 우리들의 마음을 포근하게 어루만져 줍니다.

아이들은 추위도 잊은 채 눈사람도 만들고 눈싸움도 하며 즐거운 추억을 만들어 갑니다. 0000년도 어느새 달력 한 장만을 남겨 놓고 있습니다.

지난 한 해 동안 아껴주고 사랑해 주신 학부모님들께 감사 인사를 드립니다. 앞으로 더 나은 모습으로 다음 만남을 준비하겠습니다.

• • • • • • •

| 12월 / 2주 | 안내글 |

하버드 친구들 모두는 "글로벌 리더" 입니다.

안녕하십니까?

하루를 시작할 때는 "사랑"을 생각해 보세요.

오늘 누구에게 내 사랑을 전할까? 생각해 보세요

하루가 끝날 때 당신에게 남는 것은 오늘 한 일이 아니라 오늘 전한 사랑입니다.

일주일을 시작할 때는 "웃음"을 생각해 보세요.

일주일은 밝은 마음을 그대로 유지할 수 있는 적당한 시간입니다.

일주일이 끝날 때 당신에게 남는 것은 걱정할 일이 아니라 밝게 웃는 일입니다.

한 달을 시작할 때는 "믿음"을 생각해 보세요.

한 달은 내가 확신하는 일을 실천하는 일을 실천하기에 좋은 시간입니다.

한 달이 끝날 때 당신에게 남는 것은 의심했던 일들이 아니라 믿고 행한 일들입니다.

일 년을 시작할 때는 새로운 "꿈"을 생각해 보세요.

일 년은 꿈을 심고 가꾸기에 넉넉한 시간입니다.

일 년이 끝날 때 당신에게 남는 것은 계속했던 많은 일이 아니라 새로 시작한 한 가지 일입니다.

• • • • • • •

ㅣ12월 / 3주 ㅣ 안내글 ㅣ

하버드 친구들 모두는 “글로벌 리더” 입니다.

새 달력을 넘기며

책상 옆에 새해 탁상달력을 놓습니다. 갓 낳은 365개의 따뜻한 달걀 한 바구니를 받아놓듯 마음이 뿌듯해집니다. 살아오면서 이처럼 확실하게 받았던 크고 든든한 선물이 또 있었을까요?. 그가 누구든 똑같은 분량의 선물을 똑같은 시각에 똑같이 받는다면 아마도 공평할 것입니다. 해마다 되풀이되는 일이지만 새해 달력을 받았대서 묵은 달력을 그냥 버리지 않습니다. 지난해의 중요한 일정을 옮겨 적는 버릇이 생겼다. 씨앗 파종 날짜며 베란다에서 크는 호금조 산란 날짜, 가족의 생일, 인근 산에 철쭉이 피는 시기, 선물을 받은 날과 토란 택배를 보낸 날짜, 친구와 만났던 날짜, 가족 여행, 문학과 관련한 행사, 그리고 건강 검진일 등은 묵은 달력과 함께 그냥 버리기엔 너무도 아까운 정보입니다. 살아오면서 얻은 게 있습니다.
사람 사는 일이란 게 대체로 반복된다는 점입니다. 지나간 해는 지나간 해입니다. 우리 앞에 이제 ‘새 술’ 같이 맛있는 새해가 왔습니다. 모든 것은 지난날의 그것이 아니며 반복될 뿐 늘 새로운 것입니다. 모두 지난해에 받았던 그 선물을 닮았지만 새로운 꿈을 이루어낼 새로운 선물입니다. 부디 새롭기를 희망합니다.

• • • • • • •

| 12월 / 4주 | 안내글 |

하버드 친구들 모두는 “글로벌 리더” 입니다.

삶을 느리게 산다는 것……

삶을 느리게 산다는 것 안에는 우리들에게 무한한 의미가 함축되고 담겨져 우리들의 마음과 가슴속으로 아련하게 다가옵니다. 예를 든다면 느림의 대명사로 달팽이를 들 수 있을 것 같습니다. 달팽이는 한 시간 동안 평균속도로 50미터 정도밖에 못갑니다. 그러면서 달팽이는 “집에서 멀리 나갔다가 오는 길이 너무 멀고, 낮에는 해가 높이 떠서 나를 찌르고, 때로는 친구들에게 인사를 하고 홀로서 흥얼거리기도 합니다. 그러면서 언젠가는 저 넓고 거칠은 세상 끝 바다로 갈 거라고. 아무도 못 봤지만 기억 속 어딘가 들리는 파도소리 따라서. 나는 영원히 갈래” 하고 다짐을 할 것입니다. 그리고 또 하나는 음악의 감동을 통해서 빠르고 역동적임과 느림이 교차하는 순간의 아름다움을 느낄 수 있습니다.

우리들의 삶도 빠른 삶이 있다면 또 그것을 풀어주는 여유와 느긋함이 있게 마련입니다. 느림이란 빠름에 적응하는 능력이 없음을 의미하지는 않는 것 같습니다. 그것은 시간을 여유롭게 다루고, 삶의 길을 가는 동안 나 자신을 잃어버리지 않고 세상을 받아들이겠다는 의미의 산물인 것 같습니다. 하여 느림은 꼴찌가 아닌 완성의 시작입니다. 느림은 ‘그리움’과 ‘기다림’이 만나 새로운 창조의 힘을 경험하게 해 줍니다 사랑도 느림이 가져다주는 행복 가운데 하나입니다. 들녘에 예쁜 꽃이 피어 있어도 멈추어 바라보지 않으면 아름다움을 느낄 수 없는 것처럼 우리들의 삶에서도 여유를 가져야 보이는 아름다움이 많을 것 같습니다.

꼴찌가 아닌 완성을 향한 느린 첫걸음 올 한해도 행복함 속에서 ‘파이팅’ 입니다.

• • • • • • •

1월 / 5주 안내글

유아 교육의 길잡이

| 1월 / 1주 | 안내글 |

하버드 친구들 모두는 "글로벌 리더" 입니다.

희망찬 00년 새해가 밝았습니다. 먼저 가정에 행복과 건강하시길 기원 드립니다.'영원히 강한 나라도 없다.' 사업이 잘 되고 있을 때, 좋은 자리에 있다고 해서 자만하지 않아야 할 것입니다.

흔히 우리는 '잘 나간다!'라는 말을 쓰곤 합니다.

잘 나갈 때 조금 더 겸손하고 주변사람의 말에 경청할 수 있다면 주변의 좋은 인간관계로 인해 분명 더 좋은 모습의 한해를 맞이하실 수 있을 것입니다. 그리고 '영원히 약한 나라도 없다!'라는 말처럼 지금 조금 힘들어도 그 어려움이 영원하지 않습니다.

분명 기대하는 좋은 날이 찾아 올 것입니다.

인생의 굴곡에 대해 말할 때 '힘든 시기의 바닥을 치면 올라갈 일만 남았다.'라고 주변사람을 격려할 때 했던 말처럼 '올해는 정말 올라갈 날만 남았다'라는 자신감과 함께 긍정의 씨앗을 마음속에 뿌려야 합니다. "할 수 없다!"의 씨앗을 마음 밭에 뿌려버리면 "할 수 있다!"의 씨앗은 그 밭에서 자라날 수 없습니다.

어떤 일이든지 할 수 있음의 믿음의 씨앗을 먼저 뿌려야 합니다.

"올해는 모든 일이 잘 될거야!" "문제없어!"라는 긍정의 씨앗이 연초에 무엇보다 필요할 것입니다. 새로이 시작된 0000년 1월 마음속에 겸손함과 할 수 있고 할 수 있다는 자신감을 갖으시길 바랍니다. 하버드학부모님들! 파이팅! 입니다.

• • • • • • •

| 1월 / 2주 | 안내글 |

하버드 친구들 모두는 "글로벌 리더" 입니다.

안녕 하십니까?

- 또 한 해가 밝았습니다.
- 0000년 000띠 해가 다가왔습니다.
- 0000년 000띠 해를 보내면서 류시화의 시가 생각났습니다. 「새는 날아가면서 뒤돌아보지 않는다」 비상하여 날아가는 새들은 그들이 목표한 곳을 향해 날아갈 뿐, 지나온 길을 돌아보거나 후회하지 않는다는 뜻일 것입니다. 세월도 그렇고, 우리 삶도 그렇습니다. 새롭게 날개 펴고 힘차게 날아갈 우리들의 한 해, 오롯한 365일이 우리 앞에 놓여 있습니다. "나무에 앉은 새는 가지가 부러질까 두려워하지 않는다. 새는 나무가 아니라 자신의 날개를 믿기 때문이다." 우리들이 믿을 수 있는 날개는 우리들의 몸과 마음입니다. 건전한 사고방식과 건강한 몸으로 우리들이 꿈꾸는 방향으로, 더 높은 목표로 나아가야 하는 한 해인 것입니다. 사랑하는 학부모님!
- "네가 무엇을 하고 있는지를 네 스스로 알 때, 그것은 언제든지 성취될 수 있는 것이다." 우리 모두는 너무 큰 욕심보다는 자신에게 숨겨져 있는 능력과 진정한 자아를 찾으며 작은 것부터 성취해 가는 행복한 한 해를 만들어 보는 것은 어떨까요?

• • • • • • •

| 1월 / 3주 | 안내글 |

하버드 친구들 모두는 "글로벌 리더" 입니다.

새해엔 칭찬해 보리라

00년 새해엔 덜 불평하고 덜 비난하고, 더 많이 칭찬하리라.

그 칭찬의 삶에 공감하고 배려하고 인정하는 삶이 덤으로 따라붙으면서 절로 행복을 누리게 될 것만 같습니다. 그러니 어찌 삶을, 사람을 사랑하지 않을 수 있겠는가?

새해엔 그 누구도 아닌 내 자신을 위해 '칭찬'의 길에 서 있으면 참 좋겠습니다.

"나 그대를 예찬했더니 그대는 백 배나 많은 것을 돌려주었다. 고맙다, 나의 인생이여!"

다시 트루니에의 말입니다.

| **1월 / 4주** | 안내글 |

하버드 친구들 모두는 "글로벌 리더" 입니다.

새해에 여는 하루

우리의 하루는 잠에서 깨어나 가장 먼저 내 몸과 마음이 세상과 만나는 것이 하루입니다. 때로는 닭 울음 소리가 들리기도 하고, 이름 모를 새소리, 풀벌레소리가 아침을 깨우기도 합니다. 순간 내가 살아있음에, 새소리, 바람 한 줄기와 함께 살아가고 있음에 절로 찬탄이 일어납니다. 얼마나 즐겁고 신나는 느낌입니까?

• • • • • • • •

| 1월 / 5주 | 안내글 |

나이를 잘 먹는 열 가지 방법

첫째, 무리한 액션을 삼가자. 나이란 자신도 모르는 순간에 먹어간다. 그건 자신도 모르는 사이에 늙어간다는 뜻이다. 가벼운 계단도 한 칸씩 오르자.

둘째, 말수를 줄이자. 말이 많아졌다고 느낄 때 그것이 나이를 많이 먹었다는 증거임을 알아야 한다. 말을 많이 하기보다 남의 말을 들어줄 때 그만큼 내가 젊어진다.

셋째, 책을 많이 읽자. 나이 많은 이가 지혜롭다는 말은 옳지 않다. 머리가 텅 비면 그 안에 고집만 들어찬다. 머리를 새롭게 하려면 디자인에 관한 책을 읽어라.

넷째, 아집을 버리자. 60평생을 살아왔다 해도 기껏 몇 개의 직장에서 두어 가지 일을 한 게 전부다. 그러고도 자신이 세상을 다 안다고 믿을 때 아집의 수렁에 빠진다.

다섯째, 마음을 열자. 얄팍한 '개똥철학'에 매달리지 말고 남의 주장을 새롭고 신선하게 받아들여라. 나의 것보다 남의 것이 항상 더 새롭다.

여섯재, 멋있게 말을 하자. 같은 말도 멋있는 수사를 동원하면 말하는 이까지 멋있어 보인다.

일곱째, 눈에 거슬린다고 보는 대로 나무라지 말자. 버릇없고, 예의 없다고 젊은이들에게 화내선 안 된다.

여덟째, 여행을 많이 하자. 도보 여행이든 자전거 여행이든 여행은 낭만적이다. 멋있는 추억은 멋있는 영화만큼 인생을 풍요롭게 한다.

아홉째, 남에게 나누어 주자. 소중한 것일지라도 나를 기억할만한 주위 사람에게 나의 것을 넘겨주자. 결국 나의 것이 되지 못한다. 열째, 몸에 알맞은 운동을 하자. 건강을 잃으면 다 잃는다. 건강이야말로 내가 마지막까지 지켜야할 가장 절실한 나의 재산이다.

• • • • • • •

2월 / 5주 안내글

행복한 꿈을 꾸는 아이들이 모여요

| 2월 / 1주 | 안내글 |

하버드 친구들 모두는 "글로벌 리더" 입니다.

- 사람마다 새해를 맞이하는 자세는 다르지만 자세의 여하에 따라 한 해의 결과가 달라진다고 합니다.
- 우리 학부모님들은 새해를 맞으면서 한자 '신(新)'을 생각해 보시면 어떨까요?.
- '신'은 사람이 '나무 위에 올라 도끼로 가지를 자른다'는 뜻입니다.
- 도끼로 가지를 자르면 새 가지가 나옵니다.
- 다시 말해 묵은 가지를 잘라 내면 새 가지가 나오는 것이 곧 새롭다는 뜻이겠습니다.
- 우리는 이러한 모습을 어린 시절 땔감을 하면서 경험했습니다.
- 특히 콩과의 아까시나무의 경우 줄기를 잘라도 이듬해에 잘린 부분에서 다시 힘차게 줄기가 돋아납니다.
- 장미과의 매실나무도 해마다 가지를 잘라야만 열매를 많이 수확할 수 있습니다.
- 중국의 유교 경전인 『대학』에 나오는'일신우일신(日新又日新)'도 나무와 관련해서 이해하기 쉽습니다.
- 나무가 위대한 것은 '매일 매일 새롭다' 것을 실천하는 존재이기 때문일 것입니다.

• • • • • • •

| 2월 / 2주 | 안내글 |

하버드 친구들 모두는 "글로벌 리더" 입니다.

안녕 하십니까?
세상에서 가장 값진 것은 사랑을 나눌 줄 알고 베풀 줄 아는 넉넉한 마음입니다
세상에서 가장 소중한 것은 작은 것이라도 아끼고 소중히 여길 줄 아는 검소함입니다.
세상에서 가장 소중한 것은 사랑입니다
부모 자식 간의 사랑, 부부의 사랑, 연인들의 사랑, 친구 간에 사랑, 이웃 간에 사랑, 사랑이 없는 곳에는 웃음과 행복이 없기 때문입니다.
세상에서 가장 아름다운 소리는 "당신을 사랑합니다". 그리고 "당신이 있어 행복합니다."입니다.
이보다 더 듣기 좋은 말은 없을 테니까요.
세상에서 가장 중요한 것은 마음가짐입니다.
언제나 긍정적인 사고방식으로 살아가려는 마음은 마음에 평안과 안식을 줍니다. 세상에서 가장 소중한 것은 진실입니다.
진실한 말 한 마디로 믿음과 행복을 줄 수 있다면 마음 안엔 날마다 행복의 씨앗이 자라게 될 것입니다.

• • • • • • •

| 2월 / 3주 | 안내글 |

하버드 친구들 모두는 "글로벌 리더" 입니다.

복을 이웃과 함께 나누면서 출발합니다!!

0000년 새해가 밝아왔습니다.
복조리, 복돼지, 복권, 복사마귀 등 우리는 누구나 복 받기를 좋아합니다.
복이란 무엇일까요?
알고 보면 복이란 횡재가 아니라 어두움에서 밝음으로, 가난에서 부자로, 낮은 데서 높은 데로, 울음(눈물)이 변하여 웃음이 되는 상태를 말합니다.
복의 출발점은 꿈꾸는 데서 시작합니다.
천진 난만한 어린 아이들을 보세요. 사소한 것을 보고도 소리 내어 웃습니다.
뭐가 그렇게 우스운지 그냥 웃습니다. 웃음은 나에게도 복이 되지만, 타인을 향한 나의 웃음은 타인에게도 복이 됩니다.
경제는 어려워지는데 내야 할 세금은 더욱 무거워지고 하니 밝은 웃음은 커녕 우리들의 표정은 울상이 되기 쉽습니다.
우리 학부모님들의 마음들을 새롭게 하여 새해를 희망찬 복의 해로 만들어 가야겠습니다.
어려운 이웃끼리 서로 웃음으로 복을 함께 나누는 정든 사회를 만들어 갑시다.
알고 보면 우리 이웃에게는 따뜻한 온정이 있으며 우리 국민들은 어려우면 어려울수록 그것을 함께하는 위대한 정신이 있습니다.
바로 '이웃사촌' 정신입니다. 꿈을 함께 하고 함께 노력할 때 그 꿈은 이루어집니다.
그리고 서로 작은 것이라도 나눕시다. 칭찬과 격려부터 말입니다.
칭찬과 격려야말로 복을 받는 통로입니다."좋아졌다, 좋아졌다" 하면서 열심히 노력하는 가운데 결국 좋아지고야 말 것입니다.
복 있는 삶은 무엇일까요? 사랑하기 때문에 일하고 교육하는 삶입니다.
우리의 모든 학부모님들은 사랑하는 가슴을 가지고 칭찬과 격려, 밝은 웃음을 서로 나눌 때 행복한 삶은 오고야 말 것입니다.

• • • • • • •

| 2월 / 4주 | 안내글 |

하버드 친구들 모두는 "글로벌 리더"입니다.

목표가 우리들의 성공을 결정한다.

목표가 우리들의 성공을 결정한다.
우리의 과거와 현재 – 그 중에 중요한 것은 어떤 일을 하고 어떤 성과를 거둘 것인가 하는 것입니다. 인생은 망망대해이고, 우리는 망망대해 속을 항해하는 배입니다. 빨리 육지에 도착하고 싶다면 목표를 잘 세워야 합니다. 목표가 있는 사람만이 자신의 운명을 결정할 수 있습니다. 하버드 대학에서 "목표가 인생에 미치는 영향"에 대해 조사했습니다. 조사 대상은 우수한 성적으로 졸업한 각 분야의 졸업생들이었습니다. 25년 후 이들을 다시 조사한 결과입니다. 명확하고 장기적인 목표가 있었던 3%는 25년 동안 한 방향으로 노력했고, 대부분 사회적으로 성공한 사람이 되어 있었습니다. 기업의 사장 또는 사회의 엘리트가 되어 있었습니다. 명확하고 단기적인 목표가 있었던 10%는 단기적인 목표를 하나하나 실현해 각 분야의 전문가가 되었고, 사회의 중산층이 되어 있었습니다.
목표가 불분명했던 60%는 특별한 성과 없이 평범한 생활을 하고 있었으며, 중하위층이었습니다. 목표가 아예 없었던 27%는 삶이 뜻대로 되지 않아 남과 사회를 원망하며 살고 있었습니다. 성공이란 무엇일까요?. 자신이 세운 목표에 도달하기 위해 끊임없이 노력하고 그 목표를 이루는 것입니다. 목표를 향해 최선을 다해야 우리의 삶이 아름다워 집니다.
"성공의 비결은 목표를 끝까지 밀고 나가는 것" 입니다.

• • • • • • •

| 2월 / 5주 | 안내글 |

하버드 친구들 모두는 "글로벌 리더" 입니다.

부모와 아이가 대화한다는 것…

부모님들은 아이들 인생의 멘토가 되어야 한다고들 합니다.

멘토란 지혜와 신뢰를 바탕으로 하여 누군가의 인생의 모범이 되는 것을 말합니다.

그것은 아이와의 대화로 이루어진다고 생각을 합니다.

부모님들이 아이들과 대화를 한다는 것은 아이들에게 '인생은 이렇게 사는 거야' 하고 모범을 보이는 것과 똑같습니다.

그래서 부모와 아이의 대화는 아이가 힘들어 하거나 문제를 일으켰을 때, 같이 빠져 들어 잘잘못을 따지는 것이 되어서는 안 됩니다.

또 치마폭에 아이를 감싸 안아서 무작정 보호만 하는 것이어서도 안 됩니다.

부모는 대화를 통해 아이에게 더 넓은 세계를 보여 주어야 하고, 삶의 비젼을 제시해야 합니다.

단순히 '~~하는 법'을 가르치는데 그치지 않고 아이에게 흔들림 없는 정서적 지지를 제공하면서 동시에 아이가 한층 더 성장하게끔 보다 큰 견지에서 이끌어 주는 것, 그것이 바로 부모님들이 해야 할 대화입니다.

우리가 우리의 아버지와 어머니들의 대화에서 그런 가르침을 받았듯이 말입니다.

• • • • • • •

원장님의 감성적 영향력 VII

3월 / 4주 안내글

원장님! 우리 원은 즐거워요

| 3월 / 1주 | 안내글 |

하바드 친구들 모두는 "글로벌 리더"입니다.

안녕하십니까?

좋은 교육이란 아이들이 골고루 성공하는 것을 도와주는 것이 좋은 교육이라고 합니다.

유치원이나 어린이집에서는 아이들을 교육하는데 있어서 아이들 하나하나를 세밀히 살펴보며 오랜 기다림을 통해 이해를 한 뒤 그들에게 맞는 방법으로 잘 가르쳐 좋은 결실을 맺도록 힘쓰려고 합니다.

원에서 하고자하는 교육은 아이들끼리의 경쟁은 절대 아닙니다. 각자 개개인이 다같이 잘 할 수 있도록 하는 교육을 추구하고 있습니다.

우리의 아이들이 전체적인 사회 속에서 공헌할 수 있는 길을 찾고, 건강한 모습을 유지하며 늘 새로운 환경들을 제공하고 산 경험을 할 수 있게 하여 올바르게 성장하는데 도움들을 주는 프로그램들로 제공하겠습니다.

하버드학부모님들 파이팅! 입니다.

• • • • • • •

| 3월 / 2주 | 안내글 |

하버드 친구들 모두는 "글로벌 리더" 입니다.

안녕하십니까?
봄꽃의 향기, 싹을 틔우는 씨앗, 따뜻한 흙, 연두 빛 계절 3월을 만날 수 있어 저절로 마음이 따뜻해지곤 합니다. 우리 하버드원에서는 아이들의 마음을 먼저 키우는 목표가 있습니다. 글자 하나를 더 알기 전에 배려하는 마음을 먼저 가르치고 있습니다.
유아교육의 소망을 담아 키워 낼 씨앗들. 선생님들에게 귀한 아이들로 그 씨앗을 맡겨 주셨아오니 선생님들은 올해에도 설레는 마음으로 가을에는 어떤 꽃들을 피울까? 하고 기대에 부풀어 있습니다.
부모님들 손안에 있었던 귀한 자녀들을 원에 보내고서 나의 아이들이 잘하고 있을지?, 울지나 않을까? 하는 생각을 하며 믿으면서도 불안해하는 마음이 크실 수도 있습니다. 그러나 중요한 것은 아이들이 부모님들의 예상 밖의 모습으로 잘 적응을 합니다.
원에서의 생활은 꽤나 복잡한 친구들과의 관계를 바탕으로 아버님들의 직장생활보다 더 많은 사회생활을 경험하게 됩니다.
선생님과 아이들 간의 애착형성, 아이들과 또래 간의 교우관계, 친한 친구간의 유대관계 등 다양한 관계 속에서 놀이를 하면서 배우고 다투고 화해를 하고 기본생활습관을 길러가며 잘 생활하고 있습니다. 1년 동안 수확의 기쁨을 위해 우리 아이들을 힘차게 응원하며 중요한 시기를 현명하게 보내자고 다짐을 합니다.
우리 하버드 학부모님들 파이팅! 입니다.

| 3월 / 3주 | 안내글 |

하버드 친구들 모두는 "글로벌 리더" 입니다.

안녕하세요?

원 생활이 시작한지 1-2주일이 지나고 있습니다. 새로운 친구들과 생활하는 것이 어려울 수 있고 매일매일 아침 일찍 일어나야 하는 것이 힘들 수 있습니다. 새로운 생활이 더욱 즐겁고 활기찰 수 있도록 원에서 돌아오는 아이들에게 즐거웠던 일과 재미있었던 일들에 대해 이야기 나누어 보시기 바랍니다. 함께 이야기를 하면서 원 생활에 대한 긍정적인 생각과 마음을 가지게 되고 우리 아이들이 적응하는데 더욱 도움이 될 것입니다. 요즘은 친구들에게 먼저 놀이를 제안하기도 하고, 도움이 필요할 때는 먼저 도움을 요청하기도 하며 조금씩 원 생활에 익숙해지고 흥미를 느끼는 것 같아 마음이 흐뭇합니다. 거기에다가 크고 작은 약속들을 하나 둘 배워 나가는 모습은 대견스럽기까지 합니다. 학부모님들께서는 우리 아이들이 교실에서 깔깔거리며 즐거워하는 어린이들의 웃음소리가 들려오는 것을 상상하면서 흐뭇함으로 기대를 갖고 격려를 부탁드립니다.

• • • • • • •

| 3월 / 4주 | 안내글 |

나의 아이들에게 무엇을 물려 줄 것인가?

“부모가 자녀를 키운다는 것”은 무엇을 뜻하는 것일까요? 그것은 ‘아이가 성인이 되었을 때 독립적인 존재로 자신이 원하는 삶을 살 수 있도록 힘을 키워 주는 것’이라고 정의해도 좋을 듯합니다. 나의 아이가 어떤 사람이 되어야 할까? 어떤 인생을 살면 좋을까? 하는 문제들을 대개의 부모님들은 아이가 직업을 가진 사람이 되어야 하는가의 문제로 바라보는 것 같습니다. 나의 아이들이 직업적으로 성공한 사람이 되어 사회적인 명예와 부를 거머쥐고 살기를 바라는 것일 겁니다. 그래서 부모님들은 아이들이 어렸을 때부터 공부하라고 다그치게 되고 아이들은 초등학교 입학 전부터 공부에 시달리곤 합니다. 사회적 성공과 부만 얻으면 행복해 질 수 있을까요? 행복하다는 것은 과연 무엇일까요? 아이를 행복하게 키운다는 것이 사회적으로 성공한 사람으로 만드는 것을 의미할까요? 어떻게 하면 나의 아이들이 행복하고 즐겁게 살 수 있을까요? 한마디로 정의를 한다면 행복의 충분조건은 “마음 편하고 성격 좋은 사람”이 되는 것이라는 생각도 듭니다. IQ 140 이상의 좋은 머리를 타고나지 못해 빌 게이츠처럼 큰 명성과 부를 얻지 못하더라도 자기가 하는 일에 만족을 하고 가족 친구들과 잘 어울려 산다면 그건 행복한 인생일 것입니다. 남보다 많이 벌지 못해도 남에게 신세를 지지 않고 가족과 친구와 이웃들과 잘 지내고 아이들과도 다툼이 없이 즐겁게 지낸다면 그 사람은 행복하다고 말할 수 있지 않을까요? 행복으로 춤추는 꿈같은 일들과 행복으로 춤추는 꿈같은 나날 안에서 이 글을 읽는 우리 하버드학부모님들 모두가 영원한 행복으로 이어지기를 기대해 봅니다.

♥ 오늘 꽃은 바로 우리 하버드학부모님들 입니다.
♥ 오늘 꽃은 바로 우리 하버드학부모님들입니다.

이 세상에는 아무렇게나 피어나는 꽃은 없습니다.
마지 못해 피어나는 꽃도 없습니다.
아무렇게 태어난 아이들도 없듯이 마지못해 살아가는 인생도 없어야 합니다.
오늘 꽃은 바로 하버드학부모님들입니다.

• • • • • • •

4월 / 5주 안내글

인간을 바꾸게 하는 교육요

| 4월 / 1주 | 안내글 |

하버드 친구들 모두는 "글로벌 리더" 입니다.

안녕하십니까?
4월의 햇빛을 아이들과 함께 나누며....
4월의 햇빛이 참 따스하게 아이들 곁으로 다가서서 아이들과 눈인사를 나누며 봄꽃의 향기로움을 고운 친구들이랑 나누어 가지고 노래짓게 합니다.
3월을 지나면서 아이들이 서로 제법 친해져 자기하고 꼭 같은 눈빛을 가진 친구를 만나 자기하고 꼭 같은 소리를 가진 친구를 만나 어깨동무하고 서로의 이름을 부르며 미소 짓는 아이들의 사랑스러움과 함께 4월에는 민들레 꽃씨 날아가는 곳으로 아이들과 봄 길을 걸어보고 싶습니다.
4월에는 꽃구름 머무는 곳에서 아이들과 봄노래를 부르고 싶습니다.
4월에는 나비의 날개 짓을 보면서 아이들과 꽃밭의 향기로움을 느끼고 싶습니다.

• • • • • • •

| 4월 / 2주 | 안내글 |

하버드 친구들 모두는 "글로벌 리더" 입니다.

안녕하십니까? 나는 어떤 형의 부모일까요?

■ 내성적인 성격– 차분하고, 내성적이기 때문에 주위의 환경도 항상 조용하며 그렇지 못할 경우 적응하기 힘들어 하는 형입니다.

■ 외향적인 성격– 자신의 일보다는 주위의 일에 더 관심이 많아 인기가 좋으나 경우에 따라 실속이 있습니다.

■ 기존 질서를 중시하는 형입니다– 새로운 방법을 시도하기보다 기존의 것, 익숙한 것 등을 고수하여 변화하기가 힘들고 고지식한 면이 있기도 합니다.

■ 계획 주도형입니다– 무슨 일이든지 단계별로 계획표대로 차근차근 이루어지지 않으면 불안해하고 적응하기 힘이 듭니다.

■ 적응을 잘 하고 호기심이 많은 낙천적인 형입니다.

주위에 대해 호기심이 많기 때문에 골치 아픈 일은 내일로 미루고 항상 즐겁고 재미있는 일에 치중을 합니다. 제시된 성격들을 읽어 보시고 새로운 향상 쪽으로 전환해 보시는 것은 어떠신지요?

• • • • • • •

| 4월 / 3주 | 안내글 |

나의 아이들에게 무엇을 물려 줄 것인가?

안녕하십니까?

매주 "모래 놀이"를 중심으로 활동을 합니다.

그러다보니 바깥 놀이장에 나가는 시간이 많아지고 손을 씻어야 하는 일이 많으니 편안한 옷을 입어 소매를 걷기 편한 옷을 입혀 보내 주시기 바랍니다.

모래놀이는 아이들이 가장 좋아하는 놀이 중 하나입니다.

자유롭게 만지고 어떤 형태든 모양을 만들 수 있어 촉감발달에 효과적인 놀이도구가 된답니다.

꼭 기본적인 약속을 지켜서 활동을 해야 하는 놀이입니다.

모래를 던지거나 먹는 등의 행동을 하지 않도록 교육이 함께 이루어집니다.

가정에서도 이야기 나눠보시고 함께 생활습관이 되도록 이야기 해 주시면 좋겠습니다.

| **4월 / 4주** | 안내글 |

하버드 친구들 모두는 "글로벌 리더" 입니다.

안녕하십니까?

예절 바른 어린이는 누구일까요?

바른 마음가짐과 몸가짐은 하루아침에 이루어지는 것이 아닙니다.

옛 어른들은 예절의 근본 정신을 정성스런 마음에 두고 그 마음이 겉으로는 공경하며 사랑하는 것으로 표현되어야 한다고 했습니다.

그런 마음가짐은 유아들의 지도에도 좋은 가르침이 됩니다.

구용과 구사의 실천입니다 - 발은 무겁게 가지고, 손은 공손히 갖고, 눈은 단정히 뜨고, 입은 신중히 다물고, 말소리는 조용히 내며, 머리는 꼿꼿이 갖고, 숨소리는 고르게 내고, 서 있는 건 의젓하게 갖고, 얼굴빛은 온화하게 갖는다고 가르쳤습니다.

그리고 볼 때는 밝은 것을. 들을 때는 총명한 것을. 낯빛은 온화한 것을. 모양은 공손한 것을. 말할 때는 참된 것을. 섬길 때는 공경스러운 것을. 의심 날 때는 묻는 것을. 분할 때는 징계할 것을. 재물을 볼 때는 옳은 것을 생각하라는 것의 교훈이였습니다.

• • • • • • •

5월 / 5주 안내글

아이들만을 위한 교육

| 5월 / 1주 | 안내글 |

하버드 친구들 모두는 "글로벌 리더" 입니다.

안녕하십니까?

내 아이들에게 부모님들은 넓은 세상을 보여 주시기 바랍니다. 부모님은 우리 아이에게 중요한 인물로서 지금까지 거의 주도적으로 아이들과 세상을 연결시키는 의미 있고 중대한 역할을 해 오셨고 앞으로도 지속적으로 하실 것입니다. 어머니의 이러한 중재적 역할을 자세히 설명한다면 어머니는 자기 자녀와 그의 창조자 사이에 연결자로 자기 자녀와 남편 그리고 가족들과의 연결자로 가족을 통하여 자녀를 인류에게 연결해 주며 어린이와 자연 사이의 조화로운 삶을 결속시켜 줍니다. 그런데 이제는 부모님과 함께 교사가 포함되어 그 중대한 역할을 분담하는 단계가 되었습니다. 교육자들은 이 아이들의 발달과 교육에 도움과 유익을 주게 됩니다. 이들을 아이들에게 의미 있는 타인이라고 합니다. 그러므로 부모님께서 자녀의 건전한 발달과 성장을 위해 부모와 같은 마음으로 수고하는 교사들을 이해하고 그들과 발맞추어 협력해 주시는 일은 매우 의미 있는 일입니다. 보물보다 더 귀한 우리 아이들을 같은 마음과 정성으로 보살피고 교육하는 이러한 관계를 부모는 가정의 교사, 교사는 유치원, 어린이집의 부모라고 표현하고 싶습니다. 우리 아이들을 위해서 가장 이상적인 관계일 것입니다. 이러한 관계 설정에 하버드학부모님들은 동의를 하실 것입니다. 혹시 의아해 하거나 반대 입장인 경우에는 우리 아이들이 그만큼 혼동하고 불안정하게 될 것입니다. 내가 교사들을 이해하고 도울 수 있는 부분이 무엇인가 구체적으로 생각하시면서 차 한잔 드시면 오늘의 피로가 풀릴 것 같지 않으신지요?

• • • • • • •

| 5월 / 2주 | 안내글 |

하버드 친구들 모두는 "글로벌 리더" 입니다.

초록의 서정시를 쓰는 5월입니다.

5월을 대표하는 단어 하나를 꼽으라면 "행복"이 아닐까 싶습니다.

아니면 "사랑"과 "감사"일지도 모르겠습니다.

아무튼 5월은 사랑하는 사람들을 돌아보게 하는 달입니다.

그중 제일이 "가족"일 것입니다.

어린이날도 있고, 어버이날도, 스승의 날도 부부의 날도 있습니다.

굳이 어린이날이 아니라도 늘 즐거운 우리 아이들에게는 "사랑 한다"는 말을 100번쯤 더 해주는 날로 만들어 주시기 바랍니다.

아이들은 아이들대로 엄마, 아빠를 사랑한다고 하루 종일 고백하니 얼마나 행복 할까요?

어버이날도 우리 아이들과 함께 해 주시기 바랍니다.

할아버지, 할머니도 찾아뵙고 인사드리는 모든 과정을 우리 아이들이 보며 "효도" 하는 법을 배울 것입니다.

하버드학부모님들 모두는 우리 아이들의 스승임을 알게 될 성 싶습니다.

하버드학부모님들 파이팅입니다.

• • • • • • •

| 5월 / 3주 | 안내글 |

하버드 친구들 모두는 "글로벌 리더" 입니다.

5월에는 원이나 가정 안에서의 행사도 많았고, 학부모님들께서도 바쁜 나날들을 보냈으리라 생각이 됩니다. 행사 탓인지 아이들이 원에서의 생활도 익숙해지고, 아이들이 밝고 씩씩하게 성장한 모습이 대견하기만 합니다. 모두 다 학부모님들과 선생님들의 노력이 있었기에 가능한 일이였던 같습니다. 이제 계절도 빠르게 여름을 향해 달려가고 있음을 느낍니다.

길거리 곳곳은 싱그러움 가득한 초록빛 나무들이, 여름의 향기를 내뱉고, 한 낮에는 초여름의 날씨가 느껴집니다. 아이들의 옷차림이나 건강관리에 더 신경을 써 주시기 바랍니다.

| 5월 / 4주 | 안내글 |

하버드 친구들 모두는 “글로벌 리더” 입니다.

안녕하십니까?
5월은 어린이와 닮은 점이 많은 것 같습니다. 물이 오르기 시작한 나뭇잎들은 얼마나 싱그럽고 풋풋한지?, 한창 자라나는 아이들 모습과 많이 닮아 있습니다 “어린이는 어른의 아버지”라는 말도 있습니다. 영국의 시인 윌리엄 워즈워스가 ‘무지개’라는 시에서 한 말로, 어린이는 순수하고 맑은 마음을 어른이 본받아야 한다는 뜻입니다. 방정환 선생님은 “어린이날”을 만들어 주신 분입니다. 방정환 선생님의 특별한 재주 중 하나는 동화구연을 잘했다고 합니다. 그분이 “어린이날”을 만들기 전에 많은 아이들이 어른들에게 존중받지 못하고 천덕꾸러기 대우를 받았습니다.“어린이” 라고 불리게 된 것도 방정환 선생님 덕택입니다. 우리는 생각을 합니다. 우리 어릴 적엔 방정환 선생님 덕분에 어렸을 때 많은 혜택을 입은 적이 있었습니다. 군부대에서 어린이날에 우리들을 탱크에 태워 개울가의 자갈길을 신나게 달리게 해주었습니다. 탱크가 싸우는 무기가 아니라 어린이날 우리들을 축하해주는 놀이기구가 될 수 있다는 것을 그때 처음 알았습니다. 서른세 살에 돌아가신 방정환 선생님의 묘비에는 이런 글이 적혀 있습니다. “어린이의 마음은 천사와 같다” 라고 써 있습니다.

하버드학부모님들! 5월 성공적인 한 달을 잘 보내셨는지요?
성공은 행복한 삶에 대해 느끼는 기쁨의 양이라 합니다.
하버드학부모님들 모두는 행복한 순간들의 연속이기를 바랍니다.
5월 한 달 고생하셨습니다.
하버드학부모님들! 파이팅!입니다.

• • • • • • •

| 5월 / 5주 | 안내글 |

하버드 친구들 모두는 "글로벌 리더" 입니다.

안녕하십니까?

매년 스승의 날이면 학부모님들의, 우리 아이들의 "감사합니다." 라는 말이 얼마나 더 감사한지 모릅니다. 저희 선생님들을 믿고 맡겨주신 것부터가 감사이며 사명감의 시작점이지 않나 생각을 합니다.

유아교사라는 사명을 가진 선생님들은 정말 아무나 하는 일이 아니라는 생각을 자주 하곤 합니다.

선생님들은 똑똑한 선생님이 잘 할까요? 성실한 선생님이 잘할까요? 손재주가 좋은 선생님이? 세상 어떤 전문가보다 멀티가 되어야 하는 전문가 직업이라 확신을 합니다.

아이들의 수업에 맞는 교구교재와 환경구성들을 위해 손재주도 있어야 합니다.

가장 좋은 수업들을 제공하려면 머리도 좋아야 합니다.

그뿐만 아니라 개성만점 하나하나 아이들의 눈높이에 맞춰 주려면 성격도 좋고, 사랑도 많은 선생님이어야 합니다.

교육 현장과 선생님들은 완벽할 순 없지만 최선을 다하려 열심히 노력하겠습니다.

원을 믿고 맡겨주신 그 믿음 끝까지 지켜 주시고, 응원해 주시며 영원한 팬이 되어 주시기 바랍니다.

그것이야말로 스승의 날을 기념하는 최고의 선물이 될 것 같습니다.

가정의 달 가족 간 사랑이 퐁! 퐁! 퐁! 샘솟는 행복한 한 달 보내시길 바랍니다.

하버드학부모님! "사랑 합니다" "파이팅!"입니다.

• • • • • • •

6월 / 4주 안내글

생활속에서 교육속으로...

| 6월 / 1주 | 안내글 |

하버드 친구들 모두는 "글로벌 리더" 입니다.

안녕하십니까?

엄마, 아빠 들어 주세요- 시간의 상대적인 길이를 알려 주세요

어린이들에게 즐거운 일을 기다리는 것도 어려운 일인 것 같습니다.

연극이나, 생일이나 어느 특정한 말이 어린이들에게는 영원히 찾아 올 것 같지 않은 느낌을 주기도 합입니다.

이럴 때는 함께 달력을 보며 이야기하면서 시간의 흐름을 머릿속으로 그림 그려가며 이해하도록 도와주고, 각각의 시간 단위가 갖는 상대적인 길이를 근본적으로 이해하도록 도와주시기 바랍니다.

어린이들에게 시간의 흐름을 가르치는 좋은 방법 한 가지는 식물을 키워보도록 하는 것입니다.

조그만 식물을 보살피고 가꾸어 주며, 새로운 싹이 나오기를 기다리는 일은 시간의 흐름을 이해하는데 가장 확실한 도움이 되며 어린이들에게 자연세계의 성장은 오랜 시간에 걸쳐 진행되는 것으로 결코 어느 한순간 갑자기 일어나는 일이 아니라는 점을 알려 주시기 바랍니다.

• • • • • • •

| 6월 / 2주 | 안내글 |

하버드 친구들 모두는 "글로벌 리더" 입니다..

안녕하십니까?

내 아이, 남의 아이를 떠나서 아이들을 키운다는 것은 참으로 힘든 일입니다.

때론 자신의 의도와는 달리 아이를 윽박지르기도 하고, 또 감정을 실어 매를 들기도 합니다. 아이가 어릴 때, 밤낮없이 보채고 울어대는 아이에게 지쳐 신경질적으로 대했던 경험이 아마도 한 두번 이상은 있을 것입니다.

"나는 좋은 엄마인가?"라는 질문을 스스로 던져 보세요.

혹시 내 마음속에서 스스로를 나쁜 엄마, 부족한 엄마라고 생각하고 자책하지는 않는지?

아니면 어떻게 자신을 평가해야 할지 불안해하며, 좋은 엄마인 것을 확인 받고 싶어 하는지, 그렇지 않은지? 말입니다.

| 6월 / 3주 | 안내글 |

하버드 친구들 모두는 "글로벌 리더" 입니다.

안녕하십니까?

아버지의 체험과 지혜를 아이들에게 보여 주세요

요즘 아이들은 기계나 물건을 다루는 정도는 알고 있어도 인간관계에 대해서는 잘 모릅니다. 어떤 경우에 어떤 정도로 인간관계를 맺어야 하는지 그 정도를 체득할 수 있도록 작용하는 것이 부모님들의 역할입니다. 정도를 제대로 체득하기 위해서는 아버지 자신이 적절하게 살고 있음을 보여줄 필요가 있습니다. 옛날부터 면면히 내려오고 있는 인생의 지혜는 변하지 않습니다. 우리 부모님들이 그런 지혜를 체득하기 위해 어떤 절차를 밟아왔는지 뒤돌아보면서 아이가 그와 같은 체험을 할 수 있도록 배려해야 합니다. 삶의 여러 모습을 알고 있는 선배인 아버지로부터 산 체험담을 들을 수 있다는 것은 글자나 영상을 통해서는 접할 수 없는 귀중한 일입니다. 체험담뿐만 아니라 때로는 그 현장에 아이를 데려가 보는 것도 좋습니다. 오늘의 아버지가 있기까지의 심적 배경을 앎으로 아버지를 보는 자녀의 시각이 달라질 것입니다.

• • • • • • •

| 6월 / 4주 | 안내글 |

하버드 친구들 모두는 "글로벌 리더" 입니다.

안녕하십니까?

제법 자란 나무들의 푸르른 싱그러움

중앙아시아의 어느 외진 지역에서 아이가 태어나 성년에 가까우면 축하의 말을 전하는데 내용은 이렇습니다.
"세상에는 재미있는 일도 많지만, 너를 힘겹게 하는 일들도 많단다. 그렇지만 너무 걱정하지 않아도 좋단다. 우리의 경험과 지혜를 바탕으로 너를 도울 것이니까?"라고 말을 합니다.

아이들을 키우는 것은 부모님들의 몫만은 아닙니다. 사람은 사회적 존재입니다.

그러므로 사회공동체의 일원으로 축하 받으며 공동으로 책임지며 키워 나가야 하는 것입니다. 우리 아이들이 살아야 할 세상이 더 밝고 건강한 사회이기를 바래봅니다.

7월 / 4주 안내글

열린 교육을 추구

| 7월 / 1주 | 안내글 |

하버드 친구들 모두는 “글로벌 리더” 입니다.

안녕하십니까?

토닥토닥 귀여운 발소리, 이제 목소리만 듣고도 누군지 알 수 있는 우리의 친구들, 그 친구들이 재잘거리며 문을 활짝 열면 하루의 활기찬 원 생활이 익숙하게 시작합니다.

때로는 친구들과 서로 다른 의견으로 싸우기도 하지만 언제 그랬냐는 듯 어깨동무를 하고 함박웃음을 웃고 있는 모습을 보노라면 아이들이 스스로 자라고 있구나 라는 대견한 생각이 들기도 합니다.

그리고 우리가 아이들에게 해 주어야 하는 것은 맞다, 틀리다, 해도 된다, 안 된다, 라는 지시가 아니라 스스로 자랄 수 있도록 옆에서 관심과 사랑의 눈으로 바라보는 일이 더 중요함을 다시 알게 됩니다.

• • • • • • •

| 7월 / 2주 | 안내글 |

하버드 친구들 모두는 "글로벌 리더" 입니다.

말 잘하는 우리 아이-1

최근 우리 사회에서는 대화중에서 '소통'이라는 용어가 많이 대두하고 있습니다.

그만큼 사회를 살아가는 구성원들에게 의사소통이 중요하고 관계의 기본이 서로간의 전달이기 때문에 그런 것 같습니다.

결혼한 부부에게 있어 가장 큰 축복 중의 하나는 자녀의 출생일 것이다.

우리 자녀가 건강하게 태어나서 정상적인 발달을 거쳐 튼튼하게 자라주기를 바라는 것은 당연합니다.

영유아들의 발달은 크게 운동발달, 인지발달, 언어발달, 정서발달 등의 영역을 통해 발달과정을 지켜보게 됩니다.

언어발달은 어떻게 이루어지게 되는 것일까? 돌이 지나는 아기는 첫발을 내딛거나 "맘마", "빠빠" 등의 첫 낱말을 산출하며 부모를 기쁘게 합니다.

첫 낱말 이후 3세 6개월 정도가 지나면서 보통 50~100개 정도의 낱말을 구사할 정도로 언어발달은 증가하기 시작합니다.

4세경에는 낱말의 조합이 보이고 이 무렵 단어의 급성장이 이루어집니다.

5세 아동은 우리말에 있는 기본 구문 구조를 활발하게 사용합니다.

차츰 긴 문장을 사용하게 되는 것입니다.

언어의 사용은 표면적으로 보일 수 있는 부분이 있어서 대개 또래의 아동들과 비교를 하며 우리 아이의 발달에 관심을 끌게 되는 것 같습니다.

• • • • • • •

| 7월 / 3주 | 안내글 |

하버드 친구들 모두는 "글로벌 리더" 입니다.

말 잘하는 아이

일반적인 부모들이 자녀의 언어발달 지연을 느끼게 되는 것은 30개월 전후 정도 되는 것 같습니다. 다른 또래 아이들이 곧잘 말을 하는데 우리 아이는 왜 말을 하지 않을까? 하고 궁금하게 생각을 할 것입니다. 때로는 주변에서 우리 아이도 늦게 말이 트였다. 혹은 애들 아빠도 말이 늦었다 등의 이유로 중재 시기를 놓쳐 또래 관계 형성의 문제나 심리적 문제로 풀어야 할 과제가 많아지는 경우를 종종 볼 수도 있습니다.

우리 아이가 말을 잘한다는 것은 원활한 또래 관계의 형성이나 뛰어난 사회성과 관련지어 생각할 수 있는 것 같습니다. 그래서인지 많은 부모님이 자녀들이 책 읽기나 언어 학습에 많은 시간과 물질을 투자하고 있습니다. 하지만 아이들의 기질이나 타고난 능력들은 다를 수 있습니다. 꼭 말을 잘해야만 사회적 능력이 뛰어난 것은 아닙니다. 그렇지만 원활한 의사소통을 위한 자질은 필요할 것입니다. 성장하는 아이를 위해서는 아빠의 역할, 엄마의 역할이 매우 중요합니다. 언어발달적인 측면에서 보더라도 아빠의 놀이 방식은 아동의 발화 증가에 상당한 영향을 줄 수 있습니다. 아빠들의 놀이는 주로 몸으로 놀아주는 것이 많습니다. 신체접촉과 다양한 의성어나 자극들로 인해 아이들은 즐거워하고 흥분하며 놀이에 임합니다. 반면 엄마들은 다양한 어휘와 문장을 가지고 아기자기하게 아이들과 소꿉놀이며 장난감 놀이를 하고 책도 재미있게 읽어줍니다. 더군다나 아빠와 엄마의 양육 활동이 아이들의 정서발달을 성숙시키고 애착적인 부분을 향상시키며 전반적인 아동발달을 돕는다는 것입니다. 이것은 언어발달 뿐만 아니라 정서발달, 사회성 발달에도 큰 영향을 줍니다.

• • • • • • •

| 7월 / 4주 | 안내글 |

하버드 친구들 모두는 "글로벌 리더" 입니다.

안녕하십니까?

하버드학부모님들과 1분기를 함께 호흡하며 하버드와 함께 교육을 진행하였습니다. 유아교육은 적절한 시기에, 적당한 자극을 주어 잠재된 감성을 발휘하도록 도와주어야 합니다. 즉, 즐거운 호기심과 다른 사람을 위해 자신들이 무엇인가를 할 수 있다는 자발적인 의무감, 무엇을 해 냈다는 성취감. 이런 것들이 바로 감성적 생각과 연결되는 것이라고 봅니다. 유아들은 보고, 듣고, 만지고, 느끼고, 냄새를 맡으면서 머리와 가슴, 그리고 온몸에 지식을 담아 넣습니다. 이렇듯 온 몸에 담아 넣은 지식들은 숙성되는 시간이 필요합니다. 김치가 숙성되어 제 맛을 내듯, 암탉이 계란을 고루 굴려가며 체온을 전달하는 숙성기간을 거쳐 신비한 생명이 태어나듯 기다림이 필요합니다. 재촉하지 않고 조급증을 내지 않고 천천히 숙성되도록 기다려야 합니다. 우리 하버드학부모님들 가족은 서로를 믿고 격려하며 기대에 찬 눈으로 바라보면서 기다릴 줄 아는 지혜가 필요하며, 여기에 깊은 관심과 사랑은 항상 있어야 합니다. 그리하면 우리 아이들은 "이 세상의 주인"이 되어 감성과 창의성을 발휘하여 21세기 4차 산업시대의 주인공이 되어 인류에 이바지 할 수 있는 큰 사람이 될 것입니다. 유아교육의 미래는 하버드교육인 창의성 교육과 감성지능교육의 맥을 줄줄이 이어가도록 하버드교육을 바라보시면서 격려해 주시기를 부탁드립니다.

• • • • • • •

8월 / 5주 안내글

행복을 완성하는 퍼즐

| 8월 / 1주 | 안내글 |

하버드 친구들 모두는 "글로벌 리더" 입니다.

한 여름의 햇살이 온 세상을 뜨겁게 달구는 푸르른 여름!
아이들이 신나는 여름방학이 짧지만 시작됩니다.
규칙직인 원 생활에 익숙해져 있던 아이들에게 어쩌면 자유로움을 만끽할 수 있는 좋은 기회가 될는지도 모르겠습니다. 방학 동안에는 집에서 가족들과 보내는 시간이 많습니다. 우리의 어린이들이 집에서 도울 수 있는 일들에는 어떤 것이 있을까요? 먼저 휴가 계획을 세울 때 유아를 그 준비과정에 참여하도록 해 보세요. 좋은 의견들, 재미있는 의견들이 아마 많이 쏟아질 것입니다. 무시하지 마시고 어느 정도 의견을 존중해 주어 만족감, 소속감, 공동체 의식을 느끼게 하는 배려부터도 좋을 것 같습니다. 그리고 화분에 물을 주는 일이나 엄마, 아빠가 보시고 난 신문을 차곡차곡 접어 정리 하는 일, 밥을 다 먹고 난 후에는 언제나 그릇을 치우는 일 등을 할 수 있겠죠? 또한 그 동안 원에서 할 수 없었던 활동(곤충 채집, 조개줍기, 큰 물가의 물놀이 체험...)들의 폭 넓혀서 산과 바다로 나가 자연을 관찰하고 자연과 친해지고 자연의 여러 모습들을 관찰, 탐색할 수 있는 기회를 만들어 유아의 사고 폭을 넓게 해 줄 수 있는 그런 값진 시간들이였으면 좋겠습니다. 더불어 "귀한 자녀일수록 여행을 보내라"라는 말이 있는데, 이는 고생을 시키라는 뜻이 아니라 견문을 넓히고 세상을 보는 눈을 키우라는 뜻일 것입니다. 우리의 아이들은 무엇이든 보는 것이 교육이고 듣는 것이 교육이고, 느끼는 것, 그 자체가 교육이 되는 시기입니다. 그러므로 생생한 체험의 폭이 넓고 깊을수록 어린이들은 자신과 세계를 바라보는 눈이 입체적이고 사회와 역사 문화를 바라보는 시각 또한 넓어지는 시기입니다. 특히 자연의 주기적인 변화를 직접 관찰하고 느껴보는 경험의 틀은 감성의 틀에 있어서 일생동안의 영향을 미칠 심신의 기본 틀을 형성해 가는데 꼭 필요한 과정입니다. 자연을 만나기 위해서 꼭 멀리 떠나야 하는 것은 아닙니다. 아이들과 함께 즐겁다는 생각으로 떠나본다면 아이들에게는 색다른 체험의 세계가 될 것입니다. 더불어 여름철 유아의 안전사고에 부모님들의 최우선 신경을 써 주시기 바라며 보다 더 건강하고 밝은 모습으로 다시 만나길 기대하며 즐겁고 보람된 시간들 되시길 바랍니다.하버드귀염둥이들아! 재잘거리며 즐겁게 지내던 하버드 원 생활도 어느덧 한 학기를 지나 벌써 방학을 맞이하게 되었구나.너희들과 함께 보낸 1학기 시간이 선생님에겐 무척 아름답고 소중 하단다.우리 무더운 여름! 건강하고 시원하게 보내고 2학기에는 더욱더 신나고 즐거운 시간으로 보내자꾸나.

원장선생님이 하버드학부모님들께!
지난 1학기 동안 부쩍 자란 우리 아이들의 모습에서 시간의 흐름을 느낄 수 있었습니다.
항상 사랑의 미소로 격려해 주시고 여러 가지 믿음으로 후원해 주신 하버드학부모님들께 진심으로 감사인사를 드리며 남은 2학기 우리 아이들에게 즐거운 하버드원 생활이 될 수 있도록 힘차게 발돋움 할 것을 약속드립니다.

| 8월 / 2주 | 안내글 |

오늘 당장 나의 자녀들에게 물려주어야 할 것이 있다면 경제적 금수저가 아니라 정서적 금수저일 것입니다. OECD 국가 중 대한민국이 세계에서 자살률 1위, 행복지수 최 하위권에 있습니다. 그리고 금수저, 흙수저, 신드롬들이 들끓고 있지만 그 중에서도 제일로 염려 하는 것이 있다면 정서적 빈곤에 허덕이는 위태로운 대한민국의 국민 하나하나를 꼽을 수 있을 것입니다. 진정한 행복과 성공은 정서적 빈곤층에서 생각을 할 때에는 정서적 금수저의 색깔에 달려 있습니다. 안정적인 애착과 신뢰 속에 이 땅의 모든 아이들이 정서적 금수저로 자라날 수 있도록 부모인 내가, 기업인인 내가, 대한민국 정부가 만들어가야 할 것이라고 생각을 하며 염원 해 봅니다.

• • • • • • • •

| 8월 / 3주 | 안내글 |

안녕하십니까?

학부모님! 평안한 한주를 잘 보내셨는지요? 새로운 한 주의 여명이 밝아오고 있습니다.

언제나 그렇듯이 새로운 시작은 설렘이 있습니다.

이번 한 주는 우리 아이들과 어떤 즐거움이 삶 속에 솟아날지 두근두근 기대가 됩니다.

걱정과 염려 대신 설렘과 기대로 힘차게 출발하시길 기원합니다.

어떤 경우에도 삶이 알아서 할 것이기 때문입니다.

| 8월 / 4주 | 안내글 |

■ '3 · 3 · 3 법칙'을 실천하며 우리 모두가 건강하고 행복했으면 좋겠습니다.

■ '건강생활습관 3 · 3 · 3'은 걷기, 닦기, 싱겁게 먹기입니다. 하루 30분 이상 걷고 외출 후 돌아오면 손 깨끗이 닦고 싱겁게 먹는 습관만 잘 실천해도 비만, 고혈압 등 만성질환을 예방하고 관리하는 데 큰 효과가 있는 것으로 나타났습니다.

■ 치아 건강을 위한 양치질 3 · 3 · 3 법칙은 누구나 아는 상식입니다. '하루 3번, 식사 후 3분 이내에 3분간 닦는다'는 것을 알면서도 잘 지켜지지 않습니다. '치매 예방수칙 3 · 3 · 3'은 의학적 근거를 바탕으로 3권(勸), 3금(禁), 3행(行)이 있습니다. 각각 세 가지씩 즐기고 참으며 챙기자는 취지입니다. 3권은 일주일에 세 번 이상 걷고 생선과 채소를 골고루 섭취하며 부지런히 읽고 쓰자는 게 골자입니다. 3금은 절주와 금연, 뇌 손상 예방입니다. 술은 한 번에 3잔 이상 마시지 않으면 알코올 치매를 막을 수 있고 금연은 인지장애 위험을 41%까지 줄일 수 있다는 것입니다. 3행은 혈당과 혈압, 콜레스테롤 정기 검진을 실천하여 예방하자는 취지입니다. 자녀와의 관계를 개선하는 '3 · 3 · 3 실천법'도 삶의 지혜입니다. 3번 참자, 3번 웃자, 3번 칭찬하기입니다. 자식에게 화나는 일이 있더라도 참고 또 참고 한 번 더 참는 것 입니다.

■ 아이들이 공부에 지쳐 어깨를 늘어뜨리고 왔을 때 "힘들었지" 다독거리며 유머 한마디라도 던지면 얼굴에 복사꽃 화색이 돌 것입니다. 칭찬은 고래도 춤추게 한다는데 소소한 칭찬도 아이들에겐 긍정의 에너지가 됩니다. 성리학자 이황은 '알면서 실천하지 않으면 참된 앎이 아니다'고 했습니다.

• • • • • • •

| 8월 / 5주 | 안내글 |

하버드 친구들 모두는 "글로벌 리더" 입니다.

시간속에서 자유

인간은 시간 속에 갇혀 삽니다. 한 순간도 시간 밖에서 존재할 수 없습니다. 그래서 인간은 일상에서 시간의 굴레에서 삶을 꾸립니다. 그러나 시간은 반드시 인간의 삶에서 굴레만은 아닐 것입니다. 결국 인간은 시간 속에서 희로애락을 체험할 수밖에 없기 때문입니다. 인간이 이간의 굴레에서 벗어나는 방법은 '시'와 '간'의 차이를 아는 것이지만, 대부분 사람들은 시간을 한 묶음으로 생각할 뿐입니다. 시간(時間)은 '대의 사이' 입니다. 한 시간은 1분에서 60분까지입니다. 1에서 60까지의 사이가 시간입니다. 시간은 결국 틈입니다. 그래서 인간은 틈새에서 살아가는 것입니다. 만약 틈새가 없다면 답답해서 살아갈 수 없을 것입니다. 무척 아름다운 계절 가을입니다. 계절은 일정한 틈을 의미합니다. 사람들이 가을을 즐길 수 있는 것도 틈 덕분입니다. 틈이 없다면 계절은 존재하지 않습니다. 특히 한국처럼 사계절을 맛볼 수 있는 것은 큰 행복입니다. 우리들이 지금처럼 세계사에서 당당하게 살아갈 수 있었던 것도 사계절과 무관하지 않습니다. 한국인의 기질은 사계절과 밀접한 관계가 있습니다. 앞으로 사계절이 분명하지 않을 경우 분명 한국인의 기질도 바뀔 것입니다. 한국인의 기질이 바뀌면 한국사회의 미래에도 큰 영향을 줄 것입니다. 부디 사계절의 변화가 나쁜 쪽이 아닌 좋은 방향으로 바뀌길 기대할 뿐입니다. 우리 학부모님들이 염원하면 모든 것들을 이룰 수 있기를 기대합니다.

• • • • • • •

9월 / 4주 안내글

환하게 웃는 아이와 부모와 교사

| 9월 / 1주 | 안내글 |

하버드 친구들 모두는 “글로벌 리더” 입니다.

실력 있는 교사로 키워라

“교사를 만들어야(Make) 하느냐? 아니면 좋은 교사를 뽑는 것이(Buy) 먼저냐?”라고 질문하는 때가 가끔 있습니다. 요즈음은 교사를 길러내기보다 먼저 좋은 교사를 채용해야 한다는 믿음이 뚜렷해서 경력교사 채용하는 쪽으로 선호하는 추세입니다. 경력교사를 채용하다 보면 화려한 학력과 경력을 가지고 수많은 프로젝트를 수행했다고 하는 엘리트들을 만나게 되는데, 서류상으로 보면 완벽에 가깝고 오히려 과분한 경력을 가지고 있는 경우도 있지만 실질적으로 교사 생활을 하다보면 반대 형상이 나오는 경우도 있습니다. 때로는 ‘실행은 아랫사람들이나 하는 것’이라고 생각하는 원장도 있습니다. 이런 원장은 절반의 성공에 머무르기 쉽습니다. 성공은 머리로만 이루어지는 것이 아닙니다. 머리가 생각한 것을 가슴이 받아들이고, 손과 발이 직접 이루어 내어야 성공이 완성됩니다. CEO(Chief Executive Officer)는 최고의 실행력을 갖춘 원장이라는 의미입니다. 경영과 운영은 사람을 통해 성과를 창출하는 것이라면 최고경영자인 원장은 성과로 자신의 존재를 입증해야 할 것입니다.

그 동안 ‘사람이 자산’ 이라고 믿고 교사를 채용할 때부터 이 사람이 실행력을 갖추고 있는지 머리와 입으로만 일하는 형인지를 바로 판단하고 아름답게, 행복하게 교사의 길을 달려가면 좋겠습니다.

• • • • • • •

| 9월 / 2주 | 안내글 |

하버드 친구들 모두는 "글로벌 리더" 입니다.

안녕하십니까?

가을의 하늘은 점점 높아가고 들녘은 황금빛으로 춤을 추고 있습니다.

가까이 있는 고향을 그리는 우리들의 마음은 한결 같을 것 같습니다.

고향 앞에는

고향 앞에는 나의 발자국이 찍혀있고

우리가 좋아하는 별들이 떠있고

우리가 좋아하는 빛깔이 있습니다.

그 옆으로 나란히 어머니의 발자국이 찍혀있습니다.

가슴 저린 날에는 어머니의 발자국 소리가 다가섭니다.

울적한 날에는 고향의 별들이 찾아듭니다.

고향 앞에는 내가 좋아하는 산들바람과 좋아하는 사람들이 있습니다.

귓가에 고향의 소리 스치는 날이면 가슴에 이슬로 맺히는 옛이야기 전설처럼 아득히 들려옵니다.

• • • • • • •

| 9월 / 3주 | 안내글 |

하버드 친구들 모두는 "글로벌 리더" 입니다.

좋은 성품은 명품 인생을 만들 수 있어요

바이올린의 명기 이탈리아 안토니오 스트라디바리는 현대 표준형 바이올린의 창시자로 그가 만든 악기들은 라틴어로 '스트라디바리우스'로 불립니다. 그의 악기는 히말라야 혹은 알프스 계곡에서 세찬 비바람과 눈보라를 맞고 자란 나무만을 골라서 재료로 쓰고, 만고의 풍랑을 견디며 자란 나무로 만들어야 세월이 갈수록 변함없는 맑은 소리를 내고 재질도 단단하여 변하지 않고 공명이 좋은 명품 악기를 만들 수 있다는 것입니다. 그래서 바이올린 가격이 무려 20-40억 원까지 받을 수 있고 세계 최고의 명품으로 인정을 받습니다. 그러고 보면 사람도 마찬가지인 것 같습니다. 고난이 그 사람의 인생을 명품으로 만들어 줍니다. 고난 때문에 인생이 더 아름다울 수 있고 풍요로울 수 있습니다. 고난을 격어 본 사람만이 자신의 인생에 대해 견고한 자신감을 갖게 되고, 아름다움을 간직할 수 있는 것 같습니다. 사람도 고난이 없으면 결코 큰 사람이 될 수 없는가 봅니다. 인내란 좋은 일이 이루어질 때까지 불평 없이 기다리는 것이며, 책임감이란 내가 해야 할 일이 무엇인지 알고 끝까지 맡아서 잘 수행하는 태도라고 우리는 가르치고 있습니다. 우리 아이들이 인내와 책임감을 마음에 새겨 비바람 치는 혹한에서도 자신을 인내하고 자신의 인생을 끝까지 책임지는 명품인생으로 성장하고 뿌리 내리기를 간절히 소망해 봅니다

• • • • • • • •

| 9월 / 4주 | 안내글 |

스토리텔링의 대가가 나도 될 수 있다

스토리텔링의 세계적인 대가 로버트 맥기 교수에 따르면 우리는 스토리를 통해 바다로, 달로, 대통령궁으로, 농부의 집으로 어디든지 갈 수 있고, 또한 스토리는 우리가 세상에 눈뜨고 세상을 진정으로 이해하고 배울 수 있게 해 주기도 하며, 우리의 작은 삶을 확장시켜 주는 훌륭한 장비라고 정의했습니다.

또한 "우리들이 경험하는 세상은 아주 작습니다. 하지만 스토리를 통해 다른 사람과 자신을 동일시하는 경험을 수천, 수만 번 반복하면서 우리의 작은 삶은 확장을 합니다. '나도 저렇게 할 것 같아' '어머, 나는 저러지 않을 텐데'라고 하면서요. 역사와의 관계에 대해 알게 되고, 무엇보다 우리가 누군인지에 대해 깨닫게 됩니다. 스토리 없이 살게 된다면 우리는 매우 작은 존재가 될 것입니다."

리더십의 요체도 스토리텔링입니다. "리더십의 요체는 상대방을 설득하고 변화시키는 것입니다. 그 가장 효과적인 방법이 바로 스토리텔링입니다. 팩트(사실)만 나열해서는 상대방의 생각을 바꿀 수 없습니다. 데이터는 숫자일 뿐입니다. 리더는 사실들을 갖고 이야기로 만들어내야 합니다. '우리가 이일을 하면 이런 일이 일어날 거야. 지금은 이렇지만, 내일은 이렇게 바뀔 거야'라는 식으로 말입니다. 좋은 리더와 스토리는 사람들에게 인간 대 인간으로 말하고 이해시킵니다. 그리고 삶에 대해 제대로 이해하는 것이 첫째고, 강력해야 한다는 것이 둘째라고 강조하고 있습니다.

우리의 글로벌 리더들인 하버드 아이들 모두는 똑똑한 리더들로, 스토리로 설득하고, 작지만 가슴으로 감정에 호소하며, 계속해서 사람들이 원하는 것을 아는 훌륭한 스토리를 만들어서 성공의 대열에 다 서 있기를 바랍니다.

• • • • • • •

10월 / 4주 안내글

기분 좋은 소통과 만남

| 10월 / 1주 | 안내글 |

하버드 친구들 모두는 "글로벌 리더" 입니다.

안녕 하십니까?

지금 이 시간 시간이 너를 증명한다

이별, 시련, 좌절, 행복, 기쁨 등을 학부모님들 자신에게 주어진 희로애락의 모든 순간을 차곡차곡 쌓아 우아하고 당당하게 자기만의 삶을 완성해 나가는 하버드학부모님들께 박수갈채를 보내 드립니다.

순간순간 우리는 포기하고 싶은 순간, 갈림길에서 불안해 했던 시간들을 묵묵히 견디며 이겨내는 하버드학부모님들을 만날 때면 묵직한 감동이 우리 마음 가장자리에 다가 옵니다. 누구나 다 "시간이 부족하다" 말들을 입에 달고 살기도합니다.

그러나 지나간 잘못을 쉽게 시간의 탓으로 돌리지 말고, 주어진 시간을 후회로 남길지 빛나는 훈장으로 만들지는 오직 학부모님들 자신에게 달려 있다고, 지금은 보잘 것 없다 치부해 버리는 시간도 자신들을 위해 정성을 다 한다면 그것으로 충분하다고 말해 주십시오. "지금"이라는 놀라운 시간의 조각들이 너라는 보석을 완성한다고 위로와 응원의 따스함으로 위로 받으시기를 바랍니다. 지금의 시간은 조용하고 공평합니다.

마음이 반석처럼 단단하다면 시침과 분침이 충실한 목격자가 되어 하버드교사들과 하버드학 부모님들의 수고와 노력을 기록해줄 것입니다.

• • • • • • •

| 10월 / 2주 | 안내글 |

하버드 친구들 모두는 "글로벌 리더" 입니다.

지난 한 주 잘 지내셨는지요?

아니 어떤 가을날을 만끽하셨는지 안부를 겸하여 여쭙습니다.

참 좋은 시절, 10월이 잊혀진 계절처럼 저물어 가고, 가을에 대한 미련이 아직 꽤 남아있는데 세월은 속절없이 흘러가버립니다.

짧은 가을이 곧 이별을 고 하려나 봅니다. 어찌하든 기약 없이 흘러가는 계절을 아쉬워하지 말고 바로 지금 내 앞의 가을날을 즐기는 것이 바로 가을에 대한 예의가 아닐까 싶습니다. 때가 되면 시의 적절하게 변신해가는 자연이 얼마나 신기하고 경이로운지 모릅니다. 이런 저런 모임에서도 물론이고 늘 일상 속에서 만나는 사람들과 아름다운 인연을 가꾸어가는 것이 삶에 있어 참으로 즐겁고 가치 있는 일임을 경험합니다. 스스로를 사랑하고 응원하는 하버드학부모님들은 최고입니다.

• • • • • • •

| 10월 / 3주 | 안내글 |

하버드 친구들 모두는 "글로벌 리더" 입니다.

안녕 하십니까?

평생을 어떤 안목으로 인생을 바라보았는가?

사랑하는 하버드학부모님들!

인생의 결과를 좌우하는 결정적 차이는 뭘까요?

방황하는 젊은이들에게 인생에서 무엇이 가장 중요할까요?

우리는 같은 환경에서 태어났습니다.

그런데 왜 누구는 성공하고 실패를 할까요?

인생의 행복과 불행, 성공과 실패는 "인생을 바라보는 안목" 에 따라 갈린다고 합니다.

안녕하십니까?

| 10월 / 4주 | 안내글 |

하버드 친구들 모두는 "글로벌 리더" 입니다.

안녕 하십니까?

태풍이 지나가고 난 후의 푸른 가을 하늘, 며칠 전과 달리 아침저녁이 선선합니다. 아름다운 또 한 번의 가을이 내 앞에 와 선다. 늘 이맘때면 또 가을이구나. 올 한 해 난 무엇을 위해, 무엇을 하며 보냈는가? 하는 생각에 빠져든다."엄마는 엄마의 가을을 몇 번이나 더 맞을 것 같아? 너무 일에 매이지 말고, 즐기기도 하고, 건강도 챙기세요!" 딸아이가 작년 가을 내게 한 말도 떠올립니다. 늘 일에 치여서 시간 가는 것도 모르고, 계절이 바뀌는 것에도 둔감하게 반응하면서, 건강관리조차 제대로 안 하면서 지내다가 어느덧 인생의 중반을 넘겼다. 남들처럼 해외여행도 좀 많이 하여 견문도 넓히고, 또 즐거운 일을 찾아 깔깔거리며 즐기기도 하고, 친구들도 자주 만나 우정도 깊게 해야 할 텐데…. 늘 종종걸음으로 우물 안 개구리처럼 살다 보니 지금의 자리에 와 있다. '우물쭈물하다 내 이럴 줄 알았다' 는 누구의 묘비명처럼. 따가운 햇살과 매미 소리, 여름의 피서객들로 붐비던 바다와 산의 계곡들도 가을로 접어들면서 조금은 편안하게 휴식을 취하고 있는 듯한 느낌이 든다. 싱그러움이 가득 넘쳐 푸른 힘줄처럼 느껴지던 여름 산의 능선들도 가을이면 조금은 고즈넉한 느낌이 든다. 담장 너머로 키 큰 해바라기가 가는 여름을 아쉬워 그 큰 눈을 껌뻑이는 듯하고, 길가의 코스모스는 하늘거리며 가을을 반기는 듯하다.

헤르만 헤세의 「구월」 이란 시가 떠오른다.'뜰이 슬퍼하고 있다./ 차디찬 빗방울이 꽃 속에 떨어진다./ 여름이 그의 마지막을 향해/ 조용히 몸부림친다.// 잎새들이 하나씩 금빛 물방울이 되어/ 높은 아카시아 나무에서 굴러 떨어진다./ 죽어가는 정원의 꿈속에서/ 여름이 깜짝 놀라 피로한 미소를 띤다.// 여름은 지금 잠시 동안/ 장미꽃과 더불어 잠들고 싶어한다./ 이윽고 여름은 서서히/ 피로한 그 큰 눈을 감는다. – 헤르만 헤세의 「구월」 전문.

여름의 긴긴 해를 견디고 비바람 폭풍우를 견뎌낸 가을꽃들이 피고 있다. 구절초, 코스모스, 들국화 어느 하나 함부로 된 것이 없고, 의미 없이 피는 꽃도 없으리라. 저마다 소박하고 정겹고 저린 사연들을 가지고 꽃을 피우고 열매를 맺을 것이다. 흔하게 울어대는 울 밑의 귀뚜라미도 우는 사연이 있고, 뜨락의 한 잎 떨어지는 잎도 온몸으로 뜨겁게 자기의 생을 살아왔을 것이다. 우주의 삼라만상이 크든 작든 저마다의 사연으로 흔들리며 부대끼며 살아왔고 또 살아갈 것이다. 여름이 서서히 물러가면서 하늘은 더 맑게 높아지고, 흐르는 물소리도 잘 여문 듯이 느껴진다. 곧 아람이 벌어질 것 같은 알밤들이 익어가는 모습과 가을 햇살 아래 잠자리들이 자유롭고 평화롭게 날고 있는 모습, 아름다운 가을날이다. 잘 익어가고 있는 평화로운 분위기의 이 가을 한 장, 이 가을 한 판을 누구에겐가 고스란히 보내주고 싶기도 하고, 이렇게 잘 익은 가을 한 잔을 정겹게 차를 따르듯 누군가에게 따라주고 싶기도 하다. 모두가 가치 있고, 평화롭고 행복한 가을날이 되시기를 기원하면서!

11월 / 5주 안내글

꿈을 위한 여정

| 11월 / 1주 | 안내글 |

하버드 친구들 모두는 "글로벌 리더" 입니다.

웃음의 뿌리는 마음입니다. 사람을 판단할 때 가장 중요한 것은 그 사람의 얼굴에 나타나는 빛깔과 느낌입니다. 얼굴이 밝게 빛나고 웃음이 가득한 사람은 꿈과 비젼을 간직하고, 얼굴 속에 마음이 밝으면 편안함을 주고, 자신이 건강하며, 행복에 익숙한 사람이 될 수 있습니다.
가을 하늘을 가만히 쳐다보면 구름들이 서로 어울려 노는 모습들이 얼마나 아름다운지요?
우리가 사는 세상살이도 노래 부르는 사람, 그림을 그리는 사람, 집을 짓는 사람, 청소를 돕는 사람, 가르치는 일을 하는 사람.....등 서로서로 어울려 아름다운 세상을 만들어 가는 것 같습니다.

• • • • • • • •

| 11월 / 2주 | 안내글 |

하버드 친구들 모두는 "글로벌 리더" 입니다.

안녕하십니까?
따뜻한 이불 속에서 나오기 싫어지는 요즘, 추위는 우리들을 게으르게 만들기도 합니다.
하지만 12월은 게으를 틈이 없을 듯합니다.
한해를 1달 밖에 남지 않은 시간이기에 뭔가 더 이루어야 할 것 같아 몸부림을 쳐야 할 것들이 많기 때문일 것입니다.
1년 동안 하버드 가족들과 하버드귀염둥이들이 건강했고, 큰 탈 없이 지냈음에 가슴 뿌듯했음을 감사와 기쁨의 마음으로 하버드가족 모두에게 전해 봅니다.

| 11월 / 3주 | 안내글 |

하버드 친구들 모두는 "글로벌 리더" 입니다.

가을비에 젖은 낙엽이 물결 따라 마음껏 떠내려가야만 나무의 꿈도 영글지만, 현재 겪고 있는 가뭄의 고통에서도 벗어날 수 있습니다. 낙엽이 물에 푹 젖어야만 계곡과 연못에 물이 고이기 때문입니다. 가을의 서리는 가뭄과 더불어 고단한 삶을 한층 고통스럽게 만듭니다. 이 같은 고통을 해소하는 방법의 하나는 추상같은 책임자들의 정책이지만, 현실은 그렇지 않습니다. 가을은 낙엽의 계절이지만, 지난 세월을 반성하면서 새로운 각오를 다지는 때입니다. 가을을 의미하는 '추(秋)'는 가을에 잡은 거북으로 점을 친다는 뜻입니다. 이 글자에는 1년을 마무리하면서 다가올 삶을 걱정하는 인생관을 엿볼 수 있습니다. 이즈음 우리나라 사람들도 김장을 비롯한 월동 준비에 여념이 없습니다. 서리는 많은 것을 시들게 하고 심지어 죽음으로 몰아넣지만, 새로운 생명을 잉태시킵니다. 만약 서리 같은 고통의 시간이 없다면 이 땅의 생명체는 결코 살아남지 못했을 것입니다. 우리는 서리가 내릴즈음에는 벼를 수확한 들판에서 마늘과 양파를 심던 기억을 떠올립니다. 마늘과 양파의 두 작물은 서리를 맞고 혹한 겨울을 견디고서야 정체성을 갖춥니다. 사람들이 마늘과 양파를 즐겨 먹는 이유 중 하나도 두 식물의 이러한 삶과 무관하지 않습니다. 마늘과 양파는 파종과 수확 과정이 무척 힘듭니다. 대부분 사람의 손에 의지해야 하기 때문입니다.

• • • • • • •

| 11월 / 4주 | 안내글 |

하버드 친구들 모두는 "글로벌 리더" 입니다.

안녕 하십니까?
생명체는 누구나 이별의 시간을 맞습니다. '이별(離別)'을 의미하는 한자는 '다른 곳으로 떠난다'는 뜻입니다. '만나면 반드시 헤어진다'는 회자정리(會者定離)는 이별에 대한 가장 흔한 단어입니다. 많은 사람들이 이별을 아픔과 슬픔으로 인식하지만, 이별이 반드시 그런 의미만 갖고 있는 것은 아닙니다. 이별은 다른 존재와의 관계 속에서만 이루어지지 않습니다. 자신과의 이별도 매우 중요합니다. 나무는 자신과 이별하는 대표적인 존재입니다. 그 중에서도 갈잎나무는 단풍을 통해서 매년 자신과 이별합니다. 나무의 이별연습은 단순히 아픔과 슬픔의 과정이 아니라 성숙의 시간입니다. 나무처럼 이별을 성숙의 순간으로 만들기 위해서는 무엇보다도 성실히 살아야만 합니다. 성실히 산다는 것은 우주의 법칙과 같습니다.

우주는 한순간도 쉼 없이 운행합니다. 그 덕분에 모든 생명체들이 지구에서 살 수 있습니다. 나무가 단풍을 만드는 과정도 우주의 법칙처럼 성실할 때만이 가능하다. 많은 사람들이 단풍의 빛깔을 아름답게 생각하지만, 단풍의 아름다움은 이별을 알기 때문에 드러납니다. 나무의 단풍은 절제의 미덕으로 완성됩니다. 나무는 일정한 시기에 물 공급을 중단하면서 생존에 대비합니다. 만약 시기를 놓치면 내상을 입는다. 인간이 매일 만나는 갈잎나무의 아름다운 단풍은 빈틈 없는 나무의 삶 덕분입니다. 욕망의 균형은 가장 아름다운 생존전략입니다. 특히 욕망의 절제를 통한 나무의 단풍 만들기는 아름다움에 대한 새로운 인식을 제공합니다. 그러나 요즘 단풍을 감상하는 사람들은 과도하게 욕망을 분출합니다. 나무는 아름답게 자신과 이별하지만, 사람들은 나무의 이별과 만나면서 마냥 즐거워합니다. 이처럼 나무는 자신과 이별하면서도 인간에게 무한한 감동을 선사합니다. 인간은 언제 자신과 이별하면서 다른 존재에게 무한한 감동을 선사할까요?.
그날은 바로 나무처럼 성실하게 사는 오늘일 것입니다.

• • • • • • •

| 11월 / 5주 | 안내글 |

하버드 친구들 모두는 "글로벌 리더" 입니다.

안녕하십니까?

가을 하늘에 편지를 쓰고 싶다는 노래처럼 세상 끝까지 파란 하늘이 펼쳐져 있어 잊혔던 누군가에게 편지를 쓰고 싶은 10월이 다가옵니다. 콧등으로 불어오는 신선한 바람과 푸른 하늘이 기분 좋은 요즘입니다. 푸른 하늘과 산들바람을 느끼며 자녀와 함께 손잡고 뛰어 놀며 푸른 하늘을 바라보시는 것은 어떨까요? 그리고 나의 아이들에게 사랑한다고 말해 주세요. 자연속에서 부모의 사랑을 받는 자녀는 행복한 꿈을 꾸며 감성적인 아이들로 자라날 것입니다. 나의 아이들이 자신의 꿈을 이야기할 수 있도록 자유로운 분위기를 만들어 함께해 주시고, 자녀의 꿈에 대해 반응적 경청을 해주시기 바랍니다. 나의 아이들과 함께 가을 하늘을 바라보며 힘차게 달려보는 시간을 상상하며 토요일에 뵙겠습니다.

• • • • • • •

12월 / 4주 안내글

리더자가 가져야 할 리더십

| 12월 / 1주 | 안내글 |

하버드 친구들 모두는 "글로벌 리더" 입니다.

안녕 하십니까?
0000년 새해의 여명이 밝아올 것입니다. 이제는 다가올 것들에 대한 호기심과 작은 희망을 곧추 세웁시다. 무엇보다 지금 이 순간의 삶을 느끼고 즐겨나가야겠다는 생각을 합니다. 일상의 깨어있는 삶, 연결된 존재로 더불어 살아가는 공감과 연대의 삶을 염원하기에 새해에는 삼한사온의 귀환처럼 사람 사는 세상이 우리 곁으로 돌아올 거라는 기대를 가집니다.
새로운 시작의 꿈을 찬란하게 떠오르는 태양과 함께 그대로 삶에 싣고 달려가십시다. 더불어 하나, 둘 더 여쭙니다. 어떤 새해를 꿈꾸고 준비하고 있는지요? 하버드 학부모님들! 새해에는 몇 가지 꿈들을 실현하는 새해를 맞이하려 하십니까?이러한 새해의 중요한 삶의 단어들을 되 뇌이면서 문화와 생명 그리고 행복을 추구해 보시면 좋겠습니다.
아울러 하버드학부모님들과의 인연 또한 꾸준하게 가꾸어 갈 생각입니다. 새해와 함께 시작하는 새로운 한 주, 즐겁고 힘차게 열어가세요. 활짝 웃는 새해 맞으시고 복 많이 받으세요. 고맙습니다.
마음을 열고 그 모든 것을 받아들여라. 행복의 삶은 여기에서 시작됩니다.

• • • • • • •

| 12월 / 2주 | 안내글 |

하버드 친구들 모두는 "글로벌 리더" 입니다.

안녕 하십니까?
가을이 아직 미련이 남았는지 겨울로 가는 문턱에 자꾸 걸려 넘어집니다.
넘어설 듯하다가 이내 주저앉아 울고 있는 듯 차가운 비를 흩뿌립니다.
이제 가을 잎들은 완전히 전의를 상실한 채 포도 채 나뒹굴거나 가지에 달려 있는 것들도 그 찬란한 빛을 잃어버리고 그저 시간을 기다리고 있는데 말이지요.
어차피 무엇이든 오고 가는 것이기에 오늘 이 순간 나의 존재의미를 새기는 것이 소중함을 압니다.
저물어가는 한 해, 시간은 늘 이어지고 있지만 더없이 소중하게 다가온 0000년의 끝 달을 특별하게 내 인생의 한 페이지로 접수함은 어떠실지요?
불타는 금, 토요일 밤이 저 심연으로 깊어갑니다.

| 12월 / 3주 | 안내글 |

하버드 친구들 모두는 "글로벌 리더" 입니다.

안녕 하십니까?

지난 한 주 잘 지내셨는지요?

12월이 문을 열어젖히고 우리들 품에 안겨 오고 있습니다.

끝은 늘 시작을 잉태한다고 하지만 그럼에도 끝에 서면 늘 아쉬움과 안타까움이 밀려오는 것은 어쩌면 인간의 숙명인지도 모를 일입니다.

끝을 그 마음 그대로 인정하고 이해하면 아름다운 추억과 그리움이 한 움큼 마음에 가득하게 찰 것입니다.

감정에서 한 걸음 떨어져 지켜보면 진짜 삶의 모습이 보일 것 같아요.

그래서 어떤 감정에도 자유롭게 되니 진정 편안함이란 바로 이런 게 아닌가 싶습니다.

한 해 끝에서 마무리 질 하시고 행복의 출발을 다짐 해 보면 좋을 성 싶습니다.

• • • • • • • •

| 12월 / 4주 | 안내글 |

하버드 친구들 모두는 "글로벌 리더" 입니다.

12월은 한 해의 마지막이라는 의미가 있습니다. 한 해를 돌아보고 다가오는 새해 계획도 세워보는 시간이지요. 아쉬움이 남지 않는 해가 어디 있을까요? 특히 아이들을 위해 세웠던 계획들은 어떠한가요? "화 내지 않기" "더욱 많이 놀아 주겠노라"고 약속하지 않으셨는지요? 또 "내년부터....."라고 미루지 마세요. 아직 12월이 손가락 스무 개를 접었다 폈다 너끈히 세 번, 네 번은 할 수 있으니까요. 하버드학부모님들께서는 남은 시간들도 알차게 보내 주세요. 그리고 아이들과 약속했던 약속들을 꼭 지켜 주세요. 약속을 지켜 준다면 하버드귀염둥이들의 행복한 멜로디는 끝도 없이 사랑스런 메아리가 되어 행복한 즐거움이 계속적으로 이어지게 될 것입니다.

Merry christmas !!!
설레는 12월 행복하게 보내고 싶은 마음 가득한 달입니다.
그리고 산타에 대한 꿈에 젖은 우리 아이들을 보며 "그래, 저렇게 아무것도 모를 때가 좋을 때지" 하시며 씁쓸해 하진 마세요.
아이들의 산타는 빨간 털모자, 외투에 선물 보따리를 멘 할아버지겠지요.
그러면 엄마, 아빠의 산타는 하루하루가 다르게 커가는 우리 아이들이 엄마, 아빠의 산타가 아닐까요?
무엇이나 바라는 것 없이 조용히 와서 선물을 주고 행복을 전하는 산타-!
바로 우리 가족이 아닐까 생각을 해 봅니다.

1월 / 4주 안내글

차별화된 독서실

| 1월 / 1주 | 안내글 |

하버드 친구들 모두는 "글로벌 리더" 입니다.

안녕 하십니까?
0000년 새해의 여명이 밝아올 것입니다. 이제는 다가올 것들에 대한 호기심과 작은 희망을 곧추 세웁시다. 무엇보다 지금 이 순간의 삶을 느끼고 즐겨나가야겠다는 생각을 합니다. 일상의 깨어있는 삶, 연결된 존재로 더불어 살아가는 공감과 연대의 삶을 염원하기에 새해에는 삼한사온의 귀환처럼 사람 사는 세상이 우리 곁으로 돌아올 거라는 기대를 가집니다. 새로운 시작의 꿈을 찬란하게 떠오르는 태양과 함께 그대로 삶에 싣고 달려가십시다.하나 더 여쭙니다. 어떤 새해를 꿈꾸고 준비하고 있는지요? 이러한 새해의 중요한 삶의 단어들은 문화와 생명 그리고 행복입니다.

• • • • • • •

| 1월 / 2주 | 안내글 |

하버드 친구들 모두는 "글로벌 리더" 입니다.

안녕 하십니까?
먼저 행복편지를 통해 새해 인사드립니다. 어떤 00년을 보내셨는지 여쭙니다.
아쉬움 한 조각이야 늘 끌어안고 살아 가는게 인생살이 이지만 지난 한 해 수고 많으셨고 잘 사셨습니다.
응원과 격려, 축하의 큰 박수 보냅니다. 00년 새해 복 많이 지으시고 건강하고 행복하시길 진심으로 기원합니다. 지난 한 주, 아니 지난 한 해 잘 지내셨는지요? 응원과 격려, 축하의 큰 박수 보냅니다. 그리고 저희 원에게 보내주신 관심과 성원, 사랑에 진심으로 고마운 인사 올립니다.
함께 해서 즐거웠고 의미 있는 시간이었습니다. 또한 새해부터는 개인적으로 마음을 열고 사람과 세상에 대한 호기심과 감성들을 느낌 그대로 온전하게 표현하고 이야기하며 살아가겠다는 것일 겁니다. 무엇하나 허투루 하지 않고 긍정적이고 적극적인 자세로 행복에너지, 행복 바이러스를 오롯히 전할 수 있다고 생각합니다.
벌써부터 마음이 설렙니다. 아울러 학부모님들과의 인연 또한 꾸준하게 가꾸어 갈 생각입니다.새해와 함께 시작하는 새로운 한 주, 즐겁고 힘차게 열어가셔요. 활짝 웃는 새해 맞으시고 복 많이 받으세요. 고맙습니다.
마음을 열고 그 모든 것을 받아들여라. 행복의 삶은 여기에서 시작된다.

| 1월 / 3주 | 안내글 |

하버드 친구들 모두는 "글로벌 리더" 입니다.

안녕 하십니까?

지난 한 주 잘 지내셨는지요?

대설이 지나서인지 때늦은 폭설이 마음 놓고 온갖 공간을 뒤덮었습니다.

산길 비탈길도 하얀 눈으로 옷을 갈아입었습니다.

을씨년스러움이 한 순간에 포근함으로 바뀐 걸 보며 자연의 변화무쌍함에 엄지척을 해주고 싶습니다.

삶을 돌아보기에 딱 좋은 시절, 어떤 한 해를 보내셨는지요?

하얀 휴일 아침이 낮 내내 온기에 녹아든 것이 차가운 동장군의 등장을 알리는 징후였나 봅니다.

뚝심 있어 보이는 겨울마저 변덕이 심한 게 혹 내 모습을 닮은 듯 싶어 머쓱합니다.

어찌하든 눈 내리고 차가운 바람이 부는 겨울이 진짜 겨울답다는 생각에 괜시리 즐거워집니다. 한 해의 끝에서 작은 긴장감을 가지기에도 좋습니다.

따뜻한 새 날을 꿈꾸며 차가운 휴일 밤 속으로 깊게깊게 빠져들어가 보세요.

겨울다운 차가움 속에서 새로운 한 주가 시작됩니다.

나를 깨우는 성찰이 있고, 내일을 품어 안는 희망이 있는 날이 쭈욱 이어지길 염원합니다. 나를 아끼며 세상과 함께 하다보면 끝내 행복한 세상은 우리의 것이 될 것입니다.

따뜻한 온기를 나누며 건강 잘 챙기시길 바랍니다.

• • • • • • •

| 1월 / 4주 | 안내글 |

하버드 친구들 모두는 "글로벌 리더" 입니다.

안녕 하십니까?

- 하루가 시작되면 많은 사람을 만나면서 살아갑니다. 문제는 만나는 사람마다 좋은 사람, 그저 그런 사람, 보기 싫은 사람으로 분류하는 감정이 일어난다는 점입니다. 물론 자신 위주로 생각하다보니 그렇겠지만 '유유상종(類類相從)'이라는 고사성어가 떠오릅니다. 세상에 살면서 나를 기준으로 나한테 잘 해준 사람은 은인이고 나에게 손해를 끼친 사람은 원수로 여깁니다. 우리 자신도 반성해야만 합니다.
- 우리로 인해 마음이 불편한 사람이 있다면 우리 역시 그 사람에게는 원수로 여겨질 것입니다.
- 나이가 들수록 남과 척지지 말고 베풀며 살라는 어르신들의 말씀이 다가옵니다.

• • • • • • •

2월 / 4주 안내글

참된 교육자 원장님!

| 2월 / 1주 | 안내글 |

하버드 친구들 모두는 "글로벌 리더" 입니다.

안녕 하십니까?

겨울은 추운 계절이라는 것을 새삼 상기하며 함께 견뎌갈 온기를 모아야 겠습니다.

12월 중순, 깊어가는 휴일 밤을 따뜻하게 껴안습니다. 지난 한 주 따뜻하게 잘 지내셨는지요? 이제 0000년도 막바지에 이르렀습니다.

지난 한 해를 돌아보니 정말이지 말 그대로 다사다난한 한 해였다는 생각이 듭니다. 개인적 삶도 세상의 일도 수많은 굴곡과 변화가 이어졌으니 말입니다. 무상의 시간과 공간속에서 나는 무엇을 하며 살았는지 돌아봅니다.

0000년의 삶을 함께 만들어 온 수많은 학부모님들께 고마운 인사를 올리구요. 지난 시간들 속에서 나의 말과 행동이 진정 온전했는가를 돌아봅니다.

그럴싸한 말만 내세운 것은 아닌지, 누군가의 고통을 애써 외면한 것은 아닌지도 살피구요. 또한 우리가 하는 행동과 말, 우리가 내민 손길이 누군가에게는 인생의 마지막 순간이 될 수도 있음을 생각하니 더욱 마음이 저밉니다. 잇속만을 챙기는 차가운 반응이 아니라 따뜻한 말 한마디, 부드러운 눈빛 하나를 잘 챙겨야 하는 이유도 생각하구요.

그나저나 올 한 해 원하는 삶, 힘 있는 삶을 살아오셨는지 여쭙니다.

거기에 내가 좋아하는 삶을 살았는지도 함께요. 인생의 마지막은 언제 올 지 아무도 모르기에 진정 내가 원하는 것, 하고 싶은 것들을 미루지 말고 바로 오늘 해보면 참 좋겠습니다. 지혜로운 삶이 거기에 숨쉬고 있더라구요. 오늘 당신을 아끼고 사랑하는 누군가가 있다는 것을 기억하고 힘차게 신나게 한 주를 열어 가시길 기원합니다.

• • • • • • •

| 2월 / 2주 | 안내글 |

하버드 친구들 모두는 "글로벌 리더" 입니다.

안녕 하십니까?

삶의 존재 이유 가치 있는 삶, 풍요로운 삶?

인류가 지구별에서 삶을 영위한 이래 수많은 사람들이 태어나고 떠났을 것이다. 아마 오늘도 누군가는 태어났을 것이고, 누군가는 어쩔 수 없이 지구별 소풍을 마칠 것이다. 영원히 살 것처럼 잔뜩 움켜쥐고 부들부들 떨다가 떠나는 사람이 있는가하면 다 내려놓고 훌훌 털어버리고 민들레 홀씨처럼 가벼이 떠나는 사람도 있을 것이다.

그러기에 이런 화두 하나 가지는 것은 너무나 자연스럽다.

나는 왜 여기에 왔고 어떤 삶을 살다 갈 것인가.

분명 아등바등 우왕좌왕 살아가는데 그것이 무엇을 위한 것인지 생각 한 번 하지 않고 살아가는 사람이 얼마나 많은지를 생각하면 더욱 그러하다.

나부터 돌아본다. 뭐가 그리 바쁜지 정신없이 살아가지만 '무엇을 위해 그런 삶을 사느냐고 물으면' '바로 이것이다'라고 대답하기엔 머뭇거림이 없지 않다. 하지만 분명한 대답에 망설임이 있다 해도 이런 화두에 깨어 있다는 것, 일상의 삶에 작은 긴장감을 가지며 산다는 것은 그 의미가 결코 작지 않다. 그런 삶의 자세가 나의 삶을 바로 세우고 가치 있는 삶, 좀 더 풍요로운 삶으로 이끌어 갈 것이기 때문이다.

• • • • • • •

| 2월 / 3주 | 안내글 |

하버드 친구들 모두는 "글로벌 리더" 입니다.

안녕 하십니까?가장 쉬운 방법은 상대편의 말을 그대로 반복하는 것입니다. "요즘 사업하기 너무 힘들어요" 라는 말을 들으면 곧 "정말 힘이 드시겠군요" 하고 맞장구를 쳐줍니다. 사람은 자신의 희로애락에 공감하는 이들에게서 안정감과 친근감을 느낍니다. '긍정의 기술' 도 필요하다. "얼굴이 왜 그렇게 안 좋아요?" 하는 것보다는 "요즘 바쁘신가봐요. 역시 능력 있는 분은 다르군요"라고 말해 주는 편이 훨씬 낫습니다. "당신도 이렇게 멋있어!" 하는 말보다 "당신 참 멋있어!"라고 담백하게 표현하는 쪽이 더 긍정적입니다. 그때그때 적절한 감탄사, 맞장구와 조심스러운 의견 제시는 상대방으로 하여금 당신이 자신의 말을 경청하고 있다는 느낌을 갖게 합니다.

• • • • • • •

| 2월 / 4주 | 안내글 |

하버드 친구들 모두는 "글로벌 리더" 입니다.

안녕 하십니까? 남 앞에서 자신의 장점을 자랑하고 싶은 것은 인지상정입니다. 그러나 이러한 욕구를 적정선에서 제어하지 못하면 만나기 껄끄러운 사람으로 낙인찍히게 됩니다. 내면적 자신감을 갖고 있는 것과 잘난 척하는 것 사이에는 큰 차이가 있습니다. 장점은 남이 인정해 주는 것이지 자신이 애써 부각시킨다 해서 공식화하는 것이 아닙니다. 또 너무 완벽해 보이는 사람에겐 거리감이 느껴지게 마련이므로, 오히려 자신의 단점과 실패담을 앞세우는 것으로 더 많은 지지자를 얻을 수 있습니다.여러 사람 앞에서 이야기할 때 시선을 한 사람에게만 고정시켜서는 곤란합니다. 전후좌우로 차례를 바꿔가며 2~3분씩 시선을 맞추어 주시기 바랍니다. 청중을 전혀 보지 않거나 가져온 원고를 줄줄 읽는 것도 좋지 않습니다.

인 사 글

코흘리개 우리 꼬마들이 / 훌륭한 아이들로 찰랑이며
파란들을 달라고 / 파란 몸짓으로 보채더니
이젠 큰 키로 자랐어요 / 이젠 큰 마음으로 자랐어요

자주적인 아이로 / 창의적인 아이로
도덕적인 아이로 / 건강한 아이로

우리원에서 추구하는 인물상으로 / 이렇게 자라고 있는 아이들과
늘 행복하게 살아가십시오.

삶이 힘겨울 때 / 삶이 시리울 때
이렇게 자라난 아이들의 / 얼굴을 바라보세요.

우리 아이들의 눈망울 속에 / 우리의 진정한 행복이 담겨 있답니다.
늘 행복한 하버드가족이 되길 빌겠습니다. 늘 행복하세요.

• • • • • • • •

원장님의 감성적 영향력 VIII

칼럼은 놀이학교를 운영하던 시절에 수준을 조금이나마 높여 보고자 Mom's의 교육적 수준을 높이는 차원에서 매주 보내 드렸던 내용들입니다. 아시는 바와 같이 놀이학교는 Mom's의 레벨들이 교사, 교수, 변호사, 의사들 이상의 학부모들이라 교육적 가치를 끌어 올려 보는 계기로 보내드렸던 부분입니다.
칼럼들은 여러 곳에서 주를 이루고 있으며 10년 전에 내용의 글들입니다. 시간이 유유히 흘러 10년 이상의 것들로 누구의 작가들 것인지도 잘 모를 정도입니다. 오랜 시간이 지나게 되니 어느 작가의 글인지? 송구스럽고, 죄송한 맘을 가지고 나열했습니다.
꼬망세, 월간 유아, 원 경영, 폴라리스, 한국 가까이 교육연구회 윤 시명 대표, 김민정 박사, 권영상 작가, 이규섭 시인, 신도성 언론인, 강판관 교수, 한희철 목사, 이성록 교수, 김거태 소장, 김재은님, 신문 사설, 이름 모를 저자인 무명인 등에서 발취한 칼럼이 다수임을 밝히는 바입니다.
칼럼은 약 190편중 97편만 수록되었으며 매월 첫 주 1회로 한정하여 Mom's에게 보내드릴 때 Mom's에게 지대한 리더십의 영향력을 작가들을 통해 끼치는 것도 효과적이므로 좋을 성 싶습니다.
매주 가정 통신문 커리큘럼 인사글도 7년 주기용이요, 칼럼도 7년 주기용으로 활용하시면 Mom's에게 고단백 영양분을 제공하지 않나 확신을 하면서 활용해 보시기 바랍니다. 감사합니다)

원장과 교사와 학부모님들과의 소통 - I

요즘에는 '카.페.인'이라는 말이 유행합니다. '카톡, 페이스북, 인스타그램'의 약자입니다. 온 국민이 소통 도구에 중독돼 있는 것 같습니다. 우리들도 하루 중 이것들과 씨름하는 시간이 적지 않습니다. 하버드학부모님들도 비슷할 것입니다. 그런데 이토록 온 국민이 '카.페.인'을 이처럼 가까이 모시고 산다면, 우리 사회도 그만큼 소통이 잘돼야 할 텐데 현실은 그렇지 못한 것 같습니다. 아니, 더 불통 사회로 가고 있는 것 같습니다. 왜 이럴까요? '카.페.인'은 소통의 도구에 불과하고, 진짜 소통은 사람이 하기 때문입니다. 수단은 첨단으로 발달했는데, 정작 소통을 하는 사람들은 별로 변한 게 없기 때문입니다. 소통 수단의 성능이 좋아진다 해서 소통의 효과도 좋아지는 건 아닌 것입니다. 소통 수단이 발전하면서 소통의 부작용은 오히려 더 심각해지고 있습니다. 소통은 기술이 하는 것이 아니라 '사람'이 하는 것이기 때문일 것입니다.

♥ 엘리트학부모님들은 서로 간 '다름'을 인정하고 '다른 사람'을 존중했으면 좋겠습니다.
사람은 누구나 처음에는 동굴 속 같은 혼자의 세계에서 삽니다. 그러면서 점차 다른 사람들이 사는 세계로 나옵니다. 넓은 광장의 세계에 나와서 가장 먼저 알아야 하는 건 '세상에 나와 똑같은 사람은 없다'는 엄연한 현실입니다. 그래서 그들을 '다른 사람'이라 가리키는 것일 겁니다. 그럼에도 다른 사람도 나와 똑같다거나, 나도 다른 사람과 똑같다는 생각을 버리지 못해 고생을 합니다. 심하면 사람과 사람 사이에 갈등도 일어납니다.

동굴에서 광장으로 나오려면 옷을 입어야 합니다. 소통의 옷을 입어야 '다른 사람들'과 더불어 살아갈 수 있습니다. '존중'의 바지와 '자기 공개'의 저고리를 입어야 합니다.
광장에 나와 다른 사람들과 소통을 하려면, 먼저 다른 사람이 자신과 다름을 인정하고 다른 사람을 존중해야 합니다. 다른 사람이 나와 다르다는 사실은 불편하기는 하지만 한편으로는 복(福)입니다. 무인도에 같은 연령, 같은 성격, 같은 얼굴, 같은 습관의 남자 다섯이 표류돼 살고 있다고 상상해본다면 그건 아마도 재앙일 것입니다. 그러나 아주 다양한 사람들이 살아남았다면 훨씬 재미있을 것이고, 구조 받을 좋은 아이디어가 나올 가능성도 높을 것입니다. 세상은 서로 다르기 때문에 살 만합니다. 서로 다르기 때문에 다른 사람이 새롭고 신기해집니다. 서로 다르기 때문에 서로 도움을 주고받을 수 있습니다. 서로 다르기 때문에 서로 소중하게 여기게 됩니다. 다른 사람의 '나와 다름'을 존중할 때 소통이 시작됩니다.
계곡의 돌을 잘 살펴보면 대부분 뾰족하고 날카롭습니다. 그러나 하류의 돌을 보면 뾰족한 부분이 무디어진 자갈들입니다. 그렇다고 해서 돌 자체의 속성이 바뀐 건 아닙니다. '다름'은 처음에는 서로에게 뾰족하고 날카롭게 느껴질 수 있습니다. '나의 다름'은 자칫 다른 사람에게 상처를 줄 수도 있습니다. 그래서 상대방을 존중하는 사람은 서로의 차이점보다는 공통점을 먼저 맞춰보려 합니다.
하버드원장과 교사와 학부모님들과 소통을 하면서 교육적인 부분에서 보람을 느꼈으면 좋겠습니다.

원장과 교사와 학부모님들과의 소통 – II

요즘에는 '카.페.인'이라는 말이 유행합니다. '카톡, 페이스북, 인스타그램'의 약자입니다. 온 국민이 소통 도구에 중독돼 있는 것 같습니다. 우리들도 하루 중 이것들과 씨름하는 시간이 적지 않습니다. 엘리트학부모님들도 비슷할 것입니다. 그런데 이토록 온 국민이 '카.페.인'을 이처럼 가까이 모시고 산다면, 우리 사회도 그만큼 소통이 잘돼야 할 텐데 현실은 그렇지 못한 것 같습니다. 아니, 더 불통 사회로 가고 있는 것 같습니다. 왜 이럴까요? '카.페.인'은 소통의 도구에 불과하고, 진짜 소통은 사람이 하기 때문입니다. 수단은 첨단으로 발달했는데, 정작 소통을 하는 사람들은 별로 변한 게 없기 때문입니다. 소통 수단의 성능이 좋아진다 해서 소통의 효과도 좋아지는 건 아닌 것입니다. 소통 수단이 발전하면서 소통의 부작용은 오히려 더 심각해지고 있습니다. 소통은 기술이 하는 것이 아니라 '사람'이 하는 것이기 때문일 것입니다.

♥ '자기 노출'의 두려움을 극복했으면 좋을 성 싶습니다.

남들 앞에서 옷을 벗는 것처럼 두려운 일은 없습니다. 자신의 몸이 남들에게 노출되기 때문입니다. 그래서 대중목욕탕에 가는 걸 두려워하고 노출이 심한 수영복을 입는 걸 꺼려하기도 합니다. 소통의 옷 저고리는 '자기 공개'입니다. 소통은 그 자체가 자기 노출입니다. 원하던, 원하지 않던 다른 사람과 마주치는 순간, 자신은 공개되기 시작합니다. 엘리베이터에서 마주친 사람에게 눈인사를 하면 하는 대로, 안 하면 안 하는 대로 자신의 속마음이 노출됩니다. 광장에 나와 사는 한 소통은 불가피한 일일 것입니다.

사람들은 자기 노출이 두려워 소통을 꺼립니다. 그 정도는 사람에 따라 다르고 자기 노출을 지나치게 꺼리는 사람은 자기 동굴 안에 들어가 삽니다. 그런가 하면, 자기 노출을 좋아하는 사람은 광장에 나가 자기 노출을 즐기며 삽니다. 자기 노출이 불가피하고 필요하기는 하지만 강제로 시도하는 건 주의해야 합니다. 충격을 받으면 평생 동굴로 향할 수도 있기 때문입니다. 자기 노출이 가져다주는 유익함을 스스로 깨닫게 도와줘야 합니다.

고양이와 개는 언어도 다르고 표현방법도 다릅니다. 개는 기쁠 때 꼬리를 올리지만, 고양이는 그 반대입니다. 그래서 만나면 서로 으르렁거립니다. 그러나 그걸 알게 되면 서로 친해져서 서로 가장 취약한 배 부분을 드러내 보이며 장난을 칩니다. 소통은 나를 노출하고 공개하면서 시작됩니다. 이번 남북정상회담에서 두 정상도 그런 소통 과정을 보여줬습니다. 남북은 체육, 문화처럼 공통점이 많은 분야에서 소통을 시작했습니다. 그러면서 더욱 친밀해졌고, 서로 다른 점도 이해하기 시작했습니다. 그리고 계속 만나면서 평화를 원한다는 속마음도 확인한 것 같습니다. 그리고 신뢰하게 됐습니다. 이런 과정을 계속 밟아나간다면 서로에게 군비축소, 평화라는 공통적인 유익을 구할 수 있을 것입니다.

소통은 자기 노출에서 시작됩니다. 자기 노출을 하면 상대방은 나를 알게 되고, 나는 상대방을 알게 됩니다. 그뿐 만이 아닙니다. 상대방에 비친 나도 알게 됩니다. 그러니 서로 친밀해질 수밖에 없습니다. 친밀해지니 소통은 더욱 깊어지고 길어질 수밖에 없습니다. 우리 삶의 공간에 그런 사람이 늘어가니 사는 게 행복해집니다. 하버드원장과 교사와 학부모님들과 소통을 하면서 교육적인 부분에서 보람을 느꼈으면 좋겠습니다.

인생의 주제가 사랑이면 좋을 성 싶습니다.

우리네 사람들에게 있어서 필요한 것들이 있다면 아마도 의.식,주일 것입니다. 우리들은 모두가 공통적으로 벌거벗고 길거리에 나갈 수는 없을 것입니다.
남루하더라도 몸에 옷을 걸치지 않고는 또한 사회생활이 불가능할 것입니다.
만약 우리들이 한 두 끼 굶으면 좀 허기는 지지만 사회생활과 직장생활들을 하며 출근을 할 수는 있습니다. 그러나 "사흘 굶으면 도둑질 안 하는 놈이 없다"는 속담도 귀담아 들어 둘 필요가 있습니다.

한편으로는 굶주린 사람에게 도덕을 따지기도 어렵습니다. 또한 집이 없어 다리 밑에서 노숙을 하는 사람들과 행복을 논할 수도 없을 것입니다.

그런데, 돈만 있으면, 좋은 옷 입고, 고급식당에서 배부름의 은총을 받았다고 배 두드리면서 잘 먹고, 잘 싸고, 으리으리한 호화주택에서 편하게 살 수는 있습니다. 또한 돈만 있으면 무엇이든 다 되는 세상이라고 믿게 됩니다. 그래서 "돈, 돈"하면서 사람들은 날마다 정신이 혼미해 지면서 서로 간 늘 싸우는가 봅니다. 돈 잘 버는 아들이 잘난 아들이고, 돈 잘 버는 아버지가 훌륭한 아버지이고, 돈 잘 버는 남편이 장한 남편이 되기도 합니다.

우리사회를 피곤하게 만드는 부정부패도 따지고 보면 돈 때문입니다.
그러나 아무리 돈이 많아도 건강이 없으면, 비단 옷을 장롱에 넣어두고, 매끼 죽만 먹어야 합니다. 최고로 비싼 침대에 누워 있다 해도 아마 잠이 안 올 것입니다. 불면증에 걸릴 것입니다.

옛날에는 매일 매일 땀을 흘리며, 숨을 몰아쉬며, '보리 고개'를 넘던 그 옛날을 오히려 그리워하는 엄청난 부자들도 적지 않을 것입니다. "돈이 전부가 아니다"라는 소박한 진리 한 토막을 터득했을 때는 이미 때가 늦을 수도 있습니다. 돌이 킬 수도 없을 수 있습니다. 제아무리 몸부림쳐도 소용없을 수도 있을 것입니다.

우리네 인생에 있어서 인생의 주제가 '사랑'이라는 사실을 깨닫는 데 너무 오랜 세월이 소요될 수도 있습니다. "사랑보다 돈"이라고 잘못 알고 있는 사람들이 우리 주변에는 너무 많음을 인지하고 있습니다. 어떤 인생은 "돈보다 사랑"이라는 만고불변의 진리를 깨닫는 데 80년이라는 연륜이 필요하였다고 고백합니다.

하버드학부모님들은 이제부터라도 남은 인생이 아무리 많이 남아 있다고 생각해도 앞으로는 '작은 사랑'을 위해 내가 가진 '작은 재물'들을 써보려는 생각을 해보는 것은 어떠실련지요?

하버드학부모님들의 인생 여정에서 '석양의 노을 빛'이 다 가기 전에 말입니다.

3번 은퇴하기

은퇴를 자주하고 싶다. 3번쯤 했으면 좋겠다. 대부분의 직장인들은 은퇴를 겁냅니다. 버틸 수 있을 때까지 근무하길 바랍니다. 남들이 '오륙도(56세까지 퇴직하지 않고 버티면 도둑놈)'라며 비아냥거려도 상관없다는 태도입니다. 오래 근무하는 게 성공의 금과옥조처럼 받아들이는 것 같습니다. 어느 누구도 인생의 꿈이 봉급생활자 일수는 없습니다. 나름대로 꿈이 있습니다. 그런데도 되도록 오랫동안 봉급생활자로 남아 있으려는 이유는 그만한 사정이 있기 때문입니다.

다양한 이유가 있겠지만 두 가지만 꼽으라면 경제적인 이유와 용기 부족일 듯싶습니다. 가장(家長)은 항상 가족에 대한 무한정의 책임감을 갖습니다. 처자식 먹여 살리고, 집장만 하고, 노후에 돈 걱정 없이 살아가기 위해 일하다 보면 금세 백발이 찾아옵니다. 또한 생각만 있을 뿐 행동할 수 있는 용기가 부족한 탓입니다. 생각을 행동으로 옮기지 못한 배경에도 경제적인 문제가 숨어 있을 수 있지만, 실패에 대한 두려움이 더 크게 작용할 게 분명합니다. 조직으로부터의 이탈이 인생의 낙오자처럼 느껴지기도 할 것입니다.

다람쥐 쳇바퀴 돌듯이 무의미하게 인생을 살 것이 아니라 세 번쯤 은퇴하면서 새로운 인생을, 의미 있는 인생을, 자신이 원하고 사회가 바라는 그런 삶을 살 수는 없을까?. 은퇴가 과연 나쁜 것일까?. 인생에서 실패한 사람만이 조기은퇴를 하는 것일까?. 그렇지 않습니다. 은퇴는 인생의 종말이 아니라 시작이기 때문입니다. '은퇴하다'의 영어는 'Retire'입니다. 이를 자세히 보면 '다시'란 뜻의 'Re'와 '타이어'란 뜻의 'Tire'의 합성어입니다. 결국 무슨 말인가. 새로운 타이어로 교환한다는 뜻으로, 과거와 다른 새로운 인생을 산다는 의미를 담고 있습니다.

F1 자동차 경주를 보면 타이어 교환의 의미를 실감할 수 있다. 7단 기어가 장착된 경주용 자동차는 순간 최고 속도가 시속 360km에 달할 만큼 빠릅니다. 그런데도 결승점에 도달하기 전에 타이어를 교체한다. 교체에 따른 시간을 허비하면서 말입니다. 왜 타이어를 교체할까. 새로운 타이어로 교체해야만 안전하게 더 빨리 달릴 수 있기 때문입니다. 예선전, 위밍업, 결승전을 치르는 과정에서 28개 타이어를 사용할 수 있는데, 어느 시점에서 타이어를 교체할 것인지는 기후와 경기장 사정에 따라 출전 선수가 알아서 판단합니다.

인생도 F1 경주와 흡사한 대목이 있습니다. 인생의 종착지를 향하여 달릴 때 몇 번 은퇴할 것인지를 스스로 결정해야 한다는 점에서 특히 그렇습니다. 은퇴의 횟수는 사람에 따라 다르겠지만, 분명한 점은 은퇴가 새로운 인생의 출발이 돼야 한다는 것입니다. 경제적인 이유 때문에 포기했던 자신만의 삶을 살기 위해 은퇴할 수 있어야 하지 않을까. 봉급생활자에서 사업자로 변신하기 위해 첫 번째 은퇴를 하고, 진정으로 자신이 하고 싶은 일을 하기 위해 두 번째로 은퇴하고, 그동안 행복한 삶을 살 수 있도록 기회를 준 사회에 봉사하는 인생을 살기위해 마지막으로 은퇴할 수 있는 삶을 기대해봅니다.

정신 건강 설계

인생에 있어서 어떤 설계 계획을 세우셨나요?

인생설계를 할 때 재무와 경력설계는 곧잘 하면서도 정신건강 설계는 소홀히 하는 것 같습니다. 건강을 위해 아침에 1시간 일찍 일어나 운동을 한다거나, 한 달에 2번 이상 등산을 한다는 식의 계획은 세워도 정신건강은 우선순위에서 밀리거나 아예 생각조차 못하기 일쑤입니다. 연초 인생설계를 할 때 꼭 포함시켜야 할 내용은 정신건강이다.

'행복한 은퇴를 위한 모든 것, All Ready?'란 책에서 행복한 노후의 3대 조건으로 건강, 돈, 소일거리를 꼽았습니다. 돈만으로 노후가 행복한 것은 아니란 점에서 건강과 함께 소일거리를 포함시켰던 것입니다. 한국인의 사망원인을 보면 육체적 건강과 함께 정신적 건강의 중요성을 인식할 수 있습니다. 자살은 암-뇌혈관질환-심장질환에 이어 사망원인 4위에 올라 있습니다. 하루에만도 자살을 선택한 사람은 35명에 달합니다. 20대와 30대의 사망원인 1위는 자살입니다. 연령과 관계없이 자살원인을 살펴보면 신변비관, 병고, 치정과 실연, 가정불화 등입니다. 인생을 살다보면 누구나 죽고 싶을 만큼 힘들 때가 있게 마련입니다. 요즘엔 초등학생들도 죽고 싶다는 말을 입에 달고 다닌다고 합니다. 공부에 파묻혀 사람다운 생활을 하지 못하기 때문일 것입니다. 실제로 공부 스트레스를 이기지 못한 초등학생이 자살한 사건도 있습니다. 정신이 건강하지 못하기 때문에 자살을 선택했겠지만, 밑바닥을 들여다보면 가난이 자리하는 경우가 많습니다. 빚더미에서 헤어나지 못한 삶을 살다보면 정신 뿐 아니라 육체까지도 건강할 수 없습니다.

종교생활은 정신건강을 지킬 수 있는 묘약입니다. 만약 종교생활이 싫다면 명상을 통해서도 어느 정도 건강한 정신을 유지할 수 있습니다. 흔히 명상하면 마음을 비우는 것으로 오해하기 쉬우나 오히려 '더 큰 욕심'을 가질 때 돈과 명예와 같은 낮은 수준의 욕심을 버릴 수 있습니다. '더 큰 욕심'이란 내가 보호받는 것이 아니라 남을 보호하는 것이요, 남을 지배하는 것이 아니라 남이 나를 지배하도록 마음의 문을 여는 것입니다. 건강한 정신을 가지려면 종교생활이나 명상 등이 필요하지만 무엇보다도 희망을 가져야 한다고 생각을 합니다. 희망의 반대편에 있는 것은 절망입니다. 절망하는 삶에서는 건강한 정신이 싹틀 수 없습니다. 절망적인 삶에서 빠져나오려면 희망을 가져야 하고, 희망이 있는 삶은 정신을 건강하게 만듭니다. 희망은 목표를 통해 달성됩니다. 목표는 부자일수도 있고, 베푸는 삶 일수도 있습니다. 가난하다고 해서 부자를 꿈꾸지 말라는 법은 없습니다. 부자 가운데서 가난한 시절을 경험하지 않았던 사람은 거의 없습니다. 희망은 저절로 생기지 않습니다. 노력이 뒤따라야 합니다. 씨앗이 열매를 맺으려면 밭을 갈고 씨앗을 뿌린 뒤 가꿔야 하는 것과 같은 이치입니다. 목표를 세웠다면 의지와 열정을 갖고 실천하는 길밖에 없습니다.

말 잘하는 우리 아이

최근 우리 사회에서는 '소통'이라는 용어가 많이 대두하고 있습니다. 그만큼 사회를 살아가는 구성원들에게 의사소통이 중요하고 관계의 기본이 서로간의 전달이기 때문에 그런 것 같습니다. 언어치료라는 분야도 이러한 의사소통을 기본 바탕으로 이루어져 있습니다. 우리가 일상적으로 말하는 말이라는 것은 음성을 산출하는 신체 기관을 사용하여 만들어 내는 소리이며, 언어는 의미를 담고 있는 상징기호의 형식이나 사용 등을 지칭하고, 의사소통은 개인의 생각을 전달하는 과정을 통칭해서 나타납니다. 따라서 이러한 영역 중 어느 부분이 문제가 생겨 말하는 사람이나 듣는 사람에게 어려움을 느끼게 되는 것을 언어장애라고 하고 이를 중재하는 것이 언어치료입니다.

그렇다면 우리 주위에서 쉽게 볼 수 있는 언어장애는 어떤 것이 있으며 어떻게 해야 할까요? 말이라는 것은 사람이 성장하고 발달하는 과정에서 자연스럽게 이루어지는 것이라 누구나 쉽게 습득한다고 여길 수 있습니다. 하지만 간혹 주변 아이들이 말이 늦거나 발음이 조금 이상하거나 말을 더듬거나 하는 것을 볼 수 있을 것입니다. 혹은 지속해서 목 쉰 소리가 걸걸하게 나거나 뇌졸중 이후 말이 어눌해지는 경우도 잇을 것입니다. 이들이 언어장애를 겪는 경우이며 언어치료 중재를 어떻게 해야 하는지 앞으로 말하고자 합니다. 결혼한 부부에게 있어서 가장 큰 축복중의 하나는 자녀의 출생일 것입니다. 우리 자녀가 건강하게 태어나서 정상적인 발달을 거쳐 튼튼하게 자라주기를 바라는 것은 당연할 것입니다. 영유아들의 발달은 크게 운동발달, 인지발달, 언어발달, 정서발달 등의 영역을 통해 발달과정을 지켜보게 됩니다. 언어발달은 어떻게 이루어지게 되는 것일까요? 돌이 지나는 아기는 첫발을 내딛거나 '맘마', ' 빠빠' 등의 첫 낱말을 산출하며 부모를 기쁘게 합니다. 첫 낱말 이후 1세 6개월 정도가 지나면서 보통 50-100개 정도의 낱말을 구사할 정도로 언어발달은 증가하기 시작합니다. 만 2세경에는 낱말의 조합이 보이고 이 무렵 단어의 급성장이 이루어집니다. 3세 아동은 우리말에 있는 기본 구문 구조를 활발하게 사용합니다. 차츰 긴 문장을 사용하게 되는 것입니다. 언어의 사용은 표면적으로 보일 수 있는 부분이 있어서 대개 또래의 아동들과 비교를 하며 우리 아이의 발달에 관심을 끌게 되는 것 같습니다.

일반적인 부모들이 자녀의 언어발달 지연을 느끼게 됩니다. 다른 또래 아동들이 곧잘 말들을 합니다. 우리 아이는 왜 말을 하지 않을까? 하는 궁금증에 센타를 방문하는 경우가 많습니다. 때로는 주변에서 우리 아이도 늦은 말이 트였습니다. 혹은 아이들 아빠도 말이 늦었습니다. 등의 이유로 중재 기기를 놓쳐 도래 관계 형성이 문제나 심리적 문제로 풀어야 할 과제가 많아지는 경우를 종종 볼 수도 있습니다. 언어발달 지연의 원인은 다양합니다. 우리 아이의 언어발달 문제가 명확히 이것이라고 시원한 대답을 제시하기에는 상당히 어려운 부분입니다. 먼저 언급했듯이 아동의 발달에는 고려해야 할 여러 가지 영역들이 잇고, 아직 이 분야에 많은 연구가 이루어지고 있습니다. 발달적인 요인이나 생리적 혹은 유전적 요인, 환경적 요인, 학습적 요인, 등 여러 가지 학설이나 이론들이 존재합니다. 그렇다면 중재 시기는 언제가 좋을까요? 무조건 전반적인 발달 양상이나 생활연령, 또래와의 관계 형성, 가정의 양육태도 등 여러 자지 상황을 고려해서 부모의 교육을 통한 환경 중재나 직접적인 언어치료 중재 여부 등을 결정하는 것이 좋습니다. 그래서 마냥 지켜보는 것보다는 전문가와 상담을 하시는 것이 도움이 될 것입니다. 우리 아이가 말을 잘한다는 것은 원활한 또래관계의 형성이나 뛰어난 사회성과 관련지어 생각 할 수 있는 것 같습니다. 그래서인지 많은 부모님들이 자녀들이 책 읽기나 언어 학습에 많은 시간과 돈을 투자하고 있습니다. 하지만 아이들의 기질이나 타고난 능력들은 다를 수 있습니다. 꼭 말을 잘해야만 사회적 능력이 두 뛰어난 것은 아닙니다. 그렇지만 원활한 의사소통을 위한 자질은 필요할 것입니다. 성장하는 아이를 위해서는 아빠의 역할, 엄마의 역할이 매우 중요합니다. 언어발달적인 측면에서 보더라도 아빠의 놀이 방식은 아동의 발화 증가에 상당한 영향을 줄 수 있습니다. 아빠들의 놀이는 주로 몸으로 놀아주는 것이 많습니다. 신체접촉과 다양한 의성어나 자극들로 인해 아이들은 즐거워하고 흥분하며 놀이에 임합니다. 반면 엄마들은 다양한 어휘와 문장을 가지고 아기자기하게 아이들과 소꿉놀이며 장난감 놀이를 하고 책을 재미있게 읽어 줍니다. 이러한 활동들은 어 아이들의 구문능력 향상에 상당한 도움이 됩니다. 더군다나 아빠와 엄마의 양육 활동이 아이들의 정서발달을 성숙시키고 애착적인 부분을 향상시키며 전반적인 아동발달을 돕는다는 것입니다. 이것은 언어발달뿐만 아니라 정서발달, 사회성 발달에도 큰 영향을 줍니다.

"불행한 한스의 비극"

독일의 그림 형제가 수집한 〈그림 동화집〉에 '행복한 한스' 이야기가 나옵니다. 한스는 7년을 꼬박 일하고서 품삯을 받은 금덩이를 말, 늙은 소, 돼지로 바꾸다가 결국 돌덩이로 바꾸었지만 아예 그것마저 잃어버립니다. 답답하고 속 터지는 동화입니다. 그런데도 동화의 마지막 부분에서 한스는 "나는 세상에서 가장 행복한 사람"이라고 외칩니다.

이를 보고 진정 행복할 것이라고 믿는 사람은 얼마나 될까요? 혹여 "바보 같은 놈"이라고 조롱하지 않을까요? 눈앞의 고통을 피하려고 소중한 것을 버리고 말았다고 어리석음을 개탄하는 사람도 많지 않을까요? 누구나 이 동화를 읽으면서 값어치가 떨어지는 것으로 자꾸만 바꾸다가 결국 모든 것을 잃어버리고 마는 한스가 답답하기 그지없을 것입니다. 그러니 "행복한 한스"가 아니라 "어리석은 한스"라고 해야 하지 않을까요?
그러나 한스의 진정한 목표가 무엇인지를 간파한다면, 그가 얼마나 현명한지를 깨닫게 될 것입니다. 궁극적으로 그가 원한 것은 금덩이가 아니라 집으로 무사히 돌아가는 것이었습니다. 만일 그가 금덩이를 말과 바꾸지 않았고 그래서 또 다시 무엇인가 바꾸지 않았다면 결국 그는 금덩이의 무게에 짓눌려 그리운 집에 도달하지 못할 수도 있었을 것입니다. 더욱 중요한 것은 그는 행복감을 느끼지 못했을 것이라는 점입니다. 결국 그는 소중한 것들을 미련 없이 버렸고 오히려 아무 것도 가지지 않은 것에 대하여 감사했습니다.

여기서 우리들의 모습을 짚어 봅시다. 만일 한스가 내 자식이라면 어떻게 하시겠습니까? 아마 어리석은 놈이라고 혼쭐을 내고 두들겨 패기도 할 것입니다. 며칠 전 고등학생이 어머니를 살해한 끔찍한 범죄사건이 보도되었습니다. 이 학생은 우등생이었지만 어머니는 만족하지 못하고 전국 일등을 강요하며 성적이 맘에 안 들면, 굶기거나 잠을 재우지 않았고 심지어는 야구방망이와 골프채로 때리기도 했답니다. 결국 어머니의 지나친 욕심이 비극을 자초한 셈입니다.

오늘날 부모들은 자식에게 지나치게 많은 것을 기대합니다. "행복한 한스"와는 반대로 더 많이 더 높이 올라가기를 기대합니다. 끊임없이 더 값진 것으로 바꾸어 일등이 되기를 요구합니다. 행복을 위해 가진 것마저 버리는 한스 식의 삶은 생각하기에도 끔찍한 일로 치부합니다. 행복보다는 더 많이 갖기를 강요하며 아이들을 "불행한 한스"로 내몰고 있습니다.
우리가 한스로부터 얻게 되는 지혜는 버림의 미학입니다. 그래서 철학자 마르쿠제는 한스를 '최초의 행복 철학자' 라고 했습니다. 그리고 보다 많은 것을 소유하는 것이 행복을 보장해 줄 것으로 착각하지만 그것은 행복을 보장하지 못할 뿐만 아니라 도리어 행복을 방해하기로 한다는 것입니다. 그래서 소유물은 마네킹의 옷에 불과하다고 경고합니다. 마네킹에 걸쳐진 옷을 화려하지만 그것은 마네킹의 옷은 아닙니다. 그럼에도 불구하고 자기 옷이 될 것처럼 착각하여 그 빛나는 옷을 탐하며, "불행한 한스"를 만들어 내는 것은 그야말로 비극이 아닐까요? 비극을 피하려면 아이들에게 "행복한 한스"를 되돌려 주어야 합니다.

"말에서 내리세요?"

새해가 밝았습니다. 세월을 두고 '쏜살같다'고도 하고,'유수와 같다'고도 합니다. 생각해 보면 모두 그럴듯한 표현입니다.'쏜살'이란 '쏜 화살'을 뜻하니, 눈에 보이기는 보이는데 따라잡을 수가 없다는 뜻을 담고 있는 것이겠지요.'유수'가 흐르는 물을 뜻하니, 어김없이 가는 것이 세월이란 의미와 함께 한 번 지나가면 다시는 돌아오지 않는다는 뜻을 담고 있다 하겠습니다.
누군가 말하기를 세월은 자기 나이의 두 배 속도로 간다고 합니다. 나이를 먹을수록 세월이 점점 빠르게 지나간다는 것이지요. 조금씩 먹는 나이 탓일까요. 때론 그 해를 가르키는 숫자에 겨우 익숙해 질만하면 한 해가 지나가곤 합니다. 편지나 메일을 보내며 연도를 잘 못 기재할 때가 있는 것이지요.
우리에게 찾아온 새해는 우리 생애에 다시는 찾아오지 않을 해입니다. 어린이에게나 노인에게나 누구에게나 오직 한 번 주어진 시간이지요. 흘러간 물을 되돌릴 수가 없듯이 후회한다고 다시 돌아오지 않을 시간, 모두에게 복되고 평안한 시간이 되었으면 좋겠습니다.

인디언들은 말을 타고 달리다가도 이따금씩 일부러 말에서 내려 자기가 달려온 쪽을 한참동안 바라보며 쉰다고 합니다. 말이 지쳐 쉬게 하려는 것도 아니고, 자기가 잠시 쉬어가려는 것도 아닙니다.
말에서 내려 자기가 달려온 쪽을 바라보는 이유는, 혹시 자기가 말을 타고 너무 빨리 달려 자기의 영혼이 미처 뒤쫓아 오지 못했을까 봐 자기의 영혼이 돌아올 때를 기다리는 것이라고 합니다.
그러니까 인디언이고 미개한 사람들이라 하기 에는 찔리는 구석이 많습니다. 언제 어디에 내 소중한 영혼을 잃어버린 줄도 모르고 바쁘고 정신없이 지내는 것이 오늘 우리들이라면, 우리는 오히려 인디언에게 배워야 할 것입니다. 일과 시간에서 일부러라도 내려 자신의 영혼을 되찾는 시간을 갖는 것이 무엇보다 필요하다 하겠습니다.

중국의 한 농부가 논 몇 마지기를 가지고 있었답니다. 크지도 않은 논이었는데, 하필 그 논은 건널 수가 없는 골짜기를 옆에 끼고 산허리에 걸쳐 있었습니다. 농부는 하루에도 몇 번씩 가파른 기슭을 내려가 도랑물을 길어다가 벼에게 물을 뿌려주어야 했습니다.

미국에서 온 관광객 몇 사람이 우연히 그곳을 지나가다가 물지게를 지고 언덕을 느릿느릿 올라가는 농부를 보았습니다. 물을 지고 언덕길을 오르고 있는 농부가 불쌍했는지 관광객들은 농부에게 펌프를 사주겠다고 제안을 했습니다. 펌프만 있으면 그 가파른 언덕을 물을 지고 오르내릴 필요가 없겠다 싶었기 때문입니다. 하지만 농부는 "고맙지만 괜찮습니다"하며 그들의 제안을 정중하게 거절하였습니다. 의아하게 생각한 관광객들이 이유를 묻자 농부는 이렇게 대답했습니다. "더 이상 물을 긷지 않는다면 나는 생각할 시간을 갖지 못할 것입니다"

농부는 단순히 물을 길어 올렸던 것이 아니라, 그 시간을 생각하는 시간으로 삼았던 것이었습니다. 편리와 효율을 좇는 이 시대 우리들의 삶이 놓치고 있는 것이 무엇인지를 역설적으로 보여주고 있습니다. 영혼을 잃지 않기 위해서는 멈춰서는 것이 필요합니다. 시간과 일이라는 말에서 내릴 필요가 있습니다.

“등신(藤身)처럼 살기?”

나무는 인간 삶의 나침반입니다. 중국인은 콩과의 칡과 등나무의 삶을 통해 ‘갈등(葛藤)’이라는 단어를 만들었습니다. 중국 사람이 오른쪽으로 감고 올라가는 칡과 왼쪽으로 감고 올라가는 등나무의 모습을 보면서 갈등을 생각한 것은 두 나무의 삶을 안타깝게 여겼기 때문입니다.

중국인이 유독 칡과 등나무의 삶을 통해 고통을 상징하는 갈등이라는 단어를 만든 것은 두 나무의 삶을 온전히 이해하지 못했기 때문입니다. 떨기나무는 대부분 다른 존재에 기대서 살아갈 수밖에 없지만, 특히 칡과 등나무는 몸을 꽈배기처럼 틀면서 올라갈 수밖에 없습니다. 등나무가 왼쪽으로 감고 올라가는 것은 본성입니다. 등나무는 그렇게 해야만 살아남을 수 있습니다. 그러나 인간은 등나무의 그러한 모습에 대해 간혹 ‘욕망의 화신’ 이라 악평합니다.

우리가 살고 있는 아파트나 쉴만한 곳 어디든 등나무 여러 그루가 살고 있다. 등나무는 싹이 난 후 순식간에 하늘을 덮고 올라갑니다. 우리는 간혹 등나무를 보면서 강인한 생명력에 감탄하는 즐거움을 만끽합니다. 우리가 등나무의 삶에 즐거워할 수 있는 것은 그늘을 만들어 주는 것과 등나무의 삶 자체를 인정하기 때문입니다. 인간은 등나무의 삶을 통해 갈등을 생각했지만, 갈등의 원인은 등나무처럼 꽈배기처럼 꼬면서 올라가는 모습이 아니라 그런 모습을 그대로 인정하지 않기 때문입니다. 등나무가 큰키나무처럼 살아가지 않는 모습은 상대평가의 대상이 아니라 절대평가의 대상입니다. 인간의 갈등은 대부분 절대평가의 대상을 상대평가의 대상으로 삼는 데서 생긴다. 태양이 작렬 하는 여름날, 인간은 등나무를 안식처로 삼지만, 그러한 안식이 등나무의 본성에서 비롯된다는 것을 생각하지 않습니다.

만약 등나무가 꽈배기처럼 살지 않는다면 인간은 그런 안식을 즐길 수 없습니다. 등나무가 다른 존재에 기대면서 살아가는 모습도 인간이 등나무 아래서 안식하는 것과 다를 바 없습니다. 인간도 등나무에 기대서 살아가는 것이다. 그래서 하나의 생명체는 한 쪽만 보고 평가해서는 안 됩니다. 어느 한 쪽만 바라보는 것을 ‘편견’ 이라 합니다. 편견은 갈등을 낳는 원인입니다. 등나무가 살아가는 모습이 갈등이 아니라 등나무를 바라보는 인간의 태도가 갈등을 낳는 것입니다.
어떤 이는 늦은 봄, 등나무의 보랏빛 꽃을 무척 사랑한답니다. 그런데 등나무가 그토록 아름다운 꽃을 피울 수 있는 것은 꽈배기처럼 살아가기 때문입니다. ‘등신’처럼 살아야만 그토록 아름다운 꽃을 피울 수 있습니다. 등나무의 꽃이 지면 꽃처럼 늘어진 열매가 달립니다. 열매를 보는 순간, 이 나무가 콩과라는 것을 알 수 있습니. 열매가 익으면 콩과 나뭇잎의 특징 중 하나인 누렇게 물든 잎이 떨어지고, 겨울에는 잎 떨어진 가지에 새들이 앉아서 망중한을 즐깁니다.

등나무 가지에 앉은 새도 아름답고, 새에게 가지를 내준 등나무의 모습은 더욱 아름답습니다. 서로 몸을 내주면서 살아가는 ‘동행(同行)’은 갈등을 벗어나게 하는 삶의 태도입니다. 동행은 불편부당(不偏不黨)과 중용(中庸)의 시각을 가진 자만이 즐길 수 있는 축복입니다.

이 가을을 지나 초겨울에 꼭 해야 할 일 들

선선한 계절로 온갖 곡식이 무르익는 가을이 지나가고 있습니다. 덥지도 춥지도 않은 가을은 사람들이 수확의 기쁨과 함께 단풍놀이를 즐기는 계절이 되었습니다. 올 가을에는 무엇을 했을까요? 우선 먼저 심신을 추스르자고 다짐했을 것 같습니다. 덥다고 바쁘다고 머리만 쓰고 자동차만 타고 다니던 습관을 개선하려고 했을 것입니다.

어느 명사는 살면서 망설이지 말아야 할 것으로 운동하기, 산책하기, 여행하기 등을 거론한 적이 있습니다. 피곤하다는 핑계로 퇴근 후 소파 위에 누워 야구 경기를 관전하는 것도 버려야 할 습관입니다. TV를 과잉 시청하는 습관을 단호하게 버려야 합니다. 이 좋은 계절에 책 볼 시간이 줄어들기 때문입니다. 가을에는 등산을 자주 가야겠다고 결심합니다. 산에는 '만병 통치약'이라고 불리는 피톤치드가 우리를 기다리고 있습니다. 운동부족으로 근육량이 줄어드는 것을 느끼는 요즘 건강차원에서 평소에 운동으로 몸을 보강하는 일은 매우 중요한 일상사입니다.

가을을 지나려는 요즈음에는 그동안 만나지 못한 지인들을 만나 식사를 대접하면 어떨까 싶습니다. 우스갯소리로 "박사 위에 밥사"라는 말이 있듯이 좋은 친구와 더불어 밥을 먹는 일은 마음이 따뜻해져서 좋습니다. 이 좋은 늦가을에 대해 우리나라 사람들이 '천고마비의 계절'을 지나니 충분한 식욕의 계절로 인식할 만도 듭니다. 가을에는 또한 풍성한 추수의 기쁨이 있었기에 만족감을 느낄 수 있는 계절로 이러한 충족감은 '더도 덜도 말고 한가위만큼만 되어라.' 하는 속담으로 드러나고 있습니다. 책을 좋아한다면 서점에 자주 가서 책을 구입해 보시기 바랍니다. 이제 날씨가 선선한 '등화가친의 계절'에 구입한 책들을 완독하시기 바랍니다. 어느 분은 "공부를 하려면 더운 여름과 추운 겨울에 해야 한다."고 말했습니다. 봄이 되면 따뜻한 날씨와 봄꽃에 취해서 놀러가고, 가을이 되면 선선한 날씨와 단풍에 취해서 놀러가기 바쁜데 무슨 공부를 하겠느냐는 얘기입니다.

늦가을은 또한 철학자가 되는 계절입니다. 인생으로 이야기 하면 노년기를 늦가을에 빗대고 있습니다.

늦가을은 '조락(凋落)의 계절'이라고 하여 가을에 지는 나뭇잎에서 인생의 한 모습을 바라보기도 했고, 추풍낙엽이라든가 가을 아침의 안개 등은 모두 허무함을 나타내는 말로 계절의 정서를 표현했으며, 가을에 노인을 빗대어 노래하는 것이 많습니다. 그래서 사람들은 화려하게 핀 단풍이 서리가 내리기 전에 수확을 서두르며 추운 겨울의 월동준비를 하는 가을의 중요성을 강조합니다.

가을에 거둬들인 것을 갈무리하는 것은 농경 사회에서 대단히 중요한 일로써 김장을 하고 추운 겨울을 나기 위한 땔나무의 마련을 하는 것처럼 사람들도 심신의 건강과 즐거운 인생을 위해 실천해야 할 일을 해야 합니다. 천자문 중에 '가을 추(秋), 거둘 수(收), 겨울 동(冬), 감출 장(藏)'으로 되어 있는 것도 선인들 생각의 반영이라고 할 수 있습니다.

올 늦가을에는 운동을 생활화하고, 좋은 책을 많이 보고, 만나고 싶은 사람에게 먼저 연락해 식사를 하고, 주말에는 무조건 시간을 내어 가까운 산이라도 등반하는 것을 실천하겠다고 거듭 다짐해 보시기 바랍니다. 망설이지 말고 실천해야 몸과 마음이 쾌적한 상태를 유지하게 되고, 사람들과의 관계에서도 넉넉하고 여유로운 모습이 보여 지지 않을까요?

가을이 오면 나뭇잎이 변한다 이유가 뭘까?

재미있는 과학 – 노랗게 노랗게 물들었네/ 빨갛게 빨갛게 물들었네/ 파랗게 파랗게 높은 하늘/ 가을 길은 고운 길/ 아 트랄랄랄 아 트랄랄랄/ 아 트랄랄랄라라 노래 부르자/ 산 넘어 들 넘어 가는 길/ 가을 길은 비단길
 초등학교 음악 교과서에 나오는 동요 '가을길'을 한번쯤은 들어 봤을 겁니다. 이 노래에서 그리고 있는 가을의 모습은 다양한 색으로 가득합니다. 노랗고 빨갛게 물이든 산과 파란 하늘, 이처럼 우리나라의 가을은 다른 계절엔 볼 수 없는 선명하고 아름다운 색깔을 펼쳐줍니다.

봄에 돋아나 여름 내내 푸르른 색을 띠던 나뭇잎이 노랗고 빨갛게 물드는 모습을 보면, 마치 산이 옷을 갈아입는 것처럼 보입니다. 지지난주 올해 첫 단풍이 설악산에서 시작돼 이제 곧 전국적으로 본격적인 단풍철에 들어섰습니다. 그런데 이런 궁금증이 생길 것입니다. '나뭇잎 색깔이 가을에 변하는 이유가 뭘까?' 영양분을 얻지 못해 '엽록소'가 분해되기 때문입니다.

한마디로 얘기하자면 나무가 겨울을 준비하기 위해 나뭇잎을 떨어뜨리려고 하기 때문입니다. 사람은 겨울에 옷을 더욱 꽉 껴입는데, 나무는 왜 잎을 다 떨어뜨릴까요? 그 까닭을 이해하기 위해선 나뭇잎이 어떠한 역할을 하는지 먼저 알아야 합니다. 식물은 뿌리로 땅속의 영양분을 흡수하기도 하지만, 잎에서 빛을 흡수해 녹말이나 당 등의 주요 영양분을 합성하기도 합니다. 이것을 '광합성'이라고 합니다. 그래서 햇빛의 세기도 약한데다 기온이 내려가고 비도 적게 내려 잎의 기능도 떨어집니다.

만약 잎을 계속 건강하게 지키기 위해서는 계속 양분을 보내줘야 합니다. 이렇게 되면 잎을 통해 얻는 양분보다 잎을 유지하기 위해 쓰는 양분이 더 많아져서 나무가 살아가기 어려워지는 것입니다. 그래서 겨울이 오기 전에 나무는 나뭇잎으로 전달되는 영양분의 통로를 막아버립니다. 시간이 지나면서 나뭇잎의 색깔이 변하는 것이랑 무슨 상관이 있냐고요? 관련이 아주 많습니다.

나뭇잎이 평소에 푸른 것은 잎 속에 '엽록소'라는 색소가 있기 때문입니다. 엽록소는 식물이 광합성을 하는데 중요한 역할을 합니다. 그런데 식물의 잎 속에는 엽록소 외에도 노란색과 관련이 있는 '카로티노이드', 붉은색과 관련된 '안토시아닌'등의 물질도 있습니다. 하지만 평소에는 엽록소의 양이 훨씬 많이 있기 때문에 다른 색깔의 색소는 가려져서 보이지 않았던 것입니다. 마치 코트 속에 예쁜 옷을 입고 있는 것처럼 말입니다. 그러다 가을이 되어 나무가 잎에 영양분 공급을 멈추면 엽록소가 분해됩니다.

 가을은 낮과 밤의 온도 차이가 크고 건조합니다. 이렇게 낮과 밤의 온도 차이가 큰 서늘한 날씨는 엽록소를 더 빨리 분해하고, 건조한 날씨는 나뭇잎에 '안토시아닌'이 생겨나는 양을 늘린다고 합니다. 그래서 비가 적게 오는 지역, 햇볕이 많이 내리쬐는 지역에 고운 단풍이 든다고 합니다.
올해 단풍이 예년보다 약간 늦게 온 이유는 올여름 비가 많이 온데다가 늦더위가 기승을 부려서랍니다. 잎이

물드는 속도가 빨라져 단풍을 감상할 수 있는 시간은 5일 정도 줄어들 것이라고 합니다. 그러니 이번 가을엔 미리 계획을 세워 단풍 구경을 놓치지 않는 것이 좋을 성 싶습니다. 엄마아빠 손잡고 자연이 펼치는 멋진 공연의 소리를 들으려 '단풍놀이'에 꼭 다녀오세요.

"못생긴 그릇"

이스라엘인의 지혜를 담고 있는 탈무드에 나오는 이야기 중의 하나입니다.
머리는 몹시 총명하지만 얼굴이 추하게 생긴 랍비(선생)가 어느 날 로마 황제의 딸인 공주를 만났습니다. 공주는 랍비를 보자 "그렇게 총명한 지혜가 이렇게 못생긴 그릇에 들어 있군요."라고 말했습니다.
랍비의 추한 얼굴을 못생긴 그릇에 빗대어 말한 것이지요.

그러자 랍비는
"공주님, 이 왕궁 안에 술이 있나요?"하고 물었습니다.

공주가 고개를 끄덕이자 술이 어떤 병에 담겨 있느냐고 물었습니다. 항아리에 담겨 있다고 대답하자 랍비는 깜짝 놀라며 말했습니다.

"로마의 왕궁 안엔 금이나 은으로 된 그릇도 많을 텐데 왜 그처럼 귀한 술을 보잘 것 없는 항아리에 담아 두나요?"

그 이야기를 들은 공주는 싸구려 항아리에 들어있던 술을 전부 은그릇과 금 그릇에 옮겨 담도록 했습니다.

어느 날 술을 마시던 황제가 술맛이 변한 것을 알고 "누가 이런 그릇에다가 술을 담아 두었느냐?"며 화를 냈습니다.

"죄송합니다. 그렇게 하는 것이 더 어울릴 것 같아 제가 그렇게 했습니다."

공주는 얼굴을 붉히며 사죄를 했습니다.
그런 일이 있은 뒤 공주는 화가 나서 랍비를 찾아갔습니다.
그리고는 왜 그런 말을 했는지를 따지듯이 물었습니다.

랍비는 웃으면서 다음과 같이 대답을 했습니다.

"나는 단지 공주님에게 몹시 귀중한 것도 때로는 값싼 그릇에 넣어두는 편이 더 나을 수 있다는 것을 알려드리고 싶었을 뿐입니다."

우리는 때때로 사람을 겉모습만으로 판단할 때가 있습니다.

겉모습이 누군가를 판단할 수 있는 하나의 기준이 되는 것은 당연한 일이겠지만, 겉모습이 가장 큰 판단 기준이 된다든지 유일한 판단 기준이 되는 것은 위험하고도 어리석은 일입니다.

갈수록 화려해지는 젊은이들의 머리카락 색깔을 보면 '참 개성이 강한 세대구나'하는 부러운 마음이 들지만, 한편으로는 겉의 화려함으로 속의 허전함을 덮으려 하면 안 되는데 하는 걱정도 생깁니다.

물론 그런 변신을 꿈꾸기에는 용기가 부족한 구세대가 갖는 괜한 걱정일 수도 있겠지요.

좋은 술은 금이나 은그릇이 아니라 항아리에 담아둡니다.

그래야 좋은 맛을 지킬 수가 있습니다.

우리의 속이 알차다면 겉모습은 크게 문제될 것이 없습니다.

아니 수수할수록, 허술할수록 더 아름다울 지도 모릅니다.

겉모습과 속 내용의 아름다운 조화를 꿈꿔봅니다.

“에너지 충전하기”

우리는 가끔 배터리 방전으로 자동차를 견인할 때도 있습니다. 자동차 시동을 끈 상태에서 전조등을 켜 놓고 라디오를 장시간 동안 켜 놓은 게 화근이었습니다. 방전됐더라도 다시 충전시키면 시동을 켤 수 있었으나 오래된 차는 배터리 기능이 워낙 나빠져 교환을 해야 합니다.

자동차 견인을 하면서 운전자는 이런 저런 얘기를 늘어놓습니다. 휘발유가 떨어진 것도 모르고 운전을 하다가 길가에 멈춘 차를 견인하는 사례에서부터 휘발유는 많아도 엔진에 제대로 주입되지 않아 주행을 하지 못하는 차까지 이유는 다양합니다. 자동차 차체는 멀쩡하더라도 에너지 계통에 문제가 생기면 주행은 불가능합니다. 자동차처럼 사람도 마찬가지이지 않을까요?

미국 기업들은 종업원들의 ‘에너지 관리’에 눈을 뜨기 시작했고, 일부 기업들은 실적개선을 위해 에너지 충전 프로그램을 이용하기도 합니다. 미국 와코비아 은행이 대표적인 사례입니다. 이 은행은 직원들의 에너지를 4가지(몸-감정-몰입-열정)로 해석하고, 적극적으로 관리했습니다. 그 결과 은행 여수신이 과거에 비해 두 자릿수로 증가했습니다. 직원들의 체력을 강화하고, 적당한 휴식으로 일의 집중도를 높여주며, 감정조절 훈련을 통해 인간관계를 좋게 하고 고객들에게도 친절하게 다가설 수 있도록 노력했습니다. 또한 일에 몰입할 수 있도록 업무환경을 바꿔주기도 하고, 열정을 갖고 회사 업무를 할 수 있도록 개인의 가치관과 회사 발전을 일치시키는 노력도 게을리 하지 않았습니다.

미국 와코비아 은행처럼 종업원들의 ‘에너지 관리’를 회사가 할 수도 있겠지만, 자기 스스로가 본인의 에너지를 충전하는 노력을 해야 하지 않을까? 자동차를 예로 들어봅니다. 자동차가 제대로 달리려면 일차적으로 휘발유가 충분해야 합니다. 바로 육체의 건강을 의미한다. 건강을 단순히 병들지 않는 몸을 유지하는 것으로만 볼 게 아니라, 인생의 목적을 달성하는 데 가장 필요한 에너지 원천으로 인식할 필요가 있습니다. 내 몸의 에너지는 어떤 상태인가. 휘발유가 가득 찬 ‘만땅’ 상태인가, 아니면 휘발유 급유를 알리는 경고등이 켜진 상태인가. 육체의 에너지를 고갈시키는 행동을 자제하고, 항상 건강한 육체를 유지하기 위해 노력해야 합니다. 휘발유만 있다고 해서 자동차가 잘 달리는 것은 아닙니다. 시동을 걸려면 발전되지 않은 배터리가 있어야 하고, 속력을 내려면 엑셀레이터가 필수입니다.

감정 관리는 자동차의 배터리와 같다고 생각합니다. 아무리 건강해도 감정이 틀어지면 아무 것도 하기 싫습니다. 인간관계의 첫걸음은 감정 관리에서 비롯됩니다. 웃는 얼굴에 침 뱉지 못한다는 옛말이 있듯이 항상 웃음을 잃지 않는 삶은 ‘최상급 배터리’를 갖고 있는 셈입니다.

속력을 내려면 엑셀레이터가 있어야 하듯이 몰입과 열정이 없다면 어떤 일도 성취할 수 없습니다. 매사에 자신의 몰입도와 열정을 냉정하게 평가해봅시자. 학생이든, 사업가이든, 다이어트를 위해 운동을 하는 주부이든 몰입과 열정 없이는 목표를 달성할 수 없기 때문입니다. 내 에너지는 지금 어떤 상태이고, 어떻게 관리되고 있는가를 확인해 봐야합니다.

"아픔을 아픔으로 느끼는 축복"

하루가 낮과 밤으로 이루어져 있듯이 우리 삶에는 밝은 면과 어두운 면이 공존합니다. 내가 환한 것을 좋아한다고 환한 낮이 언제까지나 계속되는 것이 아니고, 혹 어둠을 좋아한다고 어두운 밤이 끝없이 이어지는 것이 아닙니다. 밝은 낮과 어둔 밤이 모여 우리의 하루를 이룹니다.

같은 낮이라도 햇살이 밝은 날이 있는가 하면 흐린 날이 있고, 비가 오거나 눈보라가 치는 날도 있습니다. 바다의 물결이 유리처럼 잔잔할 때가 있고, 큰 배를 단숨에 삼킬 만큼 거센 폭풍이 밀려올 때도 있습니다. 평탄한 길이 있는가 하면 위험한 길이 있고, 오르막이 있는가 하면 내리막이 있다. 오르막이 계속되거나 내리막이 계속되는 길은 세상에 존재하지 않습니다.

때로 우리에게 찾아오는 고통과 슬픔 중에는 우리가 감당하기 어려운 것들도 있습니다. 밤잠을 못 이루게 하고, 밥을 먹지 못하게 만들기도 하고, 눈물과 탄식이 마를 날이 없게 만들기도 합니다. '애가 탄다'는 말을 쉽게 하거니와, '애'가 창자를 뜻하니 '애가 탄다'는 말은 '창자가 탄다'는 뜻이 될 것입니다. '애끊는 슬픔'이라는 말은 '창자가 끊어질 정도의 슬픔' 이라는 뜻이 되겠고, 얼마나 마음이 아프고 슬프면 창자가 타고 끊어지는 통증을 느끼게 되는 것일까 모르겠습니다. 마음이 씁쓸하고 아플 때 우리는 흔히 '소태처럼 쓰다'고 말한다. 소태라는 말은 소태나무를 가르키는 말인데, 소태나무 껍질에는 쓴맛을 내는 과시인 성분을 함유하고 있어 그 맛이 매우 쓰다고 합니다.

생각해 보면 이처럼 우리의 아픔을 표현하는 말이 다양하다는 것은 그만큼 우리가 겪는 아픔이 다양하다는 것을 반증하는 것이라 여겨집니다. 삶의 순간순간 힘들고 괴로운 일을 만날 때마다 아파하고 힘들어하는 우리들이지만 실은 통증을 느끼지 못해 어려움을 겪는 이들도 있습니다. 이른바 '무통증 환자'들이 겪는 고통입니다. 무통증은 유전적인 결함으로 신경세포가 생성되지 않아 아무런 통증을 느끼지 못하는 질환입니다. 대부분의 사람들은 극심한 통증으로 어려움을 겪지만 정반대로 무통증 환자들은 열에 의한 뜨거움이나 추위, 물리적 자극, 가려움과 저림 등의 증세를 전혀 느끼지 못해 어려움을 겪습니다.

어렸을 적 습관적으로 눈을 비벼 상처가 났지만 아무런 아픔을 느끼지 못해 피가 날 때까지 눈을 비비다가 실명을 당한 이가 있습니다. 어떤 이는 더위와 추위를 느끼지 못해 열사병과 동상에 걸리기도 합니다. 혀의 감각이 없어 뜨거운 음식을 먹고 화상을 입기도 합니다. 디스크가 걸린 줄을 몰라 나중에 큰 수술을 받는 경우도 있습니다. 배고픔을 느끼지 못하는 무통증 환자는 혼자 방치해 두면 굶어 죽을 수 있기 때문에 누군가는 꼭 곁에서 밥을 차려줘야 살 수가 있게 됩니다.

무통증 환자는 전 세계적으로 150명 정도가 있어 잘 알려진 병은 아니지만, 통증을 못 느끼는 것이 얼마나 큰 고통인지를 역설적으로 일러두고 있습니다. 아플 때 아픔을 느끼는 것, 생각하면 그것 또한 축복이며 삶의 은총일 것입니다.

캥거루 아빠, 연꽃 아내

전역을 앞둔 장기복무 군인들을 대상으로 한 은퇴준비 및 노년설계 프로그램이었던 것으로 기억합니다. '부부, 평등하게 늙어가기' 라는 제목의 수업이었는데, 부부관계를 중간 점검하면서 아내를 동물이나 꽃, 과일로 표현해보는 순서가 있었습니다.

고민 끝에 나온 답들을 보니, 꽃으로는 '장미'가 가장 많았습니다. 장미는 꽃 중의 여왕으로 불릴 만큼 예쁘고 향기도 좋지만 찔리면 몹시 아픈 날카로운 가시가 있다는 것이 그 이유였습니다. 많은 남편들이 공감하며 고개를 끄덕였던 생각이 납니다. 한분이 자신의 아내는 '연꽃' 이라며 설명을 하는데 순간 교실 전체가 숙연해지는 듯 했습니다. 진흙 속에서 피어나는 연꽃처럼 어렵고 힘든 집에 시집 와 알뜰하게 살림하고 아이들 잘 길러서 지금의 편안하고 행복한 가정을 꽃피웠다는 것입니다.

과일 중에서는 두 명이 똑같이 말한 '복숭아'가 생각납니다. 그런데 그 이유는 사뭇 달라서 한 사람은 복숭아는 달콤하며 부드러우며 자기가 가장 좋아하는 과일이라는 것이 그 이유였고, 또 다른 한 사람은 다 좋은데 복숭아 안에는 자신이 도저히 삼킬 수 없는 커다란 씨가 들어있는 것이 마치 자신의 아내 같다고 했습니다.

빵 터지는 웃음과 함께 공감의 박수를 가장 많이 받은 답은 단연 '개 같은 마누라'가 최고였습니다. 아내를 개로 표현하다니, 너무 지나친 게 아닐까 하고 생각을 할 겨를도 없이 이어지는 설명이 참으로 진지했습니다. 늘 집을 떠나있는 군인 남편 대신 가정을 지키고 단 한 번도 배신한 적 없이 충직하게 가족들을 지켜주었다는 것이지요. 군인 가족의 어려움을 너무도 잘 아는 참석자들이 너 나 할 것 없이 박수를 친 것은 어쩜 지극히 자연스러운 일이었는지도 모르겠습니다.

최근에 들은 동물로는 '캥거루'가 있습니다. 남편인 자신이 무슨 동물 같으냐고 물었더니 고개를 갸우뚱하며 잠시 생각하던 아내가 캥거루라는 대답을 했다는 것입니다. 배에 아기주머니가 있는 것처럼 언제나 아내와 아들을 생각하며 품고 다닌다는 것이 아내가 캥거루를 떠올린 이유였습니다. 비록 돈을 많이 벌어다주지는 못하지만 아내가 자신을 그런 남편, 그런 아빠로 봐준다는 사실이 감격스러워 가슴이 뭉클했다는 고백이 이어졌습니다.

어떤 사람을 동물 혹은 꽃이나 과일로 표현해보는 것은 그 사람을 어떤 이미지로 받아들이고 있는지 생각해보는 손쉬운 방법입니다. 그러니 오늘 사랑하는 사람들에게 나에 대해 한 번 물어보면 어떨까요. 동시에 나는 또 사랑하는 사람들을 어떻게 생각하고 있는지도 한번 확인해 보면 좋을 듯합니다. 혹시 피차 싫어하는 동물이나 꽃, 과일을 떠올리고 있는 건 아니겠지요. 만에 하나 그렇다면 거기에는 반드시 이유가 있을 테니 얼른 찾아서 고치는 지혜가 필요합니다.

햇살 한 줌의 행복

몇 달 전 한 방송국에서 "지리산에서 행복을 배우다"라는 다큐멘터리를 방영하였다. 더 많이 가지고 더 높이 출세하기 위해 고군분투하는 불행한 개미보다 일상의 가치를 소중히 여기며 유유자적 여유롭게 살아가는 행복한 베짱이 같은 지리산 사람들..., 보다 자극적이고 환상적인 행복을 갈망하며 남루한 일상을 물리치고 무한경쟁의 늪에 빠져 허우적거리는 현대 도시인들에게 행복의 의미에 대해 다시 생각해 보라는 메시지를 던져 주고 있다.

방송을 보노라니 디오게네스와 알렉산드로 대왕의 일화가 연상된다. "폐하께서는 지금 무엇을 가장 바라고 계십니까?" "그리스를 정복하길 바라네." "그리스를 정복하고 난 다음에는 또 무엇을 가장 바라시겠습니까?" "아마도 소아시아 지역을 정복하길 바라겠지." "그 다음은 또 무엇을 가장 바라시겠습니까?" "아마도 온 세상을 모두 정복하길 바라겠지." "그러면 그 다음은 또 무엇을?" "그렇게 하고 나면 아마도 좀 쉬면서 즐겨야 하겠지." "이상하군요. 왜 지금 당장 좀 쉬면서 즐기시지 않습니까?"

그동안 수많은 나라를 정복했지만 지금껏 한 번도 저렇게 평화롭고 행복한 적이 없었다는 사실을 새삼 깨달은 알렉산드로는 디오게네스가 갖지 못한 것을 통해 자신의 위대함을 과시하고 싶었다. 그리하여 대왕은 물었다. "그대가 원하는 것이 무엇인가?" 이에 디오게네스는 "조금만 비켜주시오. 당신이 햇살을 가로막고 있지 않소?" 그가 바라는 것은 단지 한 줌의 햇빛이었다.

보다 더 많은 것을 소유하고 더 높은 것을 정복하려는 열망에 사로잡혀 결국은 소소한 일상의 행복을 누리지 못하는 알렉산드로 대왕을 보면서 오늘 우리들의 자화상을 발견하게 된다. 물론 이 일화는 우리들에게 디오게네스처럼 살아가라고 요구하는 메시지가 아니다. 다만 우리 모두 알렉산드로 대왕처럼 행복을 찾기 위해 고군분투하지만, 정작 행복은 한 줌의 햇살처럼 일상의 순간순간이 품고 있음을 전해 주고 있다. 디오게네스는 햇살 한줌이 주는 소박한 행복의 가치를 우리에게 전해 준다.

이러한 일상의 소박한 행복은 조동진의 노래 "행복한 사람"에도 잘 그려지고 있다. "울고 있나요 당신은 울고 있나요/ 아 그러나 당신은 행복한 사람/ 아직도 남은별 찾을 수 있는/ 그렇게 아름다운 두 눈이 있으니/ 외로운 가요 당신은 외로운 가요/ 아 그러나 당신은 행복한 사람/ 아직도 바람결 느낄 수 있는/ 그렇게 아름다운 그 마음 있으니"

영롱한 별보다 이름 없는 별을 찾을 수 있는 아름다운 눈과 각박한 삶 속에서도 바람결을 느낄 수 있는 풍부한 감성을 지닌 사람이야 말로 한 줌의 햇살로 행복을 누리는 디오게네스와 같은 사람일 것입니다. 행복한 사람은 허장성세에서 훌쩍 비켜서 있습니다. 그 대신 누구나 할 수 있는 일의 가치, 곧 자신의 손으로 밥을 먹을 수 있고, 다른 이의 도움 없이 배변을 할 수 있는 소소한 일상의 의미를 소중하게 여기는 사람일 것입니다.

사랑(愛)

'난리 때는 곡식 놓고 소금 지고 간다'는 속담이 있습니다. 난리가 나서 급히 피신을 해야 할 경우, 무엇인가를 챙긴다면 대뜸 떠오르는 것이 곡식입니다. 곡식이 있어야 밥을 해먹을 수 있을 테니까 말이지요. 밥을 하려면 솥도 필요할 터이니 지게에 솥과 양식을 얹는 모습이 먼저 떠오릅니다. 그런데 그렇지가 않습니다. 우리 속담에 의하면 곡식보다도 먼저 챙겨야 할 것이 있는데, 바로 소금입니다. 곡식 한 짐을 지고 가야 며칠만 밥을 해 먹으면 떨어지고 맙니다. 그 이상의 양식을 지고 가기에는 한계가 있지요.

그러나 소금은 다릅니다. 소금이 무슨 소용이 있을까 싶을지 몰라도 소금을 가지고 가면 온갖 나물이나 풀의 뿌리에 소금을 쳐서 먹을 수가 있었습니다. 산에 들에 나는 온갖 것들을 먹을 수가 있기에 몇 달이라도 지낼 수가 있었던 것이지요. 어려울 때일수록 내게 꼭 필요한 것이 무엇인지를 알아야 한다는 것을 일러줍니다.

'소는 몰아야 가고 말은 끌어야 간다' 는 속담도 있습니다. 소나 말은 예부터 사람들과 함께 살아온 가장 흔하고 고마운 가축이었습니다. 성격이 유순하여 사람 말을 잘 들을 뿐 아니라, 힘이 세어 사람의 일을 돕기에도 제격이었습니다. 무거운 짐을 옮기거나 땅을 일구는데 소나 말의 힘을 빌리는 것보다 더 좋은 방법은 없었지요.

똑같은 짐승이고 비슷한 일을 했지만 부리는 방법은 달랐습니다. 소는 뒤에서 몰아야 잘 갔고, 말은 앞에서 끌어야 잘 갔습니다. 짐승에게 비슷한 일을 시킨다고 같은 방법으로 시킨 것이 아니었습니다. 그들에게 맞는 방법이 서로 달라 가장 알맞은 방법을 택했던 것이었습니다. 하물며 짐승을 부릴 때도 그의 성질을 이해하고 그에 맞게 부리는 법이라면, 사람을 대할 때는 더욱 그리해야 하겠지요. 뒤에서 밀어줘야 하는 이가 있는가 하면, 앞에서 끌어줘야 하는 이들도 있습니다. 무조건 민다든지, 무조건 끌면서 제대로 하지 못한다고 타박만 할 것이 아니지요. 미는 것이 오히려 그를 힘들게 할 수도 있고, 끄는 것이 오히려 역효과를 낼 수도 있는 것이니까요. '밤은 비에 익고, 감은 볕에 익는다'는 속담도 있습니다. 감은 가을볕이 좋아야 잘 익어서 맛이 달다고 합니다. 그러나 밤은 빗물을 먹고 익습니다. 밤송이가 여물 무렵에는 수분을 많이 흡수하므로 비가 자주 와야 맛이 제대로 드는 것이지요. 밤과 감은 모두 가을에 익습니다. 같은 철에 익지만 방법이 다릅니다. 비에 더 잘 익는 것이 있고, 볕에 더 잘 익는 것이 있습니다. 어찌 그것이 밤과 감뿐일까요, 사람이 익어가는 것도 마찬가지 아닐까 싶습니다.

비에 익는 사람이 있는가 하면, 볕에 익는 사람도 있을 것입니다. 필요한 것이 곡식일지 소금일지, 밀어야 하는지 끌어야 하는지, 볕일지 비일지, 그것을 판단하는 기준은 물론 지혜겠지만, 그보다 더 중요한 것은 사랑이 아닐가 싶습니다. 사랑은 무조건 내 생각을 앞세우기보다는 다른 이의 필요를 먼저 생각하기 때문입니다. 내 마음에 맞는 것을 상대에게 줌으로 그를 힘들고 아프게 하는 것이 아니라, 그에게 꼭 필요한 것이 무엇인지를 깊이 생각하는 것이 사랑(愛)의 시작이겠다 싶습니다.

연륜에 따른 역할

얼마 전 영국 국영방송국 BBC가 개미의 세대별 역할분담에 관한 흥미로운 연구결과를 보도하였습니다. 식물의 잎을 잘라 먹이 등으로 사용하는 가위개미(leaf-cutter ants)들은 나이 들어 이빨이 무뎌지면 잎을 자르는 역할에서 은퇴하여 잎을 나르는 역할을 담당한다는 것입니다. 즉 가위개미들은 이발과 턱 사이에 있는 예리한 날을 이용해 잎을 자르는데, 자꾸 사용하다 보면 점차 무뎌지고 잎을 자르거나 꽉 물지도 못하게 됩니다. 그래서 자연스럽게 잎을 운반하는 역할을 담당하게 된다는 것입니다.

가위개미의 생태를 관찰한 연구자들은 큰 동물뿐 아니라 곤충들도 노화로 문제를 겪게 되지만 그럼에도 불구하고 이전과 다른 방식으로 사회에 기여할 수 있음을 보여준다고 설명하면서, 엄격한 위계질서를 가진 가위개미들은 이런 고도의 사회성 덕분에 역할을 바꿔가면서 더욱 긴 수명을 누리게 된다고 결론내렸습니다.

사람도 마찬가지입니다. 나이가 들어감에 따라 신체적 변화도 뒤따르지만 더 중요한 것은 역할이 달라진다는 것입니다. 나이와 인간실현에 관한 연구들에 의하면 화학분야에서 가장 중요한 발견들은 25~30세의 사람들에 의해 이루어졌고, 물리학에서 최적의 나이는 30~34세이며 천문학에서 40~44세입니다. 그런데 50세를 넘어서면 아인슈타인 같은 천재도 예리함을 잃고 무뎌집니다. 그래서 과학사를 살펴보면 노년에 과학적 성취를 이룬 사람은 거의 없습니다. 그렇다면 노년에 이르면 뇌가 퇴화되고 더 이상 성취를 이루지 못하게 된다는 말인가? 그렇지 않습니다.

나이 먹는다고 뇌가 퇴화하는 것이 아니라 기능이 달라지고 노년에 성취할 수 있는 영역과 역할이 달라질 뿐입니다. 철학사를 보면 철학자의 사고는 나이와 더불어 더욱 풍부해집니다. 나이가 들어갈수록 삶에 대한 혜안이 깊어지고 인간관계에 대한 통찰력이 넓어지기 때문입니다. 플라톤도 60세를 넘어 서면서 보다 심오한 저술들을 세상에 내놓았고 예술사를 보면 노년에 이르러 성취를 이룬 화가, 시인도 찾기 어렵지 않습니다. 최근 일본에서는 한 할머니의 시집이 잔잔한 감동을 일으키고 있습니다.

곧 만 100세가 된 시바타 도요 할머니는 92세에 처음 시를 쓰기 시작해 99세이던 지난해 3월에 첫 시집, '약해지지 마'를 발간하여 100만부가 팔린 초베스트셀러가 된 것입니다. 할머니의 시엔 추상적이거나 어려운 단어가 하나도 없다. 평범한 일상에 대한 추억과 감사를 통해 따뜻한 목소리로 삶의 소중함을 일깨우고 있습니다. 할머니의 시를 읽고 자살하려던 생각을 버렸다는 사람이 한둘이 아니라고 하니 연륜이란 것이 얼마나 중요한지를 새삼 깨닫게 합니다.

오래 살려면 반드시 먹어야 할 것은 "나이"라는 넌센스 퀴즈처럼 삶의 혜안이 깊어지고 인간관계도 풍성해지려면 나이를 먹어야 합니다. 문제는 연륜에 따라 나이 값을 하는 게 아닐까? 이전 것을 고집할 것이 아니라 나이 들어감에 따라 새로운 역할을 감당하는 것이야말로 나이 값을 하게 되는 것입니다. 그리고 연륜의 특성을 고려하여 역할을 분담하는, 곧 세대 간의 역할 분담체계야말로 행복한 사회를 가늠하는 최고의 바로미터일 것입니다.

"나의 세월 속도" 는?

세월은 참으로 빠릅니다.

그래 누가 세월을 유수와 같다고 했던가? 어쩐지 세월이 물 흐르는 것보다 더 빠른 것 같습니다. 물 흐르는 속도가 빨라지기라도 한 것인가? 지구가 태양을 한 바퀴 공전하는 시간을 1년이라고 하는데, 그렇다면 지구의 공전 속도가 더 빨라지기라도 한 것일까?

물의 속도가 빨라진 것도 아니고 지구의 공전 속도가 빨라진 것도 아닌데 나이가 들어 갈수록 세월이 더 빨리 흘러갑니다. 왜일까? 그 이유 중 하나는 심리적인 것입니다.

어느날 누군가 내 나이를 묻는다면 이렇게 대답할 수도 있겠다 싶습니다.

나는 "51km로 달려요"라고 말입니다. 10대는 10km, 30대는 30km로 세월이 흐르고 40대는 40km로.....70대는 70km로 세월이 흐른다는 것입니다. 19세기 프랑스 철학자 폴 자네는 "열 살 아이는 1년을 인생의 10분의 1로 길게 여기고, 쉰 살 사내는 50분의 1로 짧게 여긴다"고도 했습니다.

왜 그럴까? 나이가 들어가면서 새로운 것에 대하여 둔감해져 변화보다는 권태로운 일상에 안주하려들기 때문입니다. 여기에 하나의 역설이 있습니다. 즉 흔히 권태가 시간을 늘려놓는다고 하지만 오히려 시간을 훔쳐간다는 것입니다. 젊게 산다는 것은 권태로운 일상에서 벗어나 변화를 추구하며 새로운 일에 도전한다는 말이 아니던가! 그래서 토마스 만은 우리들에게 충고합니다. "하루하루가 똑같으면 아무리 긴 삶도 짧게 느껴집니다. 바람 한번 불면 사라져버립니다. 그러나 충만하고 흥미로운 삶은 시간에 무게와 폭과 부피를 더해준다." 새로운 일에 도전하고 하루하루 흥미롭게 살아간다면 세월의 속도는 제자리를 찾게 된다는 말입니다.

한편, 같은 세월이지만 나이와 비례하여 세월의 속도를 느끼는 것은 뇌 세포의 건강상태와 관련이 있다는 주장도 있습니다. 즉 뇌 세포의 상태에 따라서 세월의 흐름의 속도를 감지하는 센서가 작동하는데, 이 센서가 오작동하면 세월이 빠르게 흘러간다고 느낀다는 것입니다. 다시 말해 나이를 먹어 가면서 뇌세포가 파괴되고 갈수록 세월의 흐름이 빠르게 느끼게 된다는 것입니다.

뇌세포를 건강하게 유지하는 비결은 의외로 간단하다. 자연과 벗하라는 것입니다. 우리 인간의 뇌세포는 자연과 벗하여 살아갈 때 건강하도록 프로그래밍 되어있습니다. 그래서 태양을 즐기며 숲과 어울리며 땀을 흘릴 때 건강한 뇌세포를 유지할 수 있다는 것입니다. 그런데 우리는 점점 자연으로부터 멀어져가고 있습니다. 그 결과 갈수록 세월은 빨리 흐르고 인생무상을 한탄하며 살아갑니다.

그래 나의 세월 속도는 얼마인가? 한 해를 보내면서 늘 자문해 보자. 스스로 자신이 느끼는 세월의 속도를 측정해 보자. 그리고 세월의 속도를 줄일 수 있는 방법도 생각해 보자.

버나드 쇼는 지금 행복한지 아닌지에 대해서 생각할 만큼 빈둥거릴 시간을 가지는 것을 경계해야 한다고 지적했지만 1년 동안 한 번쯤 빈둥거리며 세월의 속도를 제어 보는 것도 의미 있는 일이 될 것입니다.

노후 준비를 합시다.

"노후는 생각만큼 멀지 않고, 생각보다 짧지 않다."

인생에서 공통적인 소망이 있다면 "돈 걱정 없이 사는 것"일 겁니다. 아무래도 돈이 없거나 모자라면 서러울 때가 많고, 때로는 비참해지기까지 합니다. 그래서 굳이 인생을 살아가면서 "돈 없는 시기"를 선택한다면 언제가 좋을까요? 아무래도 그 시기는 어릴 때일수록 좋을 것입니다. 어릴 때 고달프고 부족하더라도 나이 들어서는 편안하고 풍족한 것이 더 나을 것입니다. 과거가 힘들었더라도 현재 풍요로운 것이 나으며, 현재 다소 힘들더라도 미래에 안락한 것이 더 낫을 것입니다.

"노후"는 바로 그러한 미래입니다. 노후는 경제 능력이 상실되는 시기를 말하는데 돈마저 없다면 너무 초라하지 않을까요? 그렇기에 하루라도 빨리 "돈 걱정 없는 노후"를 준비해야 하는 것입니다.

그럼, 우리가 준비해야 하는 기간은 얼마나 될까요? 사실 주위 사람들은 노후 기간을 15년-20년이라고 대답을 합니다. 우리나라 남자 직장인의 평균 노후기간이 17년 정도이니 남자만 생각한다면 이는 거의 정확한 기간일 것입니다. 또 다르게 주장한다면 30년 일하고 30년 노후를 보내야 합니다. 더불어 단순히 생각을 하되 소득의 절반을 저축을 해야만 현재와 같은 수준으로 소비를 하며 노후를 보낼 수 있습니다. 그것도 주택을 마련하고 자녀 교육 등의 비용을 제외하고 순수하게 노후만을 생각할 때 들어가는 비용입니다.

노후 대비의 가장 큰 원칙은 "빠르면 빠를수록 좋다"입니다. 이를 거꾸로 해석하면 "늦으면 늦을수록 나쁘다"는 말입니다.

이 세상에 없는 것 3가지

세상에 없는 것 3가지를 들라면 "많은 월급, 좋은 상사, 예쁜 마누라" 라는 씁쓸한 우스개 소리가 있습니다. 복잡한 세상을 들여다보면 없는 듯 하면서 있는게 있고, 있는 듯 하면서도 없는 것도 있습니다. 사랑이 없다며 울부짖지만 누군가의 사랑으로 큰 힘을 얻는 사람이 있고, 누군가를 신뢰하여 어떤 결정을 했다가 어려운 지경에 빠진 사람은 믿을 사람이 없다며 한탄하기도 합니다. 그런데 있고 없고의 시비를 떠나 진짜로 없는 게 3가지가 있습니다. 다만 많은 사람들이 있다고 생각하고 그렇게 살아갈 뿐인 것 말입니다.

그 중의 하나가 비밀입니다.
낮말은 새가 듣고 밤 말은 쥐가 듣는다는 말이 있듯이 그 어떤 것도 감추려 하지만 당장에 아닐 뿐 끝내 드러나고 맙니다. 둘만의 비밀로 했던 수많은 것들이 드러나 낭패를 겪거나 법의 심판을 받게 되는 경우를 쉽게 볼 수 있지 않은가 말입니다. 양심을 저버린 것, 누군가를 속인 것도 마찬가지입니다.
쥐도 새도 모르게 한다고 하지만 그 쥐와 새는 물론 누군가가 지켜보고 있거나 누군가에게 드러난다는 사실, 세상은 참 신기하고 어떤 면에서 보면 공평하기까지 합니다. 다만 내가 아무도 모를 거라고 생각할 뿐입니다. 요즘처럼 웬만한 것이 다 공개되는 마당이니 더욱 그러하고. 그러니 이제 '비밀은 없다'는 진리가 우리들 삶에 자리 잡도록 하면 어떨까요?.

두 번째는 정답입니다.
워낙 오랜 시간동안 정답만을 추구하는 삶을 살아와서 그런지 몰라도 자신도 모르게 '정답인생'을 살아가는 사람들이 많습니다. 거기에서 조금만 벗어나도 잘못 살고 있다고, 틀린 삶을 살고 있다며 힘들어 하고 괴로워 합니다. 게다가 자신의 삶은 물론 다른 사람의 삶까지 간섭하며 '너는 틀렸다'며 '정답인생'을 강요하기도 합니다.
정답이란게 있을 수도 있을 것입니다. 다만 어떤 상황, 어떤 시기에 따라 그리고 어떻게 바라보느냐에 따라 그 정답은 일시적인 것이 됩니다. 지구별의 70억이 넘는 사람들 중 똑같은 사람이 한 사람도 없는 것처럼 살아가는 삶의 모습은 모두 다릅니다. 자신의 경험과 지식, 생각의 울타리를 고집하다 보니 '정답' 운운 하는 것입니다. 서로 다른 각자의 삶에 따라 길이 있는 법이고, 굳이 표현한다면 각자의 명답이 있을 뿐입니다. 그러니 이를 인정하고 존중하는 것이야말로 진짜 정답이 아닐까 싶습니다.

세 번째는 공짜입니다.
이것이야말로 비밀로 하고 싶은 것, 아니 정답이라고 주장하고픈 것입니다.
앞의 '비밀'이나 '정답'보다도 더 '꼭 있다'고 생각하기 때문에 그 부작용을 온몸으로 느끼며 사는 게 인생살이라는 생각이 들 정도이니까요. 무임승차, 불로 소득등 어떻게 하면 적은 노력으로 많은 것을 얻을 수 있을까를 생각하는 공짜의식은 거의 본능에 가깝습니다. 수많은 사기사건이나 보이스피싱이 일어나는 이유도 여기에 있습니다. 그러니 공짜심리 하나만 잘 다스려도 전혀 다른 삶을 살아갈 수 있지 않을까싶습니다.

우리네 삶은 비밀이 있는 양 누군가를 감언이설로 속이기도 하고 정답이 있는 양 자신만이 옳다고 우기면서 큰소리를 칩니다. 그리고 공짜가 있는 양 양잿물도 마실 것처럼 달려듭니다. 비밀, 정답, 공짜, 있는 듯 하지만 없는 것, 이 이치를 내 삶에 가져온다면 다른 삶, 새로운 삶이 열리지 않을까싶습니다.
이 엄청난 것을 그냥 내어주며 뭘 받을까, 바로 실천에 들어가는 것은 어떨까요.
이 세상에는 공짜가 없는 것 같습니다.

명문대 간판이 "리더쉽 보증수표" 아닙니다.

리더쉽을 기르는 것은 자전거를 타기와 비슷하다고 합니다. 책을 많이 읽거나 논리에만 정통해서는 안되고 현장에서 넘어지고 일어서기를 반복하며 몸으로 익혀야 하기 때문입니다. 그 점에서 리더쉽은 백면서생의 '북 스마트' 지식이 아니라 실전에서 체득하는 스트리트 스마트 지혜에 가깝습니다. 실제로 이웃 일본과 우리나라에서 학벌과 학력은 보잘것없어도 '스트리트 스마트' 모델로 세상을 이끄는 리더들이 제법 있습니다. 일본의 이케아(IKEA)라고 하는 니토리홀딩스의 니토리 아키오 회장. 그는 젊은 시절 모든 면에서 완벽한 낙오자 였습니다. 홋카이도에서 보낸 학창 시절에는 꼴찌를 도맡아 했고, 삼류 고교와 대학도 뒷문으로 간신히 입학 했습니다. 천신만고 끝에 들어간 광고 회사에선 대인 공포증 때문에 2번 해고당했습니다. 심지어 아버지 회사에서도 쫓겨나 궁여지책으로 가구점을 열었지만 만년 적자였습니다. 반전 계기는 27세에 미국 가구 업계 시찰 여행 때 찾아왔습니다. 종합 인테리어 개념의 유통망을 접하면서 눈이 조금 트였습니다. 사업하는 태도는 달라졌어도 여전히 변두리 가구점에 머물러 있던 그는 33세에 평생 스승이 된 아쓰미이치를 만났습니다. 그로부터 업(業)의 본질을 깨닫고 조직관리술을 배웠습니다. 젊은 시절 좌충우돌한 경험이 스승의 체계적 가르침을 만나 숙성하면서 니토리홀딩스는 올해 현재 점포 500여 점포에 연간 매출 6조원의 세계적 기업으로 성장했습니다. 아키오회장은 "경영이란 '오른손에 주판을, 왼손에는 의리와 정을 쥐는 것'"이라며 "책상 위에서 문제를 해결하는 힘과 실제 사회에서 이를 활용하는 힘은 다르다"고 말합니다.

그런 맥락에서 니토리에는 명문대 출신이 꽤 많지만 어느 대학을 나왔는지 아무도 신경을 쓰지 않는다는 것입니다. 또 중졸이나 고졸 출신이라 해서 선입견을 갖는 일도 없다고 합니다. 국내 계란 시장 1위 기업인 '조인'은 매년 8억개가 넘는 계란을 생산해 3000억원대 매출을 올린다고 합니다. 이 회사의 한재권(67) 창업자 겸 회장의 정규 학력은 초등학교 졸업이 전부입니다. 농사를 짓다가 20대에 창업한 그는 "오늘의 나를 있게 한 원동력은 배움이라고 말을 합니다. 40대부터 1000여 권을 독파한 밑거름이 됐다"고 말합니다. "하루 5시간 이상 눈 붙인 적 없을 정도로 시간을 아꼈다고 합니다. 지방 농장 출장길에는 운전기사를 고용해 놓고 자동차 뒷자석을 독서실로 삼았습니다."

인상 깊은 책은 직원들과 함께 읽고 업무에 적용할 방법을 토론하며 공감대를 넓혔습니다. 조인은 올 5월 장인수(63) 부회장을 대표이사로 영입했습니다. 14년간 만년 2위였던 오비맥주 경영을 맡아 2년 만에 1위로 올린 장 부회장은 '고신영달', 즉 고졸출신 영업의 달인 소리를 듣고 있습니다. 두 사람은 현장에서 잔뼈가 굵으면서 내공을 쌓았다는 점에서 빼 닮았습니다. 현장 체득형 리더쉽은 우리나라 젊은 세대에서도 확산하고 있습니다. 무인점포, 전자상거래 기업으로 잘나가는 '퍼플랩스'의 전종하(30) 대표, 프리미엄 독서실 '작심'을 운영하는 강남구(28) 대표. 모바일 중개서비스 업체인 '집닥'의 박성민(43) 대표..... 이들은 모두 고졸 학력자이지만 몸으로 시행착오를 겪으며 닦은 경험을 독서와 신문 읽기 등으로 갈무리하며 사고와 행동의 지평을 높였다고 합니다. 한국 반도체 산업 발전의 주역인 권오현 삼성전자 종합기술원 회장은 최근 저서 '초격차'에서 "리더의 자질은 타고난 것이 3분의 1, 훈련으로 얻을 수 있는 것이 3분의 2라고 생각한다." 고 밝혔습니다. 리더로서 천부적 자질을 물려받은 경우는 거의 없으며, 대개는 의식적 노력과 의지의 산물이라는 얘기입니다. 특히 학교 수업 등에서 강조하는 정형화된 지식 암기가 아니라 실천적 단련을 통해 판단력과 타이밍을 깨쳐가는 능력이 핵심이라는 것입니다. 이런 점에서 리더십은 이론을 배우는 학(學)과 경험을 기반으로 깨닫는 '각(覺)'의 조합이라는 것입니다. 배움이 부족하면 협량하고, 경험이 모자라면 변죽만 울리게 된다고 말합니다. 예측을 허락하지 않는 현장과 수천년의 온축된 지혜를 흡수하는 독서, 그리고 인생을 먼저 체험한 스승! 이 세가지를 잘 활용. 융합하며 자기 것으로 만드는 이가 역량있는 리더가 될 수 있다고 합니다.

"본다" 는 것

세상에서 가장 아름다운 관계는 '서로' 같은 곳을 바라보는 것입니다. 혼자가 아니라 함께 바라보는 것은 아름다움의 기본 조건입니다. 그런데 함께 바라보려면 눈만 같은 곳을 향하는 것이 아니라 마음도 같아야 합니다.

마음으로 같은 곳을 바라보려면 바라보는 대상에 대한 가치와 의미까지 같이 인식해야 합니다. 만약 산에 갈 때 같은 곳을 바라보지 않으면 서로 보조를 맞추어 걷지 못합니다. 어떤 사람은 목적지가 산정상이고, 어떤 사람은 목적지가 산정상이 아니라면 결코 서로 보조를 맞추지 못합니다.

우리는 간혹 친하게 아는 이들과 함께 산에 가더라도 정상에 가는 것을 고집하지 않습니다. 우리가 목표를 산 정상에 두지 않는 것은 산(山)은 만물을 생산하는 '산(産)' 이라서 발걸음 걸음마다 행복을 주는 생명체 혹은 무생물체들이 존재하기 때문입니다

목표를 산 정상에 두면 주변의 생명체를 제대로 바라볼 기회가 적습니다. 산에 살고 있는 생명체들을 바라보면 그들의 삶이 신비롭기 때문에 발걸음이 수비게 떨어지지 않습니다. 이 세상에 신비롭지 않는 생명체는 없습니다.

'본다'는 듯을 가진 한자 중 '상(相)'이라는 한자가 있습니다. 갑골문에 등장하는 이 한자의 어원은 '나무의 모습을 보다'입니다. 왜 중국의 은나라 사람들은 보는 것을 나무와 관련해서 생각했을까요? 은나라 사람들이 이 한자를 만든 이유를 알려면 이 한자가 가진 또 다른 의미인 '서로'를 상기하면 어느 정도 짐작할 수 있습니다.

은나라 사람들에게 보는 대상은 곧 나무였던 것입니다. 은나라 사람들만이 아니라 고대의 인간들은 눈을 뜨면 가족보다 먼저 나무를 보았습니다. 왜냐하면 눈을 떠서 밖에 나오는 순간 나무가 보이기 때문입니다. 그래서 우리가 본다는 것은 곧 나무를 본다는 것이고, 나무를 본다는 것은 곧 일상의 시작을 의미합니다.

'상(相)'에는 '본다'는 뜻을 한층 깊이 있게 만드는 의미가 숨어 있습니다. 그것은 바로 '돕다'입니다. 임금을 도와서 국정을 총괄하는 사람을 재상(宰相)이라 부르듯이, 본다는 것은 곧 서로 돕는다는 뜻입니다. 나무는 인간에게 엄청난 도움을 줍니다. 그래서 나무가 인간에게 엄청난 도움을 주듯이 인간도 다른 존재들에게 많은 도움을 줄 때 제대로 보면서 살아가는 것입니다. 이것이 바로 '상'의 뜻에 '다스리다'가 포함되어 있는 이유입니다. 다스림은 누군가를 다스리는 것이 아니라 누군가를 도와주는 것입니다. 다스림은 누군가의 위에서 군림하는 것이 아니라 더불어 돕는 것입니다. 나무는 그 누구에게도 군림하지 않습니다. 그냥 열심히 살면서 누군가를 도울 뿐입니다. 그래서 나무가 만인들에게 칭찬받는 것입니다.

‘상’에는 ‘안내하다’는 뜻도 있습니다. 나무는 누군가를 안내하는 나침반입니다. 그래서 나무는 길이고, 진리인 것입니다. 그러나 나무만이 아니라 모든 생명체들이 그런 자격을 갖추고 있습니다. 다만 진정으로 자신과 함께 다른 존재를 볼 줄 아는 자여야만 합니다.

‘부자들의 투자습관’

부자들의 투자습관 가운데 공통점은 ‘기다릴 줄 안다’는 것입니다. 이들은 부화뇌동하지 않으며 조급해하지도 않습니다. 부동산에 10년 또는 20년 이상 묻어둘 수 있는 여유가 있고, 주식투자를 할 때도 몇 년을 기다릴 줄 압니다. 반면 재테크에서 실패한 사람들은 매사에 조급해 합니다. 주식투자를 할 때 한 달은커녕 일주일도 기다릴 줄 모르며 부동산 투자에서도 1~2년 안에 승부를 내려고 합니다. 빚을 내서 투자한 사람은 오랫동안 기다릴 수 없기 때문에 백전백패할 수밖에 없는 노릇입니다. 기다릴 줄 아는 사람만이 재테크에서 최후 축배를 마실 수 있습니다.

인생도 마찬가지란 생각이 듭니다. 성공한 사람들은 때를 기다릴 줄 아나 실패한 사람들은 매사에 성급해합니다. 짧은 시간에 승부를 내려고 하기 때문에 위험을 제대로 읽지 못하고 그만 사기에 휘말리거나 무모한 투자에 발을 담그게 됩니다. 이들에게 남는 것은 산더미만한 빚 뿐 입니다. 박현주 미래에셋그룹 회장의 집무실에는 ‘응립여수 호행사병(凝立如睡 虎行似病)’ 이란 좌우명이 걸려 있습니다. 채근담에 나온 말로 ‘독수리는 조는 듯이 앉아 있고, 호랑이는 앓는 듯이 걷는다’란 뜻입니다. 큰 먹잇감을 잡으려면 마치 병든 것 같은 자세로 때를 기다려야지, 그렇지 않고 금방이라도 잡아먹을 듯 한 기세로 으르렁거린다면 대어를 낚을 수 없다는 교훈을 얻게 합니다.

직장을 옮기는 가장 큰 이유가 직장 내에서의 불편한 인간관계 때문이라는 설문조사 결과가 있습니다. 적성이 맞지 않거나 새로운 삶을 살기 위해 오랫동안 준비한 뒤 직장을 옮긴다면 몰라도 상사와 코드가 맞지 않는다든가 상사로부터 잔소리를 들었다는 이유만으로 직장을 옮긴다면 실패할 확률이 매우 높습니다. 이런 사람은 이직을 해도 좋은 직장을 잡을 수가 없습니다. 대부분의 회사들이 경력 사원을 뽑을 때 평판조사를 하기 때문에 과거 직장에서 인간관계가 원만하지 못해 그만뒀다는 사실을 알게 되면 채용을 꺼리게 마련입니다. 직장에서 성공하려면 오래 참을 수 있어야 하며 감정 관리를 잘해야 한다는 것은 황금률로 통합니다. 연말 인사철을 앞두고 직장인들이 이직을 고려합니다. 그러나 1~2년 참고 기다리면 더 좋은 기회가 있을 텐데 순간을 참지 못하고 직장을 옮겼다가 실패한 사례를 많이 보게 됩니다. 한 분야에서 성공하려면 최소 10년 정도는 피땀을 흘려야 하는 것 같습니다. 그러나 많은 사람들이 1~2년 하다가 별 희망이 없다며 다른 길을 걷기 일쑤입니다. 기대했던 성과를 내지 못해 성급해질 때면 모죽(毛竹)과 강태공에서 실마리를 찾아보면 좋겠습니다.

죽순 가운데 중국에서 자라는 것을 ‘모죽(毛竹)’이라고 합니다. 모죽은 4~5년을 땅 밑에서 뿌리를 내린 뒤 5주 만에 15M 이상 자란다고 합니다. 모죽의 뿌리는 좌우로 엄청나게 넓게 퍼져 있는 것으로 유명합니다. 단단하게 뿌리를 내렸기 때문에 그렇게 빠르게 자랄 수 있는 셈입니다. 중국 제나라 제후로 잘 알려진 강태공의 민낚시 얘기도 큰 뜻을 이루려는 사람들은 귀담아 들을 만합니다. 강태공은 문왕을 만나기까지 바늘이 없는 민낚시로 위수에서 세월을 낚았던 것으로 전해집니다. 70세가 넘어서도 자신이 섬길만한 위인을 만나기 위해 세월을 낚을 수 있는 강태공의 여유가 부러울 뿐입니다. 기다림이야말로 성공의 어머니인 것 같습니다.

'기회의 문을 여는 비결'

사람은 누구나 자기 나름의 성공을 염원하여 의지를 세우고 노력을 아끼지 않습니다. 그러나 기대하는 바대로 성장하는 사람은 그리 많지 않습니다. 물론 성공이 무엇인가를 두고 가치해석이 분분할 수 있지만, 아무튼 성공이란 대단히 어려운 일임은 틀림없습니다. 그래서 성공의 비결을 알려주겠다는 책들은 언제나 불티나게 팔리고 성공 강사들은 물론 점집들도 연중 호황을 누립니다. 어떻게 해야 성공에 이를 수 있을까요? 어떤 이는 성공의 조건으로 의지와 능력을 꼽아 왔습니다. 성공에 대한 굳건한 의지가 있어야 하고 동시에 성공할 수 있는 튼실한 능력을 갖추어야 한다고 늘 생각해 왔습니다. 그런데도 왜 성공하지 못할까요? 한 가지 빠진 것이 있기 때문입니다. 그것은 곧 기회입니다. 아무리 의지와 능력이 있다 해도 기회가 없으면 소용이 없는 것입니다. 그러면 기회는 어디서 오는 것일까요? 우리는 의지와 능력이 기회를 준다고 생각해 왔습니다. 그러나 보다 사려 깊게 살펴보면 기회의 문은 자신이 아니라 다른 이가 열어주고 있음을 발견할 수 있습니다.

소위 성공한 사람들의 성공담엔 언제나 은인이 들어있습니다. 그런데 은인은 부모를 포함한 지인일 수도 있지만 많은 경우 잘 알지 못하던 사람일 수도 있습니다. 그리고 단지 한 사람이기보다 얽히고설킨 인연들이 작용하여 기회의 문을 열고 있음을 볼 수 있습니다. 기회의 문은 의지와 능력만으로 열리지 않습니다. 기회는 내가 열려고 해서 열리는 것이 아니라, 알 수 없는 그 누군가가 열어 주는 것입니다. 그 때를 알 수 없고 활짝 열어주지도 않습니다. 그리고 기회의 문에 성큼 들어서면 "열어 준 너"도 "들어 선 나"도 놀랍기는 마찬가지입니다. 이를 두고 '인연'이라고 말하기도 하고 그 절묘한 결정적 순간과 인연의 작용을 일컬어 '섭리'라고 설명하기도 합니다.

인연이란 불교적 색채가 강한 용어이지만 사전적 의미를 찾아보면 "사물들의 사이에 서로 맺어지는 관계"라고 설명되고 있습니다. 오늘날 복잡화된 현대사회에서 인연은 종교적 의미를 떠나 존재방식을 설명하는 중요한 개념이 되고 있습니다. 내 삶과 얽혀있는 수많은 사람들과의 인연이 나에게 기회를 제공해 줍니다. 끊임없이 인연이 작용하면서 새로운 기회를 만들어 내는 것입니다. 인생에 있어서 기회는 언제나 우리 곁에 머물러 있습니다. 그러나 기회의 문을 열고 들어서는 사람은 많지 않습니다. 스스로 열리지도 않으며 홀로 열 수도 없기 때문입니다. 기회는 열어주는 사람, 곧 결정적 타자가 나타나기까지 잠자코 있을 뿐입니다. 그런데도 우리는 어리석게도 기회 앞에서 기회가 없다고 말합니다. 그렇다면 우리는 어떻게 기회의 문을 열 수 있는가? 비결은 서로 기회를 열어주는 인연을 쌓는 것입니다. 좋은 친구는 기회를 준다는 서양속담이 있습니다. 돌이켜 보면 우리는 주변 사람들과 어울려 인연을 쌓고 그로부터 새로운 기회를 얻고 있습니다.

내가 누군가를 위해 기회의 문을 열어주는 존재가 될 때 그 누군가도 나를 위해 문을 열어 주는 인연이 쌓이고 결국 때가 이르러 이미 그렇게 되도록 계획된 것처럼 너무나도 신통하고 절묘하게 기회의 문이 열리는 것입니다.

'추석의 유래와 의미를 알려 주세요'

추석 - 팔월에도 추석날은 즐거운 명절/ 밤-먹고 대추 먹고 송편도 먹고

우리나라의 풍습을 다루어 전통 문화를 자연스럽게 익힐 수 있도록 가정에서도 도와주시기 부탁드리며 추석의 유래와 의미를 부모님께서 자녀들에게 읽어 줘 보심이 어떠실 지요?

추석의 유래와 의미

추석의 유래는 지금부터 약 2천년전 유리왕 때부터라고 합니다. 유리왕은 백성들이 기쁜 마음으로 즐겁게 살기를 바라는 "도솔가"를 지어 부르게 하였고, 여러 가지 산업을 일으키기도 하였습니다. 그 한가지로 유명한 것은 길쌈 이였습니다.

유리왕은 길쌈 장려를 위해 6부의 부녀자들에게 내기를 시켰답니다. 부녀자들을 두 패로 나누고 궁중의 왕녀 중 두 사람을 뽑아 두 패를 각각 거느리게 한 다음 해마다 7월부터 한 달 동안 베를 짜게 하고 8월 보름이 되면 부녀자들은 두 왕년의 응원을 받으며 열심히 베를 짜기 시작했고, 임금이 지어 준 도솔가를 흥얼거리면서 밤을 낮 삼아 열심히 짜다 보면 8월 보름은 금세 닥치는 듯하고, 마침내는 저마다 마음을 졸이며 그 동안 짜 놓은 베를 가지고 내기 장소에 나왔답니다.

유리왕과 왕비를 비롯한 궁중의 관리들이 나와 유리왕이 판결을 내리면 이긴 편에서는 환성을 지르며 덩실덩실 춤을 추었고, 진편에서는 그 동안 별미 음식을 마련하여 이긴 편을 대접하였답니다. 맛있는 송편, 기름에 지진 고기, 전 등 갖가지 별식과 밤, 대추, 머루, 다래, 배 등이 푸짐하게 마련되면 양편은 모두 둥그런 원을 그리며 둘러앉아 함께 먹으며 노래와 춤을 즐겼습니다.

어두워지면 하늘에는 둥근달이 떠오르고 갖가지 놀이를 하면서 즐거운 밤을 보냈다고 합니다. 서라벌에서는 이 날 8월 15일을 가베라고 했는데 이것이 "한가위"라는 신라의 큰 명절이 되어 지금까지 계속 이어져 내려온 것이랍니다.

'추석 때 만났던 고향지기'

온몸에 멍이 들도록 수천 Km를 헤엄쳐 모천으로 돌아오는, 연어로 대표되는 귀소본능은 몇 몇 동물들만의 전유물은 아니지 싶습니다. 자신의 때를 어김없이 알아차리고 무엇을 기준으로 삼아 무엇의 이끌림을 받는 것인지 자신이 태어난 본래의 장소를 향하여 방향을 정하곤 묵묵히 발걸음을 옮기는 동물적이고 본능적인 감각이 신비하기 짝이 없거니와, 그런 경이로운 감각은 동물에게서 뿐 아니라 우리 인간에게서도 발견이 됩니다.

고속도로가 주차장처럼 변하여 가까운 거리를 두고서도 여러 시간 차 안에 갇혀 있을 줄 알면서도 굳이 길을 나섭니다. 연휴 기간 그저 얼굴 한 번 뵙고 돌아서는 길인데도 귀찮게 여기질 않습니다. 부모 형제에게야 전화로 인사를 드릴 수 있다 해도 조상들이 누우신 무덤가에는 직접 찾아가 인사를 올리는 법, 다른 핑계거리를 찾지 않습니다.

빠듯한 사람살이 먼 길 나서는 일은 분명 부담이 되지만, 다른 건 몰라도 그런 일엔 마음이 넉넉해집니다. 마음 뿐 실천에 옮기지 못했던 효도를 생각하며 부모님을 위해 봉투를 따로 마련하기도 하고, 상급학교에 진학했던 조카들을 위해서도 학용품을 위한 용돈을 준비합니다. 서로 만나 음식을 나누고 이야기를 나누다보면 오랫동안 만나지 못한 서먹함은 어느새 사라집니다.

밤늦은 시간까지 기다려 모처럼 고향을 찾은 이들과 술 한 잔을 기울이는 모습들이 곳곳에 정겹습니다. 살아계시든 돌아가셨든 고향은 부모님이 계신 곳이고, 형제와 친지들이 지킬 뿐 아니라, 아무리 세월이 지나가도 지워지지 않는 어릴 적 기억들과 언제라도 마음을 열면 나눌 이야기가 무진장 쟁여있는 창고가 있는 곳입니다. 아무도 알아주지 않는 농사, 그래도 부모님이 물려준 땅 놀릴 수가 없어 고향에 남아 씨앗을 뿌리고 거두는 고향친구에게 모처럼 고향을 찾은 이는 고맙다 인사를 합니다. 술기운을 핑계 삼아 내내 하고 싶었던 말을 그렇게 합니다.

고향을 떠나 마을 대소사에 발길이 뜸한 고향지기에게 섭섭한 마음 아주 없었던 것은 아니지만, 그래도 명절이라 잊지 않고 찾아오니 고맙고도 반가워 "도시에서 사느라 얼마나 외롭고 힘들었노?"기꺼이 술 한 잔을 건네는 마음이 따끈따끈 합니다.

잊었던 시간이 흘러가며 술에 취한 것인지 나누는 이야기에 취한 것인지 마음이 어질거리기 시작하면 누가 먼저랄 것도 없이 서로의 어깨에 손을 얹곤 "나는야 흙에 살리라" 목청껏 노래를 뽑기도 합니다. 그렇게 간절히 노래를 불러본 적이 또 언제였을까요, 눈가와 마음이 젖은 채 노래를 부르면 노래는 이내 골목길과 고샅길을 지나 온 동네와 앞산 뒷산을 다 울리지만 그날만큼은 밤이 늦도록 이어지는 노래를 모두가 그러려니 합니다. 행여 미안한 맘 갖지 말라는 듯 방금 쪄낸 송편을 내오는 손길도 있어 다시 한 번 눈가를 젖게 만들기도 하고요. 이 좋은 곳을 어찌 내 잊을까, 이 좋은 벗들을 어찌 모른 척 할까, 마음속으로 이어지는 다짐이 적지가 않습니다.

사는 곳이 다르고 하는 일이 다르지만 고향은 우리를 하나로 묶어주는 끈, 든든하고 고마운 끈입니다. 고맙다, 다 고맙다, 모두가 고마운 사람들이 되어 허물없이 만날 수 있는 곳, 우리가 다녀온 바로 그곳이 말이지요.

세상이 나를 알아주지 않는다 해도 내가 맡은 일에 최선을 다합시다

공자는 평생을 공부에만 매진하다 이런 생각을 하게 되었다고 합니다. "공부는 어느 정도 마쳤으니, 이제는 세상에 나가 사람들을 위해 일해야겠다. 반드시 나를 받아 줄 나라가 있을 테고, 국왕과 신하들이 나를 환대할 것이다." 공자는 각 나라들을 방문하기로 하고, 처음으로 찾아간 나라에서 왕을 뵙고, 말했습니다. "저는 공부를 많이 한 현자입니다. 학문에서는 저를 따를 자가 없을 것입니다. 저를 관리로 등용해주었으면 합니다." 이 말을 들은 왕은 대답도 하지 않고 공자를 내쫓았습니다. 공자는 자신을 내쫓은 왕에게 실망하고 옆 나라로 옮겨갔습니다. 그런데 그 왕도 마찬가지로 공자를 받아주지 않았습니다. 공자는 자신을 믿어주지 않는 왕에게 욕을 하고, 다시 옆 나라로 가서 자신을 알렸지만 역시 마찬가지였습니다. 공자는 이렇게 돌아다니던 중 너무 지쳐 어느 바위 밑에서 잠시 쉬기로 하였습니다. 앉아 쉬다가 너무 지쳤던 탓인지 잠이 들었습니다. 잠시 후 깨어나 보니 옆에서 난(蘭)의 향기가 풍겨왔습니다. 자세히 보니 그 난 위에 나비가 한 마리 앉아 있었습니다. 이것을 본 공자는 바로 그때서야 깨달았습니다.

'아! 저 난은 가만히 있어도, 향기가 사방에 퍼져 스스로 나비가 찾아오는구나. 나를 알아주지 않는 왕에게 실망하고 욕하기 전에 내게서 향기가 풍겨져 나오도록 해야 되는구나. 내게서 향기가 풍기면 사람들이 제 발로 나를 찾아올 것이다.'

이 공자 이야기를 현대적인 감각으로 각색해보았습니다. 오래전부터 품고 있었던 내용입니다. 우리가 지향해오던 우리의 가치관이기도 합니다. 앞의 '공자와 난'을 통해 이런 생각을 할 수도 있겠습니다. '굳이 사람들이 나를 인정해주지 않아도 섭섭할 것이 아니라 나의 능력이 모자람을 탓해야 할 것이요. 나의 위치에서 생각하고 학문에 최선을 다하는 것이 도리이다.'

요즈음 대학생들의 과제물에는 미래의 불안함, 취업을 위해 하나라도 스펙을 쌓아야 하는 것에 대한 고뇌가 역력하다고 합니다. 젊음을 누리고 학문을 지향하는 상아탑의 대학은 전혀 느껴지지 않는다고 합니다. 얼마나 안쓰러운 일인가 모르겠습니다.

인생의 성공이 그렇게 쉽게 이루어지겠습니까? 이 세상에 내가 원하는 일을 도깨비 방망이 두들기듯 한번 두들기면 성취되는 것일까요? 자기 자신들이 자기를 열심히 PR한다고 해서 자기를 알아주는 세상일까요? 자신이 나서서 설치는 PR은 그리 오래가지 않는 것 같습니다.

개그맨 김병만은 텔레비젼에 방송되는 코미디 프로 7분짜리 〈달인〉이라는 프로로 유명해지기 전, 개그맨으로서 수십 번의 실패를 거듭하면서도 희망을 놓지 않고 노력했다는 기사를 읽은 적이 있습니다. 이런 노력이 있었기에 언젠가부터 세상 사람들은 김병만이라는 사람의 진가를 인정해주고 있습니다.

세상이 나를 알아주지 않는다고 섭섭해 할 일이 아닙니다. 내 실력이 미치지 못함을 한탄할 것이요. 고민하고 근심하는 그 시간에 하나라도 노력해 보는 것이 더 현명한 것 같습니다. 서둘러서 스펙을 준비한다고 해서 성공하는 것이 아니요. 자신이 원하는 곳에 방향을 잡고 꾸준히 노력해 가면 언젠가는 자신의 길이 보일 것입니다. 어찌 한 순간에 이루어지기를 바라겠습니까?

기적이란 천천히 이루어진다고 합니다. 노력하지 않는 성공이란 있을 수 없고, 자기 실력을 쌓아 놓으면 반드시 원하는 곳에서 그 대가를 찾을 것입니다. 행운이란 준비되어 있는 자에게 찾아오는 법이라는 원리를 생각해 봅시다. 대학생들뿐만 아니라 모든 사람들의 삶도 마찬가지인 것 같습니다. 자신이 처한 일터에서 남이 나를 알아주고 승진해주기를 바라지 말고, 최선을 다해 맡은 일을 한다면 난의 향기가 저절로 퍼져 나비가 날아오듯 세상이 우리 하버드 학부모님들을 알아 줄 것입니다.

"인생 3막을 준비하려고 생각을 해봤나요?"

어느 날 시간이 남아 인생을 고뇌하는 과정에서 '인생 3막(60세 이후)'을 생각하게 됐습니다. 50대 후반인 치과의사 A씨는 60대 이후를 걱정하고 있었습니다. '의사가 노후를 걱정한다?' 쉽게 공감할 수 없을 것입니다. 의사라면 말년까지 편하게 살 수 있는 돈을 모았을 것으로 생각했기 때문입니다. 어느 날 시간이 남아 인생을 고뇌하는 과정에서 '인생 3막(60세 이후)'을 생각하게 됐습니다. 언제 쫓겨날 지 모르는 샐러리맨과는 상황이 다르다고 생각하면서 말입니다.

A씨는 자신이 왜 노후를 고민하는 지에 대해 들려줬습니다. 이유는 이렇습니다. "죽을 때까지 먹고 살 수 있는 돈은 모았습니다. 그러나 인생에서 돈이 전부는 아니지요. 매일 하는 일 없이 먹고 놀 수만은 없지 않겠어요. 앞으로 80~90살까지 산다고 치면 20~30년은 더 살아야 합니다. 치과의사 일을 언제까지 할 수 없겠어요. 이제는 힘들어 더 이상 못 하겠어요."

아는 지인 중 외국계 기업에서 임원으로 일하는 B씨가 있어 만났습니다. 무슨 말 끝에 A씨가 자기 자신의 이야기를 들려줬습니다. B씨가 답합니다. 요즘 자신도 60세 이후를 걱정하는 시간이 많아졌다고 털어 놓습니다. 자신이야 영어라도 유창하게 하고 여러 다국적 기업에서 일한 경험 때문에 60세까지는 일할 자신이 있다고 했습니다. 그러나 B씨도 60대 이후가 걱정이 된답니다. 돈은 크게 걱정하지 않아도 될 만큼 모았으나, 여전히 무슨 일을 하며 인생을 마감할 것인지를 놓고 많은 생각을 하고 있다는 얘기였습니다.

치과의사 A씨와 외국계 기업 임원인 B씨는 과연 사치스런 고민을 하고 있는 것일까요? 40~50대에도 제대로 된 집 한 채 장만하지 못하고, 60대가 되더라도 개인연금 하나 기댈 곳 없는 일반 서민들에게 분명 A씨와 B씨는 행복의 대상이며, 사치스런 고민을 하고 있다고 밖에 볼 수 없습니다. 일반 서민들은 무슨 돈으로 죽을 때까지 무엇으로 먹고 살 것인지 부터 걱정해야 하기 때문입니다. 무슨 일을 할 것인지는 그 다음 고민거리에 속합니다.

우리는 지금 60대 이후를 준비하고 있는가요? 불행히도 우리들 역시 지금까지 60대까지 어떻게 살 것인지 만을 생각했을 것입니다. 그 이후는 돈만 있으면 된다고 믿었습니다. 말년에 골프라도 칠 수 있을 만큼 돈을 모을 수 있다면 다행이라고 생각했습니다. 그러나 A씨와 B씨의 얘기를 읽다보면 엘리트 학부모님들의 생각도 달라질 것입니다. 노후 문제가 돈만으로 해결 할 수 없다는 점을 깨달을 것입니다. 무슨 일을 하면서 노후를 의미 있게 살 수 있는지를 생각할 수 있는 좋은 경험이 될 것입니다.

전문가들은 이렇게 충고합니다. 지금부터라도 인생 계획을 세우라고 말입니다. 현재 생각하는 60세 이후의 모습을 자신의 수입으로 실행에 옮길 수 있는지를 따져보라고 말입니다. 아마도 많은 사람들이 이런 노후를 생각하지 않을 수도 있을 것입니다. 시골 쾌적한 곳에 별장을 지어 놓고, 주말에 자식들을 불러 바비큐 파티를 즐기는 노후 말입니다. 한 달에 최소 한 두 차례 부부와 함께 주중 골프를 즐기고, 일 년에 한 차례 정도 해외 여행이라도 가겠다는 야무진 꿈을 꾸고 있지 않을까요. 엘리트학부모님들이 그리는 미래를 현실로 옮기려면 어느 정도의 돈이 필요 한지 알고 있겠지요? 잘 모르신다면 지금 부터라도 전문가들의 충고대로 인생 계획표를 만들어보면 좋을 것 같습니다. 국민연금은 더 이상 노후를 책임져줄 안전망이 아니며, 자녀 역시 내 노후를 맡아줄 안식처가 될 수 없기 때문일 것입니다.

인생의 주제가 사랑이면 좋을 성 싶습니다.

우리네 사람들에게 있어서 필요한 것들이 있다면 아마도 의.식.주일 것입니다. 우리들은 모두가 공통적으로 벌거벗고 길거리에 나갈 수는 없을 것입니다.
남루하더라도 몸에 옷을 걸치지 않고는 또한 사회생활이 불가능할 것입니다.
만약 우리들이 한 두 끼 굶으면 좀 허기는 지지만 사회생활과 직장생활들을 하며 출근을 할 수는 있습니다. 그러나 "사흘 굶으면 도둑질 안 하는 놈이 없다"는 속담도 귀담아 들어 둘 필요가 있습니다. 한편으로는 굶주린 사람에게 도덕을 따지기도 어렵습니다. 또한 집이 없어 다리 밑에서 노숙을 하는 사람들과 행복을 논할 수도 없을 것입니다.

그런데, 돈만 있으면, 좋은 옷 입고, 고급식당에서 배부름의 은총을 받았다고배 두드리면서 잘 먹고, 잘 싸고, 으리으리한 호화주택에서 편하게 살 수는 있습니다. 또한 돈만 있으면 무엇이든 다 되는 세상이라고 믿게 됩니다. 그래서 "돈, 돈"하면서 사람들은 날마다 정신이 혼미해 지면서 서로 간 늘 싸우는가 봅니다. 돈 잘 버는 아들이 잘난 아들이고, 돈 잘 버는 아버지가 훌륭한 아버지이고, 돈 잘 버는 남편이 장한 남편이 되기도 합니다.

우리사회를 피곤하게 만드는 부정부패도 따지고 보면 돈 때문입니다.
그러나 아무리 돈이 많아도 건강이 없으면, 비단 옷을 장롱에 넣어두고, 매끼 죽만 먹어야 합니다. 최고로 비싼 침대에 누워 있다 해도 아마 잠이 안 올 것입니다. 불면증에 걸릴 것입니다. 옛날에는 매일 매일 땀을 흘리며, 숨을 몰아쉬며, '보리 고개'를 넘던 그 옛날을 오히려 그리워하는 엄청난 부자들도 적지 않을 것입니다. "돈이 전부가 아니다"라는 소박한 진리 한 토막을 터득했을 때는 이미 때가 늦을 수도 있습니다. 돌이 킬 수도 없을 수 있습니다. 제아무리 몸부림쳐도 소용없을 수도 있을 것입니다.
우리네 인생에 있어서 인생의 주제가 '사랑'이라는 사실을 깨닫는 데 너무 오랜 세월이 소요될 수도 있습니다. "사랑보다 돈"이라고 잘못 알고 있는 사람들이 우리 주변에는 너무 많음을 인지하고 있습니다. 어떤 인생은 "돈보다 사랑"이라는 만고불변의 진리를 깨닫는 데 80년이라는 연륜이 필요하였다고 고백합니다. 엘리트학부모님들은 이제부터라도 남은 인생이 아무리 많이 남아 있다고 생각해도 앞으로는 '작은 사랑'을 위해 내가 가진 '작은 재물 '들을 써보려는 생각을 해보는 것은 어떠실련지요? 하버드 학부모님들의 인생여정에서 '석양의 노을 빛'이 다 가기 전에 말입니다.

'유아교육은 하버드 어린이집 입니다.'

좋은 소문과 나쁜 소문

발도 날개도 없는 소문이지만 소문은 참 빨리도 퍼집니다. 라디오와 텔레비전조차 없던 옛날에도 소문의 속도는 여전했을 것이라 짐작됩니다. 우물가나 빨래터가 소문의 진원지 역할을 하여, 같은 물을 마시고 같은 생활권에서 사는 사람들끼리는 큰 비밀을 따로 간직하기가 어려웠을 테니까요. 그것이 좋은 소식이건 궂은 소식이건 소문이 동네를 한 바퀴 도는 것은 저녁밥 짓는 연기만큼이나 빠르지 않았을까 싶습니다.

인터넷과 휴대폰 등이 생활화된 요즘은 소문의 속도가 어지러울 만큼 빨라져서 관심을 끄는 소식은 가문 날 산불 번지듯 삽시간에 온 누리로 퍼져나갑니다. 소문이 퍼지는 범위도 일정한 지역은 물론 나라와 국경을 초월하는 것도 한 순간이지 싶습니다.

한 방송사에서 재미난 심리 실험을 했다고 합니다. 좋은 소문과 나쁜 소문 중에서 어느 소문이 더 빨리 퍼질까 하는 것과, 그런 소문을 퍼트리는 사람의 심리는 어떨까를 알아보는 것이었습니다.
제작진은 서울대 심리학과 곽금주 교수팀과 함께 20대와 40~50대 방청객 각 100명씩을 스튜디오에 초대한 뒤 두 가지 소문을 전파시켰습니다. '어느 연예인이 자살했다'는 부정적인 소문과 '어느 연예인이 아기를 입양했다'는 긍정적인 소문을 각 그룹에게 전달하고 그 결과를 지켜본 것이었습니다.

실험 결과 20대의 경우 '자살했다'는 소문은 모집단 100명 속에 곧바로 확산, 81%가 소문을 들었고 86%가 소문을 전했습니다. 반면 '선행 관련 소문'을 들은 이는 18%에 불과했고 이 소문을 전달한 이들은 4%에 그쳤습니다. 40~50대의 경우도 마찬가지였습니다. 나쁜 소문은 84%, 좋은 소문은 16%의 비율로 퍼져 나갔습니다. 제작진은 이 실험을 통해 불안감이 높은 집단이 그렇지 않은 집단에 비해 4배가량 소문을 더 많이 듣는 것도 밝혀냈다고 합니다.

'좋은 소문은 걸어가고, 나쁜 소문은 날아간다'는 우리 속담이 있습니다. 말 그대로 좋은 소문보다는 나쁜 소문이 더 빨리 퍼진다는 뜻이겠지요. 왜 그럴까요? 좋은 소문은 시기심에 멈칫멈칫 쉽게 퍼지지를 않습니다. 우는 자들과 함께 울기보다는, 웃는 자들과 함께 웃는 일이 더 어려운 일일지 모릅니다.

반면에 나쁜 소문은 날아갑니다. 머물 새가 없는데 대개는 참을 수가 없기 때문입니다. 갈수록 몸집을 불리기도 합니다. 좋은 소문은 걸어가지만 그러기에 좋은점도 있습니다. 걸어가기 때문에 제대로 갑니다. 날아가는 것을 제대로 보기는 어려운 법, 천천히 가는 것을 제대로 볼 수가 있습니다.

좋은 소문이 더디 간다고 크게 아쉬워 할 것은 없습니다. 빨리 가는 것보다 중요한 것은 제대로 가는 것, 좋은 소문은 퍼지는 것에 별 관심이 없는 것인지도 모릅니다. 퍼지다 멈추면 그곳에서 한 알의 씨앗이 되는 것이기에 말이지요.

이 가을을 지나 초겨울에 꼭 해야 할 일 들

선선한 계절로 온갖 곡식이 무르익는 가을이 지나가고 있습니다. 덥지도 춥지도 않은 가을은 사람들이 수확의 기쁨과 함께 단풍놀이를 즐기는 계절이였습니다. 올 가을에는 무엇을 했을까요? 우선 먼저 심신을 추스르자고 다짐했을 것 같습니다. 덥다고 바쁘다고 머리만 쓰고 자동차만 타고 다니던 습관을 개선하려고 했을 것입니다.

어느 명사는 살면서 망설이지 말아야 할 것으로 운동하기, 산책하기, 여행하기 등을 거론한 적이 있습니다. 피곤하다는 핑계로 퇴근 후 소파 위에 누워 야구 경기를 관전하는 것도 버려야 할 습관입니다. TV를 과잉 시청하는 습관을 단호하게 버려야 합니다. 이 좋은 계절에 책 볼 시간이 줄어들기 때문입니다. 가을에는 등산을 자주 가야겠다고 결심합니다. 산에는 '만병통치약'이라고 불리는 피톤치드가 우리를 기다리고 있습니다. 운동부족으로 근육량이 줄어드는 것을 느끼는 요즘 건강차원에서 평소에 운동으로 몸을 보강하는 일은 매우 중요한 일상사입니다.

가을을 지나려는 요즈음에는 그동안 만나지 못한 지인들을 만나 식사를 대접하면 어떨까 싶습니다. 우스갯소리로 "박사 위에 밥사"라는 말이 있듯이 좋은 친구와 더불어 밥을 먹는 일은 마음이 따뜻해져서 좋습니다. 이 좋은 늦가을에 대해 우리나라 사람들이 '천고마비의 계절'을 지나니 충분한 식욕의 계절로 인식할 만도 합니다. 가을에는 또한 풍성한 추수의 기쁨이 있었기에 만족감을 느낄 수 있는 계절로 이러한 충족감은 '더도 덜도 말고 한가위만큼만 되어라.' 하는 속담으로 드러나고 있습니다. 책을 좋아한다면 서점에 자주 가서 책을 구입해 보시기 바랍니다. 이제 날씨가 선선한 '등화가친의 계절'에 구입한 책들을 완독하시기 바랍니다. 어느 분은 "공부를 하려면 더운 여름과 추운 겨울에 해야 한다."고 말했습니다.

봄이 되면 따뜻한 날씨와 봄꽃에 취해서 놀러가고, 가을이 되면 선선한 날씨와 단풍에 취해서 놀러가기 바쁜데 무슨 공부를 하겠느냐는 얘기입니다.
늦가을은 또한 철학자가 되는 계절입니다. 인생으로 이야기 하면 노년기를 늦가을에 빗대고 있습니다. 늦가을은 '조락(凋落)의 계절'이라고 하여 가을에 지는 나뭇잎에서 인생의 한 모습을 바라보기도 했고, 추풍낙엽이라든가 가을 아침의 안개 등은 모두 허무함을 나타내는 말로 계절의 정서를 표현했으며, 가을에 노인을 빗대어 노래하는 것이 많습니다. 그래서 사람들은 화려하게 핀 단풍이 서리가 내리기 전에 수확을 서두르며 추운 겨울의 월동준비를 하는 가을의 중요성을 강조합니다.

가을에 거둬들인 것을 갈무리하는 것은 농경 사회에서 대단히 중요한 일로써 김장을 하고 추운 겨울을 나기 위한 땔나무의 마련을 하는 것처럼 사람들도 심신의 건강과 즐거운 인생을 위해 실천해야 할 일을 해야 합니다. 천자문 중에 '가을 추(秋), 거둘 수(收), 겨울 동(冬), 감출 장(藏)'으로 되어 있는 것도 선인들 생각의 반영이라고 할 수 있습니다.

올 늦가을에는 운동을 생활화하고, 좋은 책을 많이 보고, 만나고 싶은 사람에게 먼저 연락해 식사를 하고, 주말에는 무조건 시간을 내어 가까운 산이라도 등반하는 것을 실천하겠다고 거듭 다짐해 보시기 바랍니다. 망설이지 말고 실천해야 몸과 마음이 쾌적한 상태를 유지하게 되고, 사람들과의 관계에서도 넉넉하고 여유로운 모습이 보여지지 않을까요?

“잘 익은 사람 하나”

민망하고 송구하고 썰렁한 이야기입니다만, 언젠가 다음과 같은 이야기를 들은 적이 있습니다. 학교 선생님과 수녀와 국회의원이 한강에 빠져 허우적거리고 있다면 누구부터 구하겠느냐는 질문이었습니다.
답은 국회의원이었는데 그 이유가 엉뚱했습니다. 제일 오염되었기 때문이라는 것이었습니다. 그냥 버려두면 강물을 제일 많이 오염시킬 사람이기에 제일 먼저 건져내야 한다는 이야기였습니다. 가볍게 떠도는 이야기 속에도 국민들의 마음이 담기는 것이라면 이 나라의 정치 지도자들이 귀담아 들어야 할 이야기가 아닌가 싶습니다.
같은 후각 기능을 통해 인식하게 되는 것이라 하여도 ‘향기’라는 말과 ‘냄새’라는 말은 어감의 차이가 있습니다.‘악취’라는 말은 물론이거니와 ‘향기’라는 말이 ‘냄새’라는 말과도 구별되는 것은 각각에서 생겨나는 감정이 다르기 때문일 것입니다. 사람의 마음을 즐겁고 유쾌하게 하는 냄새를 따로 구별하여 ‘향기’라 부르는 것일 테니까요. 그런 면에서 향기와 냄새는 꽃과 두엄더미에서만 나는 것은 아니지 싶습니다.
사람 중에도 향기 나는 사람이 있고 냄새나는 사람이 있습니다. 향수나 샴푸 냄새가 아닌, 마음에서 우러나는 은은한 향기를 가진 사람, 그런 사람 곁에 있으면 괜히 즐겁고 편안합니다. 향기가 눈에 보이지는 않지만 분명하게 느낄 수 있는 것처럼 향기로운 사람 또한 눈에 보이지 않는 기쁨과 생기의 이유가 되어주곤 합니다. 향기를 지닌 사람은 두고두고 많은 사람을 즐겁게 합니다.
반면에 냄새를 피우는 사람도 있습니다. 비록 사회적으로 높은 지위에 오르고 가진 것이 많다고 해도 구린 구석을 가진 자들이 있습니다. 떳떳하지 못한 모습으로 눈살을 찌푸리게 하는 사람들입니다. 강에 빠지면 얼른 건져내야 할 사람들이지요.
시인 이시영의 “어느 향기”라는 시가 마음에 와 닿습니다.

“잘 생긴 소나무 한 그루는
매서운 겨울 내내 은은한 솔 향기를 천리 밖까지 내쏘아주거늘
잘 익은 이 세상의 사람 하나는
무릎꿇고 그 향기를 하늘에 받았다가
꽃피고 비오는 날
뼛속까지 마음 시린 이들에게 골고루 나눠주고 있나니”

무릎꿇고 향기를 받았다가 뼛속까지 마음 시린 이들에게 골고루 나눠주는 잘 익은 사람 하나....
세상이 어지럽고 험악할수록 마음 깊은 곳 향기를 지니고 살아가는 사람들이 그리워 집니다.

거절의 기술 1

당당하게 'NO'를 외치는 것은 세계적 흐름입니다. 해마다 워런 버핏은 자선 사업으로 자신의 점심시간을 세계 각지 기업가, 투자가에게 경매에 붙여 팝니다. 미국 경제 매체 CNBC가 지난달 28일 과거에 버핏이 점심 기회를 낙찰 받았던 이들을 인터뷰한 결과, 그가 남긴 중요한 교훈 중 하나 가 'NO'라고 말하는 것을 두려워하지 말라'는 것이었습니다. 원하는 방향으로 일을 이끌어가려면 그만큼 많이 거절해야 하고, '아니요'라고 말한 뒤에 찾아오는 찰나의 불편함을 문제없이 견뎌야 한다는 것입니다. 당당하게 거절하는 것은 이제 조직에 대한 반항이 아니라 능력의 척도로 여겨지는 시대입니다. NO의 파도가 밀려오자 한국에서는 '거절의 기술' 열풍이 불고 있습니다. 하지만 'NO'라고 말하기 위해 기술까지 익혀야 한다는 건, 한국에서 그만큼 NO맨으로 살기 만만찮음을 방증합니다. 어느 언어학자는 "아직 사회 분위기에 대놓고 거절하는 것을 허용하지 않다 보니 거절 기술이라도 연마하려 책을 찾는 이들이 생기는 것"이라고 합니다.

거절 장애 앓는 한국인

지난 1월 직장인들이 모이는 인터넷 커뮤니티 사이트에 이런 고민 글이 하나 올라왔습니다. '상사와 한 술 약속에 기분 나쁘지 않게 거절하는 방법이 있을까요?' 라는 제목의 글에는 상사와 술 약속 한날 몸에 열이 날 정도로 아팠지만, 약속을 거절할 용기가 없어 땀을 뻘뻘 흘리며 술을 마셨다는 고민이 적혀 있었습니다. 직장인들은 댓글로 '거절의 기술'이라기보다는 '거짓말의 기술'에 가까운 노하우를 공유했습니다. "그래서 회식 가기 싫은 날엔 아파 보이려고 마스크 쓰고 갑니다." "일부러 식사 때마다 엄청나게 쩝쩝거리며 먹는 것도 방법." "건강 핑계가 최고입니다. 간에 종양이 생겨 술을 못 먹는다든지...." 인터넷에는 사소한 부탁도 거절 못 해 힘들어하는 '거절 장애' 고민 글이 쏟아집니다. 직장에서는 물론이고 "미용사의 '길이를 조금 더 자르고 파마도 해야 잘 어울려요' 하는 말을 거절하지 못했다가 나중에 집에 돌아와 화장실 거울을 보며 울었다" "길거리에서 붙잡고 얘기하자는 종교인들 말을 거절 못 해 약속에 매번 늦었어요"등 사소한 거절 장애 호소를 하는 이들까지 다양합니다.

가장 거절하기 어려운 것은 역시 가족 또한 친한 친구의 부탁 중 성인 남녀 1036명을 대상으로 설문한 결과 '가장 거절하기 어려운 상황은 언제인가?' 하는 질문에 '가족 또는 친구가 부탁할 때'가 57%로 가장 많았고, '직장 상사의 지시' 923%), '회식 또는 술자리에 갑자기 못 갈 때'(9%), '영업 사원이 끈질기게 상품을 권할 때'(7%), '소개팅(데이트) 상대가 마음에 들지 않을 때'(4%) 순이었습니다.

거절 장애의 말로는 결국 무리해서라도 상대방 부탁에 응하는 'YES맨'이 되는 것. 무분별하게 남발하는 YES는 자신의 시간과 주변인 관계를 갉아먹을 뿐만 아니라 두통, 소화불량, 심혈관 질환 등 신체적 이상 징후를 호소하고 심하면 우울증, 반사회적 인격 장애로까지 발전을 합니다.

거절의 기술 2

YES 집착, 화병(화병) 키웁니다. 책 '죄책감 없이 거절하는 용기'의 저자인 임상심리학자 마누엘 스미스는 "다른 사람들의 비판이 두려워 거절을 잘하지 못하는 것"이라며 "이는 아이를 무지한 존재로 인식하고, 불안에 떨게하며, 죄책감을 심어주는 등 감정을 통제하는 방식의 교육 문제"라고 했습니다. 실제 '상대방 부탁을 거절했을 때 어떤 느낌이 드는가?'라는 질문에 '거절 한 것에 만족한다'고 답한 응답자는 10%에 불과 했습니다. 대부분 '부탁한 상대방에게 미안한 마음이 든다'(50%) '또 부탁할까봐 상대방을 피하게 된다'(20%) '날 싫어하게 될 것 같아 두렵다'(10%) '뒷공론으로 평판을 떨어뜨릴 것 같다' (10%) 등 불안감을 호소했습니다. 한국인 대다수가 자신의 감정에 따르기보다 남의 기대와 감정에 맞춰 사는 데 익숙한 '착한 아이 콤플렉스'에 시달린다는 것입니다.

미국 정신의학회가 지정한 한국인 특유의 '문화 관련 증후군' '화병'도 결국 거절 못 해 받은 독이 몸에 쌓여 생기는 병. 홍나래 정신건강의학과 교수는 '많은 한국인이 자신의 감정 상태를 근거로 들며 상대방 부탁을 거절하는 데 익숙하지 않다'며 "더 큰 문제는 자신이 거절 못 해서 고통스러워한다는 사실을 인지하지도 못한 채 살아가다가 각종 신체 이상 증상을 호소하고 난 뒤에 부랴부랴 병원 찾아오는 이가 많다는 것"이라고 합니다. 착한 아이 콤플렉스의 결말은 갑작스레 관계를 끊는 이른바 '잠수'라는 것입니다." "습관적 잠수는 관계의 두려움에서 오는 것일 수 있다"며 상대방의 부탁을 거절하거나, 내 부탁을 "상대방이 거절하는 게 두려워 이를 회피하는 행위"라고 했습니다. 잠수가 심해져 거절하거나 거절당한는 데 극도로 공포심을 느끼게 되면 '은둔형 외톨이' 또는 '회피성 성격 장애'로 발전한다고 합니다.

2030 NO맨 vs 5060 YES맨 – 하지만 높아만 보였던 NO의 철옹성에도 서서히 금이 가는 중입니다. 철옹성에 망치질하는 주체는 자신을 지키기 위해, 먹고 살기 위해 NO를 외쳐야만 하는 20-30대. 김유태교수는 "과거에는 조직의 결과물이 조직원들에게 그 나름대로 평등하게 분배되고, 조직의 뜻을 굽히지 않는 YES맨이 되면 은퇴까지 생존을 보장받을 수 있었다"며 "하지만 평생직장이라는 개념이 사라지고, 계약직 사회가 도래하며 한 조직에 충성해도 미래를 보장받기 어려워졌고, 이 때문에 자신에게 실익이 되지 않는 이상 당당하게 조직 요구에 거절하는 이가 많아지는 것"이라고 했습니다. 실제 '상대방 부탁을 거절했을 때 어떤 느낌이 드는가?'라는 설문에 '잘 거절했다 여기며 만족한다'는 응답률이 20대가 14%로 가장 많았고, 30대(12%), 40대(8%), 50대(6%), 60대(4%)로 나와 나이가 들수록 낮아졌습니다. 한국 서점가에 부는 '거절의 기술' 열풍을 NO맨으로 살아온 20-30대와 YES맨으로 살아온 기성세대의 충돌로 해석하기도 합니다. 윤상철 교수는 "지역주의 사회에서 사람들과 오랫

동안 깊은 관계를 맺고 지내 쉽게 거절하는 것을 무례한 일로 여기는 기성세대와 달리, 소셜미디어로 교류하는 신세대는 넓지만 깊지는 않은 관계를 맺으려는 성향이 강해 거절하는 데 익숙한 편" 이라고 합니다 "하지만 신세대가 막상 사회생활을 시작하며 기성세대 앞에서 쉽게 NO라고 말했다간 평판에 치명적이라는 것을 알게 되면서 거절의 기술을 연마하기 시작한 것 이라고 했습니다. NO맨의 도래는 시대적 추세이기도 합니다. 저서 '리더는 어떻게 성장하는가?'의 저자 맨프레드케츠 인사이드 경영 대학원 교수는 '카리스마형 리더'의 시대는 가고 '공감형 리더' 시대가 왔다고 역설을 합니다. 맨프레드 교수는 "한 카리스마를 지닌 '우두머리 수컷' 타입의 리더는 위기 상황에 잘 대처하고 단기간 성과를 내는 데 효과적이지만, 결국 주변에 그의 주장에 맞장구 쳐 주는 YES맨만 남을 위험이 크다"며 "지금은 너무나 변화가 심해 한 사람의 재능으로 시대를 벼텨낼 수 없는 지경에 이르렀기에, YES맨들을 이끄는 리더가 아니라 조직원의 여러 의견을 듣고 조합할 줄 아는 '공감형 리더'의 능력이 더 필요한 때"라고 했습니다 모두가 'YES'를 외치며 일사부란하게 움직여 기적 같은 발전을 이뤄 낸 20세기의 신화는 무너졌고, 이제 NO맨도 필요한 시대가 왔다고 합니다.

파와 눈물

강판권 교수

누군가를 위로한다는 것은 참으로 어렵고도 소중한 일입니다. 괴로워하거나 슬퍼하며 힘들어하는 마음을 달래주는 것이니, 어찌 그 일이 쉬울 수가 있겠습니까? 누군가가 겪고 있는 아픔과 슬픔을 헤아려 다가가야 하고, 따뜻한 마음으로 받아야 하기 때문입니다. 서울시와 한 보험회사가 공동으로 마포대교에서 벌인 자살방지 캠페인에 관한 이야기를 대한 적이 있습니다. 자살을 방지하기 위해 시민들로부터 위로의 말을 공모하여 다리 양쪽 난간에 그 말을 붙여 놓았습니다. 다음과 같은 글이었습니다. "밥은 먹었어?" "삼겹살에 소주 한잔 어때?" "아무한테도 말 못 하고 혼자서 꾹꾹 담아온 얘기 시원하게 한번 얘기해 봐요" "오늘 하루 어땠어? 별일 없었어? 말 안 해도 알아, 많이 힘들었구나." "인생에 정답이란 없습니다." "긴 다리를 건너면 겨울 지나듯 새봄이 당신을 기다리고 있겠지요." 생각하면 모두가 고맙고 따뜻한 말입니다. 슬픔과 절망의 막바지에 몰렸던 누군가가 스스로 생을 마감할 생각을 하고 마포대교를 찾았다가 생각지도 못한 그런 글을 대하게 되면 자신의 마음을 돌릴 수도 있지 않을까 하는 생각이 듭니다. 하지만 결과는 의외였습니다. 캠페인을 벌이기 이전보다도 투신자의 수가 더 많이 늘어난 것입니다. 힘든 사람이 더 많아졌을 수도 있겠지만, 캠페인의 의도를 무색하게 하는 뜻밖의 결과인 것만은 분명합니다. 서울시에 있는 한강 다리 29개에서 2014년 한 해 투신한 사람은 396명인데, 그중 절반 가까이가(46.5%) 마포대교를 선택했다고 합니다. 누군가 건네는 마지막 위로를 고마워하며 세상을 등질 곳을 찾았던 것인지, 이런 결과를 어떻게 이해해야 좋을지 모르겠습니다. 위로하려다가 오히려 상처를 주는 경우들이 있습니다. 구약성서에 나오는 욥의 세 친구가 그랬습니다. 자신이 가지고 있는 모든 것을 한순간에 잃어버린 채 잿더미 위에 앉아 옹기조각으로 자기 몸을 긁고 있는 욥에게 세 친구가 찾아옵니다. 욥의 처지가 얼마나 기가 막혔던지 그들은 욥의 곁에서 일주일을 보내면서도 누구 하나 한 마디도 말을 하지 못합니다. 하지만 시간이 지나면서 그들의 태도는 달라집니다. 욥과 토론을 하고, 언쟁을 하고, 마침내 욥을 추궁하며 꾸짖기도 합니다. 그들은 욥을 위로하려고 찾아갔지만, 오히려 욥에게 큰 상처를 주었을 뿐입니다. "나는 타인의 고통 앞에서는 두 가지 태도만이 바르다고 마음속 깊이 확신한다. 침묵하고, 함께 있어 주는 것이다." 고통 받는 자들에게 충고하려 들지 않도록 주의하자고, 그들에게 멋진 설교를 하지 않도록 주의하자고, 다만 애정 어린 몸짓으로 조용히 기도하며 고통에 함께함으로써 우리가 곁에 있다는 것을 느끼게 해주자고 했던 피에르 신부의 말이 떠오릅니다.

말없이 곁에 있어 주는 것, 고통당하는 자에겐 그것이 최선이다 싶습니다. 그러고 보면 욥의 친구들이 욥에게 위로가 되었던 시간은 아무 말 없이 곁에서 보낸 일주일이였습니다.

목례

강판권 교수

전국에서 꽃 소식이 들려오는 시기입니다. 지자체도 분주하게 꽃 축제를 준비하고 있습니다. 캠퍼스 곳곳에서 피는 꽃을 감상하느라 무척 바쁘게 지냅니다. 봄에는 야외 수업도 잦습니다. 많은 사람들이 지자체에서 준비하는 축제를 비롯해서 자신들만의 명소를 찾아 꽃구경을 떠납니다. 그런데 사람들이 꽃을 만나면 반가워하면서도 나무나 풀에게 인사를 건네지 않습니다. 혹시 꽃을 만나러 가면 우선 나무에게 인사를 하는 이들이 있습니다. 그런 분들은 나무에 대한 인사를 '목례(木禮)'라 부른다고 합니다. 목례는 나무에 대한 예의를 뜻합니다. 일반적으로 목례는 사람들 간 눈으로 하는 인사법이지만, 나무에 대한 예의도 매우 중시합니다. 나무에 대한 인사는 재미 삼아 하는 장난이거나 누구에게 보여주기 위한 이벤트가 아니라 생명체에 대한 진지한 태도입니다. 나무에 대한 이러한 태도는 결코 새롭지 않습니다. 지금도 우리나라 어느 마을의 경우 집을 나서거나 돌아올 때마다 마을의 당산나무에게 인사를 한다고 합니다. 전국 곳곳에는 사람들이 큰 산을 넘을 때 인사를 하고 떠난 나무들이 남아 있습니다. 먼 길을 가다가 한 그루 큰 나무를 만나면 지친 나그네에게 큰 위안일 수밖에 없습니다. 나무는 갈 때도 그 자리에 있고, 돌아올 때도 그 자리에 서 있습니다. 사람은 이러한 모습의 나무에 대해 무한한 신뢰를 느낍니다. 반면 사람은 나무와 달리 수시로 마음을 바꿉니다. 기다리겠다던 사람은 어디론가 가고 없고, 오겠다는 사람은 언제 올지도 모르는 경우가 아주 많습니다. 조선시대의 양반들은 밖에 나갈 때 반드시 부모를 뵙고 가는 곳을 알려 허락을 청하고, 돌아와서 반드시 부모를 뵙고 인사드리며 안색을 살폈다[出必告反必面]. 『예기(禮記) · 곡례상(曲禮上)』에 나오는 이러한 태도가 양반들의 상례(常禮)였듯이, 나무에 대한 예의도 상례였던 시절도 있었습니다. 예절은 한 사회의 질서를 의미합니다. 그래서 시대에 따라 예절도 바뀝니다. 전통시대의 나무에 대한 예의는 나무를 사람처럼 존경한 태도에서 비롯되었습니다. 생태의 중요성을 강조하는 이 시대도 반드시 나무를 존경해야 합니다. 선진사회는 감사하는 사람들이 많을 때 이루어집니다. 상대방에게 감사하는 마음이 곧 배려입니다. 보통 사람들은 꽃을 상상해도 입가에 웃음을 띱니다. 직접 만나면 탄성을 자아냅니다. 그런데도 감사의 마음을 표현하지 않는다면 참 부끄러운 일입니다. 가장 가까운 곳에서 그렇게 멋진 모습으로 선물을 안겨주는 식물에게 인사조차 하지 않는다면 생명체의 도리가 아닙니다. 눈에 보이지도 않는 먼 곳에 사는 사람에게조차 안부 전화나 문자를 보내는데, 자신에게 매일 즐거움을 주는 식물에게 안부조차 묻지 않는다면 사람의 도리가 아닙니다. 선진사회는 단순히 국민소득의 높낮이로 판단하는 것이 아니라 일상의 수준이 중요한 기준입니다. 가까운 곳에 살고 있는 식물에게, 같은 단지에 사는 주민들에게 따뜻한 인사를 나누는 것이 곧 선진사회로 가는 지름길입니다. 나무에 대한 인사, 곧 목례는 선진사회로 가는 시작이자 끝입니다. 나무가 없으면 인간은 잠시도 존재할 수 없기 때문입니다. 나무를 만나 인사를 건네는 순간, 자신도 위대한 존재라는 사실을 깨달을 것입니다.

유아 교육의 이해

유아 교육은 한 인간의 발달에 크게 영향을 주는 시기입니다. 자식을 사랑하는 부모라면 그 자녀들이 훌륭하게 자라 주기를 원합니다. 일반적으로 공부도 잘하고, 신체가 건강하며, 원만한 인간관계를 맺고, 자신의 문제에 스스로 대처할 수 있는 능력도 있으며, 나아가 도덕적으로 성숙하고, 선하고, 의로운 일에 힘쓰는 그런 사람으로 자라기를 바랍니다.

이는 결국 유아기부터 유아의 건강, 사회적 관계, 정서 및 창의적 표현, 언어, 사고능력 등이 고르게 발달되어 전인으로 성장되기를 기대한다고 할 수 있습니다. 전인교육이란 모든 발달에서 균형을 유지하는 것을 말합니다. 즉, 신체운동, 건강, 의사소통, 사회관계 등이 통합적으로 이루어져 바람직한 인간으로 성장 발달해 나가도록 돕는 교육을 말합니다.

유아교육은 가정에서 이루어지는 교육을 보완, 대처해 줄 수 있습니다. 어머님들의 사회진출이 활발해지고 핵가족화 되면서 유아들은 성인들과의 관계는 물론 또래나 형제자매와의 관계 경험을 통해서 사회적인 기술을 습득할 기회가 줄어들게 되었습니다. 유아들에게 비슷한 능력과 수준의 또래집단을 경험케 하여 유아의 사회생활이 가정생활로부터 학교생활로 변화되는 것을 자연스럽게 조절해 주는 역할을 담당하기 때문입니다.

유아가 가정에서 벗어나 유아교육기관에 간다는 것은 이웃의 친구들과 놀이하던 것과는 많은 차이가 있어 쉽게 유아에게 수용되지도 않고 또 유아 자신도 상대에게 쉽게 받아들여지지도 않습니다. 어린이집에서는 가정적인 분위기를 강조하며, 각 유아의 성장과 발달에 맞는 지도로 무리하지 않게, 강요하지 않고 자연스럽게 적응할 수 있도록 합니다.

유아교육은 반 가정교육이며 반 학교교육으로 이 두 곳을 절충하기에 적당한 곳입니다. 유아들은 원에서의 생활을 통해 자기의 장래에 필요한 여러 가지 경험을 쌓아가며 자연스럽게 심신의 균형 잡힌 성장 발달을 도모하게 됩니다.

자기 중심적인 경향을 가진 유아들, 사회성 발달이 부족한 유아들은 차차 집단생활에 익숙해지고 흥미를 갖게 되면 규칙적인 생활에 잘 적응하게 됩니다. 그러므로 하버드 어린이집에서는 유아들의 원만한 발달을 도울 수 있는 모든 환경이 준비된 곳이며, 적절한 집단생활을 체험할 수 있는 곳으로, 가정생활을 학교생활로 자연스럽게 연결 시켜주는 역할을 하는 곳으로서 유아기에 필요한 경험을 제공하는 중요한 곳입니다.

그래서 하버드 교사들이 먼저 유아 한명 한명을 소중하게 여기고 존중하는 인격체임을 늘 인지하겠습니다. 또한 또래와의 관계형성에서도 먼저 교사들이 동료교사들과, 교사들이 하버드 학부모님들과 좋은 관계 형성으로 솔선수범을 하는 한 해가 되도록 최선을 다하겠습니다.

성공을 위해 건강, 행복 희생?
패러다임이 바뀌어 가고 있습니다.

최근 우울증과 스트레스, 강박장애, 번아웃, 공황장애 등 현대인들에게 자주 발생하는 이 증상들은 “선진국병”혹은“현대 사회병”으로 이어지며 사회적 문제로까지 이어지고 있습니다.

이러한 현상에서 벗어나기 위해서는 “나는 무엇을 위해 치열한 경쟁 속에서 살아가는가?”에 대한 삶의 목적과 이유를 찾아야 합니다. 삶의 목적과 그에 따른 목표가 선명해지면 보다 능동적으로 삶을 경영할 수 있습니다. 이러한 시대적 변화와 요구 속에서 자기계발 교육 분야에 대한 관심이 더욱 높아지고 있는 추세입니다. 최근 인문학 분야와 뇌 과학 분야로까지 자기계발 교육의 효과에 대한 융합적인 연구가 확대되고 있으며, 과학적 근거도 제시되고 있습니다.

현대인의 미래행복추구권에 대한 책임감을 스스로 느껴서 몸과 마음의 균형이 이루어지도록 건강하고 행복한 상태에서 집중력을 극대화 하여야 하며 잠재력을 발현할 때에 건강하고 행복하게 자신의 꿈과 목표를 실현해야 한다고 합니다. 신체적 건강과 활력은 물론 정신적인 행복감, 편안함, 충만감의 효과를 느낄 수 있습니다. 이러하기 위해서는 세 단계를 거쳐야 합니다. 첫 번째 단계에서는 뇌를 중심으로 전신의 신경을 활성화시켜 우리 몸의 활기, 활력을 회복시키고, 두 번째 단계에서는 일상에서의 소중함과 감사함을 회복하여 긍정적이고 진취적인 사고력 훈련으로 행복감을 높입니다. 마지막 세 번째 단계에서는 건강하고 행복한 상태에서 자신의 꿈과 목표가 이루어져 있는 실감을 느끼며 집중력과 창조력을 향상시킵니다.

그 동안 인류 성공의 패러다임은 성공을 위해선 건강이나 행복을 희생 할 수도 있다는 것이 대부분이였지만 요즈음에는 패러다임이 완전히 바뀌어 가고 있습니다. 건강, 행복, 성공이 공존하여야만 성공이 가능하며, 그 가치 실현을 위해 “자기경영 운영체계”라는 계획이 있다고 합니다.
이 자기 경영 운영 체계를 컴퓨터에 비유하면 쉽게 이해를 할 수 있을 것입니다. “컴퓨터는 소프트웨어와 하드웨어의 조합으로 구성되어 운영체계에 의해 상호 연계 및 융합된 기능을 발현합니다. 사람도 마찬가지입니다. 하드웨어인 육체와 소프트웨어인 정신이 자기경영운영체게에 의해 몸과 정신이 조화롭게 균형 잡힌 상태에서 무한한 창조 능력을 발현시킬 수 있는 것입니다.”라고 설명을 할 수 있을 것입니다.

우리는 자기 경영 운영체계가 온전히 갖추어질 때 비로소 사람의 삶의 목적과 방향성이 분명하게 정해지며, 자신의 육체와 정신을 의지대로 조정하는 능력이 향상 된다는 것입니다.
미래가 요구하는 참된 리더가 되기 위해서는 자기경영이 기본이 되어야 한다고 강조하고 있습니다. 과거에는 리더 개인의 능력을 바탕으로 조직원을 이끌어 높은 성과를 창출하는 것을 최 우선 가치로 삼았습니다. 그러나 현대 사회가 요구하는 리더는 조직원 모두의 성장을 우선 가치로 삼고 그 성장을 바탕으로 자발적인 연구 및 노력을 하도록 도와주면서 기업 이익까지 이끌어야합니다 여기에서 성장이란 자신과 타인의 육체적 건강과 정신적 행복을 도울 수 있는 실질적인 능력이 향상되는 것을 의미하는데 미래의 리더자 역시 자기관리력과 인성, 창조력을 모두 갖추어야 합니다.

우리의 운명을 바꾸어 보시기 바랍니다

'생각을 바꾸면 세상이 다르게 보인다.' 어느 책의 재미있는 제목입니다. 우리가 가지고 있는 고정 관념을 깨면 세상을 다른 눈으로 볼 수 있다는 것입니다. 즉 변화하는 세상에 대응하기 위해선 지니고 있는 생각을 바꾸는 사고의 전환이 절대로 필요하다는 말입니다. 지금도 부모님을 모시고 계신 가정을 방문하면 나이든 부모님의 사진이 간혹 벽에 누렇게 변한 결혼 사진이 걸려 있는 것을 볼 수 있을 것입니다. 부부가 둘이서 찍은 것, 오래된 사진, 왜 걸어 놓았을까? 생각을 불러 일으켜 봅니다. 지금은 늙었지만 그때는 젊었을 것입니다. 우리가 저렇게 좋은 때가 있었는데...하고 원점으로 돌아가 생각한다는 것입니다. 동시에 생각을 바꾸어 다각적으로 생각하는 지각 능력을 가지자는 뜻도 숨어 있습니다. 이런 생각은 기업 경영에도 적용되는 것 같습니다. 하와이는 태평양 한가운데 더운 곳에 있는 섬입니다. 그 하와이에서 누가 핑크코트 장사를 하겠다고 하면 미쳤다고 생각하지 않을까요? 그런데 한 사람이 가죽옷, 밍크코트를 내놓고 파는 가게를 열었습니다. 다들 정신나간 사람이라고 했지만 그는 생각하기를 온 세계 사람이 여기에 오는데, 많이 오게 되면 추운 지방 사람들도 온다는 것입니다. 그런데 일반적으로 지혜로운 사람은 겨울에 여름옷을 준비하고 여름에 겨울옷을 준비합니다. 이처럼 생각의 차이가 있는 것입니다. 이윽고 그 밍크코트 가게는 점점 사람들이 몰렸고 30억의 수입을 올렸습니다. 보통 사람은 생각지 못할 그의 생각은 남이 모르는 세계를 보았던 것입니다. 우리도 생각을 깊게, 과학적으로, 도덕적으로 할 줄 알아야하겠습니다.

세상은 자꾸만 변하고 있습니다. 중국의 장관급 인사를 만난 어느 교수 이야기가 있습니다. "당신도 집에 가면 음식을 만드나요?" 교수가 묻자 "아, 그럼요. 음식 만드는 것은 재미있지요. 그런데 한가지 어려운 것이 있어요. 장을 보아야 하는데 그것이 좀 힘들어요. 오늘 아침에도 장을 보아놓고 왔지요." 13억이나 되는 중국 사람들이 이렇게 전부 남자가 음식을 만든답니다. 그런데 조그마한 나라에 살고 있는 우리는 남자가 부인 도우려고 부엌에 좀 들어간다면? 생각을 바꾸어야겠습니다. 사내자식이 가문 망신시키려고 부엌 나들이한다는 시어머니의 고정 관념도 깨야겠습니다. 그래야만 새로운 세계가 보입니다. 어찌 가정뿐이겠습니까?. 경제 회생의 가장 빠른 길은 벤처기업의 육성 발전이라고 합니다. 기발한 새로운 생각으로 도전하는 벤처기업이 겨울의 한파를 녹일 것입니다. 우리의 생각을 바꾸는 것이 우리의 운명을 바꾸는 지름길임을 되새겨 봅니다.

부모의 7가지 교육 태도-맞벌이 부부의 가장 큰 고민은 자녀 교육입니다. 교육 심리학자들은 맞벌이 가정의 자녀문제중 대표적인 것이 부모와 접촉 시간이 짧아 자녀를 고독하게 만든다는 점과 이에 대한 죄책감으로 과잉보호와 과잉사랑을 베푼다는 점을 지적합니다.

과잉보호형은 부모가 자녀에게 미안하다는 생각을 갖고 있기 때문에 자녀들의 요구를 무조건 들어주는 타입입니다. 이런 태도는 절제할 줄 모르는 아이, 인내심이 없는 아이로 키우기 쉽습니다.

간섭형은 부모가 집에 돌아온 순간부터 나갈 때까지 잔소리를 퍼붓는 타입입니다. 이런 경우 자녀는 희망이나 불안한 일, 비밀스런 이야기가 있어도 부모에게 말하지 못합니다.

방임형은 부모가 정신적 육체적으로 피곤해 자녀들에게 관심을 못 갖는 타입입니다. 이런 때 자녀는 정서적으로 불안정한 상태가 되기 쉽습니다. 한편 맞벌이 부부의 자녀는 일에 있어 남녀의 능력차가 없다는 사실을 일찍 깨달으며, 자부심이 강합니다.

가정사역가들은 자녀의 연령에 관계없이 부모가 가져야 할 7가지 교육태도를 제시하고 있습니다.

♥ 죄책감을 버려라. 죄책감을 가지면 자녀를 응석받이로 키우게 된다.
♥ 자녀와 함께 있는 동안 집안이 좀 지저분해도 신경쓰지 말고, 자녀에게만 관심을 쏟아라
♥ 잠자기 전에 이야기를 들려주거나 일과 중 잘한 일을 칭찬해 주고 내일을 위해 기도해 줘라.
♥ 자녀에게 책임감을 심어 주어라. 자녀들이 방과후 시간을 자율적으로 보낼 수 있게 시간 계획표 작성을 돕는다.
♥ 가사일엔 가족들을 최대한 동원시켜라.
♥ 가족을 위한 특별한 시간을 마련하라.
♥ 좋은 보모나 교육기관을 선택해라.

고맙다, 다 고맙다

온몸에 멍이 들도록 수천km를 헤엄쳐 모천으로 돌아오는 연어로 대표되는 귀소본능 몇 몇 동물들만의 전유물은 아니지 싶습니다. 자신의 대를 어김없이 알아차리고 무엇을 기준으로 삼아 무엇의 이끌림을 받는 것인지 자신이 태어난 본래의 장소를 향하여 방향을 정하곤 묵묵히 발걸음을 옮기는 동물적이고 본능적인 감각이 신비하기 짝이 없거니와, 그런 경이로운 감각은 동물에게서 뿐 아니라 우리 인간에게서도 발견이 됩니다. 고속도로가 주차장처럼 변하여 가까운 거리를 두고서도 여러 시간 차 안에 갇혀 있을 줄 알면서도 굳이 길을 나섭니다. 연휴 기간이 짧아 그저 얼굴 한 번 뵙고 돌아서는 길인데도 귀찮게 여기질 않습니다. 부모 형제에게야 전화로 인사를 드릴 수 있다 해도 조상들이 누우신 무덤가에는 직접 찾아가 인사를 올리는 법, 다른 핑계거리를 찾지 않습니다.

빠듯한 사람살이에 먼 길 나서는 일은 분명 부담이 되지만, 다른 건 몰라도 그런 일엔 마음이 넉넉해집니다. 마음 분 실천에 옮기지 못했던 효도를 생각하며 부모님을 위해 봉투를 따로 마련하기도 하고, 상급학교에 진학하는 조카들을 위해서도 학용품을 위한 용돈을 준비합니다. 서로 만나 음식을 나누고 이야기를 나누다보면 오랫동안 만나지 못한 서머감은 어느새 사라집니다.

밤늦은 시간까지 기다려 모처럼 고향을 찾은 이들과 술 한 잔을 기울이는 모습들이 곳곳에 정겹습니다. 살아계시든 돌아가셨든 고향은 부모님이 계신 곳이고, 형제와 친지들이 지킬 뿐 아니라 아무리 세월이 지나가도 지워지지 않는 어릴 적 기억들과 언제라도 마음을 열면 나눌 이야기가 무진장 쟁여있는 창고가 있는 곳입니다. 아무도 알아주지 않는 농사, 그래도 부모님이 물려준 땅 놀릴 수가 없어 고향에 남아 씨앗을 뿌리고 거두는 고향친구에게 모처럼 고향을 찾은 이는 고맙다 인사를 합니다. 술기운을 핑계 삼아 내내 하고 싶었던 말을 그렇게 합니다.

고향을 떠나 마을 대소사에 발길이 뜸한 고향지기에게 섭섭한 마음 아주 없었던 것은 아니지만, 그래도 명절이라 잊지 않고 찾아오니 고맙고도 반가워 "도시에서 사느라 얼마나 외롭고 힘들었노?" 기꺼이 술 한 잔을 건네는 마음이 겨울철 아랫목처럼 따끈합니다.

잊었던 시간이 흘러가며 술에 취한 것인지 나누는 이야기에 취한 것인지 마음이 어질거리기 시작하면 누가 먼저랄 것도 없이 서로의 어깨에 손을 얹곤 "나는야 흙에 살리라" 목청껏 노래를 뽑기도 합니다. 그렇게 간절히 노래를 불러본 적이 또 언제였을까요?. 눈가와 마음이 젖은 채 노래를 부르면 노래는 내내 골목길과 고샅길을 지나 온 동네의 앞산 뒷산을 다 울리지만 그날만큼은 밤이 늦도록 이어지는 노래를 모두가 그러려니 합니다. 행여 미안한 맘 갖지 말라는 듯 방금 쪄낸 송편을 내오는 손길도 있어 다시 한 번 눈가를 젖게 만들기도 하고요. 이 좋은 곳을 어지 내 잊을까, 이 좋은 벗들을 어찌 모른 척 할까, 마음속으로 이어지는 다짐이 적지가 않습니다.

사는 곳이 다르고 하는 일이 다르지만 고향은 우리를 하나로 묶어주는 끈, 든든하고 고마운 곳 입니다. 고맙다, 다 고맙다, 모두가 고마운 사람들이 되어 허물없이 만날 수 있는 곳, 우리가 다녀온 바로 그곳이 말이지요.

마음을 곱게 쓰는 사람

우리는 사회지도층의 책무를 나타내는 "노블레스 오블리주(Noblesse oblige)"라는 말 앞에 흔히 "진정한"이라는 수식어를 붙여 사용하고 있습니다. 이는 가짜들도 많으니 잘 분별해야 한다는 말이 아니겠습니까? 그런데 문제는 진짜와 가짜를 분별하기 어렵다는 점입니다. 언론매체를 보면 너도나도 노블레스 오블리주를 내세우고 나팔 불고 있지만 진짜와 가짜를 분별하는 것은 마치 콜라병에 담긴 간장과 간장병에 담긴 콜라를 분간하는 것만큼 어렵습니다. 게다가 목소리 크면 이긴다는 말처럼 포장 잘하고 선전 잘하면 "저급"이 "고급"이 되고 "가짜"가 "진짜"가 되어 버립니다.

요즘 언론매체에 사회지도층들의 기부와 자원봉사에 관한 기사들이 자주 보입니다. 참 좋은 일입니다. 자원봉사나 기부는 거창하고 화려한 것이 아니라 작고 남루하더라도 진정어린 가치가 담겨 있을 때 빛과 소금으로서 선한 가치가 되는 것입니다. 그런데 일각에서는 요란스레 나팔을 불어대며, 비록 남루하지만 묵묵히 자신의 책무를 감당하는 진정어린 자원봉사자들을 위축시키는 일들도 일어나고 있습니다. 여기저기 진정성 없는 생색내기 행사들이 자원봉사를 천박하게 만들고, 진정어린 자원봉사를 압도해 버리니 노블레스 오블리주는 조롱거리가 되기도 합니다. 그러면 어떤 사람을 진정한 노블레스라고 할 것인가? 그 대답은 "마음을 곱게 써야 복을 받는다" 는 말에서 찾을 수 있습니다. 여기에서 이웃에 대한 책무(oblige)를 의미합니다.

불교에서는 모든 생명은 인연의 끈으로 맺어져 있다는 것을 강조합니다. 성경에도 가난한 사람과 나그네와의 동행을 강조하고 있습니다. 비록 힘은 없지만 인연을 소중히 여기고 동행하는 사람이야말로 마음 곱게 쓰는 사람이고 그들이야말로 존경받아 마땅한 지도층이고 귀족인 것입니다.

그런데 지금 우리는 어떤 사람을 귀족, 지도층으로 생각하고 있는가? 혹여 권력자나 부자는 아닌가? 우리는 "진정한 노블레스"가 없다고 한탄하면서도 한편으로는 돈과 권력을 숭배하면서 우리 스스로 "진정한 노블레스"를 배척하고 있지는 않은가? 과연 어떤 사람을 존경하는가는 곧 우리 사회의 수준을 보여 줍니다. 예전에 유행했던 "얼굴만 예쁘다고 여자냐 마음이 고와야 여자니~"라는 노래를 지금 다시 부른다면 "돈 많다고 귀족이냐 마음이 고와야 귀족이이~"로 바꾸어야 할 것입니다. 이제 더 이상 노블레스는 권력과 돈으로 취하는 명예가 될 수 없는 말입니다. 여기서 우리는 도 하나의 질문을 해 보아야 합니다. 사람들은 왜 자기 스스로는 존경받는 노블레스, 곧 귀족이 될 생각은 하지 않는가?입니다.

물론 부자나 권력자도 존경받는 노블레스가 될 수 있습니다. 그리고 비록 가진 것이 많지 않아도 우리들 역시 노블레스가 될 수 있습니다. 오히려 가진 것이 많으면 낙타가 바늘귀를 통과하는 것만큼 존경하는 노블레스가 되기 더 어렵습니다. 돌이켜보면 우리가 존경해 마지않는 지도자들은 어떤 사람들이었던가요? 가진 것을 나누어 쓰고 가난하고 병든 사람과의 인연을 소중히 여기며 동행한 마음 곱게 쓴 분들이었습니다. 마음을 곱게 쓰면 우리 모두 진정한 노블레스가 될 수 있습니다.

"도전과 응전?"

중국 대륙에는 두 개의 큰 강이 있는데 곧 양자강와 황하강입니다. 양자강은 세계에서 제 3위이며 아시아에서는 제일 큰 강으로 총 연장 약 5천킬로미터나 되며, 주변의 자연과 함께 아름다움을 유지하고 있습니다. 반면에 황하는 양자강 다음의 큰 강으로 총연창 4천 4백 킬로미터로, 말 그대로 황토가 섞여 누런빛으로 흐려 있어 붙여진 이름입니다. 특히 홍수로 인하여 자주 범람하는데, 지난 3천년동안 평균 2년에 한 번씩 범람했으며, 이 때마다 겪는 수해는 중국 최대의 우환 가운데 하나로 꼽혔다고 합니다. 그런데 중국 문명은 아름답고 편리한 양자강이 아니라 바로 이 황하에서 발생되고 발전되어 온 것입니다. 인간을 향하여 "도전"해 오는 자연의 악조건에 대항하여 거기에 "응전"하는 자세가 결국 세계 4대 문명의 발생지가 되게 한 것입니다. 그래서 이 두 강은 석학 아놀드 토인비 교수의 명저 "도전과 응전"의 살아 있는 증거가 된 것입니다. 모름지기 인간은 고난과 역경을 싫어하지만, 그럼에도 불구하고 그것들은 인간을 향하여 도전해 오고 있습니다. 그러나 어떤 악조건도 결코 절망과 패배만을 안겨줄 수 없으며, 오히려 인간의 진취적인 자세에 커다란 도움이 될 수 있다는 것을 자연이 보여주고 있습니다.

또한 그러한 역경에 승리한 많은 위인들을 적지 않게 우리는 보아 오고 있습니다. 바꾸어 말하면 안일하고 무사한 환경이 인간에게 결코 긍정적인 결과만을 가져 오지는 않는다는 사실입니다. 오히려 그런 환경은 열심히 살아야 할 의욕을 떨어뜨리고 발전을 중단시키는 경우도 더 많다는 것입니다. 거위나 펭귄처럼 날지 못하는 새가 가장 많은 곳이 뉴질랜드인데, 그것은 먹을 것이 풍부하기 때문에 멀리까지 날아다닐 필요가 없어 날개를 쓰지 않고 지내다 보니, 날개가 작아지고 퇴화되어 못 날게 되었다는 것입니다. "북풍이 바이킹을 만들었다"는 서양 속담처럼 추위와 억센 북풍을 극복하기 위해 인간은 스스로를 발전시켜 왔기 때문에 북풍은 오히려 복이 되었으며, 실제로 산업기술의 발달은 추운 나라에서 빨리 이루어졌다고 합니다.

꿀벌의 경우도 마찬가지로 더운 지방에는 사철 꽃이 피어 있기 때문에 따로 양식을 저장할 필요를 느끼지 않아 좋은 꿀을 기대하기가 어렵지만, 추운 지방에 사는 꿀벌은 겨우내 먹어야 할 양식을 저장하기 위해서 질 높은 꿀을 수확하지 않으면 안되었기에 양질의 꿀을 만든다는 것입니다. 바이올린이나, 클라리넷 같은 목관악기의 음질은 목재와 아주 밀접한 관계가 있는데 이 명품들은 모두 다 추운 지방의 나무를 사용합니다. 모진 바람에 시달린 나무라야 좋은 소리를 낸다는 것입니다. 어떻든 우리의 환경은 우리가 원하는 방향으로 쉽게 호전되어 주질 않습니다. 오히려 원치 아니하는 엄청난 위기와 감당하기 어려운 역경들이 닥쳐오는 수가 훨씬 더 많습니다. 이런 경우 역경이라고 반드시 나쁜 결과만이 나타나는 것이 아니라, 오히려 원치 아니하는 엄청난 위기와 감당하기 어려운 역경들이 닥쳐오는 수가 훨씬 더 많습니다. 이런 경우 역경이라고 반드시 나쁜 결과만이 나타나는 것이 아니라, 오히려 좋은 환경에서 얻을 수 없는 것을 얻게 해 준다는 사실을 기억해야 할 것 같습니다. 삶이란 이렇게 다가오는 도전에 용기를 가지고 열심히 살 때가 보람있고 가치있는 것 같습니다.

헨리 롱펠로우의 "인생찬가" 한 부분을 소개합니다.

『 ....우리가 가야 할 곳이나 가는 길은 향락도 아니며, 그렇다고 슬픔도 아니요, 저마다 오늘보다는 내일이 나아지도록 행동하는 그것이 바로 인생이니라. 예술은 길고 세월은 빠른 것, 우리네 심장은 튼튼하고 용감하나 마치 싸맨 북과 같이 무덤을 향하여 역시 장송곡을 울리는구나. 넓고 넓은 세상의 싸움터에서, 또는 인생의 진영안에서, 말 못하고 기는 짐승이 되지말고, 싸움에 이기는 영웅이 되라! 아무리 즐거워도 미래를 믿지 말라! 죽어버린 과거는 죽은 채 묻어두라! 활동하라...... 살아있는 현재에 활동하여라! 마음에 심장이 있고 머리위에는 하나님이 계시다 .... 』

“며느리에게 군림하는 시어머니가 되도록 준비하자.” 1

요즘 주변의 가정을 살펴보면 시어머니들이 며느리에게 당하는 집안이 한 둘이 아닌 것 같습니다. 같이 살지 않으려고 기를 쓰는 며느리에게 변변히 저항하는 시어머니는 오히려 나은 편입니다. 상당수가 먼저 자진해서 별거를 선언하여 며느리에게 점수라도 따두려고 하는 형편입니다. 설령 사정상 같이 산다고 하더라도 살림살이에 간섭할 의욕도 이미 상실하였으며 심지어 일거수 일투족마저도 며느리 눈치 보는 시어머니들도 늘어가는 추세인 것으로 보입니다. 과거 기세등등했었던 시어머니의 모습을 박물관에 보관해야 한다고 주장해도 먹혀들어갈 것으로 보입니다. 고질적이었던 고부간의 갈등은 며느리의 승리와 시어머니의 패배로 결말이 났습니다. 거의 모든 가정에서 일어났으니 거창하게 시대적 변화라고 부를만 합니다. 물론 극소수 가정에서는 시어머니들의 탄탄한 보루가 사수되고 있습니다만, 머지않아 무너질 것은 분명합니다. 이 변화는 우리 시부모들이 젊었을 적만 해도 상상조차 할 수 없었을 것입니다. 남녀평등을 주장한 사람은 많았습니다만 이런 변화를 주장한 선각자나 며느리주의자(?)도 아마 없었습니다.

이런 변화를 장려하고 유도하기 위해 정부가 세금 감면 조치를 발표한 적도 있습니다. 대대로 이어온 며느리의 한을 풀기 위해 며느리 위상제고를 위한 투쟁위원회가 조직되었다는 소식이 신문에 난적도 없습니다. 또한 같은 목적으로 며느리들이 파업을 하거나 폭력을 행사한 적도 없습니다. 또는 같은 목적으로 며느리들이 파업을 하거나 폭력을 행사한 적도 없습니다. 눈에 보이는 일도 없이, 매우 자연스럽게 진행된 작은 혁명이라고 평가할 만 한 변화입니다. 어재서 이런 혁명이 발생했을까요? “도덕이 땅에 떨어져”라는 상습적 답변이 가능하겠습니다. 하지만 틀렸습니다. 도덕이 하늘에 있다가 땅에 떨어지는 것을 본 사람은 없습니다.

그렇다면 “그냥, 이유없이 또는 그럴 수도 있다”라고 대답하고 싶어질 것입니다. 이렇게 답변하는 사람은 “모릅니다”라고 말할 용기가 없거나 생각하는 일에 게으른 사람이라고 단정해도 좋을 것입니다. 예전에 고부관계에는 일종의 사제관계 상격이 매우 짙었습니다. 시어머니는 된장과 간장 담그기 등 모든 가내 식품공업과 손자 병치료를 위한 고급 기술 보유자였으며 나아가 손자에게 옛날 이야기를 해주는 교육자였고, 또 마을 유지들과 의사소통도 관장하고 있었습니다. 반면에 며느리는 이 모든 것의 세부사항을 오랜 세월에 걸쳐 시어머니로부터 배워야만 하는 학생이었습니다. 거의 다 배운 다음에야 그 며느리는 시어머니가 되어 당신이 맞은 며느리의 스승 노릇을 했었고 이런 역할 변화는 모든 가정에서 대대로 전승되어 왔던 것입니다. 그런데 불행하게도 현재에 이르러 이런 고부간의 사제관계 전승은 단절되었습니다. 시어머니의 가내 식품공업 기술은 동네 슈퍼마켓에, 의료 기능은 동네 병원의사들에게, 손자 교육은 각종 교육기관들에게 빼앗겼습니다. 마을 유지들과의 의사통로도 반상회에 빼앗겼습니다. 시어머니들의 역할은 동네 약수터에서 약수를 길어 오는 것으로 축소되어 버렸습니다. 참으로 슬픈 일입니다. 하지만 시어머니의 잘못이나 며느리의 음모 탓이 아닙니다.

시대적 변화의 탓입니다. 시대가 시어머니들이 즐겼던 스승의 지위를 박탈 한 것입니다. 시어머니들 간에 이어온 지식들을 순식간에 무용지물로 만든 탓입니다. 시대의 변화는 끝난 것이 아닙니다. 모든 신문들이 다투어 2천년 이후의 시대변화를 떠들고 있습니다. 그들이 떠들지 않더라도 변화는 지속될 것이 분명합니다. 지금은 많이 있는 것 같지만 그러나 그날이 오면, 내가 시어머니가 되는 날이 오면..., 내가 손자에게 해줄 수 있는 일이 단 한가지라도 없는 상황에 부칠지도 모릅니다. 그리하여 며느리의 눈치를 보고 손자에게도 외면당하는 현재 시어머니의 불행한 전철을 별 수 없이 밟아야 할지도 모릅니다. 연구합시다. 죽을 때까지 남에게 필요한 사람이 될 수 있도록..., 그리고 늙어서도 며느리에 스승으로서 군림할 수 있도록...

"며느리에게 군림하는 시어머니가 되도록 준비하자." 2

☞ ──────────────────────── ☜
출생 사망

위의 그림을 보고 지금 내가 살고 있는 시점을 점으로 찍을 수는 있어도 정확하게 찍을 수 있는 사람은 없을 것입니다. 시간을 어찌 할 수 없는 인간의 한계인 것입니다. 다만, 우리에게는 희망이 있어, 그 첫째는 상상력이고 그 둘째는 아직 살아있다는 것 그래서 우리 마음대로 시간 위에 점을 찍고 사망의 점까지의 시간을 계획할 수 있으며, 또한 미래의 어느 시점을 상상하면서 현재의 나를 추슬러 오늘을 살 수 있다는 것 그것이 인생이란 게임이 아닐까요? 막상 새 천년의 시작에서 80일도 채 남지 않은 오늘, 세상은 그저 무덤덤하게 보일 것입니다.

올해 말 크리스마스쯤 되면 새천년이 어떻고 마지막 크리스마스가 어떻고 해가면서 온통 북새통이 될 것은 뻔할텐데, 그리고 보신각 타종소리를 들으면서 올해는 어떻게 지냈지, 80일이나 100일 전에는 나는 무얼 생각하며 무엇에 그다지 쫓기며 살고 있었나 생각해 볼 것입니다. 아!, 지금이 그때라면 이라고 후회하지 않을 수만 있다면 좋을 것입니다. 분명 올 연말에는 아이들이나 어른이나 온통 밀레니엄이니 새 천년이니 하는 통에 우리 머리가 정신없이 될 것입니다. 요즘처럼 생각하기 좋은 가을날에 조용히 지나가는 천년을 돌이켜 보는 것은 시간 계획적이고 의미 있는 일이 될 것입니다. 한번쯤 먼지 내려앉은 역사책을 꺼내도 좋고 어떤 철학과 어떤 음악이 인간을 더욱 윤택하게 만들었고, 어떤 기계와 어떤 정치가 인류를 불행하게 만들었는지, 새 천년에 대한 행복한 상상 그리고 다가오는 천년을 배포 크게 상상해 보는 것도 훌륭한 가을의 사색거리가 되지 않을까요? 그리고 달나라에 가서 화성에서 토끼를 만날지, 또는 평균 1백살을 살게 될지도 모르는 일이며 생명공학은 어디까지 신의 영역에 도전할까, 나의 복제인간도 나올는지 종이돈은 없어지고 디지털 화폐만 남을지도 모르고 로봇이 힘든 일을 해치워 주진 않을까 말입니다.

미래학자 새뮤얼 헌팅턴의 말대로 민족국가가 없어진다면 한민족의 정체성은 어떻게 될까? 현대는 불확실한 문명을 안고 있는 위험사회라고 말하는 사회학자 올리히 벳의 주장처럼 우리 미래는 문명의 쓰레기장이 되지는 않을까요? 어찌 되었건, 이 시대를 살아가는 우리는 참 운이 좋은 사람들입니다. 생각해 보세요. 1055년이나 1837년에 태어난 사람들을 혹시 그들은 2000년을 맞아 보고 싶다는 꿈을 갖진 않았을까요? 새로운 천년을 맞이할 수 있는 사실만으로도 우리는 충분히 복된 사람입니다. 1로 시작하는 1천개의 해 중의 마지막 해 어느 화창하기 그지없는 가을날, 우리는 무엇을 생각해야 할까요? 좋은 상상력으로 우리의 미래가 행복으로 가득 차게 되기를 희망하며 상상의 나래를 펼쳐봄은 어떨지요?

“마주 보고 이야기 하기”

우리의 교육을 될 수 있으면 일부는 가르치고 일부분은 가르치려 하지 않고 들어주는 교육 쪽으로 시도해 보려고 한다면 어떨까요? 이 교육을 우리는 “마주 보고 이야기 교육”이라고 부릅니다. 마주 보고 이야기 교육은 말을 시키지 않아도, 묻지 않아도 하고 싶어 견딜 수 없어서 터져 나오는 말들을 열심히 들어주고 그 말을 통해 감동하는 일입니다. 아이들이야말로 쓸데없는 말은 잘 하지 않을 것입니다. 어른들이 쓸데없는 말이라고 몰아 부치고, 부담스러워하고, 듣기 싫어하는 말일수록 아이들 입장에서 보면 하지 않으면 안 되는, 꼭 해야 된다는 절실한 말들일 수 있습니다.

그런데 지금까지 교육은 어쩌면 선생님이나 부모님들은 열심히 가르치고 아이들은 열심히 듣기만을 강요하는 교육을 해 왔습니다. 잘못된 교육의 소용돌이가 얼마나 세찬지, 모든 사람이 “교육, 이대로 좋은가?” 하면서 소리를 높여 보지만, 어느새 그 속으로 빨려들어 허우적거리고 있습니다. 문제가 터질 때마다 “자녀와 어쩌고 저쩌고” “...무엇 무엇을 이렇게 저렇게 해야” “...를 해야” 하면서 전문가들이 앞 다퉈 말하면, 뭔가 보이는 듯하다가 아이들 쪽에서 보면 달라진 게 아무 것도 없을 것입니다. ‘살려줘요! 살려줘요!’하고 애원해도 다 그렇게 살아가고 있다고 합니다. 그러니까 이런 속에서 살아남으려면 공부밖에 뭐 할게 있냐고 하면서 더 몰아붙일 수도 있을 것입니다.

들어주는 것을 으뜸으로 하는 교육은 하고 싶은 말을 마음껏 하게 하는 교육입니다. 앞으로 많은 시간을 두고 우리가 아이들의 말을 귀담아 들어주면서 아이들은 마음속에 있는 하고 싶은 말을 마음껏 할 수 있게 한다면 아이들은 아마도 시원해 할 것입니다. 이렇게 아이들의 기를 살리려면 아이들의 마음속에서 우러나오는 말들을 마음껏 하게 도와주세요. 앞으로 짧은 시간들을 통해 유도하려는 마주 이야기들을 통해서 우리는 아이들의 말을 열심히 들어주어 감동하는 마음의 교육적 자리 속에서, 아이들이 중심자리에서 자라게 하는 교육이 되어 지고 말을 살리고, 글을 살리고, 교육을 살리고, 아이들을 살리고, 우리 모두를 살리도록 위즈원과 부모님들이 함께 힘써 주시면 어떨까요?

마주 보고 이야기에 대한 이해를 돕기 위해서 앞으로 생활 속에서 말 잘하는 아이들, 교육 속에서 말 벙어리, 교육 속으로 끌어들여 알아주기, 말하기 교육은 아이들 문제를 들어내 같이 풀어가고 실천해 보면 더욱 좋겠습니다.

앞으로는 피차가 살아 있는 자기만의 말로 하는 “선생님과 아이들, 부모님과 아이들”의 마주 이야기들을 통해 데일리 노트에 마음껏 표현하고 들어주고 글로 써서 보내시면 어떻겠습니까? 부모와 교사가 2~3번 기회들을 가져 주시면 고맙겠습니다.

“마주 보고 이야기 교육”

우리가 아이들 말을 귀담아 들어주면, 아이들은 마음속에 있는 하고 싶은 말을 마음껏 할 수 있어 시원해 합니다. 아이들이 하고 싶은 말을 마음껏 하게하고, 듣고 싶은 말을 마음껏 듣게 하면 말이 살아나고, 글이 살아나고, 아이들이 살아나고, 말하기, 쓰기가 하나로 이어집니다. 들어주고 감동하면 그 기분이 쌓이고 쌓여서 아이들은 미더움과 사랑으로 자신있게 자라날 것입니다. 들어주고 또 들어주고 감동하면, 잘 자라 주었으면 하는 바램보다 아이들은 더 잘 자랄 것입니다.

생활 속에서 말 잘하는 아이들

아이들의 말을 들어주고, 들어주고, 도 들어주고, 알아주고, 감동하는 이야기들. 먼저 말을 시키지 않아도 묻지 않아도 하고 싶어 견딜 수 없어 터져 나오는 아이들 말을 들어보시겠어요?

“나만 크지 않고 누나도 자꾸자꾸 크지?”

상엽 : 엄마! 7년 후면 내가 누나만큼 크지?

엄마 : 그럼 7년 후면 상엽이도 누나만큼 크지.

상엽 : 근데, 나만 크지 않고 누나도 자꾸나꾸 크지? 그래서 나는 누나만큼 못 크지? 내가 먼저 태어났으면 좋았을 텐데... 날 먼저 낳지 그랬어요!

“14가 15한테 까불면 안되지?”

진서 : 14가 15한테 까불면 안되지?

엄마 : 그럼. 진서야 그럼 16은 까불어도 되겠네? 16은 나이가 하나 더 많잖아.

진서 : 엄마는 아빠한테 까불면 안되지? 엄마는 아빠보다 작잖아.

교육 속에서는 말 벙어리

그런데요 교육 속으로 들어가면요 아이들은 입을 꼭 다물어요. 말 벙어리 아닌 말 벙어리예요. 선생님이 “말해 볼 사람?” 하면 “..........” “있었던 일 말해 볼 사람? 있었던 일 없어요? 그럼 본거, 본거 말해 볼 사람?” “... 본 것도 없어요? 들은 것도 없어요?” “그럼 느낀 것? 생각한 것? 경험한 것? 말해 볼 사람?” 하면요 아이들은 눈만 껌벅껌벅 하면서요? “내가 아까 말할 때는 들어주려고도 하지 않더니 뭘 자꾸 말해 볼 사람, 말해 볼 사람 하는거야. 느낀 건 뭐고 경험한 건 또 뭐야.” 라는 듯 입을 다뭅니다. 말을 잘 안 합니다. 이 지루한 시간 빨리 끝나기나 하라는 듯합니다. 아이들은 말을 잘 안합니다. 우리의 부모님들도 유치원 다닐 때 초등학교 다닐 때 말하기 시간에 내가 하고 싶은 말 한 적이 별로 없을 것입니다. 그러나 요즈음 아이의 입에서 나오는 말은요. 아이가 지금까지 자라면서 보고, 듣고, 느끼고, 생각하고, 경험한 것을 온 몸으로 받아들였다가 거르고 다듬어서 소리말로 나오는 것입니다. 그러니까 아이의 모든 것 다라고 할 수 있을 것입니다. 그런데 이런 아이들의 말을 쓸데없는 말로 몰아붙이면, 한 번도 아니고 두 번, 세 번 노래하듯 하는 동안에 우리 아이가 정말 쓸데없는 아이로 자라게 될 수도 있습니다. 아이 말은 아이의 모든 곳 다인데, 아이 말을 들어주지 않고 쓸데없는 말로 몰아 부치면 아이의 모든 것을 무시하는 경우도 생깁니다. 이렇게 가까운 사람들로부터 무시를 당하고 할 수 있는 게 뭐가 있겠습니까? 어른은요! 교육 속에서는요! 왜 답답하게 말을 못하느냐고 닦달을 하네요? 혹이나 나의 아이가 하고 싶은 말은 들어주지도 않고 쓸데없는 말이라고 몰아붙여 말 벙어리를 만들지나 않나 생각해야 할 것입니다. 우리의 부모님들과 교사들은 자기 자신들을 다시 한 번 철저하게 뒤돌아보았으면 좋겠습니다.

봄을 즐기는 법

나의 살던 고향은 꽃피는 산골이다. 봄철에는 복숭아꽃, 살구꽃, 아기진달래가 한창이다. 특히 진달래는 다른 꽃과 달리 먹을 수 있었기에 보릿고개를 넘는데 큰 역할을 했다. 우리가 옛날 초등학교 다니던 시절을 안다녀서 잘은 모르지만 많은 말들을 들었던 기억이 난다. 나이깨나 있는 어른들의 얘기로는 엄청난 보릿고개를 말하곤 한다. 어떤이는 보릿고개를 이해하지 못하여 산비탈을 넘어가는 중 보리가 심어져 있는 고개로 잘못 아는 이도 있다. 보리고개는 보리가 피려는 계절에 먹을 것이 아무것도 없어 참으로 힘든시절의 시간을 말한다. 참으로 가난한 시절이었단다. 그래서 마을 뒷산에 올라 아기진달래 꽃을 따 먹는 일은 허기를 조금이나마 면할 수 있는 좋은 기회였단다. 그래서 그 당시에는 봄을 즐길 수 없었을 것이다. 오히려 봄은 아주 고통스러운 계절이었다. 초등학교부터 대학까지 햇볕이 쨍쨍 내리 쬐는 낮에는 마늘과 양파, 그리고 보리밭의 풀을 뽑아야 했기 때문이다. 본인들은 물론 많은 형제들이 방과 후 농사일을 거들 수밖에 없는 것은 가족노동으로 이루어진 소농경영 때문이었다. 인력 외에 농사에 이용할 수 있는 것은 소밖에 없었던 시절, 농촌사회는 자식들의 학업만큼 노동력이 절실하게 필요했다.

요즘 우리는 무척이나 행복하다. 무엇보다도 밭에 가서 일을 하지 않아서 좋고, 봄꽃 놀이를 마음껏 즐길 수 있기 때문이다. 봄철에는 주말은 물론 주중에도 상춘객들이 산과 들에 가득하다. 각 지자체들에서 실시하고 있는 벚꽃 축제는 겨울 동안 지친 시민들의 어깨를 일으켜 세운다. 그러나 한국인의 집단 성향 때문인지 사람들이 한꺼번에 몰려 꽃 축제가 아니라 마치 사람 축제 같다. 이런 상황에서 봄을 즐기는 것은 거의 불가능하다. 그저 사진 몇 장 찍고 돌아올 수밖에 없다. 많은 사람들이 활짝 핀 꽃을 즐기지만, 꽃은 봉오리부터 낙화까지 모두 아름답다. 그래서 핀 꽃만 본다면 절반도 즐기지 못하는 것이다. 한 생명체가 후손을 남기기 위해 만드는 꽃에 대해 활짝 핀 모습만 감상하는 것은 같은 존재로서의 예의가 아니다. 꽃을 감상할 때도 최대한의 예의를 갖춰야 한단다. 나무는 아주 성실하게 인간에게 즐거움을 주는데 인간이 그런 고마움에 조금이라도 보답하려면 예의를 갖추는 것은 당연하다.

우리는 벚꽃을 감상하면서 먼저 전체 꽃모습을 보자. 어떤 꽃은 하늘을 향하고, 어떤 꽃은 땅을 향한다. 벚꽃의 경우 하늘을 향하는 듯, 땅을 향하는 듯 중용을 취하고 있다. 온 몸을 감쌀 만큼 풍성하고 화려한 벚꽃은 꽃자루도 꽤 길다. 다섯 장의 꽃잎 뒤에 각각 한 장씩 앙증맞게 붙어 있는 꽃받침은 꽃잎을 지탱하는 역할을 하면서도 꽃잎이 떨어지면 열매를 보호하는 역할까지 담당한다. 벚꽃이 떨어지면 수많은 '꽃 포장길'이 생긴다. 시멘트 도로에 만들어진 꽃 포장길은 세상에서 가장 아름답다. 그 길을 따라 걷다보면 어느 새 천국과 극락에 도달한다. 혹 걷다가 비에 젖은 꽃잎을 만나면 주워서 햇볕에 말리기도 한다. 꽃잎이 마르면 다시 떨어진 곳에 옮긴다. 어떤 이는 떨어진 꽃잎을 하나하나 세길 좋아한다. 학교 벚나무에서 떨어진 꽃잎을 세는 이유는 멀리 떠나지 않고서도 봄을 즐길 수 있고, 아주 오랫동안 즐거움을 만끽 할 수 있기 때문이다. 꽃은 떨어져도 추하기는커녕 우리에게 언제나 희망이자 꿈일 것이다.

말을 좀 많이 합시다.

우리 사회에는 말을 별로 좋지 않게 간주하는 편견이 있습니다. 이 편견은 상당히 강해서 거의 신성불가침할 정도입니다. 정확하게 말해서 말을 많이 하는 것은 나쁜 것으로 간주되는 경향이 있습니다. '말이 많으면 빨갱이' 입니다. 또 말이 많으면 불평만 하는 부하이며 수다스런 여자이고 경망스런 남자입니다. 말이 많으면 몸무게와 관계없이 무게있는 남자로 간주되기는 애당초 틀려 버린 것입니다. 반면에 말이 적은 사람은 착실한 부하이면 얌전한 여자이고 믿음직스러운 총각으로 간주됩니다. 다른 무엇보다도 직장의 인사회의나 선배들의 모임에서 "그 친구는 말이 좀 많지"라는 평가를 받게 되면 치명타가 됩니다. 대개는 어렸을 적부터 부모로부터 말을 적게 할 것을 교육 받습니다. 그래야만 남들이 감히 가벼이 대하지 못하고 좀 어렵게 여기게 되는 효과를 거둘 것이라는 설명도 듣습니다. 여기에는 꼭 필요할 때, 꼭 필요한 말을 해야만 남들로부터 신뢰를 받게 된다는 설명도 첨가가 됩니다. 특히 가족들이 같이 식사 할 때는 말을 하지 않아야 하는 것이 전통 가정교육 이었습니다. "말로써 말이 많으니 말 많을까 하노라"라는 말도 한국인이면 대게 잘 알고 있는 명언(?)입니다. 사람조심과 더불어 말조심은 우리 사회에서 가장 중요한 "조심" 중의 하나입니다. 서양인들의 "침묵은 금이다"라는 속담은 말 많은 것을 거의 죄악시 하는 우리 편견에 힘을 실어 주었습니다. 그래서 술자리나 차를 마시는 자리에서 한바탕 시원하게 말을 한 사람도 집에 돌아가면서 자신이 말을 많이 한 것을 대개 후회합니다. 자기 말을 들은 사람들이 자기를 경망한 사람을 간주할 것을 알고 있기 때문입니다. 그래서 우리 사회에서는 이심전심(以心傳心)과 눈치보기라는 일종의 텔레파시가 다른 어느 사회보다도 발전해 있는 것으로 보입니다. 여기에서 말의 내용과는 전형 관계없이 말의 분량만을 따지고 있다는 점에 주목을 해야합니다. 이것은 민중간에 일종의 자율적인 언론제한이라고 볼 수 있습니다. 여하튼 이런 편견으로 인해 우리 모두 댓가를 치르고 있습니다. 건전한 토론문화, 대중문화가 우리 사회에는 부족합니다. 공개석상에서 의견을 교환하기 보다는 귓속말을 속삭이며 문제를 해결하는 것이 원만한 방식으로 간주됩니다. 토론과 대화가 흔히 감정 대립으로 치달아 버리는 것을 알고 있기 때문입니다. 그리하여 개인의 지혜를 모아 집단적인 지혜를 만들기가 어렵습니다. 사적인 자리에서도 자신의 의견이나 이야기를 상세하가 많이 말하면 "잘난체"하는 것으로 간주되기 십상입니다. 말은 표면적으로 보면 혀의 운동에 불과합니다. 동시에 그것은 사고의 결과입니다. 나아가 말은 사고의 진행과 발전에 도움을 주기도 합니다. 사고능력을 발전시켜주기도 한다는 것입니다. 말을 하다가 새로운 생각이 떠오르는 경험은 말하는 것이 사고능력의 발전에 도움이 된다는 증거입니다. 따라서 나의 이야기를 들어줄 수 있는 사람을 엄선하여 자기의 느낌, 생각, 경험을 횡설수설도 좋으니 실컷 말하도록 합시다. 그것도 많이 합시다. 친구에게도 말을 많이 시킵시다. 유치원생이나 초등학교 학생들이 아무리 시끄럽다고 하더라도 내버려 둘 필요가 있습니다. 그들은 단지 시끄러움만 만드는 것이 아니라 자신들의 지적인 능력을 발전시키고 있는 중이기 때문입니다.

"부모가 변화하라"

아이를 양육한다는 것은 참으로 힘들지만 다른 어떤 일과도 비교할 수 없을 만큼 기쁘고 행복한 일입니다. 내 아이를 몸도 마음도 건강하고 바르게, 좋은 점을 키워주며, 행복한 아이로 키우고 싶은 것은 모든 부모의 소망입니다. 그러기 위해서는 부모 자신이 먼저 변화해야 합니다. 무엇을 얼마만큼 아느냐가 아니라 인성자체가 변해야 합니다. 세상을 보는 눈, 사람을 대하는 태도가 변해야 합니다. 세상이 얼마나 아름답고 좋은지, 매사에 감사하는 마음을 행동으로 보여주어야 합니다.

부모가 건강한 성격은 아이들의 성격도 건강하게 만듭니다. 건강한 성격이란, 자기가 무엇을 원하는지 확실히 알고 남을 생각할 줄 아는 것, 곧 자기 자리와 남의 자리를 잘 알고, 이를 존중할 줄 아는 것을 말합니다. 물론 가장 중요한 것은 그 아이의 자체입니다. 그러나 부모의 뚜렷한 교육적 가치관도 없이 부모가 전혀 변화하지 않는 상태에서, 아이에게만 좋은 행동을 기대한다는 것은 불가능한 일입니다.

언제나 긍정적인 사고방식과 포용력으로 어떻게 살아야 하는지를 부모의 삶을 통해 배워가도록 해야합니다. 내 아이가 이런 사람으로 성장했으면 좋겠다는 바람이 있다면 부모 스스로가 그러한 삶을 살아야 합니다. 아이가 공부를 잘하길 원한다면 먼저 공부하는 부모의 모습을 보여 주도록 하십시오.

아이들은 가정의 화목하고 분위기가 좋을 때 더욱 잘 배울 수 있습니다. 화목하고 온화한 분위기는 따뜻한 성격을 만듭니다. 엄격하고 가혹한 분위기는 역시 엄격하고 냉혹한 성격의 사람으로 성장시킵니다.

가정이 불행하면 가족들은 실의와 불행 감으로 자포자기해서 희망 없이 살아갑니다. 생에 대한 의욕이나 사명감 없이 그냥 하루하루 시간에 떠밀려 살아갑니다. 가정의 분위기를 만드는 것은 바로 부모의 성격입니다.

부모는 가족의 행복을 위해서라도 좋은 성격과 생활방식으로 변화되어야 합니다. 부모의 모습은 아이에게 있어 가장 중요한 교육적 환경입니다. 아이가 실수했을 때 혼내는 것이 아니라 오히려 위로해 주고 격려해주세요. 이런 가정교육을 받고 자란 아이는 삶의 모든 면에서 기쁨과 웃음을 발견하여 생을 아름답고 선하게 보며 어떠한 대인관계 속에서도 최선을 다 할 수 있는 사람이 될 것입니다. 그 기분을 늘 가슴속에 감추고 있는 어린이들일 것입니다.

밥이 되는 삶

의식주 생활가운데 가장 중요한 것이 있다면 바로 밥이 아닌가 생각을 합니다. 우리는 먹지않고는 살 수가 없습니다. 인간은 아무리 애를 써 봐야 40일 정도까지만 견딜 수 있다고 합니다. 그것도 운동을 최대한 절제를 하고 물을 마시면서 가능하다고 합니다. 보릿고개와 6.25의 아픔을 경험했던 우리 민족의 한결같은 소망가운데 하나가 있었다면 쌀밥 한 번 실컷 먹는 것이었습니다. 우리 생활에 먹는 것 빼놓으면 무엇이 남겠습니까? 매일 대하는 밥에 대해서 이런 질문을 던져 본 적이 있을 것입니다. "밥은 왜 먹는가?" 이 물음이 얼른 생각나는 것이 "살기 위해 먹는다."일 것입니다. 그 말은 백번 당연하다고 할 수 있습니다. 수염이 석자다로 먹어야 양반입니다. 살기 위해서 우리는 먹어야 합니다. 도처에서 기아로 죽어가고 있는 고난의 현장에서의 밥은 삶 그 자체입니다. 그들이 꿈꾸는 것은 근사한 식탁이 아니라 다만 배만 채우면 될 반찬 없는 한 그릇의 밥일 뿐입니다. 우리 민족도 그것을 너무나 처절하게 경험하지 아니 하였습니까? 어떤 이들은 "일하기 위해 먹는다." 라고도 합니다. 우리 농촌에서는 봄철이나 추수철이 되면 일하는 사람이 하루에 몇 번, 얼마나 많은 양의 밥을 먹었는지로 얼마만큼의 일을 했는가를 짐작 할 수 있었습니다. 그래서 과거에 머슴을 쓸 때의 첫 번째 시험이 밥을 얼마나 많이 먹느냐는 것이었을 정도였습니다. 어떤 이들은 '먹기 위해서 산다.'라고도 합니다. 이상하게도 들릴지 모르나 이것은 먹는 것 자체를 즐기는 것입니다. 사실 인간은 먹는 것에 많은 신경과 관심을 기울입니다. 다른 동물들이야 단순하지만 인간은 철따라 음식도 다르고 종류도 다양해서 국을 끓이고 별의 별 양념을 다 섞어서 음식을 만들며 만드는 시간도 오래 걸리는 것이 사실입니다. 그리고 나서 마음껏 먹는 음식들, 지금이라도 맛있는 음식이라면 이 골목 저 골목을 찾아다니는 4~50대의 여유 있는 사람들을 우리는 곧잘 볼 수가 있습니다. 그런데 사실 인간이 밥을 먹는 또 하나의 큰 이유가 있는데 이것이야말로 인간다운 삶의 귀중한 가치입니다. 그것은 우리는 누군가의 밥이 되어야 하는데 그것들을 거절합니다. 누군가의 밥이 되는 삶은 철저히 내어 주는 삶이며 밥을 살리는 것은 곧 내 몸을 던져야 남을 살리게 되는 일입니다. 이런 삶을 사는 자들이 많은 사회일수록 건강하며 생명이 넘치는 사회가 된다고 합니다. 정치인은 국민들의 밥이 되어 국민을 살리기 위해 일해야 하는데 오히려 국민들을 밥으로 보고 마음대로 권력을 휘둘러 왔으니 잘 못 되어도 한참 잘 못 되었습니다. 눈물겨운 두꺼비의 교훈이 있습니다. 두꺼비는 새끼를 위해 본능적으로 구렁이를 찾는다고 합니다. 그리고 나를 먹어달라고 사정을 합니다. 그런데 구렁이는 두꺼비가 신통한 먹이가 아닌지라 좀처럼 먹지를 않습니다. 두꺼비가 오줌을 싸며 집요하게 약을 올리면 화가 난 구렁이는 겁을 주기위해 큰 입을 벌리고, 그때 바로 입속으로 뛰어든다고 합니다. 그리고 두꺼비는 뱃속에서 죽고 두꺼비의 독이 구렁이를 죽여 얼마 후 죽은 구렁이의 몸에서 두꺼비 새끼들이 새 생명으로 자라 나오게 된다고 합니다. 굶는 큰 아이를 두고서도 아기에게 줄 젖을 만들기 위해 가슴으로 숟가락을 드는 엄마의 쓰라린 눈물이 있습니다. 그래도 부족한 영양분은 엄마의 치아까지 약하게 하지만 거기에는 살과 뼈를 동원해서라도 아기를 위해 채워지기를 바라는 엄마의 마음이 있는 것입니다. 이렇게 밥이 되어 자식을 살린 엄마는 바로 우리들의 어머니가 아닙니까? 내가 존재하는 것은 누군가 나의 밥이 되어 주었기 때문입니다. 식사 때마다 밥의 의미를 다시 한 번 되새겨 봅시다. 내가 밥을 먹고 살 듯이 또 누군가 나를 위해 밥이 되어주듯이 나도 누군가를 위해 밥이 되어야 하지 않겠는가? 밥이 되는 사람이야말로 가장 어른다운 삶임에 틀림이 없을 것입니다.

부모에게 있어서 지능은 무엇인가?

진화론적인 입장에서 보면 생물은 물론 사회, 정치 등의 제도 역시 주변 환경의 영향을 받아 변화하고 있습니다. IQ로 대변되는 지능의 종류나 범주가 어떻게 진화 되었는지는 그 내용과 형태에서 많은 변화를 보이고 있다는 점에서 주목됩니다.

지능도 시대에 따라 변천

코널 대학의 인간 개발학과 교수이자 상승 곡선의 공저자인 웬디 윌리엄스 박사는 요즘 사람들은 문제를 푸는 노하우, 즉 유동성 지능은 커진 반면 정보 소유능력을 가늠하는 결정화된 지능은 감소하고 있다고 지적했습니다. 또 로스앤젤레스 소재 캘리포니아 대학(UCLA)심리학 교수인 패트리셔 그린필드 박사는 지능의 종류도 시대에 따라 변한다고 주장했습니다.
그린필드 박사에 의하면 테트리스와 같은 컴퓨터 게임을 하는 것이 소설을 읽는 것과 매우 다른 지능을 발달케 한다는 것입니다. 과학의 발전과 그에 따른 사회, 경제, 정치 등의 체제와 가치관이 바뀜으로서 그에 대한 생존의 기술들이 맞춰지고 그런 지능이 우수한 사람들이 그 사회에서 의미를 갖는 이른바 지능에서도 진화론의 적자생존 원리가 적용되고 있다는 점은 여러 가지 점에서 시사 하는 바가 큽니다. 우리 사회가 얼마나 지능 편향적인가 하는 점은 지능 혹은 지능과 관련된 것이라면 아무 곳이나 다 쓰고 있다는 점입니다.
특히 학교에서 월말 고사라도 보듯이 지능검사를 자주 실시해 높은 점수를 얻으려는 부모들에게 지능은 어떤 것인지 궁금하지 않을 수 없습니다. 그래서 정규 교육 과정에 충실하기보다는 열악한 공교육의 현실을 탓하고 사교육에 의존하는 것은 아닌지 우려스럽기만 한 현실이 우리 사회에 만연해 있습니다. 최근 전문가들은 현대 사회를 살아가는데 필요한 지능의 형태가 변화하고 있다고 조심스럽게 의견을 내놓고 있습니다.

미국 캘리포니아주 라졸라의 솔크 연구소 연구원들은 동물 실험 결과 환경이 지적 능력을 개발하는 데 실로 중요한 몫을 담당하고 있다는 사실을 발표했습니다. 넓은 공간에서 장난감이 갖고 놀면서 생활한 생쥐들이 그렇지 않은 생쥐들에 비해 뇌의 해마상 융기의 돌기부분에 있는 뇌세포, 즉 뉴론의 수가 약 15% 더 늘어났다는 것입니다. 포유류 뇌들은 생쥐를 두 집단으로 나눠 한 집단은 평범한 실험실용 사육통에 장난감과 운동용 바퀴, 터널 등을 만들어 줬습니다. 40일 뒤 실시된 이들 두 집단의 생쥐들을 대상으로 한 미로 시험은 좋은 환경에서 자란 생쥐들이 월등한 성적을 보이는 대상으로 한 것이 아니라 다 자란 어른 생쥐들을 대상으로 한 것이라는 점에서 놀라운 것이라고 말했습니다.
만일 이번 실험 결과를 사람의 학습 및 정신 개발과 관련해 적용해 본다면 아마도 나이가 많다고 해서 늦을 것은 아무것도 없다고 강조했습니다.

부모에게 있어서 지능은 무엇인가?

유아 조기교육 효과는 미지수

만 5세가 지난 아이라면 얼마든지 말에 대한 이해가 가능하므로 어른이 인내심을 갖고 아이가 이해를 할 수 있게 충분히 대화를 나눠야 합니다. 만 3세까지의 경험이 뇌의 성장에 결정적이라는 사실이 뇌 전공 신경과학자들의 연구를 통해 밝혀지면서, 미국에서는 질 높은 유아 교육과 복시 정책에 대한 요구가 높아지고 있습니다. 시사 주간지 타임은 어린이의 뇌 발달을 다룬 특집에서 육아와 복지 분야의 개혁이 중요하다고 지적합니다.

최근 신경 과학 분야 발견 가운데 가장 획기적인 것은 유아기 뇌에서 일어나는 뉴런(신경세포)들간의 시냅스 연결이 되의 물리적 구조를 바꿔 성인이 된 뒤에도 큰 영향을 미친다는 것입니다. 갓 태어난 아이의 뇌는 1천억개의 뉴런을 갖고 있습니다. 이들 뉴런은 감각적인 경험을 통해 시냅스로 연결되면서 활동하기 시작합니다. 특히 출생 첫해 아이들의 뇌 중심부에서는 시냅스가 폭발적으로 늘어 사용 가능한 양보다 수조개나 더 만들어 집니다. 신호를 보내는 액손과 신호를 받는 덴드라이트가 수없이 만들어 지는 것입니다.
실제로 시각을 관장하는 뇌 피질층의 시냅스가 출생직후 뉴런 한 개 당 2천 5백개에서, 6달 뒤에는 1만8천개로 늘어난 것이 관찰 되었다는 보고가 있습니다. 이 연결은 2살 때 최고로 올라가 10살이나 11살이 될 때까지 이 수준을 그대로 유지합니다. 중요한 것은 시냅스가 많을수록 뇌의 유연성과 복원력이 높아진다는 사실입니다. 10살이 지나면서 창조되는 시냅스보다 퇴화되는 시냅스가 늘어나 균형이 급격히 깨지기 시작합니다. 사용을 거의 하지 않아 약해진 시냅스 연결은 급격히 파괴되고 경험에 의해 연결된 시냅스만 살아남는데 결국 이것이 인간의 마음속에 독특한 감정 패턴이나 생각을 형성하게 된다는 것입니다.

놀이나 대인 접촉 경험이 없는 어린이들은 시냅스가 정상아보다 25-30%적다는 사실은 지능의 형성과 개발에 있어서 다양한 경험이 유아들에게 필요하다는 것에 무게를 실어 줍니다. 쥐를 이용한 실험에서도 마찬가지로 장난감이 많은 상자 속에서 자란 쥐는 황량한 상자 속에서 성장한 쥐보다 뉴런 하나당 시냅스 연결이 25% 많았고, 복잡한 행동까지 할 수 있었습니다.
특히 과학자들은 출생후 몇 년 동안 아이와 환경 사이에는 '창'이 존재하며, 이 시기에 창을 통해 적절한 자극이 주어져야 뇌의 구조가 창조되고 안정화된다고 믿고 있습니다. 예를 들어 언어를 습득하는 창은 5살이나 6살이 되면 닫혀 버린다는 것입니다. 이에 따라 최소한 초등학교에서는 외국어 교육이 이루어져야 하고, 교정 교육도 10살이 아닌 3-4살에 이루어져야 한다는 주장이 나오고 있습니다. 또 맞벌이 부부를 위한 좋은 탁아소는 결코 사치가 아니라 다음 세대를 위한 뇌의 자양분이라는 인식이 확산되고 있습니다. 문제는 부모들이 가장 어려울 때와 아이들의 두뇌 발달에 있어 가장 중요한 시기가 일치 한다는 점입니다. 지능과 두뇌에 대한 많은 연구와 이론들은 공부 잘하도록 닦달하는 우리 사회의 생각과는 다르게 전개되고 있습니다. 결국 사회에서 성공시키기 위해 자녀들의 머리가 좋아지길 바란다면 지금과 같은 방식의 교육열은 사라져야 할 것입니다.

방임과 간섭 정도의 조화

어머님, 어린이들은 글자 그대로 어리니까 간섭해야 한다는 의견을 당연한 것으로 받아들이시는지 알고 싶습니다. 이런 부모의 양육태도에 아이는 기분 좋은 반응을 보인다고 생각하시는지요? 어린아이를 기르면서 늘 고민되고 해결해야 하는 내용 중 하나가 이번 주의 이야기입니다. 그렇다고 내버려두는(자유)방임의 입장 또한 부모된 책임을 소홀히 한 것이고, 당사자가 버림받았다는 느낌을 가질 수 있는 양육태도이므로 바람직하지 못한 입장이라고 말할 수 있습니다. 사실 어떤 부모님께서도 지나친 간섭도 완전한 방임도 하시지 않으시지만 한 번 자신의 양육 태도에 관하여 점검해 보시라는 취지에서 편지를 보냅니다.

(사례1) 아이들에 대한 지나친 간섭(지나친 통제)

증상 : 지나친 접촉, 사소한 일에 대한 걱정, 스스로 할 수 있는 일을 대신해 주는 것, 나이보다 자녀를 어리게 취급하는 태도.

원인 : 자기 자녀를 믿지 못하는 불신감, 자녀의 성공에 대한 너무 큰 기대감.

결과 : 자녀가 자율성이 약해져 의존적이고 독립성 발달에 저해됨. 불안감, 열등감, 용기가 부족한 아이로 되기 쉽다.

(사례2) 아이들에 대한 극도의 방임(지나친 무관심, 너무나 허용적인 태도)

증상 : 아이에게 지나치게 무관심하거나 제 멋대로 하도록 내버려두는 태도.

원인 : 부모의 게으름(귀찮아서), 지도 능력 부족과 교육관의 혼돈(어떻게 해야 할지 몰라서), 자녀를 거부하기 때문에, 자녀를 완전히 믿기 때문에.

결과 : 부모한테 사랑을 받지 못한다고 생각할 수 있다. (불순종, 도전적 행위) 간혹 독립적이고 스스로를 즐길 줄 아는 능력이 생기고 사회적 성숙이 빠른 경우도 있다.

(처방)

만일 어느 쪽으로 치우쳤다면 다른 쪽에도 관심을 기울이세요. 실수나 어려움이 보여도 도움을 청할 때까지 기다리시고 부를 때에 속히 대답해 주시는 태도를 가지시면 됩니다. 보(알)알면서도 못 본(모르는)체 하시고 필요할 때 힘껏 협력해 주어야 합니다. 그러나 위험한 경우와 남에게 해를 끼치는 경우에는 확실하게 나서야 합니다. 무모함과 비겁함의 조화(중용)는 용기이고, 쾌락과 무감각의 중용은 절제이며, 낭비와 인색의 중용은 관대입니다.(아리스토텔레스) 우리 유아교육은 간섭과 방임의 조화를 아이에 대한 깊은 관심과 사랑, 존중(수용)으로 이루고자 하는 노력입니다.

“변화속에서 나만의 가정 만들기”

미래 사회에서 우리는 경제발전보다는 인간 중심의 건강한 삶을 요구하게 될 것입니다. 미래 사회에 대해 극단주의자들은 조직이 없어지고 개개인에게 도달되는 정보망에 의지해서 가족 단위로 인간의 지적 활동이 이루어지며 이를 기초로 해서 인간의 다양성이 자유로운 세계가 이루어진다로 하였습니다. 이렇듯 모든 인간의 조직에는 변화가 오지만 가정만은 그대로 유지될 것입니다. 왜나하면 인류는 누구를 막론하고 가정에서 태어나서 가정에서 생활하고 가정에서 생의 끝을 맞이하므로 가정은 인류의 역사와 함께 해 왔고 또한 영원히 함께 할 것이기 때문입니다.

가정 철학 만들기 ☞ 지금까지의 가정 철학이 인간의 생존과 인간다운 삶의 질을 유지하기 위해서 가정 내의 효율적인 가정 경영과 그 결과로 인해 물질의 풍요를 누리는 차원이었다면, 앞으로의 가정 철학은 정보사회에 적합한 인간을 형성하는 차원으로 변화되어야 합니다. 미래 사회에서 인간의 생존을 위한, 그리고 평화를 위한 가정을 만들기 위해서는 다음과 같은 것들이 요구됩니다. 첫째, 인간과 환경이 융합되어야 합니다.

환경의 파괴는 결국 물질의 풍요를 누리고자 하는 인간의 욕망이 조절되지 않는데서 비롯된 문제입니다. 즉, 환경의 파괴는 산업 사회가 낳은 병폐 중의 하나인 물질 풍요의 극대화가 불러일으킨 문제라고 할 수 있습니다. 개인이 생존하기 위해서, 그리고 적절한 절제의 생활이 필요합니다. 둘째, 인류의 여러 종교가 서로 융화되듯이 정신적으로 새로운 형태의 사고를 할 줄 알아야 합니다. 정신세계의 다스림이 없이 인간이 생존할 수 있을까요? 인간의 정신생활과 이 결과로 나타나는 문화생활은 가정에서 시작됩니다. 그러므로 가정에서는 자녀 양육의 새로운 철학을 확립하고 새로운 가정 철학을 확립하기 위해서 세계 정신 세계의 변화를 함께 인지하여야 합니다. 성장 과정에서나 성숙한 이후의 가족 관계에서 이루어지는 인간의 윤리관이나 도덕적인 삶의 규범에 대한 새로운 시각이 확립되어야하며, 이를 가족 관계에 어떻게 융화할 것이며 나아가서 세계 시민으로써 세계인과 융화하면서 삶을 영위할 수 있는 능력을 가진 인재 양육의 철학을 재정립해야 합니다. 희로애락의 관리를 그 시대에 맞추어서 적절히 할 줄 아는 인품을 소유한 사회인의 양성이 절실히 요구됩니다. 셋째, 전문지식이 보편화되어야 합니다. 이는 산업 사회에서와 같이 지식과 부에 의해서 계급이 나뉘어지는 것이 아니라 사회의 조직과 계급이 새로운 형태로 바뀐다는 것입니다. 미래 사회를 지식 사회라고도 합니다.

지식이 기반이 되는 사회라는 것입니다. 그러므로 밝은 시야를 가지고 올바른 시대정신을 읽기 위해서 지식의 소유자가 되어야 모두 건강한 삶을 영위할 수 있을 것입니다. 위의 요구들을 모두 갖춘 가정은 ‘건강한 가정’이 될 것입니다. 미래 사회가 요구하는 가정은 ‘건강한 가정’입니다. 건강한 가정 안에서 개개인과 가족 구성원들은 안정된 생활을 할 수 있을 것이며, 사회에 건전하게 이바지할 수 있을 것입니다. ‘건강한 가정’을 만들기 위해서는 올바른 가정 철학의 확립이 필요합니다.

앞에서 언급했듯이 환경과 융화하고, 타인과 융화하기 위해서는 절제된 삶의 가치관이 확립되어야 할 것입니다. 절제된 삶의 가치관이란 타인을 배려할 수 있어야 하고, 올바른 윤리 의식을 지녀야 하며, 새로운 것과 조화를 이룰 수 있는 지식이 기반이 된 가치관이라 할 수 있습니다. '건강한 가정'을 가꾸어 가기 위한 가정철학이 확립된다면 아무리 빠르게 변화하는 미래 사회라 할지라도 두려움이나 흔들림 없이 의연하게 대처해 나갈 수 있을 것입니다. 그리고 그 안에서 '건강한 가정'은 꽃을 피울 것입니다.

인성 교육

올바른 생활을 위한 노력 〉 아이들에게 인성의 덕목들을 가르치고 아이들의 인격 형성에 가장 중요한 역할을 담당하는 사람은 부모입니다. 부모의 무한한 사랑 속에서 인생의 덕목을 배우고 인격을 형성해 나갑니다. 옳고 그름을 판단하는 법을 깨우치고 부모가 어떤 것은 승낙하고 어떤 것은 허락하지 않는지 깨닫게 됩니다. 이런 과정 속에서 아이들은 사회인으로, 성인으로 성장하는 것입니다. 여기에서는 여러 가지 덕목 중에서 정직함에 대해 살펴보고 아이들이 정직함을 생활화할 수 있는데 도움이 되는 몇 가지 방법들을 소개하고자 합니다.

※ 본보기를 보여줍니다. 〉아이들이 도덕적으로 옳고 그른 행동을 결정할 때마다 항상 정직하게 행동하기를 기대하는 것은 무리입니다. 부모는 자신들의 행동을 곰곰이 생각해 보고, 거짓말을 해서 쉬운 길을 택할 수 있다 하더라도 아이들에게 귀감이 될 수 있도록 자신들이 정직하게 행동해야 합니다.

※ 자신에게 정직해야 함을 가르칩니다. 자신의 행동에 대한 책임을 가르치기 위해서는 인간관계를 잘 이해시키고 실수를 저질렀을 때는 어떻게 하면 실수를 저지르지 않을 수 있는지 대안을 가르쳐 주는 것이 매우 중요합니다. 이를 통해 아이들이 다른 사람의 감정을 이해하게 됨으로써 느낄 수 있는 죄책감에 대해서도 깨닫게 됩니다.

※ 아이들의 정직함에 대하여 보상을 합니다. 〉아이들이 정직하게 행동하는 것을 볼 때마다 정직한 행동이 무엇인지, 그 행동이 다른 사람에게 어떤 영향을 끼치는지 이야기해 주면서 칭찬해 주어야 합니다.

※ 문제해결의 방법을 가르쳐줍니다. 〉문제해결 능력을 습득하게 되면 남에게 잘 보이기 위해, 하기 싫은 일을 하지 않으려고, 또는 처벌을 피하기 위해 거짓말을 하려고 하지 않습니다. 문제 해결 방법을 습득함으로써 아이들 스스로 선택을 할 수 있고 결과적으로 자신들의 선택에 대해 흡족하게 생각할 수 있습니다.

※ 정직하지 않았을 때는 그 책임을 알려줍니다. 〉정직하지 않음으로 해서 발생할 수 있는 결과를 아이들에게 직접 보여주고 정직하지 못한 행동의 부정적인 영향에 대해 TV나 동화책 등을 보면서 함께 토론할 기회를 자주 갖는 것이 좋습니다.

※ 남들의 정직한 행동을 찾아봅니다. 〉아이들은 자신이 평소 존경하는 분들의 정직한 모습을 보게되면, 아이들 역시 정직한 모습을 보이려고 노력하는 경향이 강합니다. 정직하지 못한 행동을 한 사람이 어떠한 대가를 치르는지 생생한 예를 들어주고 정직과 거짓을 비교하여 보여주고 정직한 생활이 얼마나 좋은 것인지를 생생하게 느낄 수 있도록 해줌으로써 정직함을 생활화할 수 있도록 도와주어야 합니다.

“어느 시어머니의 흐뭇한 이야기”

평생 밖에서 일만 하다가 4년 전부터는 큰아들 내외와 살림을 합치면서 손주녀석을 키우게 된 쉰 아홉의 시어머니입니다. 도시의 아파트에 살면서 일을 다닐 때는 옆집에 누가 사는 지도 모르다가 집에만 있다 보니, 심심하기도 하고 해서 같은 동에 사는 사람들과 사귀게 되었습니다. 모여서 점심을 먹고, 느긋하게 차 한 잔 마시면서 얘기를 하는 맛은 참 좋습니다. 아들이 생일날 사준 코트 얘기, 딸이 용돈 준 얘기, 손주들이 재롱 피우는 얘기 등 참 얘깃거리가 많습니다. 그 중에서도 며느리 얘기는 우리 나이 또래의 공통도니 화잿거리가 아니겠습니까? 어떤 이는 며느리가 살림을 너무 못한다고 하고, 어떤 이는 따로 사는 며느리가 전화도 한 번 안 한다고 하고, 어떤 이는 몇 달이 지나도록 집에 한 번 안 들른다고 하면서 불평들을 늘어놓습니다. 그러면서 우리 때는 감히 시어머니 앞에서 말대답 한 번 못해 봤는데, 요즘 며느리들은 본인 하고 싶은 얘기 다 하면서 산다고 괘씸해 하더군요. 나는 이땅의 며느리와 시어머니들에게 얘기하고 싶은 것이 몇 가지 있습니다. 첫째, 우리들이 시집살이했던 때와 비교하지 않으려고 서로 노력하며 삽시다. 배고파 보지 못한 사람이 어찌 굶주림의 고통을 이해하겠습니까? 우리는 못 배웠던 시절에 그렇게 당하고 살았다지만, 지금은 시대가 변했습니다. 예전에 말 못하고 속앓이하며 홧병났던 우리들의 모습보다는 자기 의사를 충분히 표현하는 요즘 며느리들이 훨씬 현명하다는 생각이 듭니다. 겪어 보지 못했던 일들을 이해하라고 강요한다고 이해할 수 있겠습니까? 둘째, 전화 안 한다고 혹은 집에 잘 안 온다고 불만 갖지 맙시다. 신혼 때는 그저 둘이 있고 싶고, 주말에는 쉬고 싶은 때가 많음을 이해합시다. 또한 시어머니가 편안하게 해 주고, 딸처럼 여겨 주면 오지 말라고 해도 올 것입니다. 자주 오지 않는다는 것은 그만큼 시댁이 어렵고 불편다는 얘기가 아닐까요? 셋째, 살림 못한다고 타박하지 맙시다. 사회생활만 하다가 시집 온 요즘 며느리들이 살림 서툰 것은 어쩌면 당연한 것 아니겠습니까? 좀 예쁘게 봐 줄 수 있는 눈을 가집시다. 이런 말을 하는 나는 얼마나 잘 하고 있느냐구요? 글쎄요. 나도 며느리가 둘 있습니다만, 시어머니 점수는 며느리들이 주는 거니까 몇 점이나 될지는 모르지만, 맞벌이하면서 열심히 사는 며느리 모습이 딸에 대한 안타까움과 똑같이 안쓰럽고 기특합니다. 우리 아들 가진 유세 그만하고, 딸처럼 아끼고 사랑해 줍시다. 건강하여 자식들에게 뭔가를 해 줄 수 있는 지금이 얼마나 행복합니까? 자식들에게 대가를 바라고 키운 게 아니지 않습니까? 나 먼저 자식들에게 본이 되고, 며느리들 사랑하는 맘으로 대하면 효도는 하지 말라고 해도 후하게 받을 겁니다. 지금 내가 살림 열심히 하고, 손주녀석 잘 키우고 있는 것을 훗날에 대한 투자라고 생각합니다. 머리 좀 씁시다. 자식들 열심히 살아보겠다고 하는데, 나 편하자고 나 몰라라 하다가 정말 자식들의 손이 필요한 때는 어떻게 할 겁니까?

물론, 자신의 도리로 당연히 부모님을 모셔야 된다고는 하지만, 시대가 시대이니 만큼 우리도 투자를 좀 해야 되지 않을까요. 정말 힘 없을 때 며느리들이 짐스러워 하지 않게 또는 마음에도 없이 어쩔 수 없는 의무감으로 부모님을 모시지 않게 지금부터라도 며느리와의 관계를 끈끈하게 유지해 갑시다. 꼭 부모님은 며느리가 차려 준 밥상을 받아야 되는 시대는 갔습니다. 며느리가 밖에서 지쳐 들어오면 따뜻한 밥상을 차려 줄 줄도 아는 시어머니가 됩시다. 엄마가 딸에게 밥상 차려주는 게 어디 흉이 되겠습니까? 고부간의 갈등! 그거 아마 우리나라에만 있다고 합니다. 내가 한 말들이 다 맞는건지 틀린 건지는 잘 모르겠지만 좀 편안하게 삽시다. 너무 욕심 부리지 말고, 너무 받아야 될 것들만 생각하지 말고, 줄 수 있을 때 맘껏 베풀면서 너그러움을 보여 줍시다. 뭐든 해주고 싶어도 해줄 수 없을 날들이 언젠가는 오지 않겠습니까? 줄 수 있는 것을 주고 자식들에게 존경받는 부모가 된다면 그것보다 더 좋은 일이 어디 있겠습니까?

엄마, 아빠 학교 다닐 적에...

1996년 6월에 정식으로 개관한 덕포진 교육박물관은 오랜 세월동안 교직에 몸 담았던 전직 부부교사 김동선, 이인숙 선생님의 교육에 대한 애정과 교단 경험을 바탕으로 설립된 박물관입니다. 풍금을 치면서 아이들과 노래를 부르는 것을 좋아했던 이인숙 선생님은 후천적 시각장애를 앓고 있었고 시력은 더욱 악화되어 결국에는 실명을 하게 되었다. 그 후 교직에 대한 꿈을 접어야만 했던 이인숙 선생님은 지독한 우울증에 시달렸고 이를 안타깝게 여겼던 남편 김동선 선생님이 "당신이 아이들을 계속 만날 수 있도록 해 주겠소"라는 약속을 하고 이곳에 교육과 관련된 박물관을 짓게 된 것이다.

덕포진 교육박물관 건물은 처음에는 1층으로 계획되었지만 한 번 시작을 하고 보니 자꾸자꾸 할 일들이 생겼고 그때마다 개인 돈을 투자하여 오늘의 3층짜리 건물로 변모하게 되었다. 이곳에는 현재 각 층별로 인성교육관(1층), 교육 사료관(2층) 그리고 농경문화교육관(3층)으로 나누어져 총 4,000여점의 소장품이 원래 그 자리에 있었던 듯이 자연스럽게 전시가 되어있다. 인성교육관에는 옛 모습 그대로 교실의 풍경을 재현하고 그 주변에 소장품들을 볼 수 있다. 책보, 도시락, 주판, 풍금, 교복, 난로, 이름표, 포스터 등 모두 십 수년의 세월을 지탱해 온 것들인데, 이는 김동선, 이인숙 부부가 직접 수집하거나 박물관을 방문했던 관람객들이 기증을 한 것들이다. 특히 교실 안에 전시된 물건 중 짚으로 만든 공과, 그림을 여러 장 넣었다가 극의 흐름에 맞춰 한 장씩 뽑을 수 있도록 만들어진 그림 연극틀은 장년층 관람객들에게 어린 시절의 향수를 불러 일으키는 전시품이다. 한편 교실 옆에는 저통문화 교육실과 향토애 교육실이 따로 마련되어 있어,

오래된 책과 형형색색의 벽보 그리고 교련복과 같은 단체옷들도 전시되어 있다. 교육 사료관은 5월에 개관한 것으로 서당 시절부터 현대까지 교육현장의 발자취를 둘러 볼 수 있도록 해놓았다. 교육 자료가 시대별로 구분되어 있으며 교육기관에서 사용되었던 물건들이 함께 전시되어 있어 우리 교육의 역사를 한눈에 살펴볼 수 있도록 하고 있다.

농경문화교육관은 선조들의 삶을 이해하는 것이 교육에 있어 얼마나 중요한 일인가를 보여주고자 마련한 공간으로 지게, 홀태, 괭이, 호롱, 쟁기 등 수백 개의 농기구들이 전시실을 가득 메우고 있다. 특히 벽 곳곳에 호박을 가꾸는 방법이나 상치를 담그는 과정 등을 자세히 기록해 놓아 어린 학생들이 생활 속에서 선조들의 생활과 지혜를 배울 수 있도록 배려해 두고 있다. 한편 박물관 밖 마당에는 장독대, 널뛰기 등을 볼 수 있는 외부 전시관이 마련되어 있다. 지금도 이인숙 선생님은 자신의 옆자리에 놓여있는 풍금을 치면서 동요를 부르는 것을 좋아한다. 그녀가 부르는 노래들은 그녀 자신이 꿈꾸는 세상을 보여주고 있는 듯 하다. "동요를 부르면 정말 순수해져요. 순간의 실수로 순수를 잊어버린 이들과 함께 노래를 부르고 싶어요." 이런 이야기를 하면서 그

녀는 구치소나 교도소를 찾아다니며 그곳에 있는 사람들과 함께 노래를 불러보고 싶다는 바람을 이야기한다.

덕포진 교육박물관, 그곳은 어린 시절에 대한 향수를 느끼게 하는 여러 전시물들과 함께 교육에 대한 소중한 꿈을 가꾸어 가고 있는 아름다운 선생님들을 만나볼 수 있는 곳이기도 하여 아이들에게 부모님의 어린 시절을 들려주며 그때 우리가 간직했던 꿈에 대한 이야기를 나눌 수 있는 그곳에 가보겠습니다.

이야기를 들려주자 – 동화 작가 강정규

1학년 때 똥을 쌌다. 단군왕검과 홍익인간, 을지문덕과 살수대첩, 김유신과 삼국통일, 세종대왕과 한글창제, 이순신과 임진왜란 등 여느때와 같이 끝없이 이어지는 팔자수염 교장 선생님의 훈화를 참지 못했던지, 아니면 전날 밤 증조할머니 제사 음식을 많이 먹었던지 여하튼 나는 가을 운동회 날 만국기 아래 선 채 똥을 쌌다. 그래서 달리기도 못하고 얻은 별명이 똥 장사.

2학년 때 달리기에서 8등을 했다. 3학년, 4학년, 5학년 때도 8등을 했다. 여덟 명이 한 조였으므로 그것은 꼴찌를 의미했다. 그런데 6학년 때 이변이 일어났다. 6년 동안 한 해도 빠짐없이 운동회 구경을 오셨던 할머니가 갑자기 일어나시며 관중석에서 소리를 치셨던 것이다. "...천천히 가그라, 꼴찌두 괜찮여. 서둘다 자빠지면 너만 다쳐. 암만 늦게 가두 네 몫은 거기 있능겨. 앞서 달려간 애들이 다 골라 간 것 같어두 네 몫은 남는겨. 남은 네 몫이 의외루 실속 있을 수 있는겨, 알겄냐?" "일등이다, 우리 손주가 일등여!" 나는 분명히 맨 앞에서 뛰고 있었다. 어금니를 옹물고, 오만상을 찌푸리고, 두 주먹을 불끈 쥐고 앞장서 뛰고 있었다. 그런데, 그런 내 뒤를 하나, 둘, 셋, 넷 ... 여덟 명의 아이들이 바싹 뒤쫓고 있었다. 그것은 다음 조였다. 그래서 얻은 별명이 또 하나, 똥 장사는 일등!

운동회 날은 으레 비가 왔다. '일등'하고 비를 맞으며 돌아오는 길, 할머니가 말씀하셨다. "...천천히 가그라, 꼴찌두 괜찮여. 서둘다 자빠지면 너만 다쳐. 암만 늦게 가두 네 몫은 거기 있능겨. 앞서 달려간 애들이 다 골라 간 것 같어두 네 몫은 남는겨. 남은 네 몫이 의외루 실속 있을 수 있는겨, 알겄냐?" 내가 어머니 배속에 있을 때부터 할머니는 참으로 지성이셨다고 했다. 나박김치 속의 무 쪽도 꼭 정사각형만 떠먹게 하시고, 시루떡도 커진 쪽을 못 먹게 가리셨으며 뒷간 길 계단을 오르내릴 때는 옆 걸음을 걷게 하여 배울림을 덜게 하셨단다. 내가 태어난 후에는 무엇 한가지 가로막는 일이 없으셨다고 한다. 이런 일도 있었단다. 장마철이 지나면 창호지 방문이 검버섯같이 곰팡이가 낀다. 추석을 앞두고는 집집마다 문짝을 떼어 문종이를 뜯어내고 흐르는 개울물에 깨끗이 씻었다. 그리고 새 창호지를 바른다. 문고리 주변엔 창호지를 덧바르며, 그 속에 코스모스나 국화꽃잎을 끼워 넣어 모양을 내었다.

햇볕에 팽팽하게 마른 문짝을 달면, 도배를 새로 하지 않은 방인데도 환하게 밝았다. 그런데 어린 내가 자꾸만 기어가 새로 바른 문 종이를 긁어댔다. "아가, 구멍을 내주랴?" 그 모양을 안타깝게 바라보시던 할머니가 기어코 손가락에 침을 발라 문구멍을 내시고, 나는 좋구나 그 구멍에 손가락을 넣어 문 종이를 찢어내고 있었다. 고모나 어머니는 그것을 말릴 수가 없었다고 한다. 그렇다고 요즘 같은 '과보호'는 아니었다. 반대쪽에 할아버지가 계셨던 것이다. 식사 때는 사랑방에서 할아버지와 겸상을 받았다. 무릎을 꿇고, 할아버지가 수저를 드시기를 기다렸다. 맛있는 반찬에 젓가락이 자주 가서는 안됐다. 빨리 먹고 먼저 일어설 수도 없었다. 숟가락과 젓가락을 한꺼번에 쥔 채 사용해서도 안됐다. 불문율이지만 금기가 엄연히 지켜졌던 것이다. "간장종지는 밥상의 중앙에 위치하여 구도를 잡고, 음식의 간을 맞추느니라, 제 자리에 있을 때는 이런 몫을 하지만, 간장 종지가 자리를 벗어나거나 엎질러지면 밥상의 구도가 깨지고 악취마저 풍기느니라...." 식사시간에도 이런 식으로 '교육'이 행해졌다. 할아버지는 천자문과 명심보감을 가르치며 회초리를 드셨고, 할머니는 팔베개로 날 눕히시고 옛날이야기가 나를 '책벌레'로 만드셨다. 그것이 밑거름이 되어 나를 작가로 키운 것이다. 아이들에게 잃어버린 '이야기'를 찾아주자. 엄마가 먼저 좋은 책을 읽고, 아이들에게 육성으로 이야기를 들려주자. 모유를 먹이듯, 내가 먼저 소화시킨 이야기를 품어 안고 들려주자. 무엇보다 서둘지 말자.

“줏대있는 아이로 세상의 중심에 세울 수 있다.”

“옳은 일이라면 어려움을 무릅쓰고서라도 도전하는 과감함, 군중을 따르지 않는 힘, 아니면 아니라고 진심으로 말하고 행동함으로써 다른 사람에게 영향을 미치는 것, 확신을 가지고 좋은 의도라면 인기가 없고 조금 불편하더라도 행동에 옮기기, 외향적이고 우호적인 자세.” 이것은 용기를 표현한 말입니다. 부모님이라면 진정한 용기는 방송 매체에서 자주 보이는 허세 부리기에 관련이 있다는 것을 자녀에게 일깨워 주고 싶을 것입니다. 부모님으로서 용기 있는 행동의 본보기를 보여주는 것은 중요합니다. 부모님이 겪고 있는 어려운 일에 대해 이야기해 주세요. 이때 과장하거나 으스대듯이 이야기 하지 말고, 솔직히 이야기 하면 아이들은 어른들에게도 어려운 일이 있다는 점을 알게 됩니다. 힘든 일을 해냈거나, 내 기분을 불편하게 만드는 사람과도 대화했던 경험을 이야기 해 주고, 주변의 눈치를 살피지 않고 싫은 일은 싫다고 말했던 경험도 이야기해 주세요. 과거의 경험이건 현재의 일이건 상관없습니다. 용기 있는 것과, 용기 없는 것과 수줍음은 다른 것임을 알려주는 것도 중요합니다. 이렇게 하면 아이들이 용기는 개성이 아니라 성격이라는 점을 알 수 있을 것입니다.

자녀가 수줍음을 많이 탄다고 더 황당하고 공격적이 되라고 가르치지 않도록 주의해야 합니다. 이런 자녀라면 조용한 용기에 대해서 이야기해 보세요. 잘못된 것에 대해 아니라고 말할 수 있는 용기, 친구가 없는 아이에게 먼저 말을 거는 용기 말입니다. 사람은 누구나 약간은 두려움에 떨기도 하지만, 옳은 일이라면 어떻게 해서 든 해야 한다는 점을 설명해주세요.
 나이에 상관없이 용기를 가르치는 것의 핵심은 철저한 준비, 신념과 믿음이 용기를 낳는다는 사실을 깨닫게 하는 일입니다. 준비된 아이들은 용기를 지닐 수 있습니다. 미리 다짐해 보고, 그 다짐을 항상 가슴 속에 새기면서 확신을 가지고 “아니”라고 말할 수 있는 방법을 알려주세요. 무엇인가 새로운 시도를 할 때 잘 해낼 수 있다는 확신을 가질 수 있게 격려를 해 주세요.

신념은 어떤 일이 생길 거라고 막연히 믿는 것이 아니라, 내가 어떤 일을 할 수 있다고 믿을 때 생기는 것임을 자녀들은 깨닫게 될 것입니다. 이 방법은 자녀에게 용기를 낼 수 있게 도와주는 방법입니다. 부모님들은 이 방법을 통해 더 칭찬을 해줄 수 있습니다. 가족끼리 이야기할 때는 서로의 눈을 들여다보기로 정합니다. 상대방을 똑바로 응시하면 그 사람은 우리를 좋아하게 되고, 우리가 자기를 좋아하고 있다는 것을 알게 된다는 점을 아이들에게 설명해 주세요. “안녕?” “어떻게 지내?” “고마워” 같은 말을 할 때, 또 “어디 사니?” “어느 원에 다녀?” 같은 질문을 할 때에도 상대방의 눈을 보면서 해 보도록 격려를 합니다. 미리 정한 대화를 하면서 상대방의 눈을 오래 들여다보는 시합을 해 보는 것도 재미 있습니다. “눈 깜박하지 않기 시합”(눈을 깜빡이지 않고 상대방의 눈을 보면서 해 보도록 격려를 합니다. 미리 정한 대화를 하면서 상대방의 눈을 오래 들여다보는 시합을 해 보는 것도 재미있습니다. “눈 깜빡하지 않기 시합” (눈을 깜빡이지 않고 상대방의 눈을 들여다

보는 시합)도 한 번 해 보세요. 용기가 있다는 것은 숨길 것이 아무것도 없음을 의미한다는 사실을 아이들에게 설명해 주세요. 사람의 눈을 똑바로 쳐다보는 방법을 익히고 나면, 다른 사람에게 물어보거나, 대화를 시작할 때 어떻게 해야 할지 몰라 우물쭈물 하는 일은 없을 것입니다.

(이번 주 한 주간은 실천하는 주간입니다.)

지나간 것에 감사, 다가올 것에 긍정을

누구에게나 똑같은 것이지만 누구에게나 똑같지 않은 것, 시간입니다. 빈부귀천 남녀노소를 가리지 않고 누구에게나 똑같은 시간이 주어지지만, 제각기 다른 것으로 받아들여집니다.

이웃집에 가서 품을 파는 시간과 내 집에서 품꾼을 사서 일하는 시간은 결코 같지 않습니다. 남의 집 일을 할 때에는 시간이 더없이 지루하고 더뎌서 시간이 한참 갔다 싶은데도 여전히 그 시간일 때가 많고, 내 집 일을 할 때에는 일을 얼마 하지 않은 것 같은데도 해가 금방 중천이고, 여전히 많은 일이 남았는데도 어느새 해가 서산을 넘어 갑니다.

학생에게 하루 종일 체력장 시험을 보는 날과 소풍을 가서 즐겁게 노는 날이 똑같은 하루라도 같을 수는 없습니다. 빚 독촉을 하러온 빚쟁이와 마주 앉아있는 시간이 사랑하는 사람과 함께 있는 시간과 같이 흘러가는 것은 아닐 터이고요.

그리스 신화와 로마 신화의 신들은 대부분 겹치는데, 야누스는 로마에만 있는 몇 안되는 신 중 하나입니다. 야누스는 문(門)의 수호신입니다. 집이나 도시의 출입구 등 문을 지키는 수호신 역할을 했습니다. 문은 안과 밖 어디에도 속하지 않는 안과 밖의 경계에 해당됩니다. 그런 점에서 야누스는 경계선을 지키는 신, 문을 열고 닫는 역할을 하는 신이었습니다.

사비니족이 로마를 습격했을 때 야누스가 뜨거운 샘물을 분출시켜 적을 물리쳤다는 전설이 있는데, 그때부터 로마에 있는 야누스 신전의 문은 평화로울 때는 닫혀 있고 전쟁 상태일 때는 열려 있었다고 합니다. 그렇게 문은 세상과의 경계에 해당되므로 야누스는 모든 사물과 계절의 시초를 주관하는 신으로 숭배되었습니다. 대개의 그림에서 야누스는 두 개 혹은 네 개의 얼굴로 그려지는데, 이는 고대 로마인들이 문에 앞뒤가 없다고 생각하여 두 개의 얼굴을 가지고 있는 것으로 여겼기 때문입니다.

야누스 이야기를 하는 것은 영어에서 1월을 뜻하는 재뉴어리(January)가 야누스에서 유래했기 때문입니다. 한 해를 보내는 시간, 어쩌면 지금 보내는 시간은 두 개의 얼굴을 하고 있는 것인지도 모릅니다. 해마다 한 해를 보내는 시점이 되면 지난 시간을 돌아보며 다사다난했다 말하곤 하지만 올 해는 유난스러운 한 해였다 싶습니다. 사업을 접어야 하고, 일자리를 잃어야버리고, 꿈을 포기하고, 가정이 해체되고, 많은 것들이 무너지고 사라지는 아픔을 겪었습니다. 그러면서도 새로운 한 해를 맞으며 애써 희망을 품기도 합니다.

유엔 사무총장의 역할을 감당하던 중 불의의 사고로 세상을 떠난 함마숄트라는 이가 있습니다. 사후에 노벨 평화상을 탄 유일한 사람이라 하지요. 묵은해를 보내고 새해를 맞이할 즈음이 되면 그가 한 말이 떠올리게 됩니다. “지나간 모든 것에 감사합니다. 다가올 모든 것에 긍정합니다.” 세모(歲暮)의 시간은 야누스의 얼굴처럼 서로 다른 의미로 다가오지만 지나간 것엔 감사를, 다가올 모든 것들엔 긍정을 하는 시간들이 됐으면 좋겠습니다.

즐거운 인생

요즘 즐겁다는 사람보다는 괴롭다고 말하는 사람이 주위에 많습니다. 특히 괴로운 사람들로는 중고생 아이를 둔 학부모들이 있습니다. 아이가 학교에서 성적이 떨어져 학원에 보냈는데 그 학원에서 낸 영어 에세이 쓰기 숙제를 안 해 가서인지 학원에서 잘리자 어떤 엄마는 "아, 이래서 보따리를 싸나 봐요?"하고 괴로워했습니다. 엄마가 무슨 수로 자기도 모르는 영어 에세이 숙제를 아이에게 가르칠 수 있느냐 말입니다. 학교에서는 원에서 해오라 하고, 학원에서는 집에서 해오라 하고, 그런데 엄마는 학원비 부담하려면 일하러 나가야합니다. 직접 일하는 사람보다 줄 세우고 평가하려는 시스템 안에 자리 잡은 사람이, 행세하는 세상입니다. 부모는 어떻게든 석차를 앞당겨 이 등수를 올려야 합니다. 학교에서 요청하면 시험감독도 하고, 학교에서 시키는 일은 자기 직장 일 제쳐두고 가야합니다. 자식에게 혹시라도 영향을 끼칠까봐서 말도 못합니다. 자식 교육 때문에 전세로 들어갔다가 2년 만에 오른 전세금을 울며 겨자 먹기로 부담하거나 아님 옮겨야하는 가정들. 그러니 괴롭습니다. 이들의 가정은 이런 사회적 환경만 아니면 즐거울 수도 있는 인생입니다. 자식 낳아 기르는 재미도 쏠쏠한데 말입니다. 따뜻한 밥해서 먹이는 부모와 집 밥 먹는 자식. 부모와 자식이 밥 같이 먹는 순간은 얼마나 즐거운가 말입니다.

회사를 경영하는 사람도 괴롭습니다. 하루가 멀다 하고 변화하는 기업 환경에서 직원들 먹여 살려야 하니까. 높은 자리 있는 사람도 괴롭습니다. 밑에 있는 사람들 눈치 봐야 하고, 자기 위에 있는 사람 눈치도 봐야 합니다. 그저 돈이 많아 은행에 넣어둔 사람은 괜찮을 것 같습니다. 그런데 은행에 돈 많이 넣어둔 사람도 괴롭다고 합니다. 자식들이 카페 한다고 몇 억씩 가져가 홀라당 날리고 돌아온답니다. 그 집 마누라도 힘듭니다. 남편이 돈 아끼느라고 그런지 집에서 세끼 다 먹는 삼식이라 밥 차려 주느라 어디 여행도 못가고 하루하루 시중들다가 시들어갑니다. 남편도 우울합니다.

요즘 시중에 돌아다니는 유머 중 이런 내용이 있습니다. 50, 60, 70, 80대가 모였습니다. 그런데 모두 얼굴에 멍이 퍼렇게 들었습니다. 50대는 "어디 갔다 왔느냐"고 물었다가 멍이 들었다고 합니다. 60대는 아침에 "밥 달라"고 했다가 맞았다고 합니다. 70대는 외출 준비하기에 "어디 가냐"고 물었다가 그렇게 됐다고 합니다. 80대 노인은 단지 아침에 눈 떴을 뿐이었다고 합니다. 어떤 삶이 즐거운 인생인가? 그러면 즐거운 인생은 없는가? 답은 "내가 즐거운 일을 하면 즐거운 인생이 되지 않겠는가?"입니다. 가족원 전체가 즐겁기는 어렵겠지만 내 몸뚱이 하나는 나하기 나름입니다. 자기 가족을 꾸리느라 못했던 일들을 지금이라도 하면 됩니다. 밴드하고 싶었던 사람은 지금이라도 악기를 구해 연주하고 배우러 다니면 즐겁습니다. 또 식당 밥 싫은 사람은 요리교실에 다니며 맛있는 음식을 스스로 해서 먹는 즐거움을 누립니다. 이런저런 것을 배우면서 같은 취미를 가진 친구들은 사귀고 오래된 친구도 이런 기회를 통해 자주 만나 더 진한 우정을 쌓아갑니다.

추운 겨울날 가족들 언제 들어오나 기다리지 않고 춤을 배운다. 노래도 하고, 수영도 하고, 산행 등등 친구와 함께 자기가 좋아하는 취미생활을 하면서 즐거운 시간을 갖습니다. “학이시습지 불역열호(學而時習之면 不亦悅乎아!)” 배우고 때로 익히면 기쁘지 아니한가 말입니다.

그러나 아직 한국은 가족이 중요하고 부모가 누구인지를 묻는 사회입니다. ‘소장수의 아들’ ‘장관 딸’을 말합니다. 그냥 나 자신으로 땅에 두 발 딛고 살아도 그리 나쁜 인생은 아닙니다. 갓 구운 빵, 맛있는 과일 잼, 지금 막 내린 커피의 향, 기름이 자르르 도는 굴비를 구워 따듯한 밥과 먹는 한 끼 식사, 멀리 사는 친구와 중간 지점에서 만나 요즘 이런 책 읽고 있다며 나누는 담소, 외국에 사는 친구가 보내온 내 여행 중의 사진, 그런 것들이 행복하게 만듭니다. 한 권의 책을 다 읽고, 새로운 책을 읽기 시작하는 것도 즐거움입니다.

정상화 된 어린이1

하버드 학부모님들의 바쁜 생활 가운데 자녀들이 건강하게 성장하기 위해 애쓰시는 모습이 매우 아름답습니다. 프뢰벨은 그의 “어머니의 노래와 애무의 노래”에서 노래하기를 “나의 사랑하는 아가, 너를 돌보고 보호하는 것이 바로 나 자신에게 기쁨을 주는 것이고 나의 영혼에 평화를 선물하는 것이다”라고 말했습니다. 그렇습니다. 우리는 어린이들에게 우리의 말을 듣도록 하는 것이 아니라 어린이 스스로가 자발적으로 수행해 나가도록 주위의 환경을 자연스럽게 체험하고 습득하도록 동기를 마련해 주는데 있습니다. 지나치게 간섭하는 것이 아니라 그들이 눈앞에 당면하는 큰일들을 돕는 것입니다. 그러할 때 우리의 미래 사회를 인도하고 형성하는 데 있어서 밝고 명랑한 목표를 가진 인간이 새롭게 나타날 것입니다. 오늘은 정상화된 어린이에 관해서 함께 생각해 보도록 하겠습니다. 인간이 아름답게 되는 것이 정상화되었다고 합니다. 어린이의 영혼에는 열매가 있는데 그 열매가 사랑, 기쁨, 평화, 인내, 치절, 선행, 진실, 온유 그리고 절제 등이 있다고 합니다. 이러한 아름다움이 정상적인 어린이의 심리적 특질이라 할 수 있습니다. 그러면 이것이 나타나기 전에 정상적이 아닌 것이 표면에 나타나 있었다는 것이 되겠습니다. 그것은 생명이 억압되어 성장 시의 강렬한 에너지가 궤도를 이탈했다는 것입니다. 어린이에게서 이탈의 형태를 다양하게 볼 수 있습니다. 그 가운데 이탈 현상이라고 하는 것은 방향을 잃은 생명 에너지는 거짓말, 수줍음, 폭력, 대식가, 꾀병, 다양한 종류의 공포증, 말더듬, 단정하지 못함, 파괴적인 행위, 반항 등으로 되어서 나타나는 것입니다. 그리고 또 이탈이라고 생각하는 것은 소유욕, 또는 이상하게 발달한 상상력을 지닌 경우인데, 이러한 어린이는 스스럼없이 가공의 상대에 대해 이야기를 하기도 합니다. 또 대답할 틈도 주지 않고 질문을 계속하는 어린이, 혹은 자신 이외의 인간에 강한 애착을 나타내어서 그 상대방이 없으면 존재할 수 없다고 생각하는 어린이도 있습니다. 이외에도 다양한 형태의 이탈이 있습니다.

그러나 여기서는 이탈을 문제시하기보다 차라리 정상화시키는 방법을 생각해 보는 것이 바람직할 것입니다. 그 한 예로 작업을 통해서 어린이가 정상화될 수 있다고 합니다. 왜냐하면 작업이 어린이의 인격을 형성한다고 생각하기 때문입니다. 어린이는 정돈된 환경에 자유롭게 던져집니다. 그가 지금 서 있는 분위기는 매우 질서가 있고 조용하며 조화로운 곳입니다. 이제 어린이의 이탈된 형태가 어떠하든지 그것이 문제가 되지 않습니다. 어린이는 무질서하고 규율이 없으며 마음에는 초점도 보이지 않습니다. 그러나 그 어린이는 하루 종일 실내 외에서 잠시도 쉬지 않고 돌아다니면서 여기저기 꿀을 찾는 벌꿀처럼 잠시 머물다가 또 다른 곳으로 옮겨가곤 합니다. 어린이는 뭔가를 하고자 하기는 하지만 한곳에 지속적으로 머물지를 못하고 이리저리 방황을 합니다. 그리고 누가 말을 하여도 잘 듣지 않고 흘려 버리고 자기 규제를 하지 못하는 결핍된 상태입니다. 이러한 상태는 오래 지속될 수도 있고 짧게 끝날 수도 있습니다. 그러나 교사나 부모님은 인내심을 가지ㅏ고 어린이에게 분명한 태도와 상대방을 존경하는 태도로써 한 영역을 제공하고 또 무리하게 강요하지 않고 꾸준히 지켜보면서 다른 아이들에게 방해하는 일이 없도록 해야합니다. 그리고 어린이가 하고 싶은 대로 이리저리 돌아다니면서 스스로 작업을 선택하도록 도움을 주는 것입니다. 그러는 가운데 어느날 획기적으로 무엇 때문인지는 모르지만 어린이는 자신이 하고 싶다고 생각한 일을 자발적으로 신중한 태도를 보이면서 집중하여 자신이 선택한 일들을 해 나가는 것을 보여줍니다. 이제 어린이는 정상화의 길에 접어든 것입니다. 집중력은 어린이의 내부에 숨겨져 있는 보석을 어린이에게 열어서 보여 주는 열쇠입니다. 집중력은 심오한 상태이며 깊이 묵상하는 무아지경의 상태라 할 수 있습니다. 어린이가 어떠한 사물에 이끌리어 그곳을 향해서 정신을 집중하며 몰두할 수 있게 되면 처음부터 끝까지 자기 것으로 하는 만족하는 상태, 환경에 잘 적응하고 받아들이는 상태, 모두를 다 용납하는 상태의 그러한 아이가 됩니다.

정상화 된 어린이2

집중력은 어린이의 내부에 숨겨져 있는 보석을 어린이에게 열어서 보여 주는 열쇠입니다. 집중력은 심오한 상태이며 깊이 묵상하는 무아지경의 상태라 할 수 있습니다. 어린이가 어떠한 사물에 이끌리어 그 곳을 향해서 정신을 집중하며 몰두할 수 있게 되면 처음부터 끝까지 자기 것으로 하는 만족하는 상태, 환경에 잘 적응하고 받아들이는 상태, 모두를 다 용납하는 상태, 환경에 잘 적응하고 받아들이는 상태, 모두를 다 용납하는 상태의 그런 아이가 됩니다. 요즈음 핵가족화되어 이기적으로 되어가는 어린이가 둥그러질 수 있다고 생각합니다. 어린이의 정신을 집중시키는 것에는 환경을 항상 환기시키고 자유롭게 일을 하도록 하는 것 이외에도 부모와 교사의 자질 역시 중요합니다. 어린이의 자아개념을 형성하기 위해서 부모와 교사는 어떻게 신경을 써야 합니까? 자긍심이 높은 부모와 교사의 경우에는 어린아이를 자기로부터 독립시켜 주며, 어린이와 자기와의 관계나 또 대인과의 관계에서 문제가 있을 때 쉽게 해결합니다. 그리고 어린이와 부모와 교사와의 관계, 어린이와 어린이 사이의 관계, 어린이와 환경과의 관계에서 신뢰감이 있습니다. 어느 하나라도 불안하게 되면 잘 되어 있지 않다는 것입니다. 또 유아에게 많은 동기를 부여할 수 있습니다. 이때 격려를 하거나 권면을 하는 간접적인 방법을 취할 수 도 잇습니다. 그러나 불필요한 칭찬은 피하는 것이 바람직합니다. 그리고 마지막으로 공동체에서 사람들과 나눔을 할 수 있는 자신감이 있는 사람입니다. 그때 자신에게 맡겨진 아이가 원하는 아이가 아니더라도 저 아이를 어떻게 키울 수 있을까? 하고 생각해보아야 합니다. 반면에 자긍심이 낮은 교사나 부모님은 늘 비판적인 입장을 취하고, 깨닫게 하기보다 매사에 불평불만이 끊임없이 많은 사람이며, 자신감이 없고 열등감이 많으며 내성적인 사람일 경우가 많습니다.

자기가 자기의 권위를 찾는 사람이며 소유욕이 강하고 복종하기를 항상 요구합니다. 이러한 사람은 어린이들에게 자유를 줄 수 없는 사람입니다. 자유가 없으면 도덕을 불가능하게 됩니다. 또한 진정한 자유가 제공되지 않으면 어린이들의 욕구는 발견되지 않습니다. 그러므로 자유를 즐길 줄 하는 부모님과 교사가 되어야합니다. 어린이들에게 부모님이나 교사의 역할이 엄청난 역할을 미치기 때문에 요즘은 긍정적인 자아개념을 가져야 합니다. 환경 내에서 부모나 교사는 서로 존중하고 신뢰하는 방법, 서로 도와주는 방법, 서로 염려해주고 서로를 통해 어린이에게서 정상화되는 모습을 발견할 수가 있습니다. 정상화된 어린이의 특징은 자신의 내면의 질서를 밖으로 표현하여 외계의 질서와 만남으로써 더욱 뚜렷하게 외계의 질서를 보여줍니다. 작업에 대한 애착을 가짐으로서 자기를 표현하고 거기에서 기쁨을 얻습니다. 심오한 자발적인 집중력이 생기므로 현실에 대한 애착이 생깁니다. 그리고 작은 수도자와 같이 혼자서 조용히 일에 몰두합니다. 그리고 본능적으로 소유하고자 하는 것을 순화시킵니다. 정상화된 어린이들은 눈에 띄게 순종하는 것을 볼 수 있습니다. 자립심과 독창력이 있으며, 또 어린이들은 부모나 교사가 없어도 스스로 자발적으로 자기 훈련을 합니다.

정상화된 어린이의 집단이라면 한마디로 기쁨이라 할 수 있으며, 이러한 기쁨은 공동체 속에서 마치 그 향기처럼 퍼져 나갑니다. 어린이의 몸에서 풍기는 기쁨은 즐거움이나 환대를 받을 때의 행복함 그 이상의 것입니다. 어머님! 아버님! 교육이란 생명을 자극하여 충실을 기하여 그 자체의 힘으로 살려고 하는 영혼을 돕는 일입니다. 그러기에 우리의 이기심을 버리고 진정으로 어린이의 삶이 정상화될 수 있도록 합시다.

어린이의 4가지 타입 하나 – 마음씨가 따뜻한 어린이

"마음씨가 따뜻한 어린이들" – 명랑하고 깜찍한 어린이, 항상 기분이 좋고 누구에게나 친절합니다. 밝고 사교를 좋아하는 여자아이는 주위 사람들의 호감을 삽니다. 좀 발랄하고 말이 많은 것이 마음에 걸리기는 하지만 아무리 지껄여도 남에게 나쁜 느낌은 주지 않습니다. 순진하고 따뜻한 마음씨를 지니고 있기 때문입니다. 남을 돌봐 주기를 좋아해서 누구나 잘 받아들입니다. 그래서 여러 사람들이 잘 따릅니다만 때때로 도가 지나쳐서 쓸데없는 간섭이 되는 수도 있습니다. 친구가 많고 언제나 어울려서 놀기만 하므로 꼭 성적이 좋다고만은 할 수 없습니다. 공부는 좀 싫어하는 편입니다. 인간이란 그리 쉽게 온갖 것을 다 할 수 있는 것은 아닙니다. 마음이 순한 어린이는 거기다가 자신의 힘을 집중해서 사용하므로 생각한다든지, 무엇을 외운다든지 하는데까지는 생각이 채 돌아가지 않습니다. 이런 어린이는 그 순수함과 따뜻함을 얼마든지 칭찬해 주십시오. 그렇게 하면 마음 놓고 공부에도 전념하게 됩니다. 남 돌보기 좋아하는 보스 기질의 어린이 여자아이는 지나치게 공부를 하지 않더라도 명랑하고 순진하면 된다고 해서 어머니들은 그다지 신경을 쓰지 않지만, 사내아이로서 이런 타입의 어린이는 공부는 하지 않고 밤낮 놀고만 있다고 걱정하는 어머니가 많습니다. 학교에서의 성적은 그다지 좋지 않지만 친구들이 많고 인기가 있으며, 또 성격이 순한 면도 있어서 집안 심부름도 잘 해 줍니다. 이 어린이들 중에는 많이 따르는 아이들이 있어서 여러 가지 짓궂은 장난을 치는 골목대장도 있습니다. 마음이 순하고 인정이 있으므로 어린아이들이 잘 따릅니다.

그러나 침착하게 책상 앞에 앉아서 공부하는 것만은 질색입니다. 원이나 학교에서도 맨 앞에 서서 떠들어대고 소란을 피우는 일이 많으므로 곧 선생님의 노여움을 삽니다. 그러나 선생님께서 어머니를 통해서 주의를 주면 이상하게도 가정에서는 부모의 말을 잘 들으며 심부름을 잘하며 집안일도 잘 거들어 주는 착한 아이일 경우가 많습니다. 학교나 원에서는 전혀 공부할 마음이 내키지 않는 것 같지만 그렇다고해서 세세한 일까지도 눈치를 잘 차리고 남의 기분도 잘 알아주는 어린이입니다. 이런 어린이들은 성적만은 그다지 좋은 편은 아니지만 어른이 되어서 사회에 나가면 크게 활약하기도 하는 훌륭한 어린이입니다. 수학은 전혀 할 마음이 생기지 않지만 물건을 살 때나 남에게 무엇을 나누어 줄 때에 하는 일상적인 계산을 잘 합니다. 말도 많지는 않지만 결코 수나 말의 개념을 모르고 있는 것은 아닙니다.

확실한 자신의 생각을 가지고 있으며 말수는 적어도 미묘한 기분의 변화까지도 잘 압니다. 세상에서 성공을 거둔 사람은 학교의 성적이 좋았던 것만은 아닙니다. 오히려 사람과 사람과의 사이의 기분의 교류의 존재 방식을 잘 알고 있는 사람ㅇ리 경우가 ㅁ낳은 것 같습니다. 그러한 의미에서는 오히려 성적이 좋은 어린이보다는 사물의 도리를 아는 만큼 머리가 좋다고 할 수 있을지 모르겠습니다. 어머니나 선생님들도 이런 어린이의 좋은 점을 잘 알고 그 장점을 자라게 해 주어야 하겠습니다. 마음이 따뜻한 어린이는 한편으로는 외로움을 잘 느낍니다. 그러므로 그 따뜻한 기분을 누군가가 알아준다면 그것으로 마음을 놓고 어느 새 자기가 공부할 마음이 생길 것입니다. 주위에서 무턱대고 "더 좀 열심히 공부할 수 없니?" 하고 엄격하게 꾸중을 하면 재미를 잃고 오히려 반항하게 됩니다. 느긋하고 온순한 어린이, 또 똑같이 마음이 따듯한 어린이라도 내향적인 아이는 그 따뜻함을 밖에서는 잘 알 수가 없습니다. 그러나 혼자서 가만히 그 기분을 가슴속에 감추고 있는 어린이들입니다.

어린이의 4가지 타입 둘 – 어린이의 4가지 타입 둘

"마음씨가 따뜻한 어린이들" – 느긋하고 온순한 어린이, 또 또각ㅌ이 마음이 따뜻한 어린이라도 내향적인 아이는 그 따뜻함을 밖에서는 잘 알 수가 없습니다. 그러나 혼자서 가만히 그 기분을 가슴속에 감추고 있는 어린이들입니다. 여자아이인 경우는 커서 나이팅게일과 같이 좋은 간호사가 되어 병든 사람을 도와 주자라든가, 어려운 사람들이 힘이 되어 주겠다는 생각을 하고 있습니다. 그러나 그와 같이 크나큰 애정을 곧 부모나 친구들에게 나타내는 일은 하지 않습니다. 보기에는 오히려 반대로 냉정하고 감정이 없는 것 같은 인상을 주는 수도 있습니다. 말수가 적고 조용하게 책을 읽기도 하고 그 책의 내용에 감동되어 혼자서 눈물을 흘리기도 합니다. 온순하고 느긋하며 착한 어린이이지만 이것이 사내아이인 경우에는 마음이 약하고 친구도 적으며, 연약하고 다루기 힘든 어린이라는 인상을 주고 맙니다. 어른이 되어도 이렇게 마음이 약하다면 어떻게 살아 나갈 수 있을는지, 사회에서 낙오가 되지 않을까, 어머니나 아버지에게는 믿을 만한 데가 없는 어린이로 보일는지도 모릅니다. 그러나 사내아이라고 해서 온순하고 애정이 깊은 성격이 별반 나쁠 까닭이 없습니다. 이를테면 장차 진정한 의미에서 좋은 의사가 된다든지, 심리학자가 된다든지 하는 것은 이런 어린이들입니다. 경박하게 기분을 밖으로 표시하지는 않지만 누구의 마음도 잘 알고 마음이 약해 보이지만 사실은 속심이 강하며 버티는 힘이 있습니다. 상처를 받기 쉬운 신경질이기에 그만큼 남이 상처를 받는 기분도 잘 압니다.

"관찰이 예리한 어린이들" – 무슨 일이든지 분명하게 확인하는 똑똑한 어린이, 자명종 시계를 고장 내거나 TV의 뒤로 돌아가서 들여다보거나 하는 탐구심이 강한 어린이들이 있습니다. 실제로 자기의 손으로 확인하고 연구하지 않으면 견디지 못하는 느낌도 줍니다. 욕심이 많고 무엇이든지 제 손에 들어와야 적성이 풀리며 다른 아이들의 장난감도 곧 빼앗아 버리는 면도 있습니다. 현실적인 감각이 뛰어나므로 아직도 젖먹인 데도 셔츠의 촉각에 신경을 쓰고, 음식의 맛도 잘 알기 때문에 어머니가 만든 것이 아니면 안 먹거나 하는 어린이들입니다. 그러나 너무나 현실적인 것에 구애된 나머지 약간 자유스러움이 결여되는 수도 있습니다. 그 호기심을 솜씨 있게 성장시켜 주면 장차 엔지니어와 같은 일로 진출할는지는 모릅니다. 혹은 실무적이며 재치가 있는 일꾼이 될 수도 있을 것입니다. 사치를 좋아하고 뽐내는 어린이, 여자아이일 경우 어릴 때부터 몸치장 하기를 좋아해서 엄마의 화장대에서 루즈를 꺼내어 입술에 바르면서 놀기도 하고, 새 양복을 입고 어른의 흉내를 내느라 작은 핸드백을 손에 들고 걸어 다니고 싶어 합니다.

여자답게 어린 주제에 아양을 떨면서 뽐냅니다. 남의 눈에 뜨이기를 좋아하고 남이 칭찬해 주는것을 매우 좋아합니다. 남의 흉내를 잘 내고 말수도 많으며 손님이 찾아오면 제가 알고 있는 일을 여러 가지 해 보이기도 합니다. 화려하고 사치하고 현실 감각이 발달해 있으므로 크면 무척 아름다운 훌륭한 사람이 될 것입니다. 어릴 무렵부터 금전적 경제 감각이 발달되어 있어서 사치하다고 하는 낭비는 하지 않으며 의외로 똑똑한 면도 있습니다. 요즘의 젊은 사람 중에 많은 타입으로 놀기를 좋아하지만 빠져드는 일은 없고 알맞게 공부도 하여 세상을 재주껏 살아가는 것도 잘 아는 젊은이가 될 것입니다. 그러나 이런 타입이라도 내향성인 어린이는 현실적이 못됩니다. 그대신 여러 가지로 독창적인 이미지를 지니고 있습니다.

어린이의 4가지 타입 셋 – 번뜩임이 있는 어린이

"번뜩임이 있는 어린이들" – 직감력은 좋으나 곧 싫증을 내는 아이, 어린이들 중에는 잇달아 재미있는 일들을 생각해 내어 여러 사람을 기쁘게 해 주는 즐거운 아이가 있습니다. 얼핏 어른들로서는 생각할 수 없는 예상을 세우는 데도 명수입니다. 한 마디로 말하면 직감력이 있고 이해력이 빠른 어린이입니다. 그러나 이런 어린이들도 또한 차분하게 책상 앞에 앉아서 공부하는 것은 질색입니다. 여러 가지 즐거운 생각이나 색다른 아이디어가 떠올라 가만히 앉아서 한 가지 일만 생각할 마음이 내키지 않는 것입니다. 거기다가 자신이 생각한 일을 하기 시작한다 해도 그것이 실제로 다 끝나기 전에 벌써 다음 생각으로 옮겨가 버려서 최후까지 해내는 일은 좀처럼 없습니다. 때로는 입으로만 말할 뿐 한 가지도 실행하지 않는 일도 있습니다. 이를테면 친구와 함께 놀고 있을 때라도 언제나 선두에 서서 새로운 놀이를 생각해 내게 되는데 모두가 한데 어울려서 놀기 시작 할 때 자기는 그만 싫증이 나서 다른 일을 생각하고 있는 것입니다. "장난감 상자를 모아서 군함을 만들자" 이런 즐거운 말을 꺼내는 것은 대개 번뜩임 형의 아이입니다.

그러나 실제로 장난감 상자로 배를 만들어 내기란 참으로 어려운 일입니다. 돛대 대신에 총채를 세워서 만들기도 하고, 집짓기 장난감을 짜 맞추어서 배의 모양을 갖춘다든지, 생각은 얼마든지 나올 수 있는 것인데도 막상 해보면 크기가 안 맞는다든지, 돛대가 흔들려서 제대로 세울 수 없다든지 하는 여러 가지 장애가 나타납니다. 그렇게 되면 더 이상 계속될 수 없으므로 다음번의 재미있을 것 같은 놀이를 시작해 버립니다. 끝까지 버티고서 완성시키는 아이는 오히려 현실적으로 사물을 잘 보는 감각파의 어린이들입니다. 즉 착상이 풍부한 아이는 현실을 똑똑히 보지 않으므로 머리로 생각한 것만으로 끝나 버리는 수도 있습니다. 이는 싫증을 잘 내는 아이라고도 할 수 있습니다. 그러나 싫증을 잘 낸다고 해서 지나치게 꾸중을 한다든지, 억지로 안정시켜 보려고 해도 잘 되지 않습니다.

왜냐하면 꼬리를 물고 즐거운 아이디어가 떠오르기 때문이며 즐거운 일을 생각해서는 안된다고 해서 될 까닭이 없는 것입니다. 그리고 새로운 것을 생각해 낸다는 것은 오히려 장점이지 결점은 아닌 것입니다. 이런 아이에게 그 어떤 한 가지 일을 처음부터 끝까지 시키고자 할 때는 어른이 상당히 도와주지 않으면 안됩니다. 그리고 때로는 도와주어서 그 아이의 결점을 보충해 줄 필요도 있습니다. 그리고 무엇보다도 그 어린이의 착상이 재미있다는 것을 평가해서 격려해 주는 것도 중요합니다. "언제나 말뿐이지 뭐 한가지 제대로 해 놓은게 있기나 하니?" 하는 말로 처음부터 그 어린이의 생각을 부정해 버리면 자신을 잃게 되어 모처럼 갖게 된 장점도 성장시킬 수가 없습니다. 실행력은 없더라도 전체를 내다보는 일은 잘하며, 그다지 노력가로는 보이지 않지만 직감력이 좋으므로 차분하지 못한 결점을 보충하고 있습니다. 그 직감력을 작용시키기 위해 노력하고 있으므로 차근차근히 하는 타입은 아닙니다. 독창적인 번뜩임이 있는 어린이, 직감력이 좋은데도 밖으로 발표를 하지 않고 혼자서만 생각하고 있는 내향성의 어린이도 있습니다. 때때로 굉장한 것을 문득 말하기도 하므로 주위 사람들이 놀라서 되물어 보아도 이미 뚜렷하게는 말을 하지 않습니다. 주위 사람들이 반문했을 때는 이미 다른 일을 생각하고 있어서 앞서 한 말은 잊어버렸을지도 모릅니다. 곁에서 외부적인 측면만 보고 있는 사람에게 있어서는 가장 이해하기 어려운 어린이인 것입니다. 때로는 천재가 아닌가 하고 생각할 만큼 독창적인 사고를 번뜩이기도 하지만 그것을 형태로 해서 남기는 일은 없습니다.

어린이의 4가지 타입 넷 - 내향적, 외향적인 어린이

"내향적인 어린이, 외향적인 어린이들"- 혼자서 멍하고 놀고 있는 것 같아도 마음속으로는 갖가지 이미지와 놀고 있는 것입니다. 이를테면 공원에 생김새가 재미있게 생긴 나무가 있거나 하면 그것을 사자나 기린으로 생각하고 놀기도 합니다. 구름의 모양에서 여러 가지의 것을 연상하면서 즐기거나 하는 것도 이런 타입의 어린이들에게 많습니다. 무엇을 보거나 거기다가 자기의 상상을 겹쳐서 보므로 환타지가 풍부하고 매우 재미있는 일을 머릿속으로 그리고 있는데 그 이미지가 다른 사람의 것과는 전혀 다르므로 좀처럼 이해를 얻지 못합니다. "이상한 소리를 하는 아이야." 하고 어머니마저 상대해 주지 않는 일이 많습니다. 그래서 불안해져서 남보다 배나 무 서움을 탑니다.

어두운 곳에 도깨비를 본다든지, 자기 방이면서도 잘 확인하지 않으면 얼핏 들어가지 못하는 어린이입니다. 그러나 상상력이 발달되어 있으므로 잘 지도를 하면 독창적인 드림이나 문장을 쓰는 미래의 예술가들이라고 할 수 있을 것입니다. 다만 이런 어린이는 외부에서 기술적인 것을 가르쳐도 순진하게 그에 따르려 하지 않습니다. 제 맘대로 생각나는 것만 그리기도 하고, 다른 사람으로서는 이해를 할 수 없습니다. 또 자기의 이미지에 대한 고집이 있어서 나무 그림을 그리게 하면 한동안 계속해서 나무만 그린다든지 동물에 대한 생각을 하면 다른 것에도 그 이미지를 적용시켜서 생각하거나 하므로 아무래도 사물을 보는 방법이 좁아지는 경우가 있습니다.

외향적인 아이들과는 달리 내향적인 아이들은 독창적인 만큼 남의 이해를 받지 못한다는 결점이 있습니다. 또 바깥 세계에 대해서 경계를 하고 있으므로 관심은 깊지만 좁습니다. 그와 마찬가지로 감각은 발달해 있지만 내향적인 아이인 경우에는 현실적인 사물을 가능하면 보지 않으려고 노력하고 있는 것 같습니다. 외부로부터의 자극으로 해서 자신의 세계가 파괴될 것 같은 기분이 들기 때문인 것입니다. 그래서 내향적이란 것만으로 뛰어난 감각을 가지고 있는데도 오히려 감각적인 것이 전혀 발달되지 않는 것이나 아닌가 하고 생각게 되는 수도 있습니다. 현대의 어린이들은 일반적으로 외향적인 감각이 대단히 발달하고 있는 것 같습니다. 생각을 한다는 것을 싫어하고, 남의 일을 생각해 주는 순진한 마음도 발달되지 못했지만 현실적이며, 놀기를 좋아하고, 취미도 좋으며 옛날 사람들보다고 음식의 맛이나 생채 감각에 뛰어나 있어서 생활을 즐길 줄도 압니다.

내향적인 감각파의 어린이들도 즐거운 판타지를 지니고 있어서 그림책 등을 보아도 자기가 좋아하고 싫어하는 것이 있어 상당히 주문이 까다로운 것 같습니다. 그런데 곤란한 것은 책상 앞에 앉아 조용히 생각하기를 싫어하며 어지간히 고집통이어서 얼핏 보아 남에 대한 동정이 없는 듯 한 느낌을 줍니다. 그러나 나쁜 점만 있는 것은 아닙니다. 호기심이나 탐구심이 있으므로 그것을 소중히 해서 지나치게 꼼꼼한 주의는 주지 말고 그 아이의 소질을 충분히 기를 수 있게끔 해 주십시오. 내향적인 어린이는 대단히 델리키트한 센스가 있습니다. 이런 어린이들에게 그저 공부하라고 말로만 해서는 오히려 반항심을 부채질하는 결과밖에 되지 않습니다. 그보다는 외향적이며 현실을 잘 보는 아이는 그 장점을 잘 살펴서 실제로 보고나 듣거나 하는 점에 흥미를 갖게 하고, 이미지를 갖는 아이에게는 그 상상력을 발휘할 수 있도록 하는 지도가 바람직하다고 생각됩니다.

적극적인 부모가 되려면?

대부분의 부모들은 내 자녀가 최고이기를 바라며 남에게 똑똑한 아이로 비춰지기를 희망하며 삽니다. 자녀를 잘 양육하고 싶어 하지만 부모 역할을 잘 할 수 있는 기술을 배운 적은 별로 많지 않습니다. 주위에서 보면 부모와 자녀들간에 힘 겨루기를 하는 것을 보면서 많은 아이들이 현대 사회에서 생존하는데 필요한 기본적인 자질인 용기, 책임, 협동심과 자존감(Self-esteem)을 개발시키지 못하고 있다는 생각이 듭니다. 요즘 10대들의 약물중독, 임신, 낙태, 범죄, AIDS와 자살의 비율이 점점 높아져가고 있는데 우리네 자녀들이 인생에서 다가오는 도전에 용감하게 대처할 수 있도록 좀 더 적극적인 부모의 자세가 필요하다고 봅니다. '적극적'이란 단어의 대비어는 '반응적' 인데 '반응적인 부모는 자녀가 치근대는 것을 한없이 참고 있다가, 마침내 좌절, 분노, 훈육의 방식으로 폭발하여 소리를 지르거나 때리는 식으로 반응합니다. 여기서 문제점은 대부분의 부모들이 자녀지도에 있어서 일관성이 없다는 점인데 적극적 부모 역할 훈련에의 기본철학은 가족 내에서 지도자적 역할을 할 사람은 자녀가 아니라 부모라는 것입니다. 부모 역할은 우리의 자녀들이 그들이 살고 있는 사회 안에서 생존하고 번영하도록 보호하고 준비해 주는 것을 목적으로 합니다. 이 목적은 세월이 흘러도 변함이 없지만 우리가 살고 있는 사회는 무섭게 변화되고 있기 때문에 부모 된 도리로서 우리 아이들을 위험한 상황에서 보호 해 주는 게 마땅하다고 봅니다. 오늘날 아동과 청소년들은 마약이나 환각제같은 불법 약물들을 손쉽게 구할 수 있으며 학교의 폭력, 왕따, 성폭행 등의 문제로 부모들을 더욱 힘들고 어렵게 만들고 있습니다. 그런데 계속 과잉보호로 일관한다면 아이들은 스스로 자기 앞날을 헤쳐나가지 못하고 성공적인 인간으로 성장하지 못할 것입니다.

자녀들에게 해 줄 수 있는 일들

우리네 자녀들이 독립적인 인간이 되도록 준비해주기 위해선 우리가 할 수 있는 일은 무엇일까요? 첫째, 여러 사람과 말할 기회를 많이 가지면 자녀들이 생활하고 있는 지역에서 자녀에게 어떤 위험 부담이 있는지를 알게 될 것입니다. 둘째, 다른 부모님들과 만나고 모임을 통해서 현재 살고 있는 지역에 좋은 교육환경을 조성하기 위해 노력해야 합니다. 셋째, 자녀가 독립적이 되도록 배려해 주며 좋은 책과 교사, 주위 학부모를 통해서 도움을 얻는 일입니다. 자신과 사회에 대해 화를 내야만할 때 우리말에는 인간의 감정 가운데 하나인 화를 내는 것을 표현하는 말도 무척이나 많은 것으로 보입니다."화나다", "성내다", "성깔내다", "기분 나쁘다", "열 받다", "핏대서다", 그리고 "한 맺히다"도 이에 포함시킬 수 있을 것입니다. 최근 젊은 세대들은 여기에 "뚜껑 열리다", "김나다"라는 표현을 추가 시켰답니다. 이 정도만 나열해도 화를 내는 것에 관한 표현이 아마 다른 어느 나라 말보다 가장 많을 것이라는 추측이 가능한 것입니다. 이 사실은 우리 민족이 세계에서 가장 화를 잘 내는 민족중의 하나일 것이라는 추측을 가능하게 해 줍니다. 우리가 화를 잘 낸다는 사실을 입증하는 증거는 또 있습니다. 전세계에서 우리 민족에게만 "홧병"이라는 병이 있다는 사실입니다. "홧병"은 영어의 학사전에도 실려 있어서 의학 전문용어 대접을 받고 있는데 "한국인에게만 나타나는 질병" 이라는 설명이 쓰여 있다는 것입니다. 화를 잘 낸다는 것은 감정이 풍부한 증거라고도 볼 수 있을 것입니다. 최근 한 얼굴 전문가가 발표한 사실에 근거하면 한국인은 감정이 지나칠 정도로 풍부하여 감정을 지배하는 우측 상단의 뇌가 발전한 결과로 의견상 나타나고 있답니다. 즉 한국인들은 거의 모두 우측 상단의 이마가 약간 돌출해 있다는 것입니다. 모두가 자신의 이마를 만져보고 확인해 볼 일입니다. 감정이 풍부한 것은 나쁜 것만은 아닐 것입니다. 오히려 감정이 메마른 것보다 예찬되어야 할 것입니다. 그러나 화를 내는 것은 감정이 풍부한 것과는 좀 다른 문제입니다. 화를 내면 독특한 생리적 반응이 나타납니다. 얼굴이 붉어지고 핏대가 서며 가슴이 울렁거리고 목소리가 커지고 빨라지며 눈물이 날 때도 있고 동작도 매우 거칠고 공격적이 되는 것 등입니다. 눈도 부릅뜨고 코도 벌름거릴 때도 있습니다. 또 육두문자를 거침없이 쓰고 싶은 용감성도 생겨납니다. 우리는 거의 날마다 한번 이상은 이런 생리적 경험을 반복하며 살아가고 있습니다. 화를 내는 일에는 반드시 적대시하고 공격해야 할 구체적인 상대방이 존재한다는 특징이 있습니다. 화가 발생하는 원인은 대개 무시당하거나 억울하거나 손해를 볼 때 등인데 한마디로 말하면 자신의 생존환경이 나빠졌다는 사실이 확인 되었을 때라고 생각 합니다. 한바탕 화났다는 사실을 입증하는 생리적 반응을 상대방에게 표시하면 대개 속이 좀 시원해집니다. "한바탕 해 주었기" 때문입니다. 그러나 문제는 한바탕 해 주어서 속시원하고 끝나지 않는다는 것입니다. 화를 겉으로 드러냈다는 것은 상대방에게 일종의 공격을 가했다는 뜻입니다. 당연한 일이지만 상대방도 순순히 물러나는 경우는 거의 없고 맞받아치며 싸움의 양상으로 발전하게 됩니다. 싸움이 끝나도 쌍방간의 냉전은 상당히 오래 지속되어 양자가 동시에 피해를 보게 되는 것이 상례입니다. 따라서 화를 내면 거의 반드시 후회가 남고 더욱이 화를 잘 내는 사람이라고 낙인 찍히게 되면 주변 사람들에게 신뢰감을 상실하는 치명타를 받게 되는 것입니다. 따라서 화나는 것을 절제하는 것은 사회생활에 있어서 아주 중요한 덕목이 됩니다. 여기에 서 이야기를 다시 바꾸어 보면 화를 내는 것이 나쁜 일 만은 아니라는 것입니다. 사회에 만연되고 있는 불의, 부정, 부패 그리고 무사 안일에 대해서는 화를 내야 합니다. 이것은 흔히 한자로 분노(憤怒)라고 말하기도 합니다. 또 자신에 대해서도 화를 내야 합니다. 자신의 능력이 현재 계 우 이 정도밖에 발휘되고 있지 않은 것에 대해서 분노를 느껴야 합니다. 남에게 무시당하여 화내는 것은 매우 짧은 시간에 끝나는 감정의 표시입니다. 그것은 반드시 후회를 남깁니다. 자신과 사회에 대해 화를 내는 것의 특징은 오래 오래 지속된다는 것입니다. 마음속에 응어리진 분노는 겉으로 생리적인 반응을 표출하지는 않지만 사회와 자신을 바꾸는데 오래 오래 힘이 되는 좋은 점이 있습니다.

가을의 과학 왜? 무엇?

“과학에는 자신이 없어서” 하고 체념하고 있지는 않습니까? 가을은 어린이를 위한 쉬운 과학 얘기를 마스터할 수 있는 좋은 기회입니다.

가을이 되면 나뭇잎에는 왜 단풍이 들지요?

식물의 잎사귀 속에는 엽록소가 있기 때문에 초록색으로 보이는 것입니다. 그러나 가을이 되면 이제까지 초록색이었던 단풍나무, 담쟁이덩굴, 산 벚나무 등의 잎이 새빨갛게 단풍이 듭니다. 이것은 별안간 추워져서 기온의 변화가 심해지면 잎사귀 속에 당분이 고이는데, 이 당분에서 붉은 색의 색소가 만들어지기 때문에 잎이 붉어지는 것입니다.

그리고 은행, 너도밤나무 등과 같이 잎이 노란 색이 되는 것은 단풍의 경우와 좀 다릅니다. 이것은 가을이 되어 기온이 떨어지면 잎 속의 엽록소가 녹아 없어지고 이제까지 초록색에 가려져 있던 황새 색소가 남기 때문에 잎이 노랗게 되는 것입니다. 잎에는 초록색과 노란색의 색소가 들어 있지요. 추워지면 초록색의 색소가 없어지고 노란색이 늘어요. 그리고 이와 같은 색깔이 있는 색소가 없었던 곳이 붉어집니다.

거미는 왜 자기의 거미줄에 걸리지 않을까요?

무당거미나 말거미의 거미줄은 중심을 향한 세로줄과 소용돌이 모양으로 쳐진 가로줄로 엮어져 있습니다. 가로줄은 먹이를 잡기위한 것으로서 끈끈하지만 세로줄에는 끈기가 없습니다. 거미가 거미줄 위를 걸을 때는 이 끈기가 없는 세로줄 위를 능숙하게 걸어갑니다. 그리고 거미의 발끝이나 몸에는 언제나 기름 같은 것이 스며 나오고 있어 끈끈한 가로줄 위라도 걸을 수 있습니다. 이 때문에 거미는 자기의 거미줄에 걸리는 일이 없습니다. 거미줄에는 끈끈한 것과 끈기가 없는 것이 있어요. 거미는 끈기가 없는 줄 쪽으로만 걸어 다니니까 아무일 없는 거지요.

벌은 모두 사람을 쏘나요?

벌에 쏘이면 죽는 사람이 적지 않습니다. 벌에 장난을 치거나 벌집에 가까이 가면 위험하지만 무턱대고 두려워하지 말고 벌의 종류와 생활에 대하여 알아둡니다. 벌을 구분하면 배의 일부가 가늘게 잘록한 것과 그렇지 않은 것으로 나누어집니다. 이중 배가 잘록하지 않은 벌은 사람을 쏘는 벌이라도 산란관(産卵管)이 없는 수벌에는 독침이 없습니다. 어떤 벌이나 모두 사람을 쏘지는 않습니다. 약간 뚱뚱한 벌은 쏘지 않지만 날씬하고 작은 벌은 쏩니다. 벌을 가려내려다가 쏘이지 마세요.

가을의 과학 왜? 무엇?

"과학에는 자신이 없어서" 하고 체념하고 있지는 않습니까? 가을은 어린이를 위한 쉬운 과학 얘기를 마스터할 수 있는 좋은 기회입니다.

가을에는 왜 고추잠자리가 많아져요?
고추잠자리란 가을이 되면 몸의 색깔이 빨개지는 잠자리를 말합니다. 6월경 평지의 연못이나 수면에서 성충이 되지만 여름 동안은 시원한 산이나 고원 지대에서 지냅니다. 그리고 가을이 되면 모두 동시에 평지로 내려와 무리를 지어서 날아다닙니다. 그리고 몸의 색깔도 빨개지기 때문에 매우 눈에 띄게 됩니다. 암컷은 10월에 알을 낳습니다. 여름 동안에는 시원한 산과 고원 지대에 피서하러 가 있다가 가을이 되니까 다시 돌아온 거지요.

귀뚜라미는 어디에 있지요?
가을이 되면 벌레소리가 여기저기서 들려옵니다. 귀뚤귀뚤 귀뚜라미가 울고 있습니다. 가까이가면 뚝 그치기 때문에 좀처럼 모습을 발견하기 어렵습니다. 이럴 때 돌이나 화분을 가만히 들어보면 귀뚜라미를 볼 수 있습니다. 그리고 같은 귀뚜라미를 볼 수 있습니다. 그리고 같은 귀뚜라미 중에서도 청 귀뚜라미는 풀밭에, 그 박의 귀뚜라미는 높은 나무위에, 또는 잔디밭 속 등 각각 종류에 따라 살고 있는 장소가 다릅니다. 자, 귀를 기울이고 잘 들어봐요. 풀숲에서도 돌 밑에서도 들려오지요.

맛있는 밤에는 왜 가시 돋친 밤송이가 있지요?
밤도 도토리와 같은 종류입니다. 밤의 열매에는 도토리와 달리 가시가 돋친 밤송이가 씌워져 있습니다. 이것은 밤이 특히 맛있기 때문에 동물들에게 먹히지 않도록 밤송이가 열매를 지키고 있는 것입니다.

왜 여러 가지 모양의 구름이 있지요?

구름은 지상과 바다에서 증발한 수증기가 뭉쳐져서 생긴 조그마한 물방울과 얼음의 결정이 모인 것입니다. 하늘의 높이, 기압, 온도, 바람 등에 따라 갖가지 종류의 구름이 생기는데 하나도 똑같은 모양의 것은 없습니다. 그리고 여름에는 뭉게구름과 적란운(소낙비구름), 가을에는 줄기 구름, 겨울에는 밭이랑 구름 등과 같이 계절에 따라 특징 있는 구름이 됩니다. 온도와 바람과 계절의 따라 어느 구름이나 모두 모양이 틀리 다는 것입니다. 같은 모양은 하나도 없습니다.

꽃은 왜 예쁜 가요?

식물은 수술에 붙어 있는 화분이 암술에 옮겨지지 않으면 씨를 만들 수 없습니다. 이 때문에 대부분의 식물은 예쁜 꽃을 피워서 벌레를 부릅니다. 꽃에 날아든 벌레는 꿀과 화분을 모음과 동시 화분을 나르는 역할을 합니다. 그 덕택에 식물은 씨를 만들 수 있는 것입니다. 그러나 벼나 솔잎과 같이 바람의 힘으로 화분을 나르는 것도 있습니다. 이와 같은 수수한 빛깔과 모양을 하고 있으며 그다지 눈에 띄지 않습니다.

"기 다 림"

부자들의 투자습관 가운데 공통점은 '기다릴 줄 안다'는 것이다. 이들은 부화뇌동하지 않으며, 조급해하지도 않는다. 부동산에 10년 또는 20년 이상 묻어둘 수 있는 여유가 있고, 주식투자를 할 때도 몇 년을 기다릴 줄 안다. 재테크에서 실패한 사람들은 매사에 조급하다. 주식투자를 할 때 한달은 커녕 일주일도 기다릴 줄 모른다. 부동산 투자에서도 1~2년 안에 승부를 내려고 한다. 빚을 내서 투자한 사람은 오랫동안 기다릴 수 없기 때문에 백전백패할 수밖에 없는 노릇이다. 기다릴 줄 아는 사람만이 재테크에서 최후 축배를 마실 수 있다.

인생도 마찬가지란 생각이 든다. 성공한 사람들은 때를 기다릴 줄 안다. 반면 실패한 사람들은 매사에 성급하다. 짧은 시간에 승부를 내려고 하기 때문에 위험을 제대로 읽지 못하고 그만 사기에 휘말리거나 무모한 투자에 발을 담그게 된다. 이들에게 남는 것은 산더미만한 빚 뿐이다. 박현주 미래에셋그룹 회장의 집무실에는 ' 응립여수 호행사병(應立如睡 虎行似病)'이란 좌우명이 걸려있다. 채근담에 나온 말로 '독수리는 조는 듯이 앉아 있고, 호랑이는 앓는 듯이 거든다' 란 뜻이다. 큰 먹잇감을 잡으려면 치 병든 것 같은 자세로 때를 기다려야지, 그렇지 않고 금방이라도 잡아먹을 듯한 기세로 으르렁거린다면 대어를 낚을 수 없다는 교훈을 얻게 한다.

직장을 옮기는 가장 큰 이유가 직장 내에서의 불편한 인간관계 때문이라는 설문조사 결과가 있다. 적성이 맞지 않거나, 새로운 삶을 살기 위해 오랫동안 준비한 뒤 직장을 옮긴다면 몰라도 상사와 코드가 맞지 않거나, 새로운 삶을 살기 위해 오랫동안 준비한 뒤 직장을 옮긴다면 몰라도 상사와 코드가 마지않는다든가 상사로부터 잔소리를 들었다는 이유만으로 직장을 옮긴다면 실패할 확률이 매우 높다. 이런 사람은 이직을 해도 좋은 직장을 잡을 수가 없다. 대부분의 회사들이 경력 사원을 뽑을 때 평판조사를 하기 때문에 과거 직장에서 인간관계가 원만하지 못해 그만뒀다는 사실을 알게 되면 채용을 꺼리게 마련이다. 직장에서 성공하려면 오래 참을 수 있어야 하며 감정 관리를 자해야 한다는 것은 황금률로 통한다. 부부 생활도 다를 게 없다.

연말 인사철을 앞두고 직장인들이 이직을 고려한다. 그러나 1~2년 참고 기다리면 더 좋은 기회가 있을 텐데 순간을 참지 못하고 직장을 옮겼다가 실패한 사례를 많이 보게 된다. 한 분야에서 성공하려면 최소 10년 정도는 피땀을 흘려야 하는 것 같다. 그러나 많은 사람들이 1~2년 하다가 별 희망이 없다며 다른 길을 걷기 일쑤다. 기대했던 성과를 내지 못해 성급해질 때면 모죽(毛竹)과 강태공에서 실마리를 찾아보면 좋겠다.

죽순 가운데 중국에서 자라는 것을 '모죽(毛竹)'이라고 한다. 모죽은 4~5년을 땅 밑에서 뿌리를 내린 뒤 5주 만에 15m 이상 자란다고 한다. 모죽의 뿌리는 좌우로 엄청나게 넓게 퍼져 있는 것으로 유명하다. 단단하게 뿌리를 내렸기 때문에 그렇게 빠르게 자랄 수 있는 셈이다. 중국 제나라 제후로 잘 알려진 강태공의 민낚시 얘기도 큰 뜻을 이루려는 사람들은 귀담아 들을만하다. 강태공은 문왕을 만나기까지 바늘이 없는 민낚시로 위수에서 세월을 낚았던 것으로 전해진다. 70세가 넘어서도 자신이 섬길만한 위인을 만나기 위해 세월을 낚을 수 있는 강태공의 여유가 부러울 뿐이다. 기다림이야말로 성공의 어머니인 것 같다.

"꿈을 찾아 길을 떠나요"

어린이는 꿈을 먹고 자랍니다. 뭉게구름이 되어 파란 하늘을 누비는 꿈을 꾸는 게 어린입니다. 해바라기처럼 꿈을 향해 상상의 날개를 활짝 펼치기도 합니다. 꿈이 없으면 희망도 없습니다. 어린이의 꿈은 무지개 빛 입니다. 꿈은 자라면서 퇴색할지라도 크레파스 색깔처럼 선명하고 다채로운 게 아이들의 꿈입니다. 최근 수도권의 한 지자체에서 운영하는 '드림 스타트 센터'에서 '나의 꿈을 찾아 길을 떠나요!'를 주제로 NIE(신문활용교육)을 통해 교육하는 것을 보았습니다. 드림스타트란 저소득층이나 결손 가정 아이들에게 용기와 꿈을 심어주고 건강한 사회구성원으로 성장 할 수 있도록 도와주는 복지서비스입니다.

'꿈을 찾아 떠나는 여행', 조상들의 삶의 지혜를 배우는 '시간여행', 진로를 모색해 보는 '상상여행' 신문 속에서 길을 찾는 '체험여행'등 강의 주제를 설정했으나 아이들의 눈높이를 맞추기란 그리 녹녹치 않은 것 같습니다. 집중력을 높이고 흥미를 끌기 위해 첫 날 첫 시간에 동영상 두 편을 준비해 온 것을 보았습니다.

코니 탤벗이 아바의 노래를 리바이벌한 '나에겐 꿈이 있어요(I Have A Dream)'와 인순이의 '거위의 꿈' 이었습니다. 코니 탤벗은 2007년 일곱 살 때 영국 지상파 채널 ITV 인기 오디션프로그램 '브리튼스 갓 탤런트,'를 통해 세계적인 스타가 된 꼬마가수, 네 살 때 할머니가 암으로 죽자 엄마는 신경쇠약에 걸렸고, 그는 노래로 엄마의 병을 치유했습니다. 인순이는 혼혈아로 태어나 온갖 시련과 역경을 극복하고 가수의 꿈을 실현시킨 입지전적인 노력파였습니다.

'거위의 꿈'은 지쳤을 때 가장 힘이 되는 노래 1위로 뽑혔습니다. 신문에서 내가 닮고 싶거나 영향을 받고 싶은 롤 모델로 제시했습니다. 어려운 환경 속에서 봉사와 선생을 실천해 온 숨은 공로자들이기에 아이들의 피부에 더 많이 와 닿을 것이란 판단에서였습니다.

'수단의 슈바이처'로 불리는 고(故) 이태석 신부, 빈 병 주워 1억 장학금을 기부한 위안부 출신 황금자 할머니, 양손 잃고 소금 팔아 모은 돈을 소년소녀가장에 기부한 강경환씨 등은 어린이뿐 아니라 우리사회가 본받아야 할 삶의 멘토들입니다. 개그맨 시험에서 7번, 대학시험에서 6번 떨어졌고, 남들이 외모를 가꿀 때 성실하게 연습하여 '개그 달인'으로 인기를 누리는 김병만씨, 대기업에 다니다 사표를 쓰고 재래시장에 뛰어든 신세대 총각사장 등을 곁들어 소개하며 닮고 싶은 롤 모델을 적고 그 이유를 써 보라고 했으나 예상은 빗나갔습니다. 닮고 싶은 사람이 없는 데 이유가 나올 턱이 없었습니다.

나의 꿈은 무엇이고, '나는 ㅇㅇㅇ처럼, ㅇㅇㅇ해서 ㅇㅇㅇ될 거야'라고 써보라고 했더니 그마저도 생각이 미치지 못하는 것 같아 답답했습니다. 축구 선수가 되고 싶다는 아이에게 "누구를 닮고 싶으냐"고 물었더니 "박지성 선수"라고 대답합니다. 박지성 선수의 어떤 점을 닮고 싶으냐고 물어도 우물쭈물 합니다. 결국 "나는 박지성 선수처럼 열정과 노력으로 국가대표선수가 될 거야 '로 꿈을 제시해 주었습니다. 아이들의 꿈마저 가난한 것은 아닌지 모르겠습니다. 우리 하버드의 아이들 하나하나의 원대한 꿈을 심어 주고' 함께 꿈을 꾸며 달려가고' 이루어 가며 듣고 지켜 보고 싶습니다.

'기본으로 돌아 갑시다'

우리의 옛 소담 중에 '범 본 여편네 창구멍을 틀어막듯'이라는 것이 있습니다. 짐작하셨겠습니다만, 여기서 말하는 범이란 호랑이입니다. 범 본 여편네가 창구멍을 틀어막다니, 무슨 얘기일까요?
어느 날 갑자기 집 밖에서 천지를 뒤흔드는 듯한 소리가 들리자 깜짝 놀란 여인이 조심조심 뚫린 창구멍으로 밖을 내다봅니다.

보니 이게 웬일, 집 앞에 집채 만한 호랑이가 떡 버티고 서 있는 것이 아니겠습니까? 기겁을 한 여인이 허겁지겁 창구멍을 틀어막지요. 그리고는 방안에서 오들오들 떨었을 것입니다. 세상에, 창구멍을 통해 호랑이를 보았다고 창구멍을 틀어막다니요. 창구멍을 통해 호랑이가 들어오리라 생각을 했을까요,

우선 호랑이만 안 보이면 된다고 생각한 것일까요. 그러나 창구멍을 막는 것은 호랑이로부터 피하는 것과는 아무런 상관이 없는 일입니다. 창구멍을 틀어막으면 호랑이야 보이지 않겠지만 그렇다고 위험으로부터 벗어난 것은 결코 아닐 테니까요. 그렇게 하는 것은 마치 한겨울 꿩이 눈 속에서 도망을 치다가 더 이상 도망칠 기력이 없어지면 자기머리를 눈 속에 파묻는 것과 다르지 않을 것입니다.

내 눈에만 안 보이면 된다고 생각하는 어리석은 일이지요. '아랫돌 빼서 윗돌 괴고 윗돌 빼서 아랫돌 괴기'라는 속담도 있습니다. 우리 옛 마을의 아름다운 정취 중 빼놓을 수 없는 것이 돌담일 것입니다. 야트막한 높이의 돌담이 집과 집 사이의 골목길이나 길과 밭 사이를 따라 자연스레 흘러가는 모습을 보면 절로 마음이 평화로워집니다. 돌과 돌을 쌓았지만 시멘트처럼 서로를 연결하는 접착제는 없습니다.

차곡차곡 돌 위에 돌을 쌓았을 뿐 서로를 연결시켜 주는 것이 아무 것도 없어 얼핏 돌담이 허술할 것 같지만, 서로 다른 크기와 서로 다른 형태의 돌들이 서로를 붙잡아줌으로 비바람을 넉넉히 견디며 세월을 이깁니다. 허술한 것들이 모여 서로를 강하게 하지요. 돌담은 그 정겹고 수수한 모습으로 세상에서 정말로 강한 것이 무엇인지를 생각하게 합니다. 급하다고 실을 바늘허리에 묶어서 쓸 수 없듯이 아무리 마음이 급해도 급한 마음으로 할 수 없는 일들이 있는데, 아랫돌 빼서 윗돌을 괴거나 윗돌을 빼서 아랫돌을 괴는 일이 그 중의 하나입니다.

담을 쌓다가 돌이 모자란다고 아랫돌을 빼서 윗돌에 괼 수는 없습니다. 그러면 일이 쉽게 마무리되는 것 같지만 얼마를 버티지 못하고 담은 무너지고 말 것입니다. 또한 아랫부분이 약하다고 윗돌을 가져다 막으면 그것도 허술하기는 매한가지입니다.

“경제교육을 지금하기에 빠르다고요?”

어린이들이 너무 일찍 돈을 알게 하면 좋지 않다고 생각하는 것이 보통의 모습입니다. 그러나 그것이 아이의 장래 경제력과도 직결될 수 있는 중요한 문제입니다. 경제에 대한 교육을 한 번도 받아보지 못하고 경제력을 갖추는 것은 여간해서는 어려운 일입니다. 또한 아이들은 실제 어른이 생각하는 것보다 더 빨리 돈에 대한 나름의 관점을 갖게 됩니다. ‘돈 없어요? 그럼 은행에서 돈 찾아오면 되잖아요?’ 아직 경제관념이 없는 어린이집 다니는 아이의 말입니다. 그들은 자신이 본 것을 기준으로 은행에만 가면 돈을 무조건 찾아 올 수 있다고 생각하는 것입니다. 자녀들에게 먼저 가르쳐야 할 것은 노동의 가치입니다. 어린 아이들에게 노동을 시키라는 말은 아닙니다. 그러나 무언가 누구에겐가 가치 있는 일을 했을 때 돈을 벌 수 있다는 것을 알려주는 것은 필요합니다.

그냥 대가 없이 용돈을 주는 것보다는 일정액의 용돈에 대해서는 일정한 집안일 돕기의 의무를 부과하는 것이 좋습니다. 가족의 구성원으로서 당연히 해야 할 일을 알려주는 것입니다. 그 외에도 심부름하기, 부모의 구두 닦기, 동생돌보기, 부모의 일 도와주기 등의 과외적인 특별한 일에 대해 급료를 정하고 일을 시키며 성과에 따라 지급하는 것도 필요합니다. 일의 경중이나 소요시간에 따라 차등의 대가를 지불하여 시간의 가치와 일의 가치도 알게 하는 것이 필요합니다. 또한 더 높은 부가가치를 알도록 서비스의 수준을 조절할 수 있다면 더욱 좋을 것입니다. 단, 일의 가치와 급료는 사회적으로 통용되는 것보다는 절대로 많지 않아야 합니다. 자녀를 사랑하는 마음에 과도한 보상을 한다면 이는 경제교육이 아니라 아이의 경제력을 망치는 일이 될 수도 있기 때문입니다. 자녀가 정당한 노동의 대가로 수입이 발생하면 이를 기록하게 하는 것도 필요합니다. 수입과 지출을 기록하도록 하고 은행 통장도 자녀의 이름으로 만들어 주는 것입니다.

그 돈을 모아 자녀가 하고 싶은 특별한 일이나, 사고 싶은 특별한 것을 살 수 있도록 해 줍니다. 또 나중에 커서 해외 배낭여행 등의 비용을 계획하는 것도 좋을 것입니다. 간혹 부모가 급하게 아이의 돈을 빌려 쓰게 되는 경우라도 반드시 되돌려 주면서 이자를 계산해 준다면 아이들은 투자의 개념도 알게 될 것입니다. 물론 어느 정도 돈이 모이면 금융권을 통한 투자를 알려주는 것도 좋을 것입니다. 경제관념이 부족한 상태에서 아이들이 커 가면서 부모의 지도도 제대로 받을 수 없게 되면 아이들은 아르바이트도 열악한 관경에서 자신의 귀중한 시간을 착취 수준의 급료로 헐값에 맞바꾸어버리는 일이 발생 할 수 있습니다. 또한 인생에서 가장 중요한 투자의 개념을 알게 해야만 합니다. 바로 자신에게 하는 투자입니다. 자신의 시간당 몸값을 올리는 방법을 알려주고 더 높은 가치를 갖도록 독려하는 일입니다. 살아가면서 무엇이 더 중요한가를 아는 것도 매우 중요한 경제교육입니다. 중요한 일에 시간과 노력을 집중할 수 있도록 하는 것입니다. 우리의 경제 중요성에서 지갑이 설사약을 먹었다거나, 지갑 속에 암이 걸렸다면, 또한 학창시절에 신용카드를 받고 평생 동안 빚을 지게 된다면 큰일일 것입니다. 돈은 모으는 것보다 쓰는 것이 더 중요하다는 것은 우리가 모두 알고 있는 사실입니다. 우리 자녀가 진정한 노블리스 오블리제를 알도록 자신이 모은 돈의 일부를 어려운 이웃이나 자선단체에 기부하는 것도 가르쳐야 할 일입니다. 존경받는 부자는 돈을 버는 과정도 투명하고 떳떳해야 하지만 그 돈을 쓰는 방법도 자신만을 위해 쓰지 않습니다. 또 그런 사용처를 위해 자녀가 더 많은 경제력을 갖고자 한다면 더욱 좋을 일일 것입니다. 경제를 준비한 사람은 경제가 어느 방향으로 가건, 언제 어려운 일이 일어나건 늘 번창할 수 있을 것입니다. 경제에 대해 코치인 우리들의 부모님들이 해주신다면 우리 아이들은 훌륭한 사업 시스템을 만들 것이요, 구축해 갈 것입니다.

– 하버드 부모님과 함께하며 자녀를 리더자로 만들기 –

“가녀린 몸의 코스모스”

가을바람이 산들산들 불어 올 무렵이면 흙먼지 뽀얗게 일어나는 신작로 양쪽 가에서 먼지를 흠뻑 뒤집어쓰고 가녀린 몸을 하늘거리고 있는 코스모스, 누가 뭐래도 코스모스는 가을을 대표하는 꽃입니다. 전해지는 이야기에 따르면 코스모스는 신이 제일 처음 만든 꽃이라고 합니다. 어딘지 가냘프고 흡족하지 않아 다시 이런 저런 모양으로 만들다 보니 결국 이 세상의 모든 꽃들이 다 만들어졌다는 것입니다. 우리와 너무 친근해서 꼭 우리 꽃처럼 느껴지는 코스모스는 국화과에 속하며 살살이 꽃이라 부르기도 합니다. 코스모스의 고향은 멕시코이며 콜럼버스가 아메리카 대륙을 발견한 이후 유럽에 전해졌고 우리나라에는 개화기 이후쯤 전해진 것으로 추측을 하고 있습니다, 코스모스가 가냘프면서도 맑은 인상을 주는 이유는 고산식물이기 때문인데 멕시코 원종 코스모스는 공기가 맑고 찬 고산에서만 자란답니다. 생명력이 강하고 번식이 빨라서 한번 씨를 부려 놓으면 야생화처럼 해마다 꽃이 피어 잘 자라기 때문에 일부러 가꿀 필요가 없습니다.

다만 15센티미터 정도 자랐을 때 가운데 순을 잘라 주면 가지가 옆으로 퍼져 자라면서 더 많은 꽃을 피웁니다. 코스모스는 보통 키는 1미터로 자라며 잎은 마주나고 꽃은 줄기 끝에 하나씩 달립니다. 꽃잎을 세어 보면 8장 내외로 끝이 세 갈래로 갈라져 있습니다. 하지만 가운데 노란 부분도 꽃잎이 모인 꽃잎 구조입니다. 가운데 원형부분을 통상화라 하고 둘레의 꽃잎을 설상화라고 하며, 꽃잎의 색은 흰색과 분홍색, 빨강색, 노랑색, 복숭아색 등 다양합니다. 그들 중 노랑 코스모스 잎에다가 담배연기를 대면 재미있게도 진한 주황색이나 적색으로 변하는데 이는 꽃잎이 노랑색을 나타내는 플라본이라는 색소가 강 알카리성인 담배연기를 만나 반응하기 때문입니다. 코스모스라는 이름은 1700년 무렵 이탈리아 마드리드의 식물 원장 카바니레스가 붙였으며, 그리스어의 질서, 조화를 뜻하는데서 따 왔습니다. 꽃말은 순정, 애정입니다. 흔히 코스모스는 가을에만 피는 꽃으로 알고 있지만 초여름에서 가을에 걸쳐 두루 피어나며, 국화처럼 낮보다 밤이 길어지면 꽃을 피우는 단일식물입니다. 가을의 문턱에 들어서는 이즈음 풍성한 가을 들녘, 산기슭, 도로변, 숲 어귀를 한층 더 아름답게 수놓고 있는 코스모스 길을 따라 걸으면서 가을의 정취를 한껏 느껴 보는 것은 어떨까요.

가장 소중한 만남 그리고 인연

사람들은 흔히 인생을 물의 흐름에 비유하곤 합니다. 물은 쉬임없이 제 길을 흐르며 지푸라기나 허접 쓰레기 등 제 몸에 실리는 것들을 실어 나르다가 그럴 만한 곳에 부려놓기도 하고, 낭떠러지에 이르러서는 폭포의 거센 줄기로 떨어져 내리고 포말로 부서져버리기도 합니다. 긴 흐름의 과정에서 겪는 숱한 만남과 헤어짐, 사람의 인생도 크게 보면 이와 다를 바 없을 것입니다. 우리의 삶은 원하든 원하지 않든 만남의 연속입니다. 우리는 순간순간 만나고 이별합니다, 어떤 만남은 무심하고, 기억에서조차 완전히 잊혀지는가 하면 아주 오래 상흔을 남기거나 인생의 전환점이 되고 변화의 분기점이 되기도 합니다.

만남이란 비단 사람과의 인연에 국한된 것만은 아닙니다. 한 줄의 문자, 한 폭의 그림, 하나의 사건, 한가락의 노래나 시 등등이 인생의 방향을 달리하게 하고 변화가게 하는 예는 많습니다. 어떤 분은 릴케의 '젊은 시인에게 보내는 편지' 를 읽고 시인의 길을 걷게 되었으며 어떤 이는 미술교과서의 그림 한 장에서 화가의 꿈을 키우게 되었다고 토로했습니다. 우리도 어쩜 부추겨주신 선생님이나 인생의 선배가 있었기에 현재의 우리가 있지 않았나 생각을 해봅니다. 그래서 인생과 역사는 우연을 가장한 필연이라는 말도 있나 봅니다. 지금의 우리가 있기까지는 만남으로 형성되어진 그 무엇이고 이제까지의 모든 만남의 총화일 것입니다, 그래서 모든 일은 우연을 가장한 필연, 혹은 운명이라는 말을 쓰기도 하는 가 봅니다. 또한 독서는 좋은 스승, 형제보다도 살가운 벗들, 개안(開眼)의 기쁨을 준책들과의 만남이 있습니다.

그 책들과 만남이 아니었더라면 우리는 아마 인생에서 복되고 아름다운 많은 것들을 몰랐거나 얻지 못했을 것입니다. 그러나 우리에게 있어 무엇보다 가장 큰 만남은 가족의 만남이라 할 수 있을 것입니다. 가족이라는 이름으로 만난 우리들은 각자 우리의 결코 알지 못할 아주 오랜 옛날로부터 먼 길, 먼 세월을 한발씩 타박타박 걸어와 이 자리에 부모와 자녀, 교사, 그리고 부부이거나 형제라는 이름으로 모였다는 애잔함과 애틋함, 혹은 숙명감에 가슴이 저리기도 합니다. 선택하지 않은 부모와 형제들, 그리고 그 많고 많은 사람들 중에 서로 만나 일생 부부라는 이름으로 동고동락하는 일, 아이들의 출생, 그 만남의 우연성이랄지 필연성이랄지 하는 것이 풀길 없는 수수께끼로 새삼 신비한 까닭입니다. 부모와 형제는 선택할 수 없이 주어지는 것이며 서로를 선택하여 만나는 부부조차 그 만남을 다리 설명할 길이 없기에 인연이거나 운명이라고 말합니다.

그래서 옛 어른들은 부모와 자식, 부부들은 전생에 서로 원수였기에 그것을 갚노라 이 세상에서 그런 인연으로 맺어졌다는 말씀들을 하면서 함께 겪고 불평 없이 당연하게, 값지게 받아들이라고 타이르셨던 것 같습니다. 가정이 어찌 사랑과 포용과 다사로움 나의 보금자리이겠습니다만, 가정은 사회와 세상의 시금석이자 축소판입니다. 전쟁과 평화, 사랑과 미움, 기쁨과 슬픔이, 살아감의 달고 시고 떫은맛이 고루 깃들어 가족 구성원들의 의식과 무의식 성품과 생의 양상을 이루어 갑니다. 아이들은 내게 있어 세상으로 향하는 통로였고, 배움과 실천의 장이자 무수한 시행착오와 실패의 장이기도 할 것입니다. 때로 상처받고 고달프고 깊은 실망감에 빠지기도 하지만 그들로 인해 우리는 행복하고 풍요로울 것입니다. 그들과의 만남이 없었더라면, 그 어떤 책에서도, 스승에게서도 배울 수 없었던 생명의 의미와 소중함, 그리고 열심히 온 힘을 다해 껴안고 살아야 하는 삶의 중요성과 겸허함 자신에 대한 존중감과 가치를 깨닫는 일이 결코 쉽지 않을 것입니다.

교사와 부모의 협력

어린이의 바람직한 성장 발달을 위해서 부모와 교사가 밀접한 의사소통을 유지한다면, 오늘날 흔히 볼 수 있는 어린이집과 가정 사이의 갈라진 틈을 없애게 됩니다. 부모와 교사의 의사소통은 여러 가지 방법이 있습니다. 예를 들면, 교사의 가정방문, 부모의 어린이집 방문, 전화 대화, 자모회, 가정통신, 부모교육 등입니다. 또 부모들의 어린이집 교육에 대한 참여도에서 볼 때, 몇 개의 단계로 나눌 수 있습니다,

1) 청취자의 역할만을 하는 부모(이 수준의 부모는 매우 소극적이며, 교사가 하는 말을 의의 일방적으로 듣기만 합니다.)
2) 질의자의 역할을 하는 부모(이 수준의 부모는 적극적이며, 자기 자녀에 대한 장단점과 지도법을 이해하려고 합니다.)
3)교사 보조자의 역할을 하는 부모(우리나라에는 별로 보기 어렵지만, 시간 여유가 있는 어머니가 어린이집에서 자진하여 교사를 돕는 역할을 하며, 특히 자기 자녀의 학습효과를 늘이려고 합니다.)
4)교육과정 결정에 대한 참여자의 역할을 하는 부모(매우 바람직하지만, 아직 우리나라에서는 별로 없습니다.)

이렇게 볼 때, 부모의 역할은 최소한 질의자의 수준까지 와야 할 것입니다. 가정과 교사의 가정 방문에 대해서 살펴보겠습니다. 우선 교사가 어린이의 구체적인 생육과정을 알기 위해서는 가정환경을 아는 것이 퍽 도움이 됩니다. 가정을 방문하면 어린이는 교사에게 더욱 친숙하게 되고, 부모들도 더욱 자유롭게 어린이의 문제를 거론하게 됩니다. (이때 어린이가 부모와 교사의 토의 내용을 듣지 않도록 하는 것이 좋습니다.)

교사는 그 가정의 생활실태를 보고 또 어린이집 자녀를 보낸 데 대한 느낌이나 소망을 들음으로 해서 많은 것을 얻게 됩니다. 다음에 부모님의 어린이집 방문입니다. 이에 대하여 어린이집에서는 가급적 많은 이해를 가져야 합니다. 어떤 어린이집에서는 학업에 지장을 준다는 구설로 부모의 어린이집 방문을 제한합니다만, 부모들은 어린이집이 자기 자녀를 위하여 무엇을 하고 있으며, 또 교육과정을 어떻게 진행시키고 있는지를 알 권리와 책임이 있습니다. 그러나 수업에 지장을 주지 않기 위하여 하루에 많은 부모들이 출입하는 것을 삼가고, 어린이집에서 계획한대로 한, 두 어머님이 방문하는 것이 좋을 것입니다.

그리고 방문 후에 그 부모와 면접하여 토의함으로써, 그 어린이의 특징을 더욱 깊게 이해할 수 있을 것입니다. 전화 대화도 직접면담의 내용으로 이용됩니다. 특히 어린이의 그날의 건강상의 문제, 사고, 또한 어린이 앞에서 말하기 어려운 일들을 전화로 하게 됩니다. 요컨대 한 인간의 지식, 기능, 태도의 바탕을 마련하고, 인

경을 형성하는 이 중요한 시기의 어린이의 바람직한 성장 발달을 위해서 어린이 집과 가정은 서로 밀접한 유대를 가져야 합니다. 오늘의 어떤 부모들은 학교에 지나치게 의존하고, 자신은 뒤에 물러서서 방관자의 입장을 취하고 있습니다만, 이것은 자녀의 장래를 위해서 바람직하지 못한 태도입니다. 한편 어떤 부모들은 어린이집에 보내지 않고 가정에서 놀고 자라도 잘 자랄 것이라는 안이한 생각을 가지고 있습니다. 오늘과 내일의 고도 과학 기술 사회에서 자기의 잠재력을 십분 발휘할 수 있고, 또한 국가나 사회가 기대하는 옳은 인간상을 가지도록 하기 위해서 어린이집 교육에 대한 새로운 관심을 가져야 할 것입니다. 어린이집은 어떤 좁은 견해를 가진 사람들이 생각하는 지식 전달의 "장"만은 아닙니다. 다음 세대의 훌륭한 사람으로 키우기 위해서, 그리고 조기교육의 거센 세계 조류 속에서 앞으로의 사회에 원활히 기반을 닦기 위하여, 선진국의 경우처럼 어린이집 교육의 중요성을 재인식 시켜야할 시점에 왔다고 확신합니다.

꿈 큰 사람, 사람 가려 사귀고 주변 정리 확실히 해야

요즘, 프로가 아닌 국민들을 매우 혼란스럽게 하는 사건들이 줄을 잇고 있다. 등장인물들이 여러 명이고 외워야 할 이름들이 특히 많다. 한 사건이 마무리 지어지고 정신을 차린 후 다음 사건이 터져야 되는데 마구 겹쳐서 터지기 때문에 '리스트' '게이트'등의 주인공을 제회하곤 어떤 사건의 등장인물인지 제자리에 정리해 넣기가 힘들다. 더구나 최근 극장가처럼 만들기만 하면 공전의 히트를 치는 조폭 얘기가 슬쩍슬쩍 가미되니 픽션이건 논픽션이건 간에 세간의 안주거리가 되기에 충분하다. 연속되는 사건의 게이트 보도를 접하면서 누구나 느낀 것이겠지만 사람을 가려서 사귀고, 특히 꿈이 큰 사람들은 주변정리를 확실하게 해야 한다는 것을 절실히 느꼈을 것이다. 그게 어디 마음대로 되느냐고 항변하겠지만 그래도 정리해야 한다. 한때 권력의 핵심에 앉아 있던 분이, 권력을 잡고 나니 형제 친인척은 물론이고, 언젠가 집 고쳐준 적이 있는 목수조차 ㅇㅇ회장 명함을 만들어 뿌리고 다니는데 질려버렸다는 회고를 한 적이 있다. 이런 식의 삶을 사는 사람들을 예나 지금이나 수없이 많다.

친한 후배가 이런 점을 가장 잘 활용하는 사람이라며 경계하라고 일러준 요주의 인물을 빌게이츠가 참석하는 한 행사장에서 만났다. 본 행사가 끝난 후 소위 명사들을 특별히 불러 그 촌스러운 기념촬영을 한다고 앞에 몇 개의 의자를 놓고 몇 명은 뒤에 서라고 했다. 서로 직접관계자들에게 양보하며 사진 촬영을 사양하고, 특히 빌게이츠와 장관이 앉은 앞자리의 의자를 양보하는 사이에 바로 그 불청객이 쏜살같이 나와서 날름 앉아 버렸다. 행사 관계자들은 그 자리에 모시려던 사람을 뒤에 세울 수밖에 없었다. 그런 부류의 사람들은 그 사진을 악착같이 구해 어디선가 유용하게 써 먹을 것이다. 그런 사람들은 사무실에 들어가 보면 어김없이 유력인사와 찍은 사진을 즐비하게 건다든지, 표창장 · 상패로 도배를 하기도 한다. 유력 인사들이 참여 할 만한 수 백명, 수 천명씩 모이는 행사장마다 진행 측이 아닌 사진사들이 이런 얼빠진 사람들을 상대로 짭짤한 장사를 할 수 있는 것도 이 때문이다.

그냥 스치듯이 지나가는 의례적인 악수장면을 놓치지 않고 촬영한 사진은 좋은 이력서가 된다. 선거 때마다 홍보전단에 등장하는 단골 사진, 미국 대통령과의 기념 촬영사진은 우리를 슬프게 했다. 김대중 총재 및 대통령과 함께 한 사진도 단골이었다. 그것이 실제로 어떤 자리인지는 중요치 않다. 지금도 보궐선거에서 한 후모가 홍보 전단에 썼던 사진 한 장 때문에 곤욕을 치르고 있다. 연수중에 찍은 프랑스 상원에게서의 연설장면 사진이다. 어쨌든 게이트나 리스트 사건에 등장하는 유력 인사들은 사기성이 농후한 이런 사람들 때문에 구설수에 올랐다며 억울하다는 생각이 들것이다. 그러나 이 얄팍한 상술이 아직은 통하는 사회라는 것이 바로 무제다. 권력의 옷깃에 붙은 검불까지도 힘 있어 보이는 세상이라는 것이 바로 문제인 것이다. 며칠 전 판결이 난 청와대 기능직의 형태가 이를 대변하고 있지 않은가. 나중에 산수 갑산을 갈 망정 일단 터트리면 무럭무럭 자라 가지치고 새끼 쳐서 배를 불려주는, 푹 썩은 퇴비가 풍부한 토양이 문제라는 것이다. 아직도 기업은 권력의 손가락 하나에도 뒤집힐 수가 있다고 생각하니 다양한 인맥을 관리 할 수 밖에 없다. 누가 권력의 실세들과 선 닿아 있느냐에 따라 전진배치 시키는 것은 다연하다. 심지어 그거 조폭이라 할지라도, 이 전진배치가 효과 없음을 보여주는 것이 바람직한 사회로 가는 길이다. 계속되는 여 · 야간 비리 폭로 전을 보면서 국민들은 여당의 주장대로 정치를 천박하게 '폭로'로 일관하는 야당에 대한 불만도 있지만, 어쩌다가 폭로가 국민에게 먹혀든 이 한심한 꼴이 되었는지 면벽참선하는 권력의 모습을 보고 싶어 할 것이다.

나무와 교육(칼럼)

가장 좋은 교육은 타고난 능력을 최대한 발휘하도록 하는 것이다. 그러나 한국의 교육은 선진국 문턱까지 오도록 하는데 크게 기여했지만 많은 문제점을 안고 있다. 한국 교육의 가장 큰 문제는 피교육자들에게 창의력을 발휘할 수 있는 기회를 주지 않는다는 점이다. 한국의 교육은 어린이집부터 초, 중, 고등에 이르기까지 오로지 좋은 대학에 보내기 위한 과정에 불과하다. 이런 현상은 사회가 좋은 대학 출신자들만 대우하기 때문이다. 그래서 학부모들은 자녀를 좋은 대학에 보내기 위해 수단과 방법을 가리지 않는다. 심지어 학교에서도 학생들을 일류대학에 몇 명 보냈는가를 평판의 기준으로 삼는다. 그러나 학교와 학부모들이 아무리 노력하더라도 모든 학생들이 일류 대학에 갈 수 없다. 교육의 목적은 국가의 인재 양성 측면만이 아니라 개인의 행복도 중요한 부분을 차지한다. 그러나 현재 실시하고 있는 한국의 교육 방식으로는 국가에서 필요한 우수란 인재는 물론 개인의 행복도 이룰 수 없다. 왜냐하면 한국의 교육은 창의적인 교육이 거의 이루어지지 않고 있기 때문이다. 창의성 교육이 이루어지기 위해서는 무엇보다도 공부에 대한 올바른 이해가 필요하다. 한국에서의 공부는 단순히 교실에서 이루어지는 학습을 의미한다. 그러나 공부는 삼라만상이 대상이다.

공자는 아들인 리(鯉)에게 늘 '시경'을 강조했다. 공자가 자식에게 시경을 가조한 것은 이 작품을 읽지 않고서는 말을 할 수 없다는 뜻이다. 공자가 시경을 공부의 기초이자 핵심이라 여긴 것은 이 작품 속에 식물이 가득했기 때문이고, 식물을 이해하지 않고서는 공부의 기초가 잡히지 않는다고 믿었기 때문이다. 시경에는 일상에서 만나는 식물이 가득하다. 일상에서 만나는 식물조차 모르는 사람이 다른 것을 이해하거나 말한다는 것은 우스운 일이다. 그래서 공자는 시경을 읽지 않는 자식을 야단쳤고, 늘 시경의 중요성을 가조했던 것이다. 공부의 기초와 핵심은 나무 한 그루, 풀 한 포기 등 언제나 가장 가까운 곳에 있다. 그러나 한국의 교육 현장은 늘 만나는 나무 한 그루, 풀 한 포기에는 거의 관심이 없다. 심지어 매일 먹는 음식이 어디서, 어떻게 생산되는지 조차 모른다. 그래서 한국의 교육은 매우 추상적이고 비현실적이다. 이런 교육을 받은 학생들은 창의력을 발휘할 수도 없고, 창의성 없는 학생들은 한국의 미래를 밝게 만들 수도 없으며, 개인의 행복마저 제대로 누릴 수도 없다. 한국의 교육은 한마디로 억지로 성장시키는 '조장(助長) 교육'에 불과하다. 그래서 선생과 학부모는 제자와 자식을 결코 기다리지 않는다. 그저 속성으로 키워 사회에 내 보내는데 급급할 뿐이다. 어버이를 의미하는 한자 친(親)은 '나무 위에서 바라보는 모습'이다. 이처럼 한국의 교육도 바라보고, 지켜봐야 한다. 나무는 절대적 시간을 기다려야 재목으로 성장한다. 인재(人材)도 마찬가지로 절대적 시간을 필요로 한다. 기다리지 않는 교육, 속성 및 조장 교육은 모두를 불행하게 만든다.

나무의 처신

모든 생명체는 어디에 사느냐에 따라 삶의 방향이 달라집니다. 그래서 어떤 생명체든 가장 적합한 곳을 찾아서 똬리를 튼다. 어떤 사람들은 좋은 곳을 찾아 전국을 누비기도 합니다. 요즘은 대부분 좋은 직장을 찾아 살 곳을 옮기지만, 사업사회이전 한국과 중국에서는 적지 않은 사람들이 자신의 터전을 풍수사상에 따라 결정했습니다. 풍수는 바람을 갈무리하고 물을 얻는 '장풍득수(藏風得水)'의 줄임말입니다. 사람은 추위를 막고 물을 쉽게 얻어야만 살아갈 수 있기 때문입니다. 사람들이 배산임수를 선호하는 것도 풍수사상에 기인합니다. 그런데 물은 나무가 많아야 쉽게 얻을 수 있습니다. 그래서 나무가 많은 곳이 살기 좋은 곳이고, 살기 좋은 곳을 만들려면 나무를 많이 심어야만 합니다.

숲에서 즐거움을 찾는 것이 바로 장자가 말한 '임락(林樂)'일지도 모릅니다. 좋은 터전을 찾았더라도 살다보면 언제든 위기를 맞습니다. 까치들이 나무에 '고층 아파트'를 짓는 것은 그곳이 자신이 살 수 있는 가장 적합한 곳이라 믿기 때문입니다. 그러나 아무리 견고한 집일지라도 태풍을 만나면 나무가 쓰러지는 경우가 생깁니다. 그래서 사람이든 나무든 닥쳐올 위기에 대비합니다. 소나무와 참나무 계통의 나무처럼 고정생장형(固定生長型) 나무들은 눈앞의 상황만을 살핀 후 성장합니다. 어느 쪽이 나은 삶인지는 쉽게 판단할 수 없습니다. 오래 산다고 행복한 것도 아니고, 짧게 산다고 불행한 것도 아니기 때문입니다. 다만 한 가지 분명한 것은 각자 나름대로 위기를 대처하는 방법을 갖고 있다는 점입니다.

위기를 극복하는 방법 중 하나는 자신을 바로잡는 '위기(危己)'입니다.
자신을 바로 잡지 않고서는 위기를 극복할 수 없기 때문입니다. 나무들이 자신을 바로 잡는 모습은 뿌리에서 확인할 수 있습니다. 요즘 가로수로 즐겨 심는 느티나무와 중국단풍을 보면, 간혹 뿌리가 땅 밖으로 나와 있습니다. 이 나무들은 비바람에 뿌리가 뽑힐 것 염려해서 또 다른 뿌리로 감쌉니다. 나무든 사람이든 뿌리가 뽑히면 거의 살 수 없습니다. 뿌리가 튼튼해야만 위기를 극복할 수 있습니다. 화려한 꽃도 나무가 살아가는 방식이지만, 화려한 꽃은 만들 수 있는 것은 뿌리가 있기 때문입니다.

우리가 나무의 뿌리에 눈길을 두는 것은 우리 자신의 내면을 들여다보는 좋은 기회이기 때문입니다. 나무는 궁핍할 경우에도 뿌리를 튼튼히 하면서 좋은 때를 기다립니다. 나무는 가뭄이 들면 자식을 낳기 위해 꽃을 많이 만들기보다는 뿌리를 튼튼하게 만듭니다. 이것이 자기를 바르게 하는 자세이고, 나무가 살아가는 방식이다. 사람도 마찬가지입니다. 살림사이가 어려우면 절약해야 하고, 앞날을 위해 저축도 해야 합니다. 더욱이 나무와 풀이 살 수 있도록 잘 보존해야 합니다. 식물이 살고 있는 곳을 함부로 손대면 인간의 터전도 송두리째 사라지기 때문입니다. 그래서 식물의 삶은 곧 인간 삶의 바로미터입니다.

나에게는 이런 아빠가 있어요.

엄마, 아빠가 어렸을 적에는 할머니의 무릎을 베고 구수한 목소리로 듣던 옛날이야기, 노래, 수수께끼들…"만약에 인절미가 시집을 간다면 콩고물에 팥고물에 화장을 하고, 빨간 쟁반 위에 올라앉아서 시집을 간다네, 목구멍으로", "바지 속에서 뿡 소리가 났는데 찾을 수 없는 것은?" 이런 꿈같았던 추억을 가슴에 고이 간직하고 계시겠지요? 삶의 연륜과 여유를 가지신 어른들께서 충실한 생활교육을 시켜주시던 그때에 대하여 깊은 감회를 가지지 않는 분은 아무도 안 계실 것입니다. 일에 쫓기시고 피곤하시겠지만 사랑하는 귀여운 자녀들을 위하여 시간을 내셔서 마음의 문을 열어 보시길 아버님들께 부탁을 드립니다.

이런 아빠가 좋은 아빠!

◇ 아빠 인생에 대한 교훈을 많이 이야기해 주세요.

◇ 자녀와 함께 보내는 시간은 양보다 질이 더 중요합니다.

◇ 자녀와 함께 많은 추억을 만들어 보세요.

◇ 내 가족만 챙기는 것이 아닌 타인을 배려하는 것을 가르쳐 주세요.

◇ 자녀를 강하게 키워주세요.

◇ 일하는 즐거움과 보람, 가치를 일깨워 주세요.

◇ 어려서부터 바르게 사는 방법에 대해 가르쳐 주세요.

◇ 자녀 앞에서 정정당당한 아버지의 위엄을 보여주세요.

◇ 때로는 사랑의 회초리를 드시는 아버지의 모습을 보여주세요.

◇ 아버지는 자녀의 보호자이며, 그림자 같은 존재임을 생각해 주세요.

◇ 자녀의 사소한 것도 기억해 주세요.

◇ 무조건 성공을 강조하기 보다는 자기관리 요령을 가르쳐 주세요.

◇ 1주일 혹은 10일에 한 번이라도 아이와 둘만의 시간을 가져보세요.

◇ 아이와 대화를 위한 이야깃거리를 많이 만들어 보세요.

◇ 자녀에게 선택권을 주어 스스로 결정하게 하세요.

◇ 가끔은 자녀에게 편지를 써 주세요.

"아빠, 책상 위에 놓으시고 늘 저를 생각해 주세요."

“나도 좋은 아버지가 되고 싶다”

일정한 나이가 되어 결혼을 하고 아이를 낳으면 누구나 아버지가 됩니다. 아이를 낳기는 했지만 그 아이가 기는지, 걷는지, 어떻게 자라는지 무심했던 과거 아버지들과 달리 요즘 아버지들은 엄마 못지않게 아버지의 역할을 중요하게 생각을 합니다. 그래서 아버지가 되는데는 자격이 필요하고 아버지 노릇도 마치 공부하듯이 배우고 연습을 한다고 합니다. “아버지 되기는 쉬워도 노릇하기는 어렵다”, “아버지가 변해야 가족이 산다”, “남자가 변해야 남자가 산다.”처럼 아버지의 변화를 촉구하는 말들이 많습니다. 이런 변화의 흐름 속에서 아버지들은 좀 더 적극적으로 고민들을 하며 여러번 생각들을 합니다. 또한 “세상의 모든 아버지들은 누구나 좋은 아버지가 되든 안되든 그 스트레스에서 벗어 날 수는 없습니다.

그렇게 피할 수 없는 스트레스라면 즐겁게 실천하겠다는 것입니다.”라고 말하는 아버지도 있습니다. 혹자는 “남성들은 늘 아버지 역할을 특별하고 거창한 것으로만 생각해 의무나 부담으로 받아들인다”라고 말합니다. 땅에 떨어진 아버지 권위를 세우는 것이 아니라 아버지 노릇을 제대로 하자는 것입니다. 아버지 노릇의 기본은 대화의 회복입니다. 아이들은 가족의 동등한 구성원으로 보는 데서 대화의 실마리는 풀립니다. 동등한 인격체로 대화를 하다보면 아버지들도 솔직하고 인간적인 자신의 모습을 보여주게 됩니다. 좋은 아버지를 꿈꾸는 남성들은 이 점에 주목을 합니다. “엄격하고 빈틈없는 아버지”가 아니라 “감정이 있는, 인간의 얼굴을 한, 어깨에 진 삶의 무게가 느껴지는 아버지의 모습”을 보일 때 아이들이 아버지에 한발 다가옵니다. 또 아버지 노릇은 시간을 투자해야 하는 일입니다. 몇몇 아버지들은 공동의 경험을 위해 취미를 함께 하라고 제안을 합니다. 그래서 어릴 때부터 함께 놀고, 먹고, 책 읽고, 목욕하고, 대화하고 공동의 경험을 만든 아버지와 자녀들 간에는 스킨쉽이 당연하고 자연스럽습니다. 좋은 아버지들이 자녀에 대한 관심은 가족 이기우의로 굳어지지 않습니다. 내 아이만을 특별하게 키우겠다는 것이 아니라 아이를 통해 사회 전체를 보게 되고 자신의 아이들이 살아갈 사회를 고민하게 되기 때문입니다. 그러나 아버지 역할에는 어떤 왕도도 정답도 없습니다.

누구에게든 아버지 되기는 늘 첫 경험입니다. 대부분은 자신이 자란 아버지들의 모습을 마음속으로 비춰보면서 아버지 역할을 합니다. 아버지들이 모임을 하거나 책을 읽으면서 간접 경험들의 모임을 갖어 간접 경험들을 늘려 자신의 모습을 수정할 뿐 어떤 것도 해답은 없습니다. 따라서 열려진 마음으로 아이들에게도 배우겠다는 자세가 필요합니다. 그 아버지 밑에서 자란 아이들은 뭐가 달라도 다를 것입니다. 그 결과 그 아들들은 “나도 커서 아빠처럼 내 아이한테 해야 돼?”라고 말할 정도입니다. 아빠의 노력을 아이들이 알아주는 것에 감사를 할 것입니다. 한 아버지는 아이들을 키운다는 것은 인간이 가지는 모든 감정을 경험하는 과정이었다고 말을 합니다. “대부분의 부모들은 개인적인 소유물, 욕심의 대상으로 아이들을 바라보는 경험을 합니다. 인간이 만든 창조물 중에 가장 공을 들이고 손해 보는 일이 바로 아이들을 키우는 것이기 때문입니다” 이 권위적인 욕구와 싸우는 과정에서 아버지 사신이 변화하고 성장하는 경험을 하게 됩니다. 그것은 아버지를 인간적으로 성숙시킵니다. 아이들을 바라보는 우리들의 근본적인 시각을 고쳐 바라보고 "자녀는 잠시 동안 우리가 위탁을 받아 기른다는 생각을 갖는 것이 좋다고 생각하는 분도 있습니다. 우리가 산에 가면 여러 종류의 나무를 보듯이 아이들도 각자의 자질에 따라 자기 일을 하면서 이 세상을 살아갈 것이라고 봐야 하고, 사람이 사는 사회는 수많은 종류의 일이 필요하다는 넉넉한 생각, 자기가 좋아하는 일을 즐겁게 하다가 때가 되면 세상을 떠나는 것이 삶의 핵심이 아닌가 하는 느긋한 생각들을 어른들이 가졌으면 좋겠습니다."

당신의 이름은 위대한 어머니

당신의 이름은 위대한 어머니

당신의 고운 얼굴 주름져가도

당신의 여린 손마디 억세어져도

이 세상에서 가장 아름다운

오직 한 사람

어머니, 바로 당신입니다.

어머니의 맛, 어머니의 내음,

어머니의 눈물, 그리고 웃음

그 끝없는 사랑으로 샘솟는 맘과 내음,

넘쳐흐르는 미소와 눈물이 아이의 소중한 양식이기에

이 세상에서 가장 아름다운

오직 한 사람

어머니, 바로 당신입니다.

다시 시작하는 용기

우리는 어떤 일에 있어서 새로이 시작할 때 뭔가 새로운 다짐으로 출발을 합니다. 그러나 작심삼일이라 했던가? 많은 경우, 시간이 지마에 따라 새로운 결심과 계획이 이미 망가지고 무너져버렸을 것입니다. 그러나 실망할 필요 없다. 비록 작심삼일이라 할지라도 다시 시작하면 되는 것입니다. 실패가 두려워 포기하는 것보다, 또 실패하더라도 다시 시작하는 편이 훨씬 유익하기 때문입니다. 인생은 마치 마라톤과 같다고 말한다. 마라톤을 가능하게 하는 힘은 5%가 육체적 힘이고 95%가 정신력이라고 말합니다.

마라톤은 엄청난 육체적 피로와 통증은 물론, 곧 죽을지도 모른다는 두려움에 시달리기도 하기에 무엇보다 정신력이 강해야 한다는 것입니다. 특히 자기 자신과 치열하게 싸워야하기에 포기의 유혹에 사로잡힐 수밖에 없습니다. 그런데 유명 마라톤 선수에게 "언제 가장 포기하고 싶어지는가?"를 물었습니다. 대답은 참으로 의외였습니다. "출발할 때"라는 것입니다. 출발할 때 포기하고 싶은 것은 결과에 대한 두려움 때문입니다.

실패에 대한 무의식적 두려움이 출발할 때 가장 크게 작동하기에 포기의 유혹에 시달리는 것입니다. 이러한 현상은 인생살이에서도 흔히 나타납니다. 인생은 새로운 시작과 출발의 연속입니다. 사노라면 계획을 하던, 않던 간에 출발점에 서야 하는 상황에 끊임없이 직면하게 된다. 문제는 결과에 대한 두려움 때문에 출발 그 자체를 포기하는 것입니다. 언제나 시작은 설레지만 한편으론 두렵습니다. 모든 시작이 성공을 가져 오는 것은 아니기 때문입니다. 우리 속담에 '시작이 반'이라는 말이 있습니다. 시작한다는 그 자체가 절반의 성공이라는 것입니다. 그러나 뒤집어 놓고 생각해보면 이 속담은 시작이 얼마나 어려운가를 역설적으로 말해줍니다. 그럼에도 불구하고 시작이 없다면 결과도 없습니다. 실패를 두려워하여 씨앗을 뿌리지 않는다면 결코 그 어떤 열매도 얻을 수 없는 것입니다.

우리는 '실패는 성공의 어머니' 라는 말을 즐겨 씁니다. 실패를 해야만 성공한다는 말인가? 그런 뜻이 아닙니다. 비록 실패하였더라도 심기일전하여 다시 시작해야 성공에 이르게 된다는 말입니다. 그럼에도 불구하고 사람들은 새로운 시작을 두려워합니다. 심지어 새로운 시작을 병리적으로 회피하는 '스타트 신드롬(Start Syndrome)'을 보이는 사람들이 많다고 합니다. 시작을 두려워하며 모든 일을 내일로 미루는 '내일 신드롬(Tomorrow Syndrome)' 현상을 보이는 사람들도 흔히 볼 수 있습니다.

이러한 문제를 극복하는 가장 좋은 방법은 작은 일부터 다시 시작하는 것이다. 대부분의 시작은 거창하고 화려한 것이 아니라 사소하고 왜소란 것이다. 거대한 성도 작은 돌 하나로 시작되었고, 울창한 숲도 작은 씨앗 하나에서 시작되었다. 무엇보다 자신이 인생을 행복으로 인도하는 것은 다시 시작하는 용기이다. 밑바닥이 보이지 않는 절망의 순간도 다시 시작하기에 늦지 않습니다. 후회는 아무리 빨라도 가장 늦은 것이고, 시작은 아무리 늦어도 가장 빠른 것이 아니던가! 시작에 대한 두려움만을 가슴 속에 품고 있다면 결코 행복한 삶을 이룰 수 없을 것입니다. 두려워말고 이제부터 또 다시 시작합시다!

도전을 주는 친구

사람들로부터 신처럼 존경을 받는 랍비가 있었습니다. 그의 주변엔 언제나 많은 사람들이 몰려들었습니다. 사람들은 랍비에게 인생의 어려운 문제를 이야기하며 조언을 구하기도 했고, 병을 고쳐달라고 부탁을 하기도 했습니다. 랍비가 무어라 말을 하면 사람들은 한 마디도 놓치지 않으려는 듯 귀담아 듣고는 했습니다. 그러나 딱 한 사람, 랍비를 못마땅하게 여기는 사람이 있었습니다. 그는 매번 랍비의 말에 반대하는 말을 했습니다. 랍비의 약점을 들춰내어 랍비를 조롱하는 말을 사람들에게 하기도 했습니다. 랍비를 존경하는 사람들이 그 말을 좋게 들을 리가 없었습니다. 사람들은 랍비를 비난하는 그를 악마처럼 여겼습니다.

그러던 어느 날 사람들이 악마처럼 여기던 그 사람이 병이 걸려 죽고 말았습니다. 겉으로야 드러내지 않았지만 사람들은 모두 그가 죽은 것을 좋아했습니다. 훌륭하신 랍비를 비난하다 벌을 받았다고 생각 했습니다. 더 이상 랍비를 비난할 사람이 없어졌으니 다행스러운 일이라며 모두들 기뻐했습니다. 그러나 장례식장의 랍비는 큰 슬픔에 빠져있었습니다. 자신을 비난하던 사람이 죽어 누구보다 좋아할 줄 알 던 랍비가 큰 비통함에 잠겨있는 것을 본 사람들은 랍비의 마음을 이해할 수가 없었습니다. 죽은 영혼 이 불쌍해서 그러시는 것이냐고 랍비의 제자들이 물었을 때 랍비가 대답을 했습니다.

"아닐세. 천국에 있는 친구를 왜 애도하겠는가? 내가 슬퍼하는 것은 나 자신 때문일세. 그 친구는 나의 유일한 친구였거든. 이곳에서 나는 나를 숭배하는 사람들에게만 둘러싸여 있지. 죽은 그 친구만이 나에 게 도전을 하게 해주었어. 나에게 도전을 하게 해주었던 친구가 없는 한 내가 더 발전할 수 없다는 것 때문에 슬퍼하는 것이라네." 그렇게 말하며 랍비는 울음을 터뜨렸다고 합니다.

우리는 중학교 시절 한문 시간이요. 오래 전에 외웠던 글 중에 지금까지 기억에 남아 있는 것이 있을 것입니다. '양약은 고구이나 이어병이요. 충언은 역이이나 이어행이라', '좋은 약은 입에 쓰나 병에 이롭 고 충언은 귀에 거슬리나 행실에 이롭다'는 뜻이었습니다. 대부분의 사람들은 나를 비난하는 사람을 싫어하고 나를 칭찬해주는 사람을 좋아합니다. 귀에 쓴 이야기는 멀리하고, 귀에 단 이야기는 가까이 합니 다. 하지만 사탕을 좋아하는 어린아이처럼 귀에 달콤한 이야기만 좋아하면 그의 삶은 건강할 수 없습니다. 때로는 귀에 거슬리고 마음에 걸려도 쓴 소리에 귀를 기울일 줄 알아야 건강한 삶을 살아갈 수 있는 것입니다.

높다란 벼랑에 서서 위태롭게 자라는 소나무의 모습을 보고 그 당당하고 늠름한 모습에 사람들은 감탄 을 하지만, 소나무를 그렇게 키운 것은 거친 바람이었을 것입니다. 거친 바람의 도전 앞에 자신을 지킨 결과가 그처럼 아름답고 당당한 모습으로 남은 것일 겁니다. 나를 향한 비난과 쓴 소리에도 귀를 기울이며 그것을 약으로 삼을 수 있는 너그러움이 있다면 우리는 그만큼 더 원숙하고 아름답게 성숙해질 수 있을 것입니다.

아빠에게 소원이 있어요.

○ 아빠한테 안기고 싶어요. – 나는 아빠가 집에 돌아오시면 반가워서 달려들고 싶어요. 아빠가 크게 팔을 펼쳐주고 껴안아 주면 말할 수 없이 기쁘다는 걸... 이 기분 알아줬으면 좋겠어요.

○ 아빠하고 이야기하고 싶어요. – 아빠의 이야기는 얼마나 다르고 화제가 다양해서 재밌거든요. 이야기를 듣고 말을 하는 것이 두뇌발달에도 좋다던데. 그러니까 아빠와의 많은 대화가 필요해요.

○ 무리하게 길들이려 하지 말아요. – 제 친구는요, 아빠가 독서를 좋아하는 아이로 만들겠다고 다른 장난감은 일체 주지 않고 그림책이나 동화집 같은 것만 주었대요. 처음에는 그림책을 보며 놀았지만 나중엔 완전히 흥미를 잃었대요. 아빠가 우 리의 두뇌발달 단계에 맞춰, 무엇이든지 그 적절한 시기를 생각해 주세요.

○같이 식사해요 – 식구들 모두 모여 식사하는 것이 난 정말 좋아요. 아빠가 바쁘다는 것도 이해하지만 1주일에 한두 번만이라도 함께 저녁밥을 먹을 수 있게 해 주세요.

○아빠 흉내를 내고 싶어요 – 아빠가 밤마다 책을 읽고 있으면 나도 그 옆에서 책 을 읽고 싶은 기분이 들고 집에 돌아와 누워서 TV만 보고 있을 때는, 나도 뒹굴면서 TV보고 싶은 기분이 들어요. 그러니까 내가 흉내내어도 상관없도록, 생각하며 행동해 주길 바라고 있어요.

○꾸중해 주세요, 아빠 – 아빠에게 꾸중을 듣는 것은 '나의 존재가 아빠에게 의식 되어 있다. 라는 거겠죠.? 때로 나쁜 짓이라고 생각하면서도 할 때가 있어요. 어리광으로 그런 적도 있지만 그럴 때에 꾸짖지 않으면 나는 나를 상대해 주지 않는 다' 라는 생각이 들거든요. 꾸짖거나 칭찬하는 것도 너무 엄마에게만 맡기지 마세요.

○나를 방해자처럼 대하지 마세요. – 처음부터 아빠를 방해하려는 생각은 하지 않아요. 내가 걸리거나 귀찮을 때는 화내지 말고, 이유를 설명해 주고 납득시켜 주시기 바래요.

○ 아빠가 깔끔했으면 좋겠어요. – 난 무엇이든 아빠 흉내를 내고 싶다고 말했죠? 아빠가 나의 본보기란 뜻이예요. 항상 깔끔하고, 규칙적으로 생활하고, 시간도 짜임 새 있게, 나에게 요구하는 것은 아빠 자신도 정확하게 하고 있는 아빠이기를 바라요.

ㅇ무엇이든 엄마에게만 시키는 건 싫어요. – 무엇이든 엄마를 시키시면 엄마가 불쌍해 보여요. 제 할 일은 제가 하라고 아빠가 말씀하셨으니까 아빠도 그래야 한 다고 생각해요. 밖에서 일하고 피곤해서 그러시는 거라고 이해는 하지만 아빠가 하실 일을 엄마한테 명령하는 것은 좋아 보이지 않아요.

"참 좋은 샘물"

『샘물이 솟는다 퐁퐁퐁/ 낮이나 밤이나 퐁퐁퐁/ 길가는 나그네 목축여 가라고/ 바위 밑 돌 틈에서 퐁퐁 퐁』 어렸을 적 학교에서 배웠던 기억이 되살아나는 동요요 아마도 곧잘 불러 보았던 노래일 것입니다. 우리나라에는 좋은 샘물들이 정말 많이 있었던 것 같습니다. 요즘은 오염 문제가 심각해서 물이 귀해져 도시 근교의 산이라면, 으레히 "약수터"라는 이름으로 이른 새벽부터 나이든 어르신들의 많은 사랑을 받아오고 있습니다. 6.25전쟁 이후 어려웠던 시절 대부분의 도시 사람들이 겪어야 했던 힘든 기억 가운데 하나가 식수 문제였다고 합니다. 매일 아침이면 물을 얻기 위하여 물지게를 지고, 식수 공급자나 동네의 기다렸던 기억들을 상상해 보시기 바랍니다. 요즘은 집집마다 수도꼭지에 물 이 철철 넘쳐나고 있지만 옛날에는 참으로 물이 귀했던 것 같습니다. 따라서 세수를 한번 하는 것도 그렇게 쉽지 않았고 목욕은 설날이나 되어야 겨우 한번 할 정도였고 손에 붙어 있을 정도의 때와 무릎에 굳어 붙은 때는 별로 창피한 것도 아니었습니다. 비가 오면 처마 밑에서 빗물을 받아 놓았다가 빨래를 하시던 어머니의 모습도 기억이 납니다. 참으로 모두가 어려웠던 시절이였습니다. 그 당시에 샘물은 대게 동네의 공동소유였고 그래서 자연히 샘물을 중심으로 취락이 형성되었습니다.

동네에는 두레박을 넣어서 퍼 올리는 우물도 있었지만, 바가지로 퍼서 담기만 하면 되는 좋은 물이 있는 동네도 있었습니다. 유일 한 식수원 이였기에 물동이를 머리에 이고 아침저녁으로 몇 차례씩 날라야 했습니다. 쌀과 반찬거리를 씻으면서 동네 아낙들과 얘기꽃을 피우던 곳이었습니다. 시어머니를 흉보면서 시집살이 받던 자리였고, 집집마다의 소식들이 오고가는 장소였습니다. 그 샘물은 물맛이 정말 좋았습니다. 도대체 그 근원이 어느 곳에서 시작하고 있는지 언제나 넘쳐 흘렀으며 가뭄에도 멈추는 법이 없이 변함없는 맛으로 항상 새로운 물이 준비되어 있었습니다. 햇볕이 내리쬐는 무더운 여름에도 향나무 그늘이 시원한 물을 내었고, 눈보라치는 추운 겨울, 온대지가 꽁꽁 얼어붙는 엄동설한에도, 그 샘물은 모락모락 김을 내 면서 끊임없이 따뜻한 물을 내 주었습니다. 요즘은 무수히 많은 청량음료가 있어 사먹고 있으나 결국은 생수가 역시 최고라는 생각들이 뿌리내리면서 물 사업이 상당히 호황을 누리고 있습니다. 그러나 다른 그릇에 담기어가는 운송 과정에서 원래의 샘물 맛은 사라지고 있다고 합니다. 결국 좋은 샘물이란, 동요의 가사와도 같이 낮이나 밤이나 퐁퐁퐁 쉼 없이 솟아나야 하며 물맛도 좋아야하고 많은 사람들이 가까이에서 대할 수 있어야 합니다.

이런 좋은 샘물을 생각하면서 스스로의 삶을 생각하여 봅시다. 언제쯤이 면 이렇게 변치 않는 좋은 맛으로 다른 사람들의 갈한 목을 축여 줄 수 있을까? 가뭄이나 어떤 추위에도 변함없이 좋은 물을 내는 샘물처럼, 자신의 마음에 변함없는 따뜻한 사랑의 집을 지어서 많은 사람들이 즐겁게 기대하는 마음으로 찾아오게 할 수 있을까요? 사실 우리의 삶이란 수 없이 많은 환경의 지배 속 에서 좋지 못한 물을 내보내고 있습니까? 조그만 좋은 일이 생겨도 쉽게 감격하여 기뻐하다가도, 조금만 언짢은 일이 생기면 쉽게 화를 내며 속상해 하지 않을까요? 혹독한 고문을 당하면서 죽어간 사육신의 한 사람 성삼문은 달구어진 인두 등으로 고문을 받으면서 변절을 요구 당하자 "인두를 더 달구어라, 인두가 식었다"라고 말한 것을 우리는 잘 알고 있습니다. 마음 깊은 곳에서 솟아나는 충절의 샘물은 어떤 것이 로도 막을 수가 없었던 것입니다. 좋은 샘물이 없어서 그런지 우리 삶의 주변에는 목마른 사람이 많은 것 같습니다. 샘물은 고사하고 냇물이라도 마실 수 있기를 바라는 심정으로 목마름을 해결하기 원하는 사람이 많습니다. 그래서 서로들 눈치를 보며 다른 사람이 마시는 것을 보고 안전을 확인한 후에야 비로 소 물을 마시는 것입니다. 우리 주변에 좋은 생물인 듯한 사람을 과연 볼 수 있을까요? 또 그런 곳을 찾을 수 있을까요? 바로 내가 아니 우리 모두가 따뜻한 사랑의 집을 지어서 끊임없이 솟구쳐 나오는 영원한 샘물이 되어 보는 것은 어떨까요?

교육 속에서는 말 벙어리

그런데요 교육 속으로 들어가면요 아이들은 입을 꼭 다물어요. 말 벙어리 아닌 말 벙어리예요. 선생님이 "말해 볼 사람?" 하면 "..........." "있었던 일 말해 볼 사람? 있었던 일 없어요? 그럼 본거, 본거 말해 볼 사람?" "...본 것도 없어요? 들은 것도 없어요?"

"그럼 느낀 것? 생각한 것? 경험한 것? 말해 볼 사람?" 하면요 아이들은 눈만 껌벅껌벅 하면서요? "내가 아까 말할 때는 들어주려고도 하지 않더니 뭘 자꾸 말해 볼 사람, 말해 볼 사람이 하는 거야. 느낀 건 뭐고 경험한 건 또 뭐야."라는 듯 입을 다뭅니다. 말을 잘 안 합니다.

이 지루한 시간 빨리 끝나기나 하라는 듯합니다. 아이들은 말을 잘 안합니다. 우리의 부모님들도 유치원 다닐 때 초등학교 다닐 때 말하기 시간에 내가 하고 싶은 말 한 적이 별로 없을 것입니다. 그러나 요즈음 아이의 입에서 나오는 말은요. 아이가 지금까지 자라면서 보고, 듣고, 느끼고, 생각하고, 경험한 것을 온 몸으로 받아들였다가 거르고 다듬어서 소리말로 나오는 것입니다. 그러니까 아이의 모든 것 다라고 할 수 있을 것입니다. 그런데 이런 아이들의 말을 쓸데없는 말로 몰아붙이면, 한 번도 아니고 두 번, 세 번 노래하듯 하는 동안에 우리 아이가 정말 쓸데없는 아이로 자라게 될 수도 있습니다.

아이 말은 아이의 모든 곳 다인데, 아이 말을 들어주지 않고 쓸데없는 말로 몰아 부치면 아이의 모든 것을 무시하는 경우도 생깁니다. 이렇게 가까운 사람들로부터 무시를 당하고 할 수 있는 게 뭐가 있겠습니까? 어른은요! 교육 속에서는요! 왜 답답하게 말을 못하느냐고 닦달을 하네요? 혹시나 나의 아이가 하고 싶은 말은 들어주지도 않고 쓸데없는 말이라고 몰아붙여 말 벙어리를 만들지나 않나 생각해야 할 것입니다.

우리의 부모님들과 교사들은 자기 자신들을 다시 한 번 철저하게 뒤돌아보았으면 좋겠습니다.

처음 시작하는 학교생활 미리 준비하기

만약 아이가 초등학교 입학 전으로 돌아간다면 무엇을 준비하겠습니까? 이제 막 초등학교 1학년을 마 친 학부모들에게 물었으니 대답은 한결 같습니다. 좀 더 일찌감치 사태(?)를 파악하고 철저하게 입학 준비를 했을 거라는 의견. 새로운 환경 적응에 힘겨워하는 건 아이나 엄마나 마찬가지입니다. 아이가 잘 적응하지 못하는 모습을 보면, 별별 오리엔테이션이며 워크숍은 다 있는데, 왜 예비 초등학생을 위한 워크숍은 없는지 아쉽기만 합니다. 엄마들이 가장 많이 후회하는 부분은 입학 전 아이의 생활습관을 제대 로 잡아주지 못한 것. 아이가 학교 수업을 못 따라 갈까봐 너무 사교육에만 관심을 가졌던 것은 아닌지 후회된다고 말하는 학부모도 많이 보았습니다. 아이들이 낯설기만 한 초등학교 생활에 잘 적응하려면 무엇보다 기초 생활습관이 잘 다져져야 합니다.

취학통지서 – 입학대상자 에게는 동사무소에서 취학통지서가 배부됩니다. 통지서에는 우리 아이가 입학하게 될 학교명과 예비소집일, 입학식 날자와 시간이 적혀있습니다.. 예비소집에 참석하는 것은 그 학 교에 입학하겠다는 신고와 같은 것으로 참석하실 땐 반드시 통지서를 지참하셔야 합니다. 또 내 자녀가 신체적으로나 정신적으로 아직 미숙하거나 다른 이유로 입학을 미루고자 할 경우에는 입학 유예신청을 하시면 됩니다. 이런 경우에는 직접 학교에 방문하셔서 유예신청서를 작성해야하고, 의사의 소견서가 필요합니다.

예방접종하기 및 건강 체크하기 초등학교에 입학하면 바로 예방접종확인서를 제출해야 합니다. 취학 전 꼭 받아야 하는 예방접종은 MMR, B형 간염, 일본뇌염, DPT, 소아마비 2차 접종으로, 특히 2차 홍역 예방접종증명서는 의무적으로 제출해야 합니다. 대부분의 학교가 예비집일에 확인서 양식을 미리 나눠주고 입학식에 제출하도록 하고 있습니다. 또한 또래 아이의 표준발육상황과 비교해 발육에 문제가 없는지 사전에 점검하는 것이 좋고 시력과 치아 체크도 미리 하는 것이 좋습니다. 만약 몸이 건 강하지 않으면 학교생활을 하는데 어려움이 있으므로 평소 약한 부분을 미리 대처하고 선생님께 말씀 드리는 것이 좋습니다.

친절하고 예의바른 아이로 초등학교에서는 정해진 규칙을 지켜야 하는 빡빡한 학교생활은 아이 들에게 힘들게 느껴질 수도 있습니다. 초등학교 생활의 성패를 가르는 것은 공부가 아니라 생활습관이 라고 말해도 과언이 아니라고 할 수 있습니다. 생활습관은 하루아침에 바뀌지 않기 때문에 미리 바로 잡아두는 것이 좋습니다. 욕설이나 비어는 절대 사용해서는 안 되고, 공중도덕에 어긋나는 행동 또한 용납되지 않습니다. 사회성과 예절은 하루아침에 익힐 수 없으므로 평소 기초 예절교육에 신경 쓰고, 기본 인사법과 고운 말하기에 대해 충분히 인지시키는 것이 좋습니다. 또한 친구들과 다툼이 생겼을 때 공격 적인 행동을 하지 않도록 알려주고, 잘 못했을 때는 실수를 인정하고 사과하는 방법도 알려줘야 합니다.

입학 준비물 책가방, 실내화, 공책, 미술도구 등 초등학교 입학할 때는 많은 준비물이 필요합니다. 꼼꼼한 엄마들은 미리 교육서 등을 참고하여 준비물을 구입해놓기도 합니다. 하지만 학교 또는 담임 선생님마다 준비물이 조금씩 다를 수 있으므로 너무 소소한 것까지는 준비하지 말고 입학 후 담임 선생님의 말씀에 따라 준비하는 것이 좋습니다. 준비할 때 기준은 너무 크거나 화려한 것 보다는 아이가 사용하기 편리하고 가지고 다니기 편한 것이 좋습니다. 또 학용품에 게임기능이 곁들여져 있는 것은 학습에 방해가 되는 경우가 많으므로 피하는 것이 좋습니다. 학용품이 너무 과하거나 너무 부족하지 않도록 신경을 쓰시고, 모든 학용품에는 이름을 써서 자기 물건을 스스로 챙기고 소중히 여기며 절약할 수 있도록 하는 습관이 필요합니다.

처음 시작하는 학교생활 미리 준비하기

알림장 1학년은 엄마 역시 신입생이 되어 하나부터 열까지 꼼꼼히 챙겨야 하는 시기. 수업시간에 필요한 준비물에 숙제도 있습니다. 알림장을 보고 준비 사항은 처음에는 엄마가 주도해 챙겨주지만 아이 가 스스로 챙기는 습관을 들이도록 지도하는 것이 좋습니다. 또한 알림장은 숙제와 준비물 뿐 아니라 담임 선생님과 학부모의 대화의 장이 될 수 있습니다. 학교에서나 가정에서 연락할 사항을 서로 주고받는 용도로도 사용되니 매일 알림장을 확인해야합니다.

젓가락질, 가위질 능숙하게 하기-초등학교 1학년 과정에는 유난히 미술활동이 많습니다. 그림 그 리기, 종이접기, 만들기 등 다양한 미술활동이 수업시간에 이루어집니다. 이러한 조작활동은 소근육을 정교하게 써야 하므로 제대로 훈련이 되어있지 않으면 애를 먹습니다. '손은 제2의 뇌'라는 말이 있듯 이 소근육 활동은 두뇌 발달과도 밀접한 관련이 있으므로 초등학교 입학 전부터 다양하게 경험하는 것 이 좋습니다. 젓가락질이나 가위질하기는 소근육을 발달시키는데 가장 효과적인 활동이라고 할 수 있습니다. 젓가락질을 잘 못하는 아이는 급식시간 내에 식사를 마치지 못해 어려움 겪을 수 있고, 가위 질을 못하면 1학년 수업 활동의 많은 부분을 차지하는 미술활동을 할 때도 어려움을 겪습니다. 아이들에겐 충분한 연습과 시간이 필요하므로 제대로 할 수 있도록 미리미리 신경 쓰는 것이 좋습니다.

자신의 생각 표현하기 초등학교에 입학하면 자신의 생각과 느낌을 서술하고 타인에게 말하는 기회 가 많아집니다. 아무리 한글을 깨치고 입학했다고 해도 자기 생각을 정확히 말하는 능력을 갖춘 아이는 많지 않습니다. 자신의 생각과 의견을 조리 있게 이야기하는 경험을 통해 발표력이 향상되므로 그렇게 하기 위해서는 부모와의 대화가 필수적입니다. 평소 아이의 유치원 생활에 대해 이야기를 나누거나 여행 뒤 아이가 자신의 생각을 말하도록 유도해주는 것이 필요합니다. 또한 책을 읽고 간단한 느낌을 타인에게 설명하는 발표력과 상대방의 이야기에 끼어들지 않고 들어주는 청취력 또한 중요합니다.

받아쓰기 연습 초등학교 입학 후 가장 신경 쓰이는 시험이 바로 받아쓰기입니다. 한글을 뗀 아이라도 실제로 완벽한 맞춤법을 알기란 쉽지 않습니다. 받아쓰기 공포로 인해 7세 때부터 맹렬히 연습시키는 엄마가 많은데 무리해서 몰아세울 필요는 없습니다. 아이가 한글을 알게 되면 다양한 책을 읽도록 유도하되, 공책이나 연필을 쥐어주어 자연스럽게 쓰기를 할 수 있도록 유도하는 것이 좋습니다. 또한 글씨를 쓸 때에는 바른 자세로 연필을 잡고 필순에 맞게 쓰는 것이 매우 중요합니다.

이제 여기서 공부 할 거야~! 주말에 입학할 학교를 엄마, 아빠와 함께 미리 둘러보고, 입학하면 이곳에서 공부를 하면서 어떤 장소들을 이용하게 되는지 등을 살펴 주는 것도 좋은 학습 방법이 될 수 있습니다. 아이가 갑자기 변한 환경 에 적응을 보다 빨리 할 수 있도록 돕는 것, 학교 가는 길과 걸리는 시간, 횡단보도 건너기 들을 미리 익혀 두는 것도 좋습니다. 또한 아이에게 학교는 너무 재미있는 곳이라고 과장할 필요는 없지만 '이렇게 하지 않으면 혼나!'라는 방식은 좋지 않습니다. 오히려 아이에게 '벌써 학생 같아^^', '우리 아들 잘 아 는데~' 등의 말로 자신감을 북돋워 주는 것이 좋습니다.

옥수수 수염

옥수수수염으로 만든 차를 젊은이들이 들고 다니며 마시는 모습은 묘한 풍경으로 다가옵니다. 외래어로 된 탄산음료에 익숙해진 젊은이들이 왠지 촌스러운 느낌을 줄 것 같은 옥수수수염 차를 마시다니, 낯설 게 바라보게 됩니다. 뭔가 궁상맞다 싶어 평소에는 관심을 갖지 않던 옛 시간을 젊은이들이 자연스럽게 받아들이는 것 같아 옥수수수염 차를 마시는 젊은이들의 모습은 구시대와 신세대간의 어울림으로 다가 옵니다.

옥수수를 심어보거나 옥수수를 옥수수 대에서 직접 따 본 경험이 있는 젊은이들은 드물 것입니다. 옥수수 씨를 심을 때 대개는 서너 개의 옥수수 알을 심습니다. 키워내는 것이야 옥수수 대 하나지만 농부들 은 그렇게 하지를 않았습니다. 한 알이면 될 것을 왜 서너 알씩 심었을까요? 옛날 어른들이 말씀하셨지 요. 옥수수를 심을 때 한 구덩이 서너 알을 넣어야 한 알은 하늘의 새가 먹고, 한 알은 땅속 버러지 가 먹고, 한 알은 사람이 먹는 거라고요. 한 알을 심어도 될 곳에 서너 개를 심는 것이 요즘 사람들에겐 손해를 보는 것처럼 여겨지겠지만, 옛 어른들은 옥수수를 심을 때도 함께 사는 뭇 생명들을 생각하고 배려하는 넉넉하고 따뜻한 마음을 가지고 있었던 것이었습니다.

다 익은 옥수수를 따서 껍질을 벗겨본 이들은 알겠지만, 겹겹으로 잘 동여맨 옥수수 껍질을 벗기면 옥수수 알을 보호하고 있는 또 하나의 손길을 만나게 됩니다. 겹겹이 둘러싸고 있으면서도 껍질만으로는 알을 보호하기가 부족하다 싶었는지 전혀 다른 모습으로 알을 보호하는 것이 있습니다. 그것이 바로 옥수수수염입니다. 길이며 빛깔이며 어쩜 그리 할아버지 수염을 빼닮았을까 싶도록 감탄을 자아내는 긴 수염들이 알알이 여문 옥수수 알을 자상한 손길로 보호하고 있습니다. 씨앗을 지키려는 생명의 신비가 옥수수 안에도 고스란히 담겨 있는 것이지요.

옥수수수염은 옥수수 알을 보호하는 것으로 자기 역할을 끝내는 것이 아니었습니다. 물론 잘 마른 옥수수수염은 아궁이에 던져져 좋은 불쏘시개나 땔감이 되기도 했지만, 그보다 더욱 요긴한 쓰임새가 있었습니다. 의외의 쓰임새였습니다만, 소변이 시원치 않게 나올 땐 옥수수수염 말린 것을 달여 먹었지요. 또 얼굴이 부었을 때도 옥수수수염을 달여 먹으면 부은 것이 내리곤 했습니다. 약이 부족했을 그 옛날, 생활 속에서 흔하게 만날 수 있는 옥수수수염에서 병을 다스리는 효능을 찾았다는 것이 놀랍습니다.

옥수수 알을 보호하는 옥수수수염을 생각할 때마다, 옥수수수염을 닮은 할아버지 수염을 생각합니다. 옥수수수염이 옥수수 알을 보호하기 위해 존재하는 것처럼 할아버지 수염 속에도 평생 후손들을 키우고 보살피신 사랑의 마음이 담겨 있습니다.

설날을 맞아 오랜만에 찾아뵌 집안 어르신들이 계실 것입니다. 영락없이 옥수수수염을 닮은 그분들의 수염 속에 담긴 사랑과 희생을 우리 마음에 새겼으면 좋겠습니다. 옥수수수염으로 만든 차를 마실 때에 도 아무 생각 없이 마실 것이 아니라, 어른 세대의 사랑과 배려를 생각하며 마신다면 어르신들을 대할 때면 고마움이 더욱 새롭지 않을까요?

어린 눈이 당신을 보고 있다.

여기 어린 눈이 있어 당신을 보고 있다.

밤이나 낮이나 당신을 보고 있다.

여기 어린 귀가 있어

당신이 하는 모든 말들을 남김없이 듣고 있다.

여기 어린 손이 있어

당신이 하는 모든 일을 따라하고 싶어 한다.

그리고 여기 당신처럼 될 날을 꿈꾸는

어린 소년이 있다.

당신은 그 어린 친구의 우상이며,

그에게 있어서 당신은 세상에서 가장 지혜로운 사람이다.

그의 어린 마음은 당신에 대한 어떤 의심도 일으키지 않는다.

그는 무조건 당신을 믿으며 당신이 말하고 행동하는 모든 것들을 받아들인다.

그는 당신처럼 어른이 되었을 때 당신이 하던 방식 그대로 말하고 행할 것이다.

여기 당신이 항상 옳다고 믿는 커다란 눈의 어린 친구가 있다.

그의 눈은 언제나 열려 있고 그는 밤이나 낮이나 당신을 지켜본다.

당신은 날마다 당신이 하는 모든 행동 속에서

하나의 본보기가 되고 있다.

어서 어른이 되어서 당신처럼 되기를

기다리고 있는 그 어린 소년에게

산다는 것은 배우는 것이다.

산다는 것은 사랑하는 것이다.

인생의 의미가 무엇이냐 최고의 자아 완성이다.

삶의 목적은 내가 나의 생명을

열심히 갈고 닦아 내자.

" 우리 아이 성격 형성 변할 수 있을까?"

성격이란 오랜 기간에 걸쳐 부모, 친구, 교사, 그리고 기타 기성세대와 서로 밀접하게 생활해 오면서 우리 각자가 굳혀 온 욕구, 사고방식, 태도, 가치관, 행동 방식, 생활 습관 등을 일컫는 것이기 때문에 이러한 오랜 과거를 가진 습관을 일시에 수정하는 것은 쉽지 않습니다. 부모는 자녀의 바람직하지 못한 성격을 바로 잡기를 원하지만 어려운 것도 이 때문입니다. 성격이란 각 개인이 갖고 있는 독특한 행동 양식입니다. 성격은 인격과는 달리 도덕적으로 "좋다" 혹은 "나쁘다"로 평가 할 수 없는 개념이기도 합니다. 성격 심리학자들은 이런 평가 대신 "건강한 성격 –아픈 성격" 또는 "적응적 성격– 부적응적인 성격"이라는 표현을 쓴다고 합니다. 예를 들어 어 떤 어린이가 불안해하고 우울해 하며 화를 잘 내고 공격적이면 "아픈 성격"이고 이기적이고 불 친절하여 사람을 잘 사귀지 못하면 부적응적인 성격인 것입니다. 이러한 성격을 가진 사람은 사 회 생활을 할 때 많은 불편을 경험할 수 있으므로 부 적응적 입니다. 그러나 인간관계가 부적응 이라고 해서 그 사람을 나쁜 사람으로 간주할 수는 없습니다. 이는 어떤 측면에서 보느냐에 따 라 부적응이 아닐 수 있기 때문입니다. 대인관계가 원만하지 못했더라도 자신의 분야에서 찬란한 업적을 성취한 경우도 많습니다. 어떤 성격 특질이 자기 자신이나 남에게 해를 끼치지 않는 경우라면 무리해서 고치려고 애쓰기보다 오히려 자녀의 독특한 성격을 그대로 살려 나가도록 배려해 주는 것이 좋습니다.

부모가 아이들의 행동 기준에 대해 확고하고 일관된 생각을 가지고 행동을 통제하되, 따뜻하고 애정이 풍부하며 아동의 의견을 존중하면 자녀는 능력이 있고 사교 적이며 자립적인 성격을 갖게 됩니다. 반면 부모가 자녀에게 지나친 통제를 가하고 부모 자신의 욕구에 따라 행동하면 자녀의 자제력은 높아지지만 새로운 상황에 대한 불안감이 높고 자신감 이 부족해집니다. 그리고 너무 허용적인 부모는 자제력이 부족하고 의존적인 자녀로 키우게 됩니다. 부모가 자녀의 잘한 행동을 칭찬하고 애정을 쏟되 잘못한 행동에 대해서는 규제를 가하는, 그러면서도 자녀의 자립적 행동과 그의 의사 결정을 존중해 주는 경우 아이의 능력과 자신 감이 높아진다고 말할 수 있습니다. 인간에게는 누구나 약점이 있듯이 장점도 있습니다. 이는 성격도 해당이 됩니다. 누구에게나 독특한 개성이 있습니다. 그런데 그 개성이 너무 모가 난다고 성급하게 정으로 깍아내거나 대패로 밀어버리면 자녀는 평범한 널판지가되어 버립니다. 옹골찬 가지는 가다듬기보다 그 나름대로 뻗어 나가게 놓아두는 것이 오히려 대목으로 성장하게 만드는 것입니다. 그러나 개성적인 교육은 자녀가 하는 대로 내버려두는 무절제한 교육 방식과는 구별되어야 합니다. 사회의 질서와 도덕을 수용하면서 자신의 빛깔을 찾게 도와주는 것이 중요합니다. 부모는 자녀가 바람직하지 않은 성격 요소를 가지고 있다면 왜 그것을 바꿔야 하는지 자녀가 이해할 수 있도록 설명해 주고 천천히 단계적으로 교정해 주어야 합니다. 시간을 잘 지키지 않는 자녀 에게 시간을 잘 지키지 않음으로써 상대방이 겪게 되는 불편을 자녀가 잘 이해하도록 설명하고 가장 쉬운 것부터 실천해 나가도록 도와주는 것이 좋습니다.

입을 지키고 행동을 지키고

대한민국 국악인 중 한분인 김기수님 글을 소개합니다. 내가 중학교에 입학하여 기쁜 마음으로 책상을 마련해 놓던 날이었다. 할아버지께서는 "사람이 크게 되려면 입을 삼감이 으뜸이니라" 하시면서 "신구(愼)"라는 두 글자를 붓으로 써서 책상머리 앞 벽면에 붙여 주셨다. 값진 선물이었다. 내가 일생을 살아오면서 좌우명으로 믿어 왔음 은 물론이다. 학교를 마치고 사회에 첫발을 내디디던 날, 나는 또 아버님으로부터 "신행(信行)으 로 일관하면 사회 처세는 무난하리라"는 교훈을 받았다. 참으로 어려운 금언이었다. 실행에 옮기려 애써 보았지만 몇 백분의 일이나 실천되었는지 의심스러울 따름이다. 입을 삼간다 함은 자 기 의사 표시에 있어서 항상 중용을 지켜야 한다는 뜻이 포함되어 있다. 즉 지나치지도 못 미치지도 헛되지도 말아야 하고 거짓이 있어서는 더욱 안 된다. 할 말도 다 못하는 세상에 함부로 막 떠들어 대다가 실언(失言), 식언(食言), 망언(妄言)을 하여 화를 자초하게 되는 예가 허다하니 신구(愼口)의 중요성을 새삼 느끼게 된다. 또 구강 위생이나 식이요법 등 건강유지에도 입은 그 일차적 경과로서 중요하니, 과식, 과음 등의 폐물도 입에서 좌우되는 과정임을 쉽게 알 수 있다.

찾다가 영양과잉이라는 이변을 낳는가 하면 반대의 현상도 부지기수이다. 누구나 거의가 모든 음식을 눈이나 입으로 빛보고 맛보아서 가려 먹으려 든다. 그러나 보기 흉 하고 맛도 쓰고 떨떠름한 것일지라도 거듭 마음으로 알고 꼭꼭 씹어 섭취하면 그렇게 고소할 수가 없다. 따라서 입에서 미리 저작(理)이라는 활동을 통해 위장 기능을 도와 보라. "배탈 난 다"는 가장 평범한 이상조차 나타나지 않게 될 것이다. "신구"의 언행일치로 심신 양면이 윤택 을 얻음이 현명한 군자의 도리같이도 여겨진다. "신행"이란 곧 "신심직행(信心直行)"이다. 옳다고 생각되면 주저 없이 실행에 옮긴다는 뜻이다. 바른 이치는 불변이되 행함이 없을 때 아무 결과도 얻지 못함은 자명한 일이기에.... 신심직행하되 온 정력을 다 기울여 앞으로 나아갈 때, 즉 정진하는 습관이 수반되어야 비로소 자기발전과 인간 완성에 가까워질 수 있을 것이라 생각 한다. 그리하여 잡념 없는 고매한 정신생활을 누릴 수 있다면 더 이상 바랄 것이 없으리라. 나 는 슬하에 "신구"와 "신행"에 "정진(精進)"을 보태어 가훈으로 삼아왔다. 그리고 가훈을 독려하기 위해서 밑거름이 될 수 있는 방편으로 다음의 두 가지 행동강령을 반드시 지키도록 주의를 환기시켰다. 첫째는 "내 일은 내가 하고 지금 할 일은 지금 해라" 이다. 흔히 자기가 할 일을 하 지 않고 남에게 미루어 잠시라도 편해 보려는 사람들이 있다. 또 지금 끝낼 수 있는 일을 선뜻 해치우지 않고 "조금 있다가 하지, 오늘 못하면 내일 하지"하는 식으로 미적미적 미루다가 실패 하고서는 후회를 하는 경우도 있다. 이래서 되겠는가?

둘째는 "착한 일은 아무리 작아도 빛이 되고, 모진 일은 아무리 작아도 허물임을 알아라."이다. 별로 크게 들추어질 것도 못 되는 하찮은 일일망정 남모르게 스스로 착하고 어질게 처리하면 흐뭇하고 즐겁다. 그 자랑하고 싶어 하는 심정은 이해가 가고도 남는다. 반면 그다지 대수롭지 않은 일일망정 허물을 저지른다면 혼자 조바심이 나고 괴로움이 쌓이는 곤경에 처하게 된다. 그러므로 선행을 하는 마음가짐으로 살아간 다면 선계(仙界)에의 접근이 가능하리라. 나는 "신구"와 "신행"을 더욱 엄격하게 지킬 것을 강 조 했고 나 자신 모범을 보여야 하기에 그 실천에 무한히 정성을 기울였다고 할 수 있다.

키가 크는 샘

고등학교 2, 3학년, 공부를 한참 열심히 하던 시절의 경험들은 누구나 간직하고 있을 것입니다. 계절은 늦가을이나 요즘 같은 추운 겨울이고 시간은 대개 밤 11시경입니다. 가족들도 다 잠이든 시간입니다. 책상에서 공부를 하다가 방의 온기도 차츰 식어 가고 졸음도 참아 내기가 어려워지게 됩니다. 이때쯤이면 공부하던 책을 가지고 슬그머니 이불 속으로 들어갑니다. 때로는 이불 속에 발을 집어넣고 앉아서, 이보다 더 많이 이불 속에 엎드려서 책을 보기도 합니다. 그런데 만약 옆에서 이 광경을 본 사람이 있다가 바로 잠자게 되면 푹 자지 못할 수도 있으니까, 가볍게 책을 보는 것으로 잠을 잘 자기 위해 준비운동(?)을 삼는 것이라고 생각했을 듯 합니다. 이 판단은 누가 보더라도 옳은 것이라고 볼 수 있습니다. 그러나 이불 속에 들어가는 당사자는 거의 모두 이런 판단에 결연히 반대할 것입니다. 왜냐하면 그가 책상으로부터 이불 속으로 들어간 것은 잠자기 위한 것이 아니라 좀 더 편안한, 자세로 공부하는 것이 공부의 효율을 높이는 것이라고 생각할 것에 비롯한 때문입니다. 즉 "책상에서 졸면서 하느니 이불 속에서 정신차려 하자"는 것입니다. 옆에서 보는 사람 입장에서는 웃기는 생각이고 또 말도 안되는 소리이지만 본인으로서는 매우 진지하게 정말로 이렇게 생각했다는 점이 중요합니다. 정말로 이렇게 생각했다는 증거는 그가 이불 속으로 옮겨 갈 때 단 한 권의 책만 가지고 가는 것이 아니라 여러 권의 책을 가지고 간다는 사실입니다. 잠자기 위해서 이불 속에 들어갔다면 결코 "여러 권의 책을 가지고 갈 리가 없습니다. 그러나 옆에서 보는 사람의 판단도 옳습니다. 그는 분명 잠자러 들어간 것이며 공부의 효율을 높이기 위해 이불 속에 들어간 것은 아닙니다. 그 증거는 그가 이불 속으로 옮긴지 대부분 10분, 아무리 길어도 20분을 넘지 못하고 잠들어 버린다는 사실입니다. 이때 대부분 전깃불도 끄지 않은 채 잠이 들어서 다음날 아침 어머니로부터 제발 불 좀 끄고 자라고 당부를 받게 됩니다.

불을 끄지 않은 것은 당사자가 잠을 자기 위해 이불 속으로 들어가지 않았다는 유력한 또 하나의 증거로 채택할 수 있습니다. 양자 중에서 우리는 누구 편을 들 수 있을까요 아마도 대부분 "이불 속에 들어간 것은 잠자기 위한 것이다"에 손을 들어주리라고 생각들을 합니다. 그러면 당사자는 왜 이점을 수긍하지 않을까요? 그는 고등학교를 졸업할 때까지 거의 매일 밤 "공부의 효율을 높이기 위해" 이불 속으로 들어가는 것이라고 믿을까요? 바꾸어 말해서 그는 왜 잠자기 위해 이불 속에 들어가는 엄연한 사실을 인정하려 들지 않을까요? 이 사실은 매우 이상한 일입니다. 우리는 거의 모두 자신이 공부를 포기하고 잠자러 이불 속에 들어가면서도 이를 인정한 적이 없기 때문입니다. 인정하지 않는 이유는 사실 매우 단순하다고 생각을 합니다. 자신이 졸음의 고통을 참지 못한다는 약점을 가지고 있다는 사실을 스스로도 인정하기 싫었던 것일 겁니다. 이것은 일종의 자기기만이라고 말할 수 있습니다. 혹시 고등학교를 졸업한지 한참 지난 지금도 음악이나 또는 텔레비전을 켜 놓고, 잠을 자는 일들을 통해서 실제 행동 상으로는 편안함과 즐거움들만을 추구하면서 이를 인정하지 않는 자기기만에 빠져 있지나 않은지, 우리들의 자신들을 뒤돌아보면서 생각을 해볼 일 인것 같습니다.

퇴고의 아름다움

불 항아리가 솟는 듯한 일출이나 하늘이 다 불타버릴 듯한 일몰, 억새 사이를 지나는 바람이나 강가에 내리는 눈, 물감 번지듯 막 돋는 연초록 나뭇잎을 적시는 비, 생각지 못한 곳에서 만난 자작나무 숲의 환한 빛, 위태로우면서도 늠름한 절벽 위의 소나무, 개구리 울음소리 가득한 밤에 만난 반딧불이의 군무, 아름다운 풍경을 글로 표현하기란 쉽지가 않습니다.
자연의 놀라운 풍광 앞에서 적절한 단어와 표현을 찾기란 쉬운 일이 아니어서 오히려 감탄이 길어지는 것인지도 모르겠습니다. 사물이나 사람, 혹은 어떤 일에 대한 내 생각을 뭉뚱그려 표현하는 것이야 어려운 일이 아닐 수 있어도 그것을 바라보는 내 마음을 제대로 표현한다는 것은 참으로 어려운 일이 아닐 수가 없습니다.

내 마음에 그 중 가깝게 표현을 하려면 많은 노력이 필요합니다. 생각하고 또 생각하고, 쓰고 또 쓰고, 길고 고통스러운 과정을 수없이 거친 뒤에야 마침내 그 중 마음에 가까운 표현을 찾거나 만나게 되는 것이겠지요. 단 한 번에 자신의 마음을 제대로 표현하는 것은 오히려 극히 드문 일일 것입니다.

마음에 가까운 표현을 찾는 노력 중에 퇴고(推敲)가 있습니다. 가장 적절한 표현을 위해 문장을 고쳐나가는 것을 퇴고라 하는데, 퇴고라는 말이 생겨난 데에는 다음과 같은 내력이 있습니다.

조숙지변수(鳥宿池邊樹)　새는 연못가 나무에서 잠들고
승고월하문(僧敲月下門)　중은 달 아래 문을 두드린다.

당대의 시인 가도(賈島)의 시입니다. 위의 시 중 두 번째 연 '승고월하문'이 처음에는 '승고(僧鼓)'가 아니라 '승퇴'(僧推)였습니다. 그런데 아무리 읊어봐도 승퇴라는 말이 마음에 들지 않아 밀 퇴(推)자를 대신하여 생각해낸 것이 두드릴 고(鼓)자였습니다. 그런데 문제는 '고'자를 쓰면 '퇴'자에 애착이 생기는 것이었습니다.
퇴(推)로 할지 고(鼓)로 할지를 정하지 못한 채 하루는 노세를 타고 거리로 나가게 되었는데, 노세 위에서도 그 생각에 골몰하다가 그만 마주오던 경윤 행차에 부딪쳐버리고 말았습니다. 경윤 앞에 끌려 나간 가도는 '퇴'와 '고' 이야기를 하지 않을 수가 없었습니다. 경윤은 크게 웃으며 잠시 생각한 뒤 "그건 퇴보다 고가 나리다" 했는데, 바로 그 경윤이 당대의 문호인 한퇴지(韓退之)였던 것입니다.

그 일을 통해 두 사람은 서로의 이름을 알고 그 자리에서 글벗이 되었는데, 가도는 '승퇴'를 한퇴지의 말대로 '승고'로 정한 것은 물론 이로부터 후인들이 글 고치는 것을 '퇴고'라 일컫게 되었다고 합니다. 밀 퇴(推)자이든 두드릴 고(鼓)자이든 얼마든지 뜻이 통할 것 같은데도 더욱 마음에 닿는 표현을 위해 단지 글자 하나를 놓고 고민하는 한 시인의 고뇌가 참으로 크다는 것을 느끼게 됩니다.

찬바람이 선선히 부는 이 계절, 퇴고의 아름다움을 누려보았으면 좋겠습니다. 삶을 바라보는 내 마음이든 내 마음을 담은 표현이든, 조용히 그 앞에 앉아 버릴 것이 무엇인지 취할 것이 무엇인지를 고민하는 시간은 그것만으로도 이미 아름답겠다 싶습니다.

타 인 능 해

역지사지(易地思之)라는 말이 있습니다. 입장을 바꾸어놓고 생각한다는 뜻입니다. 살아가며 늘 필요한 일이지만, 실은 그렇게 하기가 참 어렵다는 것을 느끼게 됩니다. 내 입장만을 생각하고 앞세울 때가 적지 않습니다. 영국의 한 신문사에서 버진 애틀랜틱 항공사의 남녀 승무원 3천명을 대상으로 설문 조사를 했다고 합니다. 항공기 승무원 일을 하며 손님들로부터 받는 가장 어처구니없는 요구 사항으로는 어떤 것들이 있는지를 물어보았습니다.

비행기를 탄 수많은 승객들의 성향이 다양할 터이고 상황도 예측하지 못하는 일들이 발생할 터이니 승무원으로서는 당황스러운 요구가 한두 가지가 아닐 테지요. 승무원들이 승객들로부터 받았던 당황스러운 요청은 다양했습니다. "왜 샤워를 할 수 있는 곳이 없느냐?" "마사지실은 어디 있느냐?" "맥도널드 햄버거 가게는 왜 안 보이느냐?"는 불평도 있었고, "아이들이 시끄러우니 아이들을 어린이 놀이터로 데려가 달라."는 요구도 있었습니다. 승객들의 요구 중에서도 그 중 황당한 요구 사항으로는 "너무 답답하니 창문 좀 열어줄 수 있느냐?" 하는 요구가 있었습니다. 장시간 비행기를 타고 가다보면 누구나 답답해집니다. 그럴 때 창문이라도 열고 싶은 마음이야 굴뚝 같겠지만 그러나 어찌 비행기의 창문을 자동차나 기차처럼 열 수가 있겠습니까?

가장 황당하게 여겨졌던 요구는 "엔진 소리가 시끄러워 견딜 수가 없다. 제발 조종사에게 엔진을 좀 꺼 달라고 전해 달라"는 요구였습니다. 얼마나 답답하고 짜증이 났으면 그런 말을 했을까 짐작을 하면서도 웃음이 나는 것을 어쩔 수가 없습니다. 내가 힘들다고 감히 요청해선 안 될 것들을 요청하는 일들이 우리에게 있음을 생각하게 합니다. 주부들이 집안 청소를 할 때 남편들이 청소를 도와주는 것 중 가장 흔한 방법은 발을 들어주는 것이라고 합니다. 가만히 소파에 앉아 텔레비전이나 신문을 보면서 발만 들어주는 것이 청소를 돕는 전부라는 것이 지요.

전라남도 구례에 가면 운조루라는 한옥집이 있습니다. 조선 중기에 지은 오래된 집이지요. 그 집 부엌에는 쌀 2가마가 들어가는 나무로 된 커다란 쌀독이 있습니다. 그 쌀독에는 타인능해(他人能解)라는 글이 쓰여 있는데, 그 말은 "다른 사람도 쌀독을 열 수 있다"는 뜻입니다. 쌀이 필요한 사람은 누구라도 와서 마음 놓고 가져갈 수 있다는 말이지요. 쌀독이 있는 그 부엌에는 이 집에 사는 사람들이 출입하는 문과는 별도로 출입문을 하나 더 만들어 놓았습니다. 그 이유는 쌀을 가져가는 사람이 집안에 있는 사람들과 마주치지 않고 덜 미안한 마음으로 쌀을 가져갈 수 있도록 배려한 것입니다. 쌀을 가져가는 사람들이 행여나 집안사람들과 얼굴이 마주쳐 무안한 일을 당하지 않도록 배려를 한 것이지요. 그런 일을 피하기 위해 문 하나를 별도로 만든 주인의 사려 깊은 마음씨가 쌀을 나누는 마음 못지않게 아름답다는 생각이 듭니다.

타인능해(他人能解)의 마음을 모두가 품고 살아간다면 분명 세상은 아름다운 세상이 되겠지요. 사방 울타리를 치고 철조망을 높이는 세상 속에서 누구에게라도 필요한 것을 나누되, 따로 문 하나를 일부러 만드는 마음이 있다면 우리가 사는 세상은 분명 살맛나는 세상이 될 것입니다.

활동성의 풍성함을 추구하는 교육

"교육은 인간을 위한 것이다"라는 의미는 교육활동의 과정과 결과가 우리의 생명을 풍성히 해주어야 한다는 뜻입니다. 지난 번 우리가 생명을 가진 것은 목숨을 유지하면서(생존) 인간다운 면모가 있고(생활) 결과적으로 생산성이 있는 삶을(생산) 의미 한다는 말씀을 읽었을 것입니다. 그래서 제일 먼저 생존과 관련된 안전 생활, 건강한 신체, 위생생활 습관이 긴급하고 우선적인 가치이므로 유아 교육에서는 그 영역에 집중적인 관심과 노력을 기울이고 있다고 말씀드렸습니다. 오늘은 생명의 두 번째 내용으로 생명력의 풍성함은 인간다운 활동에 있음을 말씀드리려 합니다. 간혹 "내가 이렇게 살면 뭘 해. 죽은 목숨인 걸" 하면서 자탄하는 서글픈 말을 들은 적이 있을 것입니다.

목숨은 있어 살아 있지만 자신이 의도하는 생활이 없다는 것입니다. 자유를 박탈당한 경우나, 신체 활동이 매우 불편한 경우나, 경제적 사회적인 이유로 자율적인 생활을 이끌어 갈 수 없는 경우가 바로 그런 경우입니다. 이제 신체적 성장이 급속히 이뤄지고 여러 영역에서 발달하고 있는 우리 자녀들의 생명력을 풍성히 해주는 일은 무엇일까요? 이러한 면에 초점을 두고 자녀의 생활을 설계하고 돕는 일에 온갖 정성을 쏟아야 한다는 신념이 유아 교육자와 실속 있는 부모님들에게 가득 차 있어야 합니다.

아픈 아이는 움직이지 않고 가만히 있으면 활동을 싫어합니다. 한 사람이 전에 허리 통증으로 인해 정기적인 물리치료를 받은 적이 있다고 생각해 보세요. 물리 치료사가 적절한 운동과 치료 요법으로 정성껏 돌봐 주고 마지막 해 준 경고성 메시지를 전해 준다고 하면 "우리 인간의 몸은 움직이도록 만들어졌다"는 평범한 진리를 깨달을 것입니다. 이는 부지런히 신체의 각 부분을 움직이라는 당부입니다.

그렇습니다. 우리 아이들은 생명력을 가지고 있기에 움직여야만 합니다. 유아 교육에서 가장 중요한 교육 방법은 자기 활동을 보장해 주는 분위기와 그런 활동을 격려하는 자유의 허용입니다. 실제로 유아교육에서 유아를 피교육자로 여겨 수동적으로 앉아서 교사가 하는 것을 보고 모방하게 하는 것이 가장 좋지 않은 것으로 여깁니다. 유아들이 풍성한 생명력을 키우고 그것을 누릴 수 있게 하려면 스스로 활동을 선택할 수 있는 자유를 가능한대로 최대한 제공하고 재미에 빠져 몰두할 수 있는 분위기를 형성해 주는 것입니다.

조용한 교실 분위기보다는 활기찬 교실이기를 기대합니다. 움츠리고 있기보다는 활기찬 모습의 움직임으로 이어지는 시간이기를 고대합니다. 이런 바탕 위에서 이뤄지는 교육은 성공적이며 생명을 위한 교육입니다. 교육은 유아의 신체 각 부분을 최대한으로 움직이게 하는 활동적인 내용과 자유를 허용하는 활동입니다.